TERREURS NOCTURNES

JONATHAN KELLERMAN

TERREURS NOCTURNES

Une enquête d'Alex Delaware
psy et détective privé

PLON

Titre original

Private Eyes

Traduit de l'américain
par Thierry ARSON

© Jonathan Kellerman, 1992,
© Plon, 1995, pour la traduction française,
ISBN (édition originale) ; Bantam Books, 0-553-08013-X
ISBN 2-266-07215-3

A mes enfants
qui ont tout mis en perspective

Remerciements particuliers à Beverly Lewis, dont l'œil aigu et la douce voix font une grande différence.

A Gerald Petievich, pour sa vision de l'intérieur — dans bien des domaines.

Et à Terri Turner, du Département des libérés sur parole de Californie, pour son savoir et son amabilité.

Tapie en chacun de nous
Guette une créature singulière.

Hugh Walpole.

1

Le travail d'un thérapeute n'est jamais terminé.

Ce qui ne signifie pas que l'état de ses patients ne s'améliore pas.

Mais le lien créé durant ces séances de quarante-cinq minutes à huis clos — ce rapport qui naît quand un regard étranger scrute des vies privées — peut atteindre à une certaine pérennité.

Certains patients ferment la porte et ne reviennent jamais. Certains ne quittent jamais la pièce. Une bonne partie occupent un statut intermédiaire assez ambigu, et manifestent parfois un attachement excessif pendant des périodes d'orgueil ou de tristesse.

Prédire qui finira dans quelle catégorie est un exercice risqué, pas plus logique qu'une journée à Las Vegas ou une séance à la Bourse. Après quelques années de pratique, j'ai cessé ce genre de pronostic.

C'est pourquoi je ne fus pas réellement surpris quand, de retour d'un jogging nocturne en juillet, mon service de répondeur m'informa que Melissa Dickinson m'avait laissé un message.

La première fois que j'avais entendu parler d'elle, c'était en... Quand? Cela devait bien faire une dizaine d'années... Dix ans qu'elle avait cessé de venir à mon cabinet dans un immeuble sévère du côté est de Beverly Hills.

Une de mes clientes au long cours.

Rien que cela aurait dû me garder son souvenir vivace, mais il y avait eu tant de choses en plus...

La psychologie infantile est la carrière idéale de qui veut se prendre pour un héros. L'enfant a tendance à guérir plus vite et à nécessiter un traitement moindre que l'adulte. Même au plus fort de ma pratique il était rare que je propose plus d'une séance hebdomadaire à mes patients. Pour Melissa, nous commençâmes par trois séances par semaine à cause de la gravité de ses problèmes, et du caractère unique de sa situation. Après huit mois nous passâmes à deux séances. Au bout d'une année, la moyenne d'une séance par semaine était respectée.

Finalement, un mois avant la fin de la seconde année, terminé.

Elle sortit changée de cette thérapie. Je m'accordai un peu d'autosatisfaction, mais sans excès. Parce que la structure familiale qui avait engendré ses problèmes n'avait jamais été altérée. Pas même effleurée.

Néanmoins je n'avais aucune raison de la garder en traitement contre sa volonté.

J'ai neuf ans, docteur Delaware. Je suis assez grande pour affronter seule la situation.

Je la renvoyai donc dans le monde, avec l'idée que j'aurais très rapidement de ses nouvelles. Mais il n'y eut rien pendant des semaines. Je finis par appeler son domicile et elle me révéla, avec l'assurance intransigeante de ses neuf ans, qu'elle allait bien, merci Docteur, et qu'elle me contacterait si elle pensait avoir besoin de mes services.

A présent, elle en avait besoin.

Beaucoup de temps à attendre.

Dix ans de plus, cela lui en faisait donc dix-neuf. Autant vider la banque de mémoire et se préparer à rencontrer une étrangère.

Je jetai un coup d'œil au numéro qu'elle avait laissé au service.

818 pour commencer. Secteur de San Labrador.

Je retournai dans la bibliothèque, fourrageai un moment dans mes dossiers d'archive et finis par trouver le sien.

Même code-zone que celui de son ancien numéro, mais les quatre derniers chiffres étaient différents.

Changement de numéro, ou avait-elle quitté le foyer familial ? En ce cas, elle n'était pas partie très loin.

Je vérifiai la date de sa dernière séance. Neuf ans plus tôt, et non dix. Anniversaire en juin. Elle avait eu dix-huit ans un mois plus tôt.

Je me demandai ce qui avait pu changer chez elle, et ce qui était resté identique.

Et je me demandai pourquoi je n'avais pas eu de nouvelles d'elle plus tôt.

2

A la deuxième sonnerie on décrocha.

— Allô?

Une voix féminine, jeune, inconnue.

— Melissa?

— Oui?

— Ici le Dr Alex Delaware.

— Oh! Bonjour! Je ne m'attendais pas... Merci beaucoup d'avoir rappelé, docteur Delaware. Je ne m'attendais pas à des nouvelles de vous avant demain. Je n'étais même pas sûre que vous rappelleriez.

— Pourquoi donc?

— Vos coordonnées dans l'ann... Excusez-moi. Vous pouvez patienter une seconde, s'il vous plaît?

Une main sur le microphone. Je perçus vaguement une conversation étouffée. Un instant plus tard elle reprenait la ligne :

— Il n'y a pas l'adresse de votre cabinet dans l'annuaire. Aucune adresse. Seulement votre nom, sans aucune mention de diplôme... Je n'étais même pas certaine que c'était le même A. Delaware. Je ne savais pas si vous étiez toujours en activité. Votre service-répondeur m'a dit que oui mais surtout avec une clientèle d'avocats et de juges.

— C'est quasiment la vérité...

— Oh! Alors je suppose que...

— Mais je suis toujours disponible pour mes anciens

patients. Et ça me fait plaisir que vous m'ayez contacté. Comment va, Melissa ?

— Tout va bien, dit-elle trop vite, avec un rire nerveux. Cela dit, la question logique est : dans ce cas, pourquoi vous appeler après toutes ces années ? N'est-ce pas ? Et la réponse est : ce n'est pas pour moi, docteur Delaware. C'est pour ma mère.

— Je vois.

— Rien de très grave... Oh, mince, excusez-moi. — De nouveau la main sur le microphone. Une conversation déformée, puis : je suis vraiment désolée, docteur Delaware, mais c'est simplement que le moment est mal choisi pour discuter. Serait-il possible que je vienne vous voir ?

Elle parlait vite, d'une voix au bord de l'essoufflement.

— Bien sûr. Quand cela vous arrangerait-il ?

— Le plus tôt serait le mieux. Je suis assez libre. Les cours sont terminés. J'ai passé mes examens.

— Félicitations.

— Merci. C'est agréable d'avoir fini.

— Je n'en doute pas, dis-je en consultant mon agenda. Que diriez-vous de demain, à midi ?

— Midi, oui, ce serait très bien. Je vous suis vraiment reconnaissante, docteur Delaware.

Je lui indiquai comment arriver chez moi. Elle me remercia et raccrocha avant que j'aie fini de lui dire au revoir.

Et j'en avais appris bien moins sur elle que durant les habituelles conversations préparatoires à un rendez-vous.

Une jeune femme vive, intelligente, tendue. Cachait-elle quelque chose ?

Compte tenu de l'enfant qu'elle avait été, cela ne m'aurait pas surpris.

C'est pour ma mère.

Cette simple phrase offrait de multiples interprétations.

La plus probable : elle avait enfin commencé à appréhender la pathologie de sa mère, et ses rapports avec elle. Et elle avait besoin de clarifier ses idées et ses sentiments, peut-être même que je lui indique un confrère pour sa mère.

Donc la visite de demain serait sans doute unique. Assez pour encore neuf années.

Je refermai le dossier, satisfait de mes pouvoirs de prédiction.

J'aurais aussi bien pu jouer aux machines à sous à Las Vegas, ou placer mon argent en Bourse à Wall Street.

Je passai les deux heures suivantes sur mon dernier projet : une monographie pour une publication de psychologie relatant mon expérience d'une école pleine d'enfants victimes d'un tireur fou l'automne dernier. La rédaction s'avéra plus fastidieuse que prévu. Il fallait que je rende l'expérience vivante sans pour autant déborder les limites de l'exposé scientifique.

Je relus avec un certain effarement mon quatrième brouillon, cinquante-deux pages de prose indigeste. J'avais la certitude de ne jamais pouvoir injecter la moindre humanité dans ce flot de références universitaires, de jargon et de notes que je ne me souvenais même pas avoir inscrites en bas de page.

A onze heures et demie, toujours incapable de trouver le ton adéquat, je posai mon stylo et me renversai dans mon fauteuil. Mes yeux se posèrent sur le dossier de Melissa. Je l'ouvris et commençai à le lire.

18 octobre 1978.

L'automne 78. Je m'en souvenais très bien. Chaud et désagréable. Avec ses rues sales et son atmosphère polluée, Hollywood supportait mal ses automnes, et depuis longtemps. Je venais de faire un exposé au Western Pediatric Hospital, et j'avais hâte de retourner dans les quartiers ouest pour la douzaine de rendez-vous qui constituaient le reste de ma journée.

J'estimais m'être bien tiré de ma prestation. Approche comportementale de la peur et de l'anxiété chez les enfants. Diagrammes, statistiques, évaluations, à cette époque je trouvais l'ensemble assez solide. Un auditoire composé de pédiatres, la plupart avec une clientèle privée. Une horde à l'esprit pragmatique, acéré, impatiente de solutions pratiques, avec peu de considération pour les digressions académiques.

J'avais répondu aux questions pendant un bon quart d'heure et j'allais sortir de l'amphithéâtre quand une jeune femme m'accosta. Je reconnus une de mes interrogatrices, mais j'étais certain de l'avoir également vue ailleurs.

18

— Docteur Delaware ? Eileen Wagner.

Elle avait des traits plaisants sous un casque de cheveux bruns courts. Les hanches larges, l'air jovial, un léger strabisme. Son chemisier blanc était d'une coupe presque masculine, et boutonné jusqu'au col. Sa jupe en tweed descendait aux genoux. Elle portait des chaussures pratiques. Son sac à main Gladstone paraissait flambant neuf. Je me souvins alors : je l'avais vue sur le tableau de service. Interne de troisième année. Doctorat en médecine passé dans une des universités de l'Ivy League.

— Bonjour, docteur Wagner, dis-je.

Nous échangeâmes une poignée de main ; la sienne était douce et potelée, sans aucun bijou.

— Vous avez fait un exposé sur les phobies l'année dernière, et ça m'avait beaucoup plu.

— Merci.

— J'ai apprécié celui d'aujourd'hui aussi. Et j'ai quelqu'un à vous adresser, si cela vous intéresse.

— Bien sûr.

Elle fit passer son sac Gladstone dans son autre main.

— Maintenant, j'exerce à Pasadena, et j'aide au Cathcart Memorial. Mais l'enfant auquel je pense n'est pas de mes patients réguliers, simplement un contact téléphonique par l'intermédiaire du répondeur d'urgence de Cathcart. Ce cas ne relève pas de leur compétence, et comme ils savent que je m'intéresse aux problèmes pédiatriques, ils me l'ont proposé. Mais en prenant connaissance des détails, je me suis souvenue de votre exposé de l'année dernière et j'ai pensé que ce cas vous conviendrait parfaitement. Et quand j'ai vu votre nom sur la liste des intervenants aujourd'hui, je me suis dit : parfait.

— Je vous rendrais ce service avec plaisir, docteur Wagner, mais mon cabinet se trouve de l'autre côté de la ville...

— Aucune importance. Ils viendront vous voir. Ils ont les moyens. Je le sais parce que je suis allée la voir il y a quelques jours. C'est une fillette. Sept ans. En fait, je suis venue ici ce matin à cause d'elle, en espérant apprendre quelque chose qui pourrait l'aider. Mais après votre exposé, il me semble clair que ses problèmes dépassent largement un simple conseil. Il lui faut un spécialiste.

— Angoisses?

Elle approuva d'un hochement de tête.

— Elle est littéralement torturée par ses peurs. De multiples phobies, mais aussi un niveau d'anxiété générale très élevé. Une véritable hantise.

— Quand vous dites que vous êtes allée la voir, vous parlez d'une visite à domicile?

— Vous pensiez que plus personne n'en faisait? répondit-elle avec un bref sourire. A dire vrai je ne me déplace que rarement, et j'aurais préféré qu'ils viennent à mon cabinet, mais c'est justement là une partie du problème : ils ne se déplacent pas. Ou plutôt, la mère s'y refuse. Elle est agoraphobe au dernier degré, et elle n'a pas quitté sa maison depuis des années.

— Combien d'années?

— Elle n'a pas été plus précise que la formule « depuis des années », et rien que cet aveu lui était pénible, je l'ai bien senti. C'est pourquoi je n'ai pas insisté. Elle n'était pas du tout en état d'être interrogée. Je suis donc restée très brève, concentrée sur l'enfant.

— C'est logique. Que vous a-t-elle dit à propos de sa fille?

— Seulement que Melissa — c'est le nom de la gamine — a peur de tout. De l'obscurité. Des bruits trop forts et des lumières vives. Des situations inédites. Et elle semble souvent très tendue. Ce peut être en partie génétique, à moins qu'elle imite sa mère. Mais ce qui ne fait aucun doute, c'est leur mode de vie. Leur situation est très spéciale. Elles ont une grande maison, une de ces propriétés incroyables au nord de Cathcart Boulevard, dans San Labrador. Le San Labrador classique des hectares de jardins paysagés, des pièces immenses, des domestiques aux ordres et tout très préservé de l'extérieur. Et la mère qui reste dans sa chambre, à l'étage, comme une dame de l'époque victorienne affligée de vapeurs... — Elle s'interrompit, tapota ses lèvres d'un index en cherchant ses mots.

— Une vraie princesse de l'époque victorienne. Elle est très belle, bien qu'un côté de son visage soit couvert de très fines cicatrices et qu'elle souffre sans doute d'une légère hémiplégie faciale. Un relâchement subtil des muscles, surtout quand elle parle. Si la beauté de son visage n'était pas tellement marquée par cette symétrie on ne le remarquerait pas. Je suis prête à parier qu'elle a subi des interventions de chirurgie esthétique pour effacer un accident grave, brûlure ou blessure profonde, à mon avis. Peut-être est-ce là que se trouve la racine de son problème à elle... Je n'en sais rien.

— Comment est la fillette?

— Je ne l'ai pas beaucoup vue, juste aperçue en entrant dans la maison. Une gamine petite, maigre et très mignonne, très bien habillée. La petite fille riche typique. Quand j'ai essayé de lui parler, elle a détalé. Je la soupçonne d'être allée se cacher quelque part dans la chambre de sa mère. Enfin, c'est plutôt un ensemble de pièces, dans le genre d'une suite. Pendant que je parlais avec la mère je n'ai cessé d'entendre de petits bruits et dès que je me taisais pour écouter, les bruits s'interrompaient. La mère n'a pas semblé remarquer, je n'ai donc rien dit. Je suppose que j'avais déjà de la chance de pouvoir m'entretenir avec elle.

— Tout ça ressemble à une scène de roman gothique.

— Oui. C'est exactement l'impression que cela m'a donné, à moi aussi. Une ambiance bizarre, décalée, qui donne froid dans le dos. Non que la mère ait fait quoi que ce soit d'inquiétant. Elle s'est montrée charmante, en réalité. Très gentille, d'une façon vulnérable.

— La princesse victorienne type, répétai-je. Elle ne quitte jamais cette maison?

— C'est du moins ce qu'elle m'a affirmé. Ce qu'elle a avoué, car elle en est assez honteuse, m'a-t-il semblé. Mais elle n'arrive pas à quitter sa propriété. Quand je lui ai suggéré de venir me voir à mon bureau, elle s'est complètement bloquée. Ses mains se sont mises à trembler. J'ai donc laissé tomber, mais elle a accepté que Melissa voie un psychologue.

— Étrange.

— L'étrange est votre domaine, non?

Je lui répondis par un sourire neutre.

— Ai-je piqué votre curiosité, au moins?

— Vous pensez que la mère veut vraiment de l'aide?

— Pour sa fille? C'est ce qu'elle dit. Mais ce qui est

plus important, à mon avis, c'est la détermination de l'enfant. C'est elle qui a téléphoné au service d'urgence.

— A sept ans, elle a téléphoné toute seule ?

— La bénévole de permanence n'en croyait pas non plus ses oreilles. Cette ligne n'est pas destinée aux enfants. De temps à autre ils sont contactés par un adolescent qu'ils dirigent vers un service spécialisé. Mais peut-être Melissa a-t-elle vu une de leurs annonces télévisées. Elle a pu copier le numéro. Et elle était encore debout quand elle a appelé : plus de dix heures du soir.

Elle leva son sac Gladstone au niveau de sa poitrine, l'ouvrit et en sortit une cassette.

— Je sais que ça peut paraître assez incroyable, mais voici la preuve. Ils enregistrent tous les appels, et ils m'ont fait une copie.

— Elle me semble plutôt précoce... supputai-je.

— Certainement. J'aurais aimé avoir la possibilité de passer un peu de temps avec elle. Une enfant intéressante, pour prendre pareille initiative... — Elle s'interrompit un moment, songeuse. — Elle doit traverser une épreuve terrible. Après avoir écouté la cassette j'ai fait le numéro qu'elle avait donné au bénévole de permanence et c'est la mère qui a répondu. Elle ne savait pas que Melissa avait appelé. Quand je le lui ai dit, elle s'est littéralement effondrée en larmes. Mais quand je lui ai demandé de venir me voir en consultation, elle a répondu que c'était impossible, parce qu'elle était malade. J'ai pensé à une incapacité physique, et j'ai donc proposé de venir à domicile. D'où ma visite à leur sinistre et extravagante propriété. — Elle me tendit la cassette. — Écoutez-la, si vous voulez. C'est vraiment quelque chose. J'ai dit à la mère que je parlerais à un psychologue, et j'ai pris la liberté de donner vos coordonnées. Mais ne vous sentez pas obligé...

— Merci d'avoir pensé à moi, dis-je en empochant la cassette, mais en toute honnêteté je ne sais pas si je pourrai faire des visites à San Labrador.

— Elle peut venir vous voir. Melissa, je veux dire. Un domestique l'accompagnera.

Je secouai la tête.

— Dans un cas semblable, la mère devrait jouer un rôle actif.

Elle se rembrunit.

— Je sais. Les conditions ne sont pas optimales, mais n'avez-vous pas de techniques qui pourraient aider cette gamine sans implication de la mère ? Juste pour calmer un peu son anxiété ? Quoi que vous tentiez, ça a une chance de lui éviter de sombrer. C'est un pari jouable, je crois.

— Peut-être. Si la mère ne sabote pas la thérapie.

— Je ne pense pas qu'elle le ferait. Elle a les nerfs fragiles, mais elle paraît aimer sa fille. C'est la culpabilité qui nous aide. Après le coup de fil de Melissa, elle doit se sentir très inutile, et pas du tout à la hauteur. Elle est consciente que cette situation est mauvaise pour l'enfant, mais elle est incapable de se sortir elle-même de sa propre pathologie. Pour elle ce doit être horrible... De mon point de vue, il faut utiliser son sentiment de culpabilité. Si la fillette va mieux, sa mère verra peut-être le bout du tunnel et demandera elle aussi à être aidée.

— Pas de père dans le tableau ?

— Non, elle est veuve. Le décès du père est survenu alors que Melissa était encore bébé. J'ai eu l'impression que c'était un homme beaucoup plus âgé que sa femme.

— On dirait que vous en avez appris beaucoup en une seule visite rapide.

Une légère roseur monta à ses joues.

— C'est le but à atteindre, n'est-ce pas ? Écoutez, je ne m'attends pas à ce que vous chambouliez votre vie pour aller là-bas régulièrement. Mais un psychologue plus proche de la propriété ne changerait rien. La mère ne sort *jamais*. Elle ne va *jamais* nulle part. Pour elle, un kilomètre à l'extérieur équivaut à une expédition sur Mars. Et si elles acceptent de suivre une thérapie qui échoue, ce sera sans doute leur unique tentative. C'est pourquoi il faut quelqu'un de compétent, et après vous avoir entendu je suis convaincue que vous êtes l'homme de la situation. J'apprécierais beaucoup que vous acceptiez, même si les conditions ne sont pas idéales. Je vous remercierai en vous envoyant des patients moins compliqués, d'accord ?

— D'accord.

— Je sais que j'ai l'air de m'investir à l'excès dans ce

cas, mais la simple idée d'une gamine de sept ans assez
désespérée pour passer ce genre de coup de fil... et cette
maison où elle vit... — Elle eut un haussement de sourcils
très bref. — Et puis, je crois qu'avant longtemps ma
clientèle m'occupera à plein temps, et je n'en aurai plus à
consacrer à des cas isolés. — Sa main plongea de nouveau dans le sac Gladstone. — Voilà les coordonnées.

Elle me tendit une demi-feuille à en-tête d'une compagnie de produits pharmaceutiques, sur laquelle était dac-
tylographié ceci : *Patient : Melissa DICKINSON, née le
21.06.71. Mère : Gina Dickinson*, suivi d'un numéro de
téléphone. J'empochai le papier.

— Merci, dit-elle. Au moins vous n'aurez aucun problème pour le paiement. Elles ne sont pas exactement
dans la gêne.

— Vous êtes leur médecin traitant, ou elles voient
quelqu'un d'autre ?

— D'après la mère, Melissa a vu par le passé un
médecin de famille installé à Sierra Madre, pour les vac-
cins, les petits problèmes physiques normaux d'une
enfant, les certificats scolaires. Rien de véritablement
suivi. Melissa est une enfant en parfaite santé. Le médecin ne fait plus partie du tableau depuis plusieurs années.
Et elle ne voulait pas le contacter.

— Pourquoi donc ?

— Tout le problème de la thérapie. Les stigmates.
Pour être franche, il a fallu que je me vende. C'est San
Labrador, ne l'oubliez pas : ils se battent toujours contre
le vingtième siècle. Mais elle est prête à coopérer, elle s'y
est engagée. Quant à savoir si je finirai par être leur
médecin traitant, l'avenir le dira. De toute façon, si vous
voulez bien m'envoyer un rapport je serai très intéressée
de savoir comment elle va.

— Bien sûr, dis-je. Vous avez parlé de certificats scolaires. Elle va régulièrement à l'école ?

— Jusqu'à récemment, elle le faisait. Un domestique
l'amenait et la reprenait. Tous les contacts parent-profes-
seurs se déroulaient par téléphone. Peut-être est-ce assez
courant à San Labrador, mais certainement pas très bon
pour l'enfant, avec une mère qui n'est jamais là pour rien.
Malgré cela, Melissa est une élève modèle. Que des A.
La mère a insisté pour me montrer ses carnets de notes.

24

— Que voulez-vous dire par « jusqu'à récemment » ?

— Il y a peu, l'enfant a manifesté tous les symptômes d'une phobie aiguë de l'école : elle s'est plainte de problèmes physiques indéfinis, elle a eu des crises de larmes et a prétendu qu'aller à l'école la terrorisait. La mère a accepté de la garder à la maison. A mon avis, c'est un signe de danger très net.

— Certainement, en particulier avec le modèle parental.

— Eh oui, cette satanée chaîne bio-psycho-sociale... On voit de ces chaînes dans presque tous les cas.

— *Enchaînée*, oui, dis-je doucement.

Elle acquiesça.

— Mais cette fois nous parviendrons peut-être à briser ses chaînes, non ? Ce ne serait pas gratifiant ?

J'eus des patients tout l'après-midi, puis je remplis quelques tableaux de données. Ensuite j'écoutai la cassette tout en rangeant mon bureau.

VOIX FÉMININE D'ADULTE : — Ligne d'urgence de Cathcart, bonsoir.

VOIX FÉMININE D'ENFANT (*à peine audible*) : — Allô...

ADULTE : — Service d'urgence. Comment puis-je vous aider ?

Silence.

ENFANT (*à peine audible*) : — C'est... l'hôpital ?

ADULTE : — Ici le service d'urgence de Cathcart Hospital. Que puis-je faire pour vous ?

ENFANT : — J'ai besoin d'aide. J'ai...

ADULTE : — Oui ?

Silence.

ADULTE : — Allô ? Vous êtes toujours là ?

ENFANT : — Je... J'ai peur.

ADULTE : — Peur de quoi, chérie ?

ENFANT : — De tout.

Silence.

ADULTE : — Est-ce qu'il y a quelque chose, ou quelqu'un, auprès de toi qui te fait peur ?

ENFANT : — ... Non.

ADULTE : — Personne du tout ?

ENFANT : — Non.

ADULTE : — Tu penses que tu es en danger, chérie ?

Silence.

ADULTE : — Allô, chérie ?

ENFANT : — Non.

ADULTE : — Aucun danger ?

ENFANT : — Non.

ADULTE : — Tu veux bien me dire ton prénom, chérie ?

ENFANT : — Melissa.

ADULTE : — Melissa comment ?

ENFANT : — Melissa Anne Dickinson. (*Elle commence à épeler.*)

ADULTE (*la coupant*) : — Quel âge as-tu, Melissa ?

ENFANT : — Sept ans.

ADULTE : — Et tu appelles de ta maison ?

ENFANT : — Oui.

ADULTE : — Est-ce que tu connais ton adresse, Melissa ?

Pleurs.

ADULTE : — Ce n'est pas grave, Melissa. Est-ce que quelque chose ou quelqu'un t'ennuie là, maintenant ?

ENFANT : — Non. J'ai peur, c'est tout... J'ai tout le temps peur.

ADULTE : — Tu as tout le temps peur ?

ENFANT : — Oui.

ADULTE : — Mais il n'y a rien qui t'ennuie ou qui te fait peur en ce moment, c'est ça ? Rien dans ta maison ?

ENFANT : — Oui.

ADULTE : — Il y a quelque chose ?

ENFANT : — Non. Il n'y a rien ici. Je... (*Pleurs.*)

ADULTE : — Qu'y a-t-il, chérie ?

Silence.

ADULTE : — Est-ce que quelqu'un t'ennuie dans ta maison, à d'autres moments ?

ENFANT (*dans un murmure*) : — Non.

ADULTE : — Ta maman sait que tu téléphones, Melissa ?

ENFANT : — Non. (*Pleurs.*)

ADULTE : — Elle serait en colère si elle savait que tu téléphones ?

ENFANT : — Non. Elle est...

ADULTE : — Oui, Melissa ?

ENFANT : — ... gentille.

ADULTE : — Ta maman est gentille ?

ENFANT : — Oui.

ADULTE : — Donc ce n'est pas ta maman qui te fait peur ?

ENFANT : — Non.

ADULTE : — Et ton papa ?

ENFANT : — Je n'ai pas de papa.

Silence.

ADULTE : — Est-ce que c'est quelqu'un d'autre qui te fait peur ?

ENFANT : — Non.

ADULTE : — Est-ce que tu sais de quoi tu as peur, chérie ?

Silence.

ADULTE : — Melissa ?

ENFANT : — Du noir... Des voleurs... De choses.

ADULTE : — Du noir et des voleurs. D'accord. Et de choses. Tu peux me dire quel genre de choses, chérie ?

ENFANT : — Euh... Des choses... Plein de choses ! (*Pleurs.*)

ADULTE : — D'accord, chérie, ne t'énerve pas. Nous allons t'aider. Ne raccroche pas, d'accord ?

Reniflements.

ADULTE : — D'accord, Melissa ? Tu es toujours là ?

ENFANT : — Oui.

ADULTE : — C'est bien, Melissa. Est-ce que tu connais le nom de la rue où est ta maison ?

ENFANT (*très vite*) : — Dix, Sussex Knoll.

ADULTE : — Tu peux répéter plus lentement, chérie ?

ENFANT : — Dix. Sussex. Knoll. San Labrador. Californie. Neuf-un-un-zéro-huit.

ADULTE : — Très bien. Donc tu habites à San Labrador. C'est tout près de nous. De l'hôpital.

Silence.

ADULTE : — Melissa ?

ENFANT : — Il y a un docteur qui peut m'aider ? Sans piqûre ?

ADULTE : — Bien sûr, il y a un docteur qui peut t'aider, Melissa. Et je vais le prévenir pour toi.

ENFANT : — (*Inaudible.*)

ADULTE : — Qu'as-tu dit, Melissa ?

ENFANT : — Merci.

Des crachotements, puis plus rien. J'arrêtai le défilement de la bande et appelai le numéro que m'avait communiqué Eileen Wagner. Une voix mâle et nasillarde répondit :

— Résidence Dickinson.

— Mrs. Dickinson, je vous prie. Ici le Dr Delaware. C'est au sujet de Melissa.

On se râcla la gorge.

— Mrs. Dickinson n'est pas disponible, Docteur. Mais elle m'a chargé de vous dire que Melissa pourrait se trouver à votre cabinet n'importe quel jour de la semaine, entre trois et quatre heures et demie de l'après-midi.

— Savez-vous quand elle sera disponible pour me parler ?

— Non, je le crains, docteur Delaware. Mais je lui ferai part de votre appel. Les horaires vous conviennent ?

Je consultai mon carnet de rendez-vous.

— Mercredi, ça irait ? A quatre heures.

— Très bien, Docteur. — Il récita mon adresse puis demanda : Pas d'erreur dans vos coordonnées ?

— Aucune. Mais j'aimerais vraiment pouvoir discuter avec Mrs. Dickinson avant ce rendez-vous...

— Je le lui dirai, Docteur.

— Qui amènera Melissa ?

— Moi, monsieur.

— Et vous êtes ?

— Dutchy. Jacob Dutchy.

— Et votre relation avec...

— Je suis au service de Mrs. Dickinson, monsieur. En ce qui concerne le règlement de vos honoraires, quel mode préférez-vous ?

— Par chèque, ce sera parfait, Mr. Dutchy.

— Et le montant ?

J'indiquai mon taux horaire.

— Très bien, Docteur. Au revoir, Docteur.

Le lendemain matin, un coursier m'apporta une enveloppe de taille standard au cabinet. A l'intérieur se trouvait une autre enveloppe rose contenant un feuillet de même teinte plié sur un chèque.

Celui-ci était d'un montant de trois mille dollars, émis sur la First Fiduciary Trust Bank de San Labrador. L'équivalent de plus de quarante séances, au taux que je pratiquais en 1978. Dans le coin supérieur gauche était écrit :

R.P. DICKINSON, Curateur
DICKINSON TRUST UDT 11-5-71
10 SUSSEX KNOLL
SAN LABRADOR, CALIFORNIA 91 108

Le feuillet était de papier épais, plié en deux, le haut de la page orné d'un nom en lettres noires et en relief :

Regina Paddock Dickinson

En dessous, d'une écriture fine et élégante :

Cher docteur Delaware,

Merci de voir Missy.
Je prendrai contact avec vous.

Meilleures salutations.
Gina Dickinson.

Le papier était parfumé. Une odeur évoquant un mélange de vieilles roses et d'air alpestre. Mais cela n'adoucissait en rien le message implicite :

Ne nous appelez pas, manant, nous le ferons. Et voici un chèque d'un montant assez rondelet pour faire taire vos protestations.

Je téléphonai à la résidence Dickinson. Cette fois ce fut une femme qui décrocha. Une voix plus basse que celle de Dutchy, marquée d'un solide accent français. J'imaginai une femme d'une cinquantaine d'années.

Le timbre était différent, mais le chant identique : Madame n'était pas disponible et non, elle n'avait pas idée quand Madame le serait.

Je laissai mon nom, raccrochai et contemplai le chèque

un long moment. Cette somme... Le traitement n'avait pas encore commencé que j'avais déjà perdu le contrôle de la situation. Ce n'était pas la meilleure façon de procéder, et certainement pas dans l'intérêt des patients. Mais je m'étais engagé envers Eileen Wagner.

La cassette m'avait engagé.

... Un docteur qui peut m'aider. Sans piqûre.

Je réfléchis un long moment, et décidai de persévérer assez pour me faire une idée plus précise du cas. Voir si je pourrais établir un rapport avec la fillette, améliorer un peu son état, au moins assez pour impressionner la princesse victorienne.

Dr Sauveur.

Ensuite je pourrais faire valoir mes exigences.

Pendant l'heure du déjeuner, j'allai encaisser le chèque.

3

Dutchy était un homme à la cinquantaine replète, de taille moyenne, les cheveux trop noirs plaqués sur le crâne et coiffés avec une raie à droite, les joues en pommes, les lèvres en entaille de rasoir. Il portait un costume croisé en serge bleu à la coupe élégante mais quelque peu démodée, une chemise d'un blanc éclatant, une pochette de lin, une lavallière, et des derbys noirs aussi brillants que des miroirs, aux talons rehaussés. Lorsque je sortis du bureau intérieur la fille et lui se tenaient au centre de la salle d'attente, elle les yeux baissés sur le tapis, lui contemplant les gravures accrochées aux murs. Son expression disait assez qu'il ne les jugeait pas très intéressantes. Il se tourna vers moi, et son expression ne changea pas.

Toute la chaleur d'une averse de grêle du Montana, mais la fille s'agrippait à sa main comme s'il était le Père Noël.

Pour son âge elle était assez petite, mais son visage possédait un modelé net — une de ces fillettes formées très tôt à l'apparence avec laquelle elles grandiraient. Un visage ovale, plutôt joli, sous une frange couleur amande. Le reste de sa chevelure, surmonté d'un bandeau rose, était long et tombait presque à sa taille. Ses grands yeux ronds étaient d'un gris-vert peu commun, ourlés de cils blonds, son nez retroussé portait quelques taches de rousseur et le menton étroit pointait sous une bouche petite, presque timide. Sa mise me parut un peu trop soignée pour une écolière : une robe de dentelle à manches bouffantes, taille ceinte d'une large bande de satin blanc nouée dans le dos en une rosette, des chaussettes bordées de dentelle rose et des souliers à boucle en cuir verni. Je pensai à Alice rencontrant la Reine de Cœur.

Le duo restait immobile. Un violoncelle et un piccolo, réunis en une paire assez curieuse.

Je me présentai, me courbai un peu en avant et souris à l'enfant. A ma surprise, elle me considéra sans peur aucune.

Pas de réaction sinon une attention détachée. Connaissant les raisons qui l'avaient amenée ici, je me débrouillais merveilleusement, pour l'instant.

Sa main droite disparaissait dans celle, potelée, de Dutchy. Plutôt que de la lui faire lâcher, je tendis la mienne à Dutchy, avec un nouveau sourire. Il parut étonné par le geste et prit ma main avec une certaine hésitation, puis la lâcha en même temps que celle de la fillette.

— Je vais y aller, nous annonça-t-il. Quarante-cinq minutes : correct, Docteur ?

— Correct.

Il fit un pas en direction de la porte.

J'observai Melissa, m'attendant à une quelconque résistance. Mais elle restait simplement là, mains plaquées le long des cuisses, regard de nouveau rivé au tapis.

Dutchy s'éloigna d'un autre pas, puis s'arrêta. Se mordillant l'intérieur des joues, il fit demi-tour et tapota la tête de la fillette. Elle lui adressa ce qui ressemblait à un sourire rassurant.

— Au revoir, Jacob, dit-elle.

Sa voix était haute, heurtée. La même que sur l'enregistrement.

La roseur s'étala des pommettes de Dutchy à tout son visage. Il mâchouilla un peu plus l'intérieur de ses joues, baissa son bras avec raideur et marmonna quelque chose. Un dernier regard aigu pour moi et il quitta la pièce.

— On dirait que Jacob est un bon ami.

— Il est au service de ma mère.

— Mais il prend également soin de toi.

— Il prend soin de tout.

— De tout ?

— Notre maison. — Une tape impatiente du pied sur le tapis : Je n'ai pas de père, et ma mère ne sort jamais de la maison, alors Jacob fait plein de choses pour nous.

— Quelle sorte de choses?

— Des choses pour la maison. Il dit à Madeleine et Sabino et Carmela et tous les domestiques et aux livreurs ce qu'il faut faire. Des fois il fait à manger, des casse-croûte et des choses qui se mangent avec les doigts. Quand il n'a pas trop de travail. C'est Madeleine qui fait les grands repas chauds. Et il conduit toutes les voitures. Sabino ne conduit que la camionnette.

— Toutes les voitures... Vous en possédez donc beaucoup?

Elle acquiesça.

— Beaucoup, oui. Mon père aimait les voitures, alors il en a acheté beaucoup avant de mourir. Avant que je sois née, et quand j'étais bébé. Mère les garde dans un grand garage, même si elle ne les conduit pas. Alors Jacob les conduit pour que les moteurs ne s'encrassent pas. Et puis il y a une entreprise qui vient les laver toutes les semaines. Jacob les surveille pour être sûr qu'ils travaillent comme il faut.

— On dirait que Jacob a beaucoup de travail.

— Oui. Combien vous avez de voitures, vous?

— Une seule.

— Quel genre?

— Un Dodge Dart.

— Dodge Dart, répéta-t-elle avec une petite moue, l'air songeur. On n'en a pas comme ça.

— Ce n'est pas très chic. Plutôt utilitaire, en fait.

— On en a une comme ça. Une Cadillac Modèle Cabossé.

— Une Cadillac Modèle Cabossé... Je ne crois pas avoir déjà entendu parler de ce modèle.

— C'est celle que nous avons prise aujourd'hui. Pour venir ici. Une Cadillac Fleetwood Cabossée 1962. Elle est noire, et vieille. Jacob dit que c'est un veau.

— Tu aimes les voitures, Melissa?

Un haussement d'épaules.

— Pas vraiment.

— Et les jouets? Tu en as que tu préfères?

33

Nouveau mouvement d'épaules.

— Pas vraiment.

— J'ai des jouets dans mon bureau. Si nous allions y jeter un coup d'œil ?

Elle haussa les épaules une troisième fois mais se laissa guider jusqu'à la salle de consultation. Dès qu'elle en eut franchi le seuil son regard s'anima, et ses yeux volèrent du bureau aux étagères, en passant par le coffre à jouets avant de revenir au bureau. Sans jamais marquer de pause. Elle s'entortilla les doigts, les dégagea et se mit à effectuer un mouvement singulier qui évoquait le tricot, faisant passer les doigts d'une main sur et sous ceux de l'autre, à tour de rôle.

J'allai jusqu'au coffre à jouets, que j'ouvris, et j'en désignai l'intérieur.

— J'ai pas mal de choses ici. Des boîtes de jeu, de la pâte à modeler, et du Play-Doh. Du papier et des crayons, et des pastels aussi, si tu veux dessiner en couleurs.

— Pourquoi je ferais ça ?

— Faire quoi, Melissa ?

— Jouer ou dessiner ? Mère m'a dit que nous allions parler.

— Et ta mère avait raison. Nous allons parler. Mais parfois les enfants viennent jouer ou dessiner un peu ici, avant de parler. Pour s'habituer à l'endroit. Et à moi.

Le mouvement des mains s'accéléra. Elle baissa les yeux.

— Et puis, continuai-je, jouer et parler peuvent aider les enfants à exprimer ce qu'ils ressentent, faire sortir leurs sentiments.

— Je peux sortir mes sentiments en parlant, répondit-elle.

— Parfait. Alors parlons.

Elle s'assit sur le canapé en cuir et je pris place en face d'elle, dans mon fauteuil. Elle regarda encore un peu autour d'elle, puis posa ses mains sur ses genoux et me fixa des yeux.

— Bon. Pourquoi ne pas commencer par parler de qui je suis et de la raison de ta présence ici. Je suis un psychologue. Sais-tu ce que ce mot veut dire ?

Elle croisa les doigts et du talon heurta le bas du canapé.

— J'ai un problème et vous êtes un docteur qui aide les enfants qui ont des problèmes et vous ne faites pas de piqûre.

— Très bien. C'est Jacob qui t'a expliqué ça ?

Elle secoua la tête négativement.

— Ma mère. Le Dr Wagner lui a parlé de vous. C'est une amie à Mère.

Je me souvins de ce qu'avait dit Eileen Wagner à propos d'une brève conversation et d'une petite fille qui se cachait dans une grande maison lugubre, et je me demandai ce que signifiait l'amitié pour cette enfant.

— Mais le Dr Wagner a rencontré ta mère à ton sujet, n'est-ce pas, Melissa ? Parce que tu as appelé la ligne d'urgence.

Son corps se raidit et les petits doigts tricotèrent plus vite encore. Je remarquai leur extrémité rosie, légèrement irritée.

— Oui, mais elle aime bien ma mère.

Son regard quitta le mien pour descendre vers le tapis.

— Eh bien, le Dr Wagner avait raison, dis-je. Je ne fais jamais de piqûre. Je ne sais même pas comment on fait une piqûre.

Elle fixa ses souliers du regard, sans paraître autrement rassurée. Puis elle étira ses jambes et se mit à décrire de petits cercles du bout de ses pieds.

— Mais évidemment, poursuivis-je, même un docteur qui ne fait pas de piqûre peut faire un peu peur. C'est une nouvelle situation. On ne sait pas ce qui va se passer.

Elle releva brusquement la tête, un éclair de défi dans ses prunelles vertes.

— Je n'ai pas peur de vous.

— Bien, dis-je avec un sourire paisible. Et moi je n'ai pas peur de toi non plus.

Un peu d'indécision passa dans son regard, noyée dans beaucoup de mépris. Autant pour la célèbre finesse d'esprit de Doc Delaware...

— Et non seulement je ne fais pas de piqûre, mais je ne fais rien du tout aux enfants qui viennent ici. Je travaille avec eux. En équipe. Ils me parlent d'eux et quand je sais assez de choses, je leur montre comment ne pas avoir peur. Parce que avoir peur est quelque chose qu'on apprend. Alors on peut aussi apprendre à ne pas avoir peur.

Une étincelle d'intérêt passa dans les yeux de Melissa. Ses jambes se détendirent. Mais elle tricotait toujours frénétiquement des doigts.

— Combien il y a d'autres enfants qui viennent ici ?

— Beaucoup.

— Mais combien ?

— Entre quatre et huit par jour.

— Et ils s'appellent comment ?

— Ça, je ne peux pas te le dire, Melissa.

— Pourquoi ?

— C'est un secret. Tout comme je ne pourrais dire à personne que tu es venue ici aujourd'hui, sauf si tu me le permettais.

— Pourquoi ?

— Parce que les enfants qui viennent ici parlent de choses personnelles. Ils veulent garder leur intimité. Sais-tu ce que signifie ce mot ?

— Intimité ? C'est quand on va aux toilettes comme une jeune dame, toute seule, et qu'on ferme la porte.

— Exactement. Quand les enfants parlent d'eux, parfois ils me disent des choses qu'ils n'ont jamais dites à personne. Une partie de mon travail est de savoir garder un secret. C'est pourquoi tout ce qu'on peut dire ici reste secret. Même le nom des gens qui viennent ici est secret. C'est pour ça qu'il y a cette deuxième porte. — Je la désignai du doigt. — Elle donne sur l'entrée. Comme ça, les gens qui viennent ici peuvent sortir sans que ceux qui sont dans la salle d'attente les voient. Tu veux que je te montre ?

Elle se tendit un peu plus.

— Non, merci.

— Il y a quelque chose qui te déplaît en ce moment, Melissa ?

— Non.

— Tu aimerais me parler de ce qui te fait peur ?

Silence.

— Melissa ?

— Tout.

— Tout te fait peur ?

Une expression de honte.

— Si nous commencions par un sujet précis ?

— Les voleurs et les cambrioleurs, récita-t-elle sans hésitation.

— Quelqu'un t'a expliqué le genre de questions que j'allais te poser aujourd'hui ?

Silence.

— C'est Jacob ?

Hochement de tête.

— Et ta mère ?

— Non. Seulement Jacob.

— Et Jacob t'a dit comment répondre aux questions ?

Une autre hésitation.

— S'il l'a fait, ce n'est pas un problème. Il essaie d'aider. Je veux juste être certain que tu me dis ce que tu ressens. C'est toi la vedette, aujourd'hui.

— Il m'a dit de me tenir bien droite, de parler clairement et de dire la vérité.

— La vérité sur ce qui te fait peur ?

— Mh-oui. Et que peut-être vous pourriez m'aider.

Accentuation sur le « peut-être ». J'entendais presque la voix de Dutchy.

— C'est bien. Dutchy est quelqu'un de très intelligent, c'est évident, et il prend bien soin de toi. Mais quand tu viens ici, c'est toi qui décides. Tu peux parler de ce que tu veux.

— Je veux parler des voleurs et des cambrioleurs.

— D'accord. Alors c'est ce que nous ferons.

J'attendis. Elle ne dit rien.

— A quoi ressemblent ces voleurs et ces cambrioleurs ? demandai-je après un moment.

— Ce ne sont pas de vrais voleurs, dit-elle, son mépris revenu. Ils sont dans mon imagination.

— Et à quoi ils ressemblent, dans ton imagination ?

Un nouveau silence. Elle ferma les yeux. Ses doigts se tordaient furieusement, et son corps adopta un balancement imperceptible. Son visage se crispa. Elle paraissait au bord des larmes.

Je me penchai en avant et lui dis d'une voix douce :

— Melissa, nous ne sommes pas forcés d'en parler maintenant.

— Grand, lâcha-t-elle.

Elle gardait les yeux clos. Mais secs. Je compris alors que la crispation de son visage ne trahissait pas l'imminence des larmes mais une concentration intense. Derrière les paupières, les yeux s'agitaient.

Ils chassaient des images.

— Il est grand... Avec un grand chapeau...

Une brusque immobilité derrière les paupières.

Elle écarta les mains, les leva et leur fit décrire de grands cercles dans l'air.

— ... Et un grand manteau et...

— Et ?

Les mains se figèrent en l'air. Sa bouche s'était entrouverte, mais aucun son n'en sortit. Une mollesse progressive envahit son expression. Un air rêveur.

Auto-hypnose ?

Induction spontanée ?

La chose n'est pas si rare chez les enfants : ils franchissent aisément la frontière entre la réalité et l'imagination, et les plus intelligents sont souvent les sujets les mieux hypnotisables. Combinée à l'existence solitaire décrite par Eileen Wagner, je la voyais sans difficulté visiter souvent les mondes imaginaires.

Mais parfois le film était un film d'horreur.

Les mains retombèrent sur ses genoux, se rejoignirent et les doigts reprirent leurs mouvements. L'expression de transe subsistait. Elle gardait le silence.

— Le voleur porte un grand chapeau et un long manteau, dis-je.

Inconsciemment, j'avais baissé la voix et ralenti mon débit, pour adopter son rythme. La danse de la thérapie.

Sa tension s'accrut, elle ne répondait toujours pas.

— Autre chose ? demandai-je doucement.

Elle resta silencieuse.

Je fis une tentative, sur la base de toutes ces séances de quarante-cinq minutes déjà menées ici.

— Mais il a autre chose que le chapeau et le manteau, n'est-ce pas, Melissa ? Quelque chose dans sa main ?

— Un sac, souffla-t-elle.

— Le voleur porte un sac. Pour quoi faire ?

Pas de réponse.

— Pour y mettre des choses?

Ses yeux s'ouvrirent soudainement et ses mains se crispèrent sur ses genoux. Le balancement reprit, plus dur et plus rapide, la tête droite, comme si son cou était rigide.

Je me penchai et effleurai son épaule. Sous le tissu de la robe, des os d'oiseau.

— Veux-tu parler de ce qu'il met dans le sac, Melissa?

Elle referma les yeux sans interrompre son balancement. Un tremblement la parcourut, et elle enveloppa son torse dans ses bras. Une larme coula sur sa joue.

Je lui tapotai gentiment l'épaule, pris un mouchoir et lui essuyai les yeux. Je m'attendais à moitié à ce qu'elle repousse ma main, mais elle me laissa faire.

Première séance dramatique à souhait, le film de la semaine. Mais tout allait trop loin et trop vite, et cela mettait en péril toute la thérapie. Je lui tamponnai un peu plus les yeux tout en cherchant une façon de ralentir le rythme de la séance.

Elle annihila mes efforts d'un simple mot:

— Enfants.

— Le voleur met les enfants dans son sac?

— Mh-oui.

— Alors le voleur est un vrai kidnappeur.

Elle ouvrit les yeux, se leva, me fit face et leva les bras dans un geste implorant.

— C'est un assassin! s'écria-t-elle en appuyant chaque mot d'un hochement de tête. Un Mikoski avec de l'acide!

— Un *Mikoski*?

— Un Mikoski avec de l'acide-comme-du-poison! Du poison qui brûle! Mikoski en a jeté sur elle et il va revenir pour la brûler encore, et moi aussi!

— Sur qui a-t-il jeté du poison, Melissa?

— Sur Mère! Et maintenant il va revenir!

— Où est Mikoski en ce moment?

— En prison, mais il va sortir et il va venir nous refaire du mal!

— Pourquoi ferait-il ça?

— Parce qu'il ne nous aime pas. Avant, il aimait bien Mère, mais il a arrêté de l'aimer et il lui a jeté de l'acidepoison et il a essayé de la tuer mais il lui a juste brûlé le visage et elle était toujours jolie et elle a pu se marier et m'avoir !

Elle se mit à arpenter la pièce en pressant les doigts sur ses tempes, penchée en avant et marmonnant comme une petite vieille.

— Quand tout cela s'est-il passé, Melissa ?

— Avant ma naissance.

Elle se tourna vers le mur en se balançant.

— Jacob t'en a parlé ?

Hochement de tête.

— Et ta mère t'en a parlé aussi ?

Une hésitation, puis un mouvement négatif de la tête.

— Elle n'aime pas.

— Pourquoi donc ?

— Ça la rend triste. Avant elle était jolie et contente. Les gens la prenaient en photo. Et puis Mikoski lui a brûlé le visage et il a fallu qu'elle soit opérée.

— Mikoski a-t-il un autre nom ? Un prénom ?

Elle se retourna vers moi et me considéra d'un air étonné.

— Je ne sais pas.

— Mais tu sais qu'il est en prison.

— Oui, mais il va sortir et ça n'est pas juste !

— Il va sortir bientôt ?

Sa confusion s'accrut.

— Jacob t'a dit qu'il allait sortir bientôt ?

— Non.

— Mais il t'a parlé de la justice.

— Oui !

— Ça veut dire quoi, pour toi, la justice ?

— Ça veut dire être juste !

Elle me lança un regard de défi et se campa face à moi, mains sur la ligne qu'arrondiraient un jour ses hanches. La tension fronçait la ligne claire de ses sourcils. Sa bouche se crispa et elle agita un index devant moi.

— Ça n'est pas juste, c'est stupide ! Ils auraient dû faire une justice vraiment juste ! Ils auraient dû le tuer avec l'acide !

— Tu es très en colère après Mikoski.

Un autre regard incrédule à l'imbécile dans le fauteuil.

40

— C'est bien, enchaînai-je. D'être très en colère après lui. Quand tu es en colère après lui, il ne te fait plus peur.

Ses mains s'étaient refermées en deux petits poings. Elle les ouvrit et laissa retomber ses bras le long de son corps avec un soupir. Elle baissa les yeux vers le sol.

J'allai jusqu'à elle et m'accroupis afin que nous soyons au même niveau si elle décidait de relever la tête.

— Tu es quelqu'un de très intelligent, Melissa, et tu m'as beaucoup aidé en étant courageuse et en parlant de ces choses qui te font peur. Je sais que tu veux très fort ne plus avoir peur. J'ai aidé beaucoup d'autres enfants et je sais que je pourrai t'aider.

Silence.

— Si tu veux continuer de parler de Mikoski ou des voleurs ou d'autres choses, pas de problème. Si tu ne veux plus parler, pas de problème non plus. Il nous reste un peu de temps avant que Jacob ne revienne. Nous passerons ce temps à faire ce que tu veux.

Pas un mouvement, pas un son ; de l'autre côté de la pièce, l'aiguille des secondes de la pendule en forme de banjo effectua un tour complet de cadran. Enfin Melissa releva la tête. Elle regarda partout en m'évitant, puis me fixa d'un coup et plissa les yeux comme pour me voir clairement.

— Je vais dessiner, déclara-t-elle. Mais avec des crayons. Pas avec des pastels, c'est trop sale.

Elle dessinait lentement, le bout de sa langue apparaissant au coin de sa bouche. Ses capacités artistiques étaient au-dessus de la moyenne, mais le résultat m'indiqua qu'elle en avait eu assez pour aujourd'hui : une fillette au visage réjoui à côté d'un chat souriant en face d'une maison rouge et d'un arbre couvert de pommes. Le tout sous les rayons envahissants d'un énorme soleil.

Lorsqu'elle eut fini elle poussa le dessin sur le bureau dans ma direction.

— C'est pour vous, dit-elle.

— Merci. C'est super.

— Je reviens quand ?

— Que dirais-tu d'après-demain ? Vendredi ?

— Pourquoi pas demain ?

— Parfois c'est bien pour les enfants d'avoir un peu de temps, ça leur permet de réfléchir à ce qui est arrivé avant de venir ici.

— Je réfléchis vite, affirma-t-elle. Et il y a encore des choses que je n'ai pas dites.

— Tu veux vraiment revenir demain ?

— Je veux aller mieux.

— Alors d'accord, je peux te voir demain, à cinq heures. Si Jacob peut t'amener ici.

— Il pourra, dit-elle. Il veut que j'aille mieux aussi.

Je l'accompagnai par la porte arrière et vis Dutchy qui traversait le hall d'entrée, un sac en papier à la main. En nous apercevant il se rembrunit et consulta sa montre.

— Nous revenons le voir demain à cinq heures, Jacob, annonça Melissa.

Dutchy marqua son étonnement d'un rapide haussement de sourcils.

— Je crois que je suis juste à l'heure, Docteur.

— En effet. Je lui montrais la sortie.

— Pour que les autres enfants ne me voient pas, lui expliqua-t-elle. C'est pour l'intimité.

— Je comprends, fit Dutchy en balayant le hall du regard. Je vous ai amené quelque chose, jeune dame. Pour que vous teniez jusqu'à l'heure du repas...

La partie supérieure du sac était soigneusement pliée en accordéon. Il l'ouvrit du bout des doigts et exhiba un biscuit d'avoine.

Melissa poussa une petite exclamation ravie, prit la friandise et s'apprêta à la croquer.

Dutchy se racla la gorge.

La main de Melissa se figea à quelques centimètres de sa bouche.

— Merci, Jacob, dit-elle.

— De rien, jeune dame.

Elle se tourna vers moi.

— Vous en voulez un, docteur Delaware ?

— Non, merci, Melissa, fis-je avec l'intonation d'un collégien bien poli.

Elle passa sa langue sur ses lèvres et attaqua le biscuit avec entrain.

— J'aimerais vous parler un instant, monsieur Dutchy, dis-je.

Il consulta ostensiblement sa montre, une nouvelle fois.

— L'autoroute... Plus nous attendons et...

— Certaines choses se sont produites durant la séance. Des choses importantes.

— Vraiment, c'est très...

— Si je dois remplir ma tâche, monsieur Dutchy, dis-je avec un sourire patient, je vais avoir besoin de votre coopération.

A son expression, j'aurais aussi bien pu roter à un dîner d'ambassade. Il s'éclaircit encore la gorge avant de s'adresser à Melissa :

— J'en ai juste pour un moment, Melissa...

Puis il s'éloigna de plusieurs pas dans le couloir. La bouche pleine de gâteau, la fillette le suivit des yeux.

— Nous n'en avons pas pour longtemps, dis-je à Melissa, avant de le rejoindre.

Il scruta le hall, puis croisa les bras sur sa poitrine et me contempla.

— De quoi s'agit-il, Docteur ?

D'aussi près, je vis qu'il était rasé de frais. Il sentait le linge propre et la lotion capillaire.

— Elle m'a parlé de ce qui était arrivé à sa mère. Quelqu'un du nom de Mikoski...

Il accusa le coup.

— Vraiment, monsieur, ce n'est pas à moi de...

— C'est important, monsieur Dutchy. La chose a un rapport direct avec ses angoisses.

— Il vaudrait mieux que sa mère...

— Exact. Le problème est que je lui ai laissé plusieurs messages sans obtenir de réponse. En temps normal, je n'aurais même pas accepté de voir un enfant sans la participation directe d'un des parents. Mais à l'évidence Melissa a besoin d'aide. De beaucoup d'aide. Je peux la lui apporter, mais il me faut quelques précisions.

Il mordit l'intérieur de ses joues si longtemps et avec une telle intensité que je craignis qu'il ne se blesse. De l'autre côté du hall, Melissa mâchonnait son gâteau sans nous quitter des yeux.

— C'était avant la naissance de la petite, objecta-t-il.

— D'un point de vue chronologique, peut-être. Pas d'un point de vue psychologique.

Il me fixa du regard un long moment. Un éclat humide brilla au coin de son œil droit, qu'il fit disparaître d'un clignement de paupières.

— Vraiment, c'est assez inattendu. Je ne suis qu'un employé...

— Très bien. Je ne voudrais pas vous mettre dans une position difficile. Mais je vous prie de faire savoir à qui de droit que quelqu'un doit me parler sitôt que possible.

Le gâteau était terminé. Melissa se mit à traîner les pieds. Dutchy lui lança un regard grave mais empli d'une étonnante tendresse.

— Et je tiens à la voir demain à cinq heures.

Il acquiesça, se rapprocha d'un pas, presque à me toucher, et me murmura à l'oreille :

— Elle prononce Mikoski mais ce satané vaurien s'appelait McCloskey. Joel McCloskey.

Il baissa la tête et eut un mouvement de cou qui évoquait celui d'une tortue sortant de sa carapace. Il attendait ma réaction. J'aurais dû savoir quelque chose...

— Ça ne me dit rien, avouai-je.

Il recula un peu.

— Habitiez-vous Los Angeles il y a dix ans, Docteur ?

— Oui.

— C'était dans les journaux.

— J'étais étudiant, à l'époque. J'étais plongé dans mes cours...

— Mars 1969, précisa-t-il. Le 3 mars. — Une expression peinée passa sur son visage. — C'est... C'est tout ce que je peux vous dire maintenant, Docteur. Peut-être une autre fois.

— Très bien. A demain, donc.

— Cinq heures, dit-il avec un soupir étouffé, en se redressant et en rajustant les pans de sa veste. Pour en revenir au présent, je crois que tout s'est passé comme prévu ?

— Tout s'est parfaitement bien passé, oui.

Melissa s'approchait de nous. Le ruban de satin blanc s'était dénoué, et une extrémité traînait sur le sol derrière elle. Dutchy s'empressa de renouer la rosette et dit à la fillette de se tenir droite, *comme une jeune dame*, car un dos voûté n'était pas élégant.

Elle lui sourit.

Ils sortirent en se tenant par la main.

J'avais un autre patient quelques minutes plus tard, ce qui me permit d'oublier le violoncelle et le piccolo pendant trois quarts d'heure. Je quittai mon cabinet à sept heures, et en cinq minutes de voiture je me retrouvai à la Beverly Hills Library. La salle de lecture était envahie par des retraités venus consulter les dernières cotations boursières et par des adolescents qui y faisaient leurs devoirs ou le simulaient. A sept heures et quart j'étais assis dans une cabine de lecture avec la bobine du *Times* de mars 1969. J'allumai l'écran et fis défiler le microfilm jusqu'au 4 mars. Ce que je cherchais apparut dans le coin supérieur gauche de la visionneuse.

« UNE ACTRICE VICTIME D'UNE AGRESSION À L'ACIDE

(HOLLYWOOD). Un quartier paisible des collines surplombant Hollywood Boulevard a été le théâtre d'une horrible agression, tôt hier matin. La victime en a été un ancien mannequin actuellement sous contrat avec les Apex Motion Picture Studios, et les voisins de la malheureuse en sont restés confondus d'horreur.

Regina Marie Paddock, 23 ans, domiciliée 2103 Beachwood Drive, appartement 2, a été réveillée chez elle par la sonnette à 4 h 30 du matin par un homme se prétendant coursier de la Western Union.

Lorsqu'elle a ouvert la porte, l'homme a brandi une bouteille dont il lui a jeté le contenu au visage. Elle s'est écroulée en hurlant et son agresseur, décrit comme étant un homme noir de deux mètres environ pour une centaine de kilos, s'est enfui à pied.

La victime a été transportée au Hollywood Presbyterian Hospital où elle a été traitée pour des brûlures faciales au troisième degré. D'après le porte-parole de l'hôpital son état est "sérieux mais stable. Sa vie n'est pas en danger mais elle souffre beaucoup, et les tissus du côté gauche de son visage ont été gravement brûlés. Par miracle, ses yeux ont été épargnés".

Un porte-parole de l'Apex a exprimé au nom des studios "le choc et le profond émoi ressentis à l'annonce de cette agression inqualifiable sur la personne de la talentueuse Gina Prince (nom de scène de Miss Paddock). Nous ferons tout ce qui est en notre pouvoir pour travailler avec les autorités à l'arrestation le plus rapidement possible de l'auteur de cette odieuse agression".

La victime, née en 1946 à Denver, Colorado, s'est installée à Los Angeles à l'âge de 19 ans, a d'abord travaillé sous contrat pour la prestigieuse Flax Agency en qualité de mannequin de mode, apparaissant dans *Glamour* et *Vogue*. Après avoir quitté Flax elle a été engagée par la maintenant défunte Belle Vue Agency, pour finalement abandonner la mode et signer avec la William Morris Agency qui lui a obtenu un contrat d'actrice chez Apex.

Bien qu'elle n'ait encore tourné dans aucun film, le porte-parole des studios affirme qu'elle était pressentie pour "plusieurs rôles de premier plan. C'est une jeune femme aussi jolie que talentueuse. Nous ferons tout pour que sa carrière ne souffre pas de cet événement tragique".

La police recherche activement l'agresseur. Toute information pouvant aider l'enquête doit être adressée aux inspecteurs Savage et Flores, Département de police de Hollywood. »

Au centre de l'article se trouvait une photographie qui aurait pu être une réduction d'une couverture de *Vogue* : un visage ovale posé sur un cou fin et encadré par des cheveux blonds, pâles et raides, coiffés de façon sophistiquée pour l'époque. Des sourcils arqués, des pommettes hautes, de très grands yeux clairs, une bouche boudeuse. La perfection du jeu d'ombres et de lumières faisait penser à un cliché d'Avedon.

Je songeai à l'effet de l'acide sur ce genre de perfection, préférai ne pas m'appesantir sur cette idée et m'efforçai d'étudier froidement la photographie

Les traits rappelaient très nettement Melissa, mais la ressemblance allait plus loin qu'un simple air de famille. Je me demandai si la puberté apporterait à Melissa la beauté de sa mère.

Je tournai la molette de la visionneuse. L'édition du

lendemain n'offrait qu'un bref compte rendu de l'état médical de Gina Paddock. Stable, sans commentaire. Un autre message de sympathie des studios qui offraient cinq mille dollars de récompense pour tout renseignement permettant l'arrestation de l'agresseur. Mais plus aucune promesse de carrière future.

Je continuai à dérouler la bobine. Deux semaines plus tard :

« UN SUSPECT D'AGRESSION À L'ACIDE ARRÊTÉ

L'homme a été appréhendé par la police sur une dénonciation anonyme.

(LOS ANGELES). La police vient d'annoncer la capture et l'arrestation d'un homme soupçonné d'être l'auteur de l'agression à l'acide du 3 mars au matin ayant défiguré à vie l'actrice Gina Prince (Regina Marie Paddock).

L'arrestation dans South Los Angeles de Melvin Louis Findlay, 28 ans, a été annoncée officiellement à 23 heures, lors de la conférence de presse à Parker Center par le commissaire Bryce Donnemeister, du Département de police de Hollywood. Il a décrit Findlay comme étant un criminel connu, récemment libéré sur parole de la Men's Colony de Chino où il a purgé dix-huit des trente-six mois d'une condamnation pour vol qualifié. Findlay avait antérieurement été condamné pour coups et blessures, et vol de voitures.

"Les preuves matérielles dont nous disposons nous portent à de graves soupçons sur cet individu", a déclaré Donnemeister, qui a refusé de préciser si la victime avait identifié Findlay. De même, il n'a donné aucun détail sur l'arrestation, hormis qu'un coup de téléphone anonyme avait conduit la police à Findlay. "L'enquête ultérieure a prouvé l'exactitude des renseignements reçus", a-t-il simplement précisé.

Miss Prince poursuit sa convalescence au Hollywood Presbyterian Hospital, où son état est jugé satisfaisant. Des spécialistes de chirurgie esthétique ont été appelés pour définir les opérations nécessaires à la reconstruction de son visage. »

Trois jours plus tard :

(LAS VEGAS). L'ancien employé et compagnon de la victime d'une agression à l'acide contre Gina Prince (Regina Marie Paddock) a été arrêté la nuit dernière par la police de Las Vegas. Il est le suspect numéro un dans l'agression du 3 mars dernier qui laissa l'ancien mannequin et actrice défigurée.

Joel Henry McCloskey, 34 ans, a été appréhendé dans sa chambre du Flamingo Hotel où il était descendu sous un nom d'emprunt. Il a été placé en garde à vue au Département de police de Las Vegas, conformément au mandat d'arrêt émis par la Cour suprême de la Division criminelle de Los Angeles.

Le commissaire Bryce Donnemeister de la Division de Hollywood a déclaré que les renseignements donnés par un autre suspect, Melvin Findlay, 28 ans, arrêté le 18 mars, avaient incriminé McCloskey. "Il apparaît que Findlay a été payé pour l'agression, et que McCloskey est le commanditaire."

Donnemeister a ajouté que Findlay avait travaillé pour McCloskey en 1967, en tant que "concierge", mais le commissaire a refusé de donner toute autre précision avant la fin de l'enquête.

McCloskey est natif du New Jersey et a naguère été chanteur dans des clubs. Il est arrivé à Los Angeles en 1962, avec l'espoir de devenir acteur. Ses illusions déçues, il a ouvert l'agence de mode Belle Vue. Après avoir détourné Miss Prince de la Flax Agency, concurrent mieux établi sur la place, il a tenté de l'utiliser comme agent auprès du milieu cinématographique, selon des sources de Hollywood.

McCloskey et Miss Prince auraient développé des relations intimes qui ont pris fin lorsque Miss Prince a quitté l'agence Belle Vue pour la William Morris Agency, dans le but avoué d'entamer une carrière cinématographique. Peu après, les affaires de l'agence Belle Vue ont périclité, et McCloskey s'est déclaré en faillite le 9 février dernier.

Interrogé sur un possible motif lié au désir de vengeance, le commissaire Donnemeister a déclaré : "Nous réservons notre opinion jusqu'à ce que le suspect ait été entendu."

Miss Prince poursuit sa convalescence au Hollywood Presbyterian Hospital où elle doit subir des opérations de chirurgie réparatrice. »

Cet article était également illustré d'une photo : celle d'un homme brun et mince, de petite taille, qu'emmenaient deux inspecteurs. Il était vêtu d'un blouson de sport, d'un pantalon quelconque et d'une chemise blanche au col ouvert. Il baissait la tête et ses cheveux longs couvraient la partie supérieure de son visage. Le menton et la mâchoire visibles étaient assez anguleux, non sans ressemblance avec James Dean, et auraient eu besoin d'un bon coup de rasoir.

Il me fallut quelque temps pour apprendre le dénouement de l'affaire. L'extradition de McCloskey à Los Angeles et la lecture de l'acte d'accusation, Melvin Findlay qui avait accepté de plaider coupable pour ne répondre que de simples voies de fait, la mise en accusation de McCloskey pour tentative de meurtre, association de malfaiteurs visant à l'agression physique et au meurtre. La relation de l'acte d'accusation, puis un délai de trois mois avant le procès.

La procédure judiciaire n'avait pas traîné. Le ministère public distribua aux jurés des clichés extraits du *book* de mannequin de Gina Prince, puis des photos de son visage ravagé prises dans la salle d'urgence. Une brève apparition de la victime, couverte de bandages et en pleurs. Le témoignage d'experts médicaux affirmant que les dommages causés à son visage seraient permanents.

Melvin Findlay déclara sous serment que McCloskey l'avait payé pour « détruire le visage de cette *(obscénité)*, pour que plus personne ne veuille d'une pareille *(obscénité)* », ajoutant qu'il ne voyait aucun inconvénient à « la mort de cette *(obscénité)* ».

L'accusation produisit également une confession enregistrée que la défense tenta vainement de contrer. La bande fut écoutée en plein tribunal. En pleurs, McCloskey reconnut avoir payé Findlay pour défigurer Gina Prince, mais il refusa de donner ses motifs.

La défense cessa de contester les faits et chercha à imposer la thèse du dérèglement mental, tactique gênée par le refus de McCloskey de se faire examiner par des psychiatres. L'expert de l'accusation vint témoigner après l'avoir examiné dans sa cellule. Il déclara McCloskey « peu coopératif et dépressif, mais lucide et sans aucun désordre mental sérieux ». En trois heures, le jury le déclara coupable de toutes les charges retenues contre lui.

Après lecture de la sentence, le juge dit de McCloskey que c'était « un monstre abject » et un des accusés les plus méprisables qu'il ait eu le déplaisir de rencontrer en vingt ans de carrière. Les peines cumulées atteignaient vingt-trois ans d'emprisonnement à San Quentin. Tout le monde parut satisfait, même McCloskey qui congédia ses avocats et refusa de faire appel.

Après le procès, la presse voulut interroger les jurés. Ceux-ci choisirent de désigner un porte-parole qui fit cette unique déclaration reproduite dans les journaux : « Il ne peut s'agir que d'un semblant de justice », a déclaré Jacob P. Dutchy, 46 ans, cadre de Dickinson Industries, Pasadena. « La vie de cette jeune femme est irrémédiablement bouleversée. Mais nous avons fait ce qui était en notre pouvoir pour que McCloskey paie le maximum prévu par la loi. »

Un Mikoski avec de l'acide...

Vingt-trois ans à San Quentin.

Une remise de peine pour bonne conduite pouvait diviser ce temps de moitié. S'il avait fait appel plus tard, la peine avait pu être légèrement réduite. Ce qui signifiait que la libération de McCloskey était peut-être imminente. Si elle ne s'était déjà produite.

Sans nul doute, Jacob Dutchy connaissait la date précise de cette libération : il était du genre à suivre la chose de près. Je me demandai comment lui et la mère de l'enfant avaient expliqué toute cette histoire à Melissa.

Dutchy. Personnage intéressant, qui vous ramenait à des temps révolus...

Juré, puis homme à tout faire et majordome officieux. Cette trajectoire éveillait ma curiosité, mais j'avais pour l'instant peu de chances de la satisfaire, comme d'avoir un compte rendu détaillé de toute cette histoire.

Je songeai à la réserve et à la dévotion de Dutchy. Gina

Dickinson avait l'art de susciter des loyautés très fortes. Était-ce cette même impuissance, cette fragilité de princesse désemparée qui avait fait venir Eileen Wagner sur un simple coup de fil ?

Comment pouvait réagir une enfant grandissant avec une mère semblable ?

Des hommes avec des sacs...

J'avais entendu le même rêve dans la bouche de nombreux enfants. Presque un archétype. Des enfants que j'avais guéris.

Mais je sentais Melissa différente. Pas d'héroïsme facile pour moi.

Et il y avait encore beaucoup à apprendre sur la famille Dickinson.

Je mangeai au Nate'n Al, une épicerie fine faisant snack sur Beverly Drive : corned beef et pain de seigle, sur fond de bavardages en boucle de spécimens hollywoodiens déblatérant sur leurs affaires en suspens. Je rentrai rapidement et composai un numéro de téléphone qui s'était gravé dans ma mémoire.

Cette fois, le répondeur m'annonça par la voix de Jacob Dutchy que personne n'était disponible et m'invita sans grand enthousiasme à laisser un message.

Je réitérai mon désir pressant de parler avec la dame demeurant 10 Sussex Knoll.

4

Pas d'appel le soir ni le lendemain, et vers cinq heures de l'après-midi je me résignai à essayer une nouvelle fois de soutirer des informations à Dutchy. Cette situation me déplaisait de plus en plus.

Mais il ne vint pas. C'est un Mexicain d'une soixantaine d'années qui accompagna Melissa. Petit, avec des épaules de lutteur et un corps tout en muscles malgré son âge, il avait une fine moustache grise, un nez aquilin et des mains aussi dures et brunes que si elles avaient été en cèdre. Il portait une tenue de travail kaki et des chaussures à semelle de caoutchouc. Il avait ôté son chapeau de paille marqué par la sueur et le tenait devant son entrejambe.

— C'est Sabino, dit Melissa. Il s'occupe du jardin.

Je le saluai et me présentai. Il eut un sourire gêné et marmonna :

— Hernandez, Sabino.

— Aujourd'hui nous avons pris la camionnette, annonça Melissa. On a regardé tout le monde d'en haut.

— Où est Jacob ? m'enquis-je.

— Il travaille, répondit-elle d'un air désintéressé.

Au nom de Dutchy, Hernandez se redressa un peu.

Je le remerciai et lui expliquai que Melissa serait libre dans quarante-cinq minutes. Je remarquai alors qu'il ne portait pas de montre.

— Asseyez-vous, si vous voulez. Ou vous pouvez partir et revenir à dix-sept heures quarante-cinq...

52

— Okay, dit-il sans bouger.

Je lui désignai un siège.

Il émit un « Ohh » de compréhension et s'assit, son chapeau toujours dans les mains.

J'emmenai Melissa dans la salle de consultation.

Le défi du guérisseur : faire abstraction de mon irritation devant le comportement des adultes et me concentrer sur l'enfant.

Et aujourd'hui, il y avait de quoi se concentrer.

Elle se mit à parler dès qu'elle s'assit. Elle évitait de me regarder et récitait ses terreurs sans s'arrêter, selon un débit chantant qui me persuada qu'elle était informée sur la thérapie. Elle ferma les yeux et continua, sa voix montant crescendo presque jusqu'au cri, puis elle s'arrêta net et se mit à trembler de terreur comme si elle venait soudain de visualiser quelque horreur indicible.

Et, avant que j'aie pu prononcer un mot, elle repartait dans sa confession, cette fois sur un ton oscillant entre le murmure et l'exclamation, telle une radio au volume instable.

— Des monstres... de grosses choses méchantes.

— Quelle sorte de grosses choses méchantes, Melissa ?

— Je ne sais pas... méchantes, c'est tout.

Elle se réfugia dans le silence, se mordilla la lèvre inférieure et reprit son balancement.

Je posai une main sur son épaule.

Elle rouvrit les yeux.

— Je sais qu'elles sont dans mon imagination, mais elles me font peur quand même.

— Les choses imaginaires peuvent faire très peur.

J'avais parlé d'une voix apaisante mais elle était déjà retournée dans son monde intérieur, et c'est moi qui vis défiler des images dans mon esprit : des hordes de créatures ténébreuses encapuchonnées, aux crocs saillants, qui rôdaient dans un crépuscule lugubre. Des trappes qui s'ouvraient à la nuit venue, des arbres qui se transformaient en sorcières, des buissons en choses voûtées et corrompues ; la lune devenant un feu dévorant...

La puissance de l'empathie. Mais il y avait plus que cela. Le souvenir de certaines nuits, bien loin dans le passé; un garçonnet dans son lit, qui écoute le vent siffler sur les plaines du Missouri... Je m'arrachai à mes propres souvenirs et me concentrai sur ce que disait Melissa :

— ... c'est pour ça que je déteste dormir. Parce que quand je dors je rêve.

— Quelle sorte de rêves ?

Elle frissonna encore et secoua la tête d'un air maussade.

— Je m'empêche de dormir mais à la fin je ne peux plus alors je m'endors et je fais des rêves.

Je pris sa main, arrêtai le mouvement des doigts d'une légère pression en murmurant des paroles rassurantes.

Elle se tut.

— As-tu un mauvais rêve chaque nuit ?

— Oui. Et des fois plus d'un. Mère dit qu'une fois, j'en ai fait sept.

— Sept mauvais rêves en une seule nuit ?

— Oui.

— Et tu te souviens de ces rêves ?

Elle dégagea sa main, ferma les yeux et reprit un ton détaché. Un professeur de médecine de sept ans exposant un cas intéressant lors d'une conférence. Le cas d'une certaine fillette sans nom qui se réveillait en sueur, transie de froid, au pied du lit de sa mère. Qui vacillait, le cœur battant la chamade, les doigts crispés sur les draps pour ne pas tomber dans ce gouffre sans fond et ténébreux sous elle. Elle tentait de se retenir mais finissait par lâcher prise et sentait le monde entier se mettre à flotter, comme un cerf-volant à la ficelle brisée. Et elle pleurait dans la nuit et roulait — rampait — vers le corps chaud de sa mère. Et d'un geste inconscient le bras de celle-ci l'entourait et l'attirait à elle.

Alors elle restait là, immobile, glacée d'effroi, à regarder le plafond en essayant de se convaincre que ce n'était qu'un plafond et que les choses qui la guettaient de là-haut n'étaient pas, ne pouvaient pas être réelles. Elle emplissait ses poumons du parfum de sa mère, écoutait sa respiration légère. Et lorsqu'elle était bien certaine que Mère dormait profondément, elle étendait la main et effleurait le satin et la dentelle, la peau douce du bras, Puis elle remontait vers le visage, Le bon côté du visage,,, Elle se retrouvait toujours du bon côté du visage,

Elle se figea une nouvelle fois en répétant « bon côté ».

Ses yeux s'ouvrirent. Elle jeta un regard paniqué à la sortie arrière.

Le coup d'œil d'un condamné qui évalue les risques d'une évasion.

Trop, et trop vite.

Je me penchai vers elle, lui affirmai qu'elle en avait déjà beaucoup fait aujourd'hui, que nous pouvions passer le reste de la séance à dessiner, ou jouer à un jeu.

— J'ai peur de ma chambre, lâcha-t-elle.

— Pourquoi donc ?

— Elle est grande.

— Trop grande pour toi ?

Un éclair de culpabilité passa sur son visage.

Je lui demandai de m'en dire plus sur sa chambre. Elle fit d'autres dessins.

Un plafond haut avec des silhouettes de femmes déguisées. Des tapis roses, un papier peint décoré d'agneaux roses et gris et de chatons, celui choisi par Mère spécialement pour elle quand elle était bébé. Des jouets. Des boîtes à musique, de la vaisselle miniature, des figurines en verre, trois maisons de poupées différentes, un zoo d'animaux empaillés. Un lit à baldaquin, d'une maison très éloignée qu'elle ne pouvait définir, avec des oreillers et un édredon très doux en plumes d'oie. Des fenêtres à rideaux de dentelle, au sommet arrondi qui touchait presque le plafond. Des vitres contenant des morceaux de verres colorés qui formaient des dessins de couleur sur votre peau. Un fauteuil devant une des fenêtres qui permettait de contempler les pelouses et les fleurs dont Sabino s'occupait toute la journée ; elle aurait aimé l'appeler pour lui dire bonjour, mais elle avait peur de trop s'approcher des fenêtres.

— Ça a l'air d'une grande pièce, commentai-je.

— Il n'y a pas qu'une seule pièce. Il y en a plein. Il y a la chambre, et puis la salle de bains et la penderie avec les miroirs et des lumières tout autour, près des toilettes. Et puis une salle de jeux. C'est là qu'il y a presque tous mes jouets, mais les animaux empaillés sont dans ma chambre. Quand il parle de ma chambre Jacob dit « la nurserie », mais ça veut dire une chambre de bébé.

Petite moue mécontente.

— Jacob te traite comme un bébé ?

— Non ! Je ne dors plus dans un berceau depuis que j'ai trois ans !

— Ça te plaît d'avoir une chambre aussi grande ?

— Non ! Je déteste ça ! Je n'y vais jamais.

Le même air de culpabilité.

Deux minutes avant la fin de la séance. Elle n'avait pas bougé de sa chaise depuis qu'elle s'était assise.

— Tu agis très bien, Melissa. J'ai vraiment beaucoup appris. Mais que dirais-tu d'arrêter pour aujourd'hui ?

— Je n'aime pas être seule. Jamais.

— Personne n'aime être seul très longtemps. Même les adultes sont effrayés quand ils sont seuls trop longtemps.

— Moi je n'aime pas ça du tout, jamais. J'ai attendu jusqu'à mon anniversaire — jusqu'à ce que j'aie sept ans — pour aller toute seule dans les toilettes. Avec la porte fermée, *pour l'intimité.*

Elle se renversa contre le dossier de la chaise, posa sur moi un regard qui me défiait de désapprouver ses dires.

— Et qui t'accompagnait avant que tu aies sept ans ? demandai-je.

— Jacob, ou Mère, ou Madeleine, ou Carmela. Ils me tenaient compagnie avant que j'aie quatre ans. Et puis Jacob a dit que j'étais une jeune dame et que je ne devais plus être accompagnée que par des dames, et il n'est plus venu. Et puis quand j'ai eu sept ans j'ai décidé d'y aller toute seule. Ça m'a fait pleurer et j'ai eu mal au ventre, et même une fois j'ai vomi, mais je l'ai fait. Avec la porte presque fermée, et après complètement fermée. Mais je ne tire pas le verrou. Pas question.

Un autre regard de défi.

— Tu t'es très bien débrouillée.

Elle se rembrunit.

— Des fois, ça me rend encore nerveuse. J'aimerais bien qu'il y ait toujours quelqu'un avec moi. Pas quelqu'un qui me regarde, juste pour me tenir compagnie. Mais je ne leur demande pas.

— C'est très bien, dis-je. Tu as combattu ta peur et tu l'as vaincue.

— Oui, murmura-t-elle.

Stupéfaite. Pour la première fois, elle traduisait une épreuve en victoire.

— Est-ce que ta mère ou Jacob t'ont félicitée ?

— Mh-oui. — Geste vague. — Ils me disent toujours des choses gentilles.

— Eh bien, c'est la vérité : tu t'es très bien débrouillée. Tu as remporté un combat difficile. Et cela signifie que tu peux remporter d'autres combats, vaincre d'autres peurs. Une par une. Nous pouvons travailler ensemble à prendre ces peurs que tu veux combattre, et ensuite le faire petit à petit. Lentement. De façon à ce que ce ne soit jamais effrayant pour toi. Si tu veux, nous pouvons commencer à ta prochaine visite ici. Lundi.

Je me levai.

Elle ne bougea pas de sa chaise.

— J'ai encore envie de parler, déclara-t-elle.

— J'aimerais que nous continuions de bavarder, Melissa, mais la séance est terminée.

— Juste un peu, fit-elle avec une nuance de gémissement dans la voix.

— Il faut vraiment que nous arrêtions maintenant. Nous nous reverrons lundi, ce n'est que dans...

J'effleurai son épaule et elle repoussa ma main d'un geste brusque. Ses yeux s'étaient emplis de larmes.

— Désolé, Melissa, dis-je. J'aimerais...

Elle bondit de sa chaise et me désigna d'un index accusateur.

— Si c'est votre travail de m'aider, pourquoi vous ne voulez pas m'aider maintenant ?

Elle frappa le sol du pied.

— Parce que nos séances doivent se terminer à une certaine heure.

— Pourquoi ?

— Je pense que tu le sais.

— A cause des autres enfants que vous voyez ?

— Oui.

— Comment ils s'appellent ?

— Je ne peux pas te le dire, Melissa. Tu te souviens ?

— Et pourquoi ils sont plus importants que moi ?

— Ils ne sont pas plus importants, Melissa. Tu es très

importante pour moi. Quand tu es ici, il n'y a que toi qui comptes.

— Alors pourquoi vous me mettez dehors?

Avant que je puisse répondre elle éclata en sanglots et se dirigea vers la porte donnant sur la salle d'attente. Je la suivis en m'interrogeant pour la millième fois sur l'inviolabilité des trois quarts d'heure par séance, cette idolâtrie curieuse de l'horloge. Mais je connaissais également l'importance des limites pour tout enfant, et particulièrement pour celle-ci qui semblait en avoir si peu, cette enfant qu'on avait condamnée à vivre ses premières années dans la terrible splendeur d'un monde de conte de fées.

Rien de plus effrayant que les contes de fées...

Quand j'arrivai dans la salle d'attente elle tirait la main d'Hernandez en sanglotant.

— Allez, Sabino!

Il se leva, l'air décontenancé et vaguement effrayé. A mon entrée, son indécision fit place à un air soupçonneux.

— Elle est un peu énervée, dis-je. Veuillez demander à sa mère de me téléphoner au plus tôt.

Un regard d'incompréhension.

— *Su madre*, fis-je. *El telefono.* Je la verrai lundi, à cinq heures. *Lunes. Cinco.*

— Okay, fit-il sans me quitter des yeux, les mains crispées sur son chapeau.

Melissa frappa du pied par deux fois.

— Pas question! ragea-t-elle. Je ne reviendrai pas ici! Jamais!

Elle tirait la main calleuse du jardinier. Hernandez me fixait d'un regard sombre qui s'était durci, comme s'il considérait un possible châtiment.

— Au revoir, Melissa, dis-je. A lundi.

— Pas question! s'écria-t-elle avant de sortir de la pièce en courant.

Hernandez mit son chapeau et la suivit.

J'interrogeai mon service téléphonique à la fin de la journée. Aucun message de San Labrador.

Je me demandais comment Hernandez avait communiqué ce qu'il avait vu, et je m'attendais à demi à ce que le rendez-vous de lundi soit annulé. Mais aucun message dans ce sens ne me fut envoyé le soir ou le lendemain. Peut-être n'avaient-ils pas ce genre de courtoisie avec la plèbe.

Je finis par appeler la maison des Dickinson. A la troisième sonnerie, Dutchy décrocha.

— Bonjour, Docteur.

Le même ton formel, sans aucune trace d'irritation.

— Je vous téléphone pour vous confirmer le rendez-vous de Melissa lundi prochain.

— Lundi, répéta-t-il. Oui, c'est noté. Cinq heures, c'est bien cela ?

— C'est cela, oui.

— Auriez-vous un créneau disponible plus tôt, par hasard ? De notre côté la circulation...

— C'est tout ce que je peux vous proposer, monsieur Dutchy.

— Alors cinq heures. Merci d'avoir appelé, Docteur, et bonne soi...

— Une seconde, coupai-je. Il faut que vous sachiez une chose. Melissa s'est énervée aujourd'hui, et elle a quitté mon cabinet en pleurs.

— Ah ? Elle m'a semblé de bonne humeur quand elle est rentrée, pourtant.

— Vous a-t-elle dit qu'elle ne voulait pas venir lundi ?

— Non. Il y a eu un problème, Docteur ?

— Rien de grave. Elle voulait rester après la fin de la séance et, quand je lui ai dit que c'était impossible, elle a fondu en larmes.

— Je vois.

— Elle est accoutumée à faire comme elle veut, n'est-ce pas, monsieur Dutchy ?

Silence.

— Je mentionne l'incident parce qu'il pourrait faire partie du problème ; le manque de limites. Pas d'interdit. Pour une enfant ce peut être comme dériver sur l'océan sans ancre. Terrifiant. Certaines modifications dans la discipline de base seront peut-être nécessaires.

— Docteur, je n'ai pas qualité pour...

— Bien sûr, j'oubliais. Pourquoi ne me passeriez-vous

pas Mrs. Dickinson maintenant, afin que j'en discute avec elle ?

— Je crains que Mrs. Dickinson ne soit indisponible.

— Je peux attendre. Ou rappeler, si vous pouvez me dire quand elle sera disponible.

Un soupir.

— Docteur, je vous en prie. Je ne peux pas déplacer les montagnes.

— Je ne me rendais pas compte que je vous demandais une telle prouesse.

Un silence. Puis il s'éclaircit la voix.

— Pourriez-vous transmettre un message ?

— Certainement.

— Alors veuillez dire à Mrs. Dickinson que cette situation est intenable. Je comprends son attitude, mais il va falloir qu'elle cesse de m'éviter si elle veut vraiment que je traite Melissa.

— Docteur Delaware, s'il vous plaît... C'est très... Vous ne devez pas laisser la petite, vraiment. C'est une petite fille si gentille, et intelligente... Ce serait un gâchis terrible si...

— Si quoi ?

— S'il vous plaît, Docteur.

— Je m'efforce d'être patient, monsieur Dutchy, mais j'éprouve de réelles difficultés à voir où se situe le problème. Je ne demande pas à Mrs. Dickinson de quitter sa maison. Je veux seulement lui parler. Je comprends sa situation. J'ai fait quelques recherches. Le 3 mars 69. A-t-elle également la phobie des contacts téléphoniques ?

Un court silence, puis :

— C'est avec les docteurs. Elle a subi tant d'opérations... Tant souffert. Ils l'ont découpée comme un puzzle pour la refaçonner ensuite. Encore, et encore. Je ne dénigre pas les professions médicales, Docteur. Son chirurgien était un véritable magicien. Il l'a presque rétablie. Extérieurement. Mais à l'intérieur... Elle a encore besoin de temps, docteur Delaware. Laissez-moi un peu de temps. Je m'arrangerai pour lui faire comprendre qu'il est vital qu'elle vous contacte. Mais je vous en prie, soyez patient.

A mon tour de soupirer.

— Elle n'est pas sans se rendre compte de sa... de sa situation. Mais la pauvre femme est passée par une telle horreur...

— Elle a peur des médecins, dis-je, pourtant elle a rencontré le Dr Wagner.

— Oui. Ça a été... une surprise. Elle ne supporte pas très bien les surprises.

— Voulez-vous dire qu'elle a montré une réaction d'aversion à l'idée de rencontrer le Dr Wagner ?

— Disons que cela lui a été difficile.

— Mais elle l'a fait, monsieur Dutchy. Et elle a survécu. La chose en elle-même pourrait avoir un effet et une portée thérapeutiques.

— Docteur...

— Est-ce parce que je suis un homme ? Serait-ce plus facile si elle devait voir une thérapeute ?

— Non ! se récria-t-il aussitôt. Absolument pas ! Cela n'a aucun rapport.

— Les docteurs, donc. De n'importe quel sexe.

— C'est cela. — Une pause, puis, d'une voix plus douce : S'il vous plaît, docteur Delaware, soyez patient.

— Très bien. Mais en attendant il faudra que quelqu'un me donne certains renseignements. Des détails. Un historique de l'enfance de Melissa. La structure familiale...

— C'est absolument nécessaire ?

— Indispensable. Et le plus tôt sera le mieux.

— D'accord, dit-il. Je vous donnerai ces renseignements. Dans les limites imposées par ma situation.

— Ce qui signifie ?

— Rien. Rien du tout. Je vous ferai un historique détaillé.

— Demain midi, fis-je. Nous déjeunerons ensemble.

— En général je ne déjeune pas, Docteur.

— Alors vous pourrez me regarder déjeuner, monsieur Dutchy. De toute façon, c'est vous qui parlerez le plus.

Je choisis un endroit à mi-chemin entre le côté ouest de la ville et le sien, un établissement que j'estimais suffisamment traditionnel pour sa sensibilité : le Pacific Dining Car sur la Sixième, près de Witmer. Salles à l'éclairage discret, lambris d'acajou, cuir rouge, nappes en lin. Beaucoup de types de la finance, d'avocats d'affaires et de cadres des partis politiques venaient y parler des fluctuations de la répartition en zones, des derniers résultats sportifs, de l'offre et de la demande, devant un morceau de bœuf premier choix.

Il était arrivé en avance et m'attendait dans un box isolé. Il portait le même costume bleu. Il me salua d'une légère inclinaison du buste.

Je m'assis en face de lui, appelai le serveur et commandai un Chivas sec. Dutchy choisit un thé. Nous attendîmes nos consommations sans échanger un mot. En dépit de son attitude assez guindée il ne semblait pas dans son élément et me fit même un peu pitié. Il donnait l'image d'un homme du dix-neuvième siècle projeté dans un lointain futur sans aucun espoir de le comprendre.

Mis dans une position inhabituelle.

Mon irritation avait disparu depuis la veille, et je m'étais promis d'éviter un affrontement. Aussi j'engageai la conversation en le remerciant pour le temps qu'il m'accordait. Il m'écouta sans répondre, l'air très mal à l'aise. Le bavardage n'était visiblement pas à l'ordre du jour. Je me demandai si on l'avait jamais appelé par son prénom.

Le serveur apporta notre commande. Dutchy contempla son thé avec l'attention naturellement désapprobatrice d'un pair anglais, mais il finit par lever la tasse jusqu'à ses lèvres pour boire une gorgée. Il la reposa aussitôt.

— Pas assez chaud ?

— Non, c'est très bien.

— Depuis combien de temps êtes-vous au service des Dickinson, monsieur Dutchy ?

— Vingt ans.

— Depuis bien avant le procès, donc.

Il acquiesça, leva de nouveau sa tasse mais arrêta son geste avant qu'elle n'atteigne sa bouche.

— Mon tirage au sort pour être membre du jury a été un coup du destin, que je n'ai pas accueilli de gaieté de cœur, dans un premier temps. J'aurais voulu demander mon exemption, mais Mr. Dickinson préférait que je ne me récuse pas. Il a dit que c'était mon devoir civique.

C'était un homme très attaché au respect des devoirs civiques.

Je vis que sa lèvre inférieure tremblait très légèrement.

— Quand est-il décédé ?

— Il y a sept ans et demi.

— Avant la naissance de Melissa ? m'étonnai-je.

— Mrs. Dickinson attendait Melissa quand c'est arrivé...

Il tourna vivement la tête vers la droite, comme pris en faute. Le serveur venait de cette direction, avec les cartes. Le maintien impérial, strict, noir comme le charbon. L'alter ego africain de Dutchy.

Je choisis un T-bone steak saignant. Dutchy demanda si les crevettes étaient du jour. Le serveur l'informa avec quelque hauteur que oui, bien sûr, les crevettes étaient du jour. Rasséréné, Dutchy opta pour une salade de crevettes.

J'attendis que le serveur se soit éloigné pour reprendre :

— Quel âge avait Mr. Dickinson à sa mort ?

— Soixante-deux ans.

— Et comment est-il mort ?

— Alors qu'il jouait au tennis.

La lèvre tremblota encore un peu, mais le reste du visage conservait une impassibilité totale. Il but une gorgée de thé puis serra les lèvres.

— Votre participation comme juré a-t-elle un quelconque rapport avec leur union, monsieur Dutchy ?

Hochement de tête grave.

— C'est ce que je voulais dire en parlant d'un coup du destin. Mr. Dickinson m'a accompagné au tribunal. Pendant le procès, il était dans le public et il a été... fasciné par elle. Il avait suivi l'affaire dans les journaux avant que je ne sois désigné. Plusieurs fois, en lisant le journal le matin, il avait commenté l'ampleur de cette tragédie humaine.

— Connaissait-il Mrs. Dickinson avant l'agression ?

— Non, pas le moins du monde. Son intérêt au début était purement... thématique. C'était un homme bon.

— Je ne suis pas certain de saisir ce que vous entendez par « thématique ».

— Tristesse pour la beauté perdue, expliqua-t-il comme un professeur donnant un thème de devoir. Mr. Dickinson était un grand esthète. Un défenseur de l'environnement également. Il a passé une bonne partie de son existence à embellir son monde, et la dégradation de la beauté le peinait toujours beaucoup. Mais il n'a jamais laissé son intérêt pour la beauté franchir les frontières de son éthique. Lorsque j'ai été désigné comme membre du jury, il m'a dit qu'il m'accompagnerait au tribunal mais que nous devions tous deux veiller à ne jamais discuter de l'affaire. C'était aussi un honnête homme, docteur Delaware. Diogène aurait eu de l'estime pour lui.

— Un esthète, répétai-je. Et dans quelle branche travaillait-il ?

Il me toisa froidement.

— Je parle de Mr. Arthur Dickinson, Docteur.

Mais une fois encore le nom n'éveillait aucun écho dans ma mémoire. Dutchy avait l'art de me mettre dans la peau du mauvais élève au fond de la classe. Pour alléger mon personnage de béotien, j'éludai :

— Bien sûr. Le philanthrope.

Son regard ne se fit pas plus clément.

— Et donc, repris-je, comment se sont-ils rencontrés ?

— Le procès a intensifié l'implication de Mr. Dickinson. Le fait de l'entendre témoigner, de voir son visage bandé... Il lui a rendu visite à l'hôpital. Par le plus grand des hasards, il avait été un des donateurs qui ont permis la création du service de chirurgie où elle se trouvait. Il a parlé aux médecins et s'est assuré qu'elle recevrait les soins les plus attentifs. Et il a fait venir du Brésil le plus grand spécialiste de la chirurgie plastique, le professeur Albano Montecino, un véritable génie. L'homme était un pionnier dans la reconstruction faciale. Mr. Dickinson s'est arrangé pour qu'il obtienne des privilèges médicaux et qu'il ait l'usage exclusif d'une salle d'opérations.

La transpiration perlait à son front, qu'il tamponna avec un mouchoir.

— Elle a tant souffert, reprit-il en me regardant bien en face. Dix-sept opérations distinctes, Docteur. Vous êtes bien placé pour apprécier ce que cela signifie. Dix-sept invasions, chacune terriblement douloureuse. Des mois de récupération entre chacune, avec de longues périodes d'immobilité imposée. Vous comprenez pourquoi elle est devenue aussi solitaire.

— Oui, bien sûr. Ces opérations ont-elles été couronnées de succès ?

— Le professeur Montecino s'est déclaré satisfait. Il a même dit qu'elle était un de ses plus grands triomphes.

— Partage-t-elle cette opinion ?

Un regard désapprobateur.

— Je ne suis pas au fait de ses opinions, Docteur.

— Ces opérations ont eu lieu sur quelle période de temps ?

— Cinq années.

Je fis un rapide calcul mental.

— Elle était donc enceinte pendant certaines ?

— Oui, c'est-à-dire... la grossesse a interrompu le cours des interventions chirurgicales, à cause des modifications hormonales, des risques physiques. Le professeur Montecino a dit qu'elle devait attendre et être surveillée de près. Il a même suggéré... l'interruption de grossesse. Mais elle a refusé.

— Cette grossesse était voulue ?

Dutchy cligna plusieurs fois des yeux, puis eut un mouvement de recul de la tête — la tortue, encore une fois —, comme s'il n'en croyait pas ses oreilles.

— Doux Jésus, Docteur, je ne m'occupe pas des motivations de mes employeurs.

— Excusez-moi si de temps à autre je m'aventure dans des domaines annexes, monsieur Dutchy, mais c'est uniquement afin d'avoir un tableau aussi complet que possible de la situation. Pour le bien de Melissa.

Il marqua son scepticisme d'un raclement de gorge.

— Peut-être pourrions-nous parler de Melissa, dans ce cas ?

— Très bien. Elle m'a parlé de ses peurs. Voulez-vous me donner vos impressions ?

— Mes impressions ?

— Vos observations.

— Mes observations sont que Melissa est une enfant qui a terriblement peur. Tout lui fait peur.

— Par exemple ?

Il réfléchit un instant.

— Le vacarme, par exemple. Cela peut littéralement la faire bondir. Et même des bruits moins forts. Parfois j'ai l'impression que c'est la surprise qui lui fait peur. Le bruissement du feuillage d'un arbre, un bruit de pas, même la musique, tout cela peut déclencher un accès de larmes. La sonnette d'entrée, aussi. Ça arrive quand elle se trouve dans une période de calme inhabituel.

— Quand elle est seule, à rêvasser ?

— Oui. Elle rêvasse beaucoup. Et elle se parle à elle-même.

Il serra les lèvres, en attendant mon commentaire.

— Et les lumières vives ? L'ont-elles déjà effrayée ?

Il parut surpris de ma remarque.

— Oui, c'est déjà arrivé. Je me souviens d'une fois, en particulier, il y a de cela plusieurs mois. Une des domestiques avait acheté un appareil photo muni d'un flash, et elle l'essayait partout dans la maison. — Autre froncement de sourcils désapprobateur. — Elle a surpris Melissa pendant son petit déjeuner, et elle a pris une photo. Le bruit et l'éclair du flash ont jeté Melissa dans une grande détresse.

— Une grande détresse ? C'est-à-dire ?

— Elle a pleuré, crié, rendu son petit déjeuner. Elle a même commencé à hyperventiler. Il a fallu que je la fasse respirer dans un sac en papier pour qu'elle se calme.

— Modification du signal sensoriel, marmonnai-je.

— Je vous demande pardon ?

— Un changement brutal dans son niveau de conscience psychophysiologique semble la perturber.

— Oui, sans doute... Que peut-on faire ?

Je l'arrêtai d'un geste de la main.

— Elle m'a également dit qu'elle faisait des mauvais rêves chaque nuit ?

— C'est exact. Souvent plus d'un par nuit.

— Vous pouvez décrire ce qu'elle fait lorsqu'elle en a un ?

— Je regrette, Docteur, mais quand cela lui arrive elle est avec sa mè... — Il vit mon froncement de sourcils et se reprit aussitôt : Mais je me souviens avoir assisté à quelques-unes de ces crises, Elle pleure beaucoup, Elle pleure et elle crie. Elle s'agite beaucoup, et refuse qu'on la console, comme elle refuse de se rendormir.

— Elle s'agite... A-t-elle jamais parlé de ce qu'elle voyait dans ces rêves ?

— Parfois, oui.

— Mais pas toujours ?

— Non.

— Et quand elle en parle, y a-t-il des thèmes cohérents ?

— Elle parle de monstres, de fantômes, ce genre de choses. Je n'y fais pas vraiment attention. Je concentre mes efforts à la calmer.

— Une chose que vous pouvez faire à l'avenir, dis-je, est de faire très attention à ce qu'elle dit de ces rêves. Notez-les par écrit, et apportez-moi ces notes.

Je me rendis compte que je parlais d'un ton impérieux, comme si je voulais le transformer à son tour en mauvais élève de la classe. Lutte de pouvoir avec le majordome ?

Mais il paraissait très bien accepter le rôle de la soumission.

— Entendu, Docteur, dit-il calmement avant de boire une gorgée de thé.

— Après un cauchemar, vous semble-t-elle parfaitement réveillée ?

— Non, pas toujours. Parfois elle s'assoit dans le lit avec sur son petit visage une expression horrifiée, et elle hurle et elle agite les mains. Nous... J'essaie de la réveiller, mais c'est impossible. Il lui est même arrivé de sortir du lit et d'en faire le tour en hurlant, sans qu'il soit possible de la réveiller. Nous attendons qu'elle se calme, et nous la recouchons.

— Dans son propre lit ?

— Non. Dans celui de sa mère.

— Elle ne dort jamais dans son propre lit ?

— Non, elle dort avec sa mère.

— Bon... Revenons à ces moments où il est impossible de la réveiller. Ses cris ont-ils un sens particulier ?

— Non, elle ne prononce pas de mots. Elle... hurle, c'est tout. — Il grimaça. — C'est vraiment très impressionnant à voir.

— Vous décrivez ce qu'on nomme des terreurs nocturnes. Ce ne sont pas des cauchemars, lesquels se produisent comme les rêves pendant les périodes de sommeil léger. Les terreurs nocturnes surviennent lorsque la personne s'éveille trop brutalement d'un sommeil profond. C'est un désordre du signal sensoriel, en relation avec le somnambulisme et l'énurésie. Lui arrive-t-il d'uriner pendant son sommeil ?

— Occasionnellement.

— Quelle fréquence ?

— Quatre ou cinq fois par semaine. Parfois moins, parfois plus.

— Avez-vous fait quoi que ce soit à ce propos ?

Signe de tête négatif.

— Est-elle ennuyée d'avoir uriné au lit ?

— Au contraire, dit-il. Elle semble trouver la chose naturelle.

— Donc vous lui en avez déjà parlé ?

— Seulement pour lui dire — une ou deux fois — que les jeunes dames doivent surveiller leur hygiène personnelle. Mais elle m'a ignoré et je n'ai pas insisté.

— Comment réagit sa mère ?

— Elle fait changer les draps.

— C'est son lit qui est souillé. Cela ne l'ennuie pas ?

— Apparemment non. Docteur, qu'est-ce que ces terreurs nocturnes signifient ? D'un point de vue médical ?

— Il y a sans doute une composante génétique. Les terreurs nocturnes se transmettent souvent des parents aux enfants, comme l'énurésie et le somnambulisme. Le tout a sans doute une corrélation avec des processus chimiques du cerveau.

Il paraissait franchement inquiet.

— Mais ces symptômes ne sont pas dangereux en eux-mêmes, simplement perturbants. Et généralement ils disparaissent d'eux-mêmes, sans traitement, vers l'adolescence.

— Ah ! donc le temps joue pour nous.

— En effet. Mais cela ne signifie pas que nous devons ignorer ces symptômes. Ils peuvent être traités. Et ils constituent un signal d'alarme. C'est un peu plus qu'un simple phénomène biologique. Le stress accroît souvent le nombre et la durée des crises. Elle nous dit qu'elle est troublée, monsieur Dutchy. Par ces symptômes comme par les autres.

— Oui, je comprends.

Le serveur apporta notre commande. Nous mangeâmes en silence, et bien qu'il ait affirmé avoir pour habitude de ne pas déjeuner, Dutchy fit honneur à ses crevettes avec un certain entrain.

Je commandai ensuite un double expresso, et lui un autre thé.

— Pour en revenir au problème génétique, dis-je après avoir bu mon café, y a-t-il eu d'autres enfants auparavant, d'un mariage précédent ?

— Non. Mr. Dickinson a été marié une fois auparavant. Mais sans avoir d'enfants.

— Qu'est-il arrivé à la première Mrs. Dickinson ?

Il parut un peu gêné.

— Elle est morte de leucémie. Une femme très gentille. Leur union n'a duré que deux ans. Ça a été une épreuve très dure pour Mr. Dickinson. C'est à partir de cette époque qu'il s'est plongé dans sa collection d'art.

— Que collectionnait-il ?

— Des peintures, des dessins, des eaux-fortes, des antiquités, des tapisseries. Il possédait un coup d'œil exceptionnel pour la composition et la couleur, et il recherchait les chefs-d'œuvre endommagés pour les faire restaurer. Il en a même restauré certains lui-même. Il avait appris comment faire durant ses études. C'était là sa véritable passion : la restauration.

Comme il avait restauré sa seconde femme... Dutchy sembla lire mes pensées et me lança un regard aigu.

— Et en dehors des bruits et des lumières trop vives, de quoi Melissa a-t-elle peur ?

— De l'obscurité. D'être seule. Et parfois, de rien du tout.

— Que voulez-vous dire ?

— Il lui arrive d'avoir une crise sans raison apparente.

— Et à quoi ressemble « une crise » ?

— En grande partie à ce que je vous ai déjà dit. Elle pleure, elle fait de l'hyperventilation et elle court partout en hurlant. Parfois elle se couche sur le sol et tape des pieds. Ou bien elle s'accroche à l'adulte le plus proche comme... une sangsue.

— Ces crises surviennent-elles après qu'on lui a refusé quelque chose ?

— Ce n'est pas systématique, mais bien sûr cela arrive. Elle supporte très mal les restrictions. Comme tous les enfants...

— Donc elle a des accès de colère. Mais ces crises vont au-delà de simples accès de colère, n'est-ce pas ?

— Je parle de peur réelle, Docteur. De panique. Qui semble venir de nulle part.

— Explique-t-elle ce qui lui fait peur ?

— Des monstres, des « choses méchantes ». Parfois elle affirme entendre des bruits, ou voir des choses.

— Des choses et des bruits que personne d'autre n'entend ni ne voit ?

— Oui, fit-il d'une voix chevrotante d'émotion.

— Cela vous dérange ? Plus que les autres symptômes ?

— C'est assez perturbant, reconnut-il doucement.

— Si vous craignez une psychose ou ce genre de désordre mental, je vous rassure, à moins qu'il y ait d'autres éléments dont vous ne m'avez pas parlé, comme un comportement autodestructeur, ou des propos bizarres.

— Non, rien de tel. Je suppose que tout cela vient de son imagination ?

— C'est exactement cela. Elle possède une bonne imagination, mais de ce que j'ai pu constater elle est très consciente également de la réalité. A cet âge, il n'est pas rare que les enfants entendent et voient « des choses ».

Il semblait sceptique.

— Tout cela fait partie d'un jeu. Un jeu imaginaire. Le théâtre de l'enfance, si vous voulez. Les enfants créent des drames en esprit, parlent à des compagnons imaginaires. C'est une sorte d'auto-hypnose nécessaire à un développement harmonieux de la personnalité.

Il gardait un air fermé, mais il m'écoutait.

— L'imagination peut avoir des effets thérapeutiques, monsieur Dutchy. Et même réduire les peurs des enfants en leur donnant l'impression qu'ils maîtrisent mieux le cours de leur vie. Mais pour certains — ceux qui sont soumis à une pression nerveuse, ou qui sont introvertis, ou encore qui vivent dans un environnement stressant —, cette même capacité à créer des images mentales peut conduire à l'anxiété. Ces images deviennent tout simplement trop vivaces pour l'enfant. Là encore, un élément constitutif de la personnalité peut entrer en compte. Vous avez dit que son père était un excellent restaurateur d'art. Avait-il d'autres talents créatifs ?

— Absolument. Il était architecte de formation, et c'était également un peintre talentueux, dans ses jeunes années.

— Pourquoi a-t-il arrêté ?

— Il s'est persuadé qu'il n'était pas assez doué pour consacrer le temps nécessaire à la peinture. Il a détruit tout son travail et n'a jamais repris le pinceau. C'est alors qu'il a commencé à collectionner et à parcourir le monde. Il avait obtenu son diplôme d'architecte à la Sorbonne. Il adorait l'Europe. Il a même conçu quelques édifices remarquables avant d'inventer l'étai.

— L'étai ?

— Oui, l'étai Dickinson, expliqua-t-il d'un ton patient d'instituteur s'adressant à un élève peu éveillé. C'est un procédé renforçant l'acier, très utilisé dans la construction.

— Et Mrs. Dickinson ? C'était une actrice. Avait-elle d'autres talents créatifs ?

— Je ne saurais vous le dire, Docteur.

— Depuis combien de temps est-elle agoraphobe : apeurée à l'idée de quitter sa maison ?

— Elle quitte la maison.

— Oh ?

— Elle se promène dans les jardins.

— Et sort-elle des jardins ?

— Non.

— Quelle est la taille de ces jardins ?

— Trois mille mètres carrés environ.

— Les parcourt-elle de bout en bout ?

Il s'éclaircit la gorge, mâchonna un peu l'intérieur de ses joues avant de répondre :

— Elle préfère rester assez proche de la maison. Y a-t-il autre chose, Docteur ?

Ma question initiale restait sans réponse.

— Depuis combien de temps est-elle ainsi, à refuser de quitter la propriété ?

— Depuis... le début.

— Depuis son agression ?

— Oui. C'est assez logique, vraiment, quand on comprend l'enchaînement des événements. Lorsque Mr. Dickinson l'a amenée à la propriété juste après leur mariage, elle était en pleine chirurgie. Elle souffrait beaucoup, et elle avait très peur... Le traumatisme de ce qu'elle avait subi. Elle ne quittait jamais sa chambre, sur ordre du professeur Montecino. Elle devait rester allongée sur son lit sans bouger, des heures durant. La nouvelle peau devait être conservée extrêmement souple et propre. Des filtres à air spéciaux ont été installés pour supprimer toutes les particules en suspension qui auraient pu polluer sa peau. Elle était surveillée nuit et jour par des infirmières qui lui administraient des traitements, des injections, qui lui faisaient des lotions et des bains. Tout cela la faisait horriblement souffrir. Elle n'aurait pas pu sortir de sa chambre même si elle l'avait voulu. Ensuite, il y a eu la grossesse. Elle était astreinte à ne pas quitter son lit, on lui mettait et on lui retirait constamment ses bandages. Quatre mois de grossesse, et Mr. Dickinson... est mort, et... La propriété était pour elle un endroit sûr, où elle se sentait bien. Elle ne pouvait pas le quitter. C'est évident, bien sûr. Dans un sens, c'est parfaitement logique, n'est-ce pas ? Comment elle est maintenant, je veux dire. Elle reste attachée à cet endroit où elle se sent bien. En sécurité. Vous comprenez, n'est-ce pas, Docteur ?

— Oui, je comprends. Mais à présent, il nous faut trouver ce qui est bon pour Melissa.

— Oui, bien sûr, fit-il en évitant mon regard.

J'appelai le serveur et commandai un autre expresso. Quand il arriva, avec de l'eau chaude pour le thé de Dutchy, celui-ci serra sa tasse dans ses mains, mais sans boire. Je sirotai mon café, et il me demanda :

— Pardonnez mon audace, Docteur, mais quel est votre diagnostic, en tant que spécialiste ?

— Avec la coopération de la famille et des proches, je

dirai qu'il est bon. Elle est motivée, vive d'esprit, et elle a une intelligence marquée pour son âge. Mais cela prendra du temps.

— Oui, bien entendu. N'est-ce pas le cas de tout ce qui a de la valeur?

Soudain il se pencha sur la table et ses mains s'animèrent dans l'air. Une attitude assez surprenante pour quelqu'un d'aussi posé. Je détectai l'odeur de sa lotion capillaire mêlée à celle des crevettes. Un instant je crus qu'il allait me saisir les mains. Mais il se figea subitement, comme s'il approchait d'une clôture électrifiée invisible.

— Aidez-la, Docteur, je vous en prie. Je ferai tout ce qui est en mon pouvoir pour favoriser votre traitement.

Ses mains étaient toujours immobiles dans l'air. Il s'en rendit compte et elles retombèrent sur la table comme des canards abattus à la chasse.

— Vous êtes très dévoué à cette famille, dis-je.

Il réprima une grimace douloureuse et détourna les yeux, comme si je venais d'énoncer son vice secret.

— Tant qu'elle viendra aux séances, je m'occuperai d'elle, monsieur Dutchy. Vous pouvez m'aider en me disant tout ce que j'ai besoin de savoir.

— Oui, bien sûr. Y a-t-il autre chose?

— McCloskey. Que sait-elle à son sujet?

— Rien!

— Pourtant elle a mentionné son nom.

— C'est tout ce qu'il est pour elle. Un nom. Les enfants surprennent des conversations...

— En effet. Et elle a entendu pas mal de choses. Elle sait qu'il a agressé sa mère avec de l'acide parce qu'il ne l'aimait pas. Que lui a-t-on dit sur lui, exactement?

— Rien. C'est la vérité. Comme je vous l'ai dit, les enfants surprennent parfois certains propos... Mais ce n'est pas un sujet de conversation dans la maison.

— Monsieur Dutchy, quand ils manquent d'informations précises les enfants inventent leurs propres scénarios. Il serait préférable que Melissa comprenne ce qui est arrivé à sa mère.

Je vis les articulations de ses mains blanchir autour de la tasse.

— Que suggérez-vous, Docteur ?

— Que quelqu'un parle à Melissa, Lui explique pourquoi McCloskey a agressé Mrs, Dickinson,

Il se détendit manifestement,

— Expliquer pourquoi,,, Oui, oui, je comprends ce que vous voulez dire, Il n'y a qu'un problème, Docteur,

— Lequel ?

— Personne ne sait pourquoi McCloskey a fait cela, Ce monstre n'a jamais donné ses raisons, et personne ne sait, A présent, si vous voulez bien m'excuser, Docteur, je dois vraiment partir,

5

Le lundi Melissa se montra d'excellente humeur, coopérative et polie. Elle n'essaya pas de me tester, pas plus qu'elle ne tenta de s'imposer. Mais elle était plus réservée, moins désireuse de parler. Elle me demanda si elle pouvait dessiner.

La nouvelle patiente type.

Comme si tout ce qui s'était produit jusqu'alors n'avait constitué qu'un préambule frappé de nullité.

Elle commença par le même genre de dessins anodins qu'elle m'avait présentés pendant la première séance. Mais elle passa rapidement à des couleurs plus dures, des ciels sans soleil, de larges taches de gris, des sujets révélateurs.

Elle dessina des animaux à triste mine, des jardins anémiques, des enfants à l'air malheureux dans des poses figées. Elle ne s'attardait sur aucun dessin, mais dans la seconde partie de la séance elle trouva un thème qu'elle conserva : une série de maisons sans porte ni fenêtre. Des constructions lourdes mais inclinées, en briques laborieusement dessinées, entourées d'arbres squelettiques, sous un ciel balafré de hachures violentes.

Plusieurs feuilles plus tard elle ajouta des formes grises qui approchaient des maisons. Puis le gris devint du noir, les silhouettes se firent humanoïdes : celles d'hommes à chapeau et long manteau, portant des sacs rebondis.

Elle dessinait avec une telle furie qu'elle déchirait le papier. Elle recommençait sans se lasser.

Crayons de couleurs et pastels se transformaient en bouts inutilisables, consumés par sa rage. Chaque dessin terminé était déchiré avec une joie féroce. Elle travailla de la sorte pendant trois semaines. A la fin de chaque séance elle quittait la pièce sans un mot, d'un pas de petit soldat.

La quatrième semaine elle se plongea dans les jeux pour enfants disponibles durant le dernier quart d'heure, sans prononcer une syllabe. Elle jouait avec une grande détermination et sans plaisir apparent.

Parfois Dutchy l'amenait au cabinet, mais de plus en plus souvent il était remplacé par Hernandez qui me considérait toujours avec une méfiance évidente. Puis d'autres chaperons firent leur apparition : plusieurs jeunes hommes minces au teint sombre qui apportaient avec eux l'odeur de transpiration du travailleur et se ressemblaient tant qu'ils devinrent pour moi interchangeables. Par Melissa j'appris qu'il s'agissait des cinq fils d'Hernandez.

En alternance venait une femme corpulente de l'âge de Dutchy, aux cheveux ramenés en une tresse stricte et aux bajoues impressionnantes. La femme au fort accent français, Madeleine, la cuisinière-femme de chambre. Invariablement elle était en sueur et arborait une expression de lassitude.

Tous s'éclipsaient dès que Melissa avait franchi le seuil et réapparaissaient au moment précis où se terminait la séance. Cette ponctualité — et cet art de ne pas me regarder en face — portait la marque de Dutchy. Quand il venait, celui-ci était le plus adroit à s'échapper, sans même pénétrer dans la salle d'attente. Il ne me fournit aucun des renseignements que je lui avais demandés. J'aurais pu lui en vouloir.

Mais avec le temps, je me sentais de moins en moins concerné.

Parce que Melissa donnait tous les signes d'une amélioration notable. Sans lui. Sans aucun d'eux. Dix semaines après le commencement de la thérapie, c'était une autre enfant, soulagée, visiblement calme, qui ne s'agitait plus nerveusement. Elle se permettait même des sourires. Elle se laissait aller quand elle jouait, et riait de mon répertoire de blagues de collégien. Bref, elle se comportait comme une enfant de son âge. Et bien qu'elle refusât toujours de parler de ses peurs, ses dessins étaient devenus moins frénétiques, et les silhouettes d'hommes portant des sacs avaient disparu. Les portes et les fenêtres fleurissaient sur les façades des maisons qui étaient maintenant bien droites.

Des dessins qu'elle conservait précieusement et qu'elle me présentait avec une fierté non dissimulée.

Progrès ? Ou simplement une gamine de sept ans arborant un masque joyeux pour faire plaisir à son thérapeute ?

Si j'avais été tenu au courant de son comportement en dehors du cabinet, sans doute aurais-je pu me faire une idée plus juste. Mais ceux qui auraient pu me renseigner m'évitaient comme si j'étais un virus.

Eileen Wagner elle-même avait disparu du paysage. J'avais téléphoné à son bureau à de multiples reprises pour n'avoir que son répondeur, bien que j'eusse appelé durant les horaires normaux de travail. Clientèle rare, supposai-je. Elle travaillait probablement au noir pour joindre les deux bouts.

J'appelai le bureau du personnel du Western Pediatric pour savoir si elle avait un autre emploi déclaré. Ils n'avaient aucune information. Je laissai d'autres messages à son cabinet, qui restèrent également sans réponse.

Étrange si l'on considérait l'intérêt qu'elle avait montré pour arranger ma reprise du cas. Mais tout ce qui concernait ce cas était étrange, et je commençais à m'y habituer.

Je me souvins alors qu'Eileen m'avait parlé de la phobie hystérique de Melissa pour l'école, et je demandai à ma patiente le nom de son école. Je trouvai le numéro de téléphone dans l'annuaire et les contactai, en me présentant comme médecin mais sans parler de ma spécialisation quand la secrétaire me supposa simple pédiatre. Je demandai à parler à l'institutrice de Melissa, une certaine Mrs. Vera Adler. Cette dernière confirma les absences répétées de Melissa au début du semestre, mais assura que depuis, son assiduité était parfaite et que son « comportement social » s'était notablement amélioré.

— Avait-elle des problèmes sociaux, madame Adler ?

— Je ne dirais pas cela, non. En fait elle n'a jamais eu aucun problème précis, Docteur. Mais elle n'était pas des plus expansives. Une enfant timide, vous voyez. Enfermée dans son propre monde. Maintenant elle participe beaucoup plus. Était-elle malade au début du semestre, Docteur ?

— Non, rien de particulier. Je téléphonai simplement pour le suivi.

— Eh bien, elle va très bien. Nous commencions à nous inquiéter, c'est vrai, à cause de la fréquence de ses absences, mais à présent elle ne cause aucun problème. C'est une petite fille très gentille, et extrêmement éveillée. Nous sommes très heureux qu'elle se soit remise à niveau...

Je la remerciai et raccrochai, le cœur plus léger. Au diable les adultes, me dis-je en reprenant mon travail de la journée.

Après quatre mois de traitement, Melissa se comportait dans le cabinet comme s'il s'agissait d'un second foyer pour elle. Elle y entrait le sourire aux lèvres et se dirigeait droit vers la table de dessin. Elle connaissait la pièce par cœur et voyait tout de suite si un livre avait été bougé, auquel cas elle le remettait à sa place sans tarder. Elle restaurait l'environnement coutumier, avec une sûreté dans le détail qui s'accordait parfaitement à la sensibilité de perception décrite par Dutchy.

Une enfant aux sens parfaitement développés. Pour elle, la vie ne serait jamais ennuyeuse. Mais serait-elle sereine un jour ?

Durant le cinquième mois elle se déclara disposée à parler de nouveau. Elle m'annonça qu'elle voulait que nous formions une équipe, comme je l'avais dit au tout début.

— Bien sûr. Et sur quoi aimerais-tu que nous travaillions ensemble ?

— L'obscurité.

Je retroussai mes manches et m'apprêtai à rassembler la moindre parcelle du savoir accumulé depuis l'école. Tout d'abord je lui appris à reconnaître les signes physiques annonçant l'anxiété — ce qu'elle ressentait quand la peur approchait. Ensuite je l'entraînai à la relaxation profonde, laquelle ouvrit très vite les portes de l'hypnose grâce à son aisance imaginative. Elle apprit la technique de l'auto-hypnose en une seule séance, et put ensuite glisser dans un état de transe en quelques secondes. Je lui enseignai quelques signaux avec les doigts, afin qu'elle puisse continuer à communiquer. Enfin j'engageai le processus de désensibilisation.

Je l'installai sur un siège et lui dis de fermer les yeux et de s'imaginer assise dans l'obscurité. Une pièce obscure. Je vis son corps se raidir et, quand elle leva un index comme convenu, je dissipai sa tension naissante avec des suggestions de calme profond et de bien-être. Dès qu'elle fut de nouveau détendue je la fis retourner dans la pièce sombre. Encore et encore, jusqu'à ce qu'elle tolère l'image. Après environ une semaine, elle maîtrisait les ténèbres imaginaires et était prête à affronter l'ennemi réel.

Je tirai les rideaux devant la fenêtre et réglai le variateur de lumière pour l'accoutumer graduellement à l'obscurité. J'étendis les temps de ténèbres partielles et neutralisai les premières preuves de tension par des instructions de relaxation de plus en plus profonde.

Après onze séances, je pouvais fermer les doubles rideaux et plonger la pièce dans le noir complet. Je comptais les secondes à voix haute en m'accordant au rythme de sa respiration. J'étais prêt à réagir à la moindre modification perceptible, pour lui éviter toute anxiété prolongée.

Chaque étape franchie était récompensée de félicitations chaleureuses et de cadeaux assez minables, des jouets en plastique achetés une misère en lots au bazar du coin. Mais elle était ravie.

A la fin du mois elle était capable de rester assise dans l'obscurité — ce qui m'occasionna quelques pertes d'équilibre — pendant une séance entière, sans tension, à bavarder de l'école.

Très vite elle fut aussi à l'aise dans le noir total qu'une chauve-souris. Je lui dis alors que le moment était peut-être venu de travailler sur son sommeil. Elle sourit, et accepta.

J'étais tout spécialement intéressé par cette étape, parce que cela entrait dans mon domaine de prédilection. Pendant mon internat j'avais observé plusieurs cas d'enfants souffrant de terreurs nocturnes chroniques, et j'avais pu constater les dommages causés aux enfants dans leur relation avec l'entourage familial. Mais aucun des psychologues ou des psychiatres de l'hôpital ne savait comment vaincre ce désordre. Officiellement d'ailleurs, il n'existait aucun traitement en dehors de la prescription de tranquillisants et de sédatifs dont les effets restaient imprévisibles sur de si jeunes organismes.

Je me rendis à la bibliothèque de l'hôpital et recherchai des textes de référence. Je trouvai maintes théories mais rien sur un traitement adapté. Quelque peu frustré je réfléchis longtemps au problème avant de décider une tentative exotique : le conditionnement opératif. La théorie comportementale appliquée telle quelle. Récompenser les enfants quand ils n'avaient pas de terreurs nocturnes et surveiller le résultat.

C'était d'une simplicité confinant au rudimentaire. En principe, cela n'avait d'ailleurs pas de sens, comme m'en informèrent prestement mes aînés derrière les volutes de fumée de leur pipe. Comment un comportement *inconscient* — l'éveil subit d'un sommeil profond — aurait-il pu être *consciemment* modifié ? Que pouvait le conditionnement volontaire face à une déviance enracinée ?

Mais des recherches récentes suggéraient une importance bien plus grande que ce que l'on imaginait du contrôle volontaire sur les fonctions corporelles : des cobayes apprenaient à faire monter ou descendre leur température dermique et leur pression sanguine, et même à annuler une forte douleur. Lors d'une réunion de travail, je demandai la permission de tenter le déconditionnement des terreurs nocturnes, en arguant qu'il n'y avait rien à perdre. Je vis beaucoup de moues dubitatives et j'entendis mon lot de commentaires décourageants, mais on me permit de tenter l'expérience.

Ce fut un succès. L'état de tous mes patients s'améliora durablement. Mes aînés appliquèrent la méthode sur leurs propres patients et obtinrent des résultats similaires.

Le directeur du département de psychologie me contacta pour m'enjoindre de publier ces travaux dans une revue scientifique, en s'autoproclamant coauteur. J'écrivis le papier, désarmai les sceptiques par des colonnes de pourcentages et des statistiques incontestables, et fus publié. En moins d'un an ma méthode était adoptée par d'autres thérapeutes. Je reçus des demandes d'articles et des coups de téléphone du monde entier m'invitant à venir faire des conférences.

C'est au sortir d'une de ces conférences qu'Eileen Wagner m'avait approché. L'exposé qui m'avait conduit à Melissa...

Et maintenant Melissa était prête à être traitée par le spécialiste. Mais un problème de taille subsistait : la technique — ma technique — dépendait de la coopération de l'entourage. Il fallait que quelqu'un surveille de près le sommeil de la patiente.

J'accrochai Dutchy un vendredi après-midi, avant qu'il ait eu le temps de s'esquiver. Avec un regard résigné, il me demanda : — De quoi s'agit-il, Docteur ?

Je lui tendis une liasse de feuilles quadrillées, deux crayons bien taillés et j'adoptai l'attitude du professeur autoritaire pour lui donner mes instructions : avant le coucher, Melissa devrait pratiquer la relaxation. Il ne devrait pas le lui rappeler ni l'y obliger. La décision viendrait d'elle. Sa tâche consisterait uniquement à noter avec soin les terreurs nocturnes et leur fréquence. Les nuits passées sans terreur nocturne devraient être récompensées le lendemain matin par l'un de ces jouets bon marché qu'elle paraissait tant apprécier. Les nuits ayant comporté des terreurs nocturnes n'entraîneraient aucune réaction ou commentaire.

— Mais, Docteur, elle n'en a plus.

— Elle n'a plus quoi ?

— De terreurs nocturnes. Depuis des semaines son sommeil est totalement calme. Son énurésie a également cessé.

Je regardai Melissa. Elle s'était glissée derrière lui et je ne voyais que la moitié de son visage, mais suffisamment pour reconnaître son sourire malicieux.

Un sourire de pure joie. Elle savourait ma surprise et son secret comme une sucrerie.

Tout se tenait. Elle avait été élevée dans les secrets, et ils étaient sa monnaie d'échange.

— L'évolution a été vraiment... remarquable, disait Dutchy. C'est pourquoi je n'ai pas cru nécessaire de...

— Je suis vraiment fier de toi, Melissa, dis-je à la fillette.

— Et moi je suis fière de vous, docteur Delaware, répondit-elle en gloussant de plaisir. Nous formons une très bonne équipe.

Son état continua de s'améliorer plus vite que la science ne pouvait l'expliquer. Elle dépassait mes prévisions les plus optimistes.

Elle se guérissait elle-même.

C'est la magie de l'être humain, avait dit un jour un de mes aînés les plus sages. *Parfois ils iront mieux et vous ne saurez pas pourquoi. Avant même que vous ayez commencé ce que vous croyez si finaud et scientifiquement révolutionnaire. Ne combattez pas. Attribuez cela à la magie de l'être humain. C'est une explication qui en vaut une autre...*

Melissa me donnait l'impression d'être un magicien, et je ne combattis pas cette impression.

Jamais nous n'abordâmes les sujets que j'estimais essentiel d'explorer : la mort, l'agression, la solitude. Un Mikoski avec de l'acide...

Malgré la fréquence des séances, son dossier resta mince. J'avais bien peu à y consigner. Je me mis à me demander si je faisais plus qu'un baby-sitter de luxe, mais je me rassérénai en songeant qu'il y avait des situations moins enviables. De plus je devais m'occuper de cas beaucoup plus difficiles à mesure que ma clientèle s'accroissait, et j'accueillais avec reconnaissance la possibilité de rester passif quarante-cinq minutes par jour trois fois par semaine.

Après huit mois elle m'informa que toutes ses peurs avaient disparu. Je risquai sa colère et proposai de réduire nos rendez-vous à deux par semaine. Elle accepta si facilement que je sus qu'elle avait pensé la même chose.

Je m'attendais pourtant à une fausse régression provoquée par le sentiment de perte et sa volonté de regagner mon attention et mon temps. Je faisais erreur, et à la fin de l'année je ne la voyais plus qu'une fois par semaine. La qualité des séances se modifia également. Elles devinrent plus paisibles. Beaucoup de jeu, pas de drame.

La thérapie s'annulant d'elle-même. Le triomphe. Je pensai qu'Eileen Wagner serait heureuse de l'apprendre, et je tentai encore une fois de la joindre. Son numéro n'était plus attribué. J'appelai l'hôpital et appris qu'elle avait abandonné ses horaires, démissionné du personnel et était partie sans laisser d'adresse.

Déroutant. Mais ses agissements ne me concernaient pas. Et je n'allais pas pleurer sur un rapport en moins à rédiger.

Pour un cas aussi complexe, il s'était résolu avec une simplicité surprenante.

La patiente et le médecin. Abattant ensemble les démons.

Quoi de plus pur?

Les chèques émis sur la Fiduciary First Bank continuaient de m'arriver par le courrier, de trois chiffres chacun.

La semaine de son neuvième anniversaire, elle arriva avec un cadeau. Je n'en avais aucun pour elle — depuis longtemps je m'étais fait une règle de ne rien acheter à mes patients. Mais elle ne parut pas vexée et rayonna dans le rôle du donneur.

C'était un cadeau trop volumineux pour qu'elle l'apporte elle-même. Sabino s'en chargea.

Un énorme panier empli de fruits enrobés dans du papier coloré, des fromages, du vin fin, des boîtes de caviar, des truites fumées, des pots de confiture et de compote, le tout provenant de chez un traiteur de luxe de Pasadena. Un colis jaune monstrueux que Sabino porta dans mon cabinet en ahanant un peu.

À l'intérieur, une carte :

POUR LE DR DELAWARE. AFFECTUEUSEMENT,
MELISSA D.

Au verso se trouvait le dessin d'une maison. Le meilleur qu'elle ait jamais fait, avec des ombres soignées et beaucoup de fenêtres et de portes.

— C'est magnifique, Melissa. Merci beaucoup.

— Je vous en prie, dit-elle en souriant, mais ses yeux étaient embués.

— Que se passe-t-il ?

— Je voudrais...

Elle me tourna le dos et se serra le torse dans les bras.

— Qu'y a-t-il, Melissa ?

— Je voudrais... Peut-être qu'il est temps... Qu'il n'y ait plus de...

Elle ne termina pas sa phrase et resta silencieuse. Haussa les épaules, doigts crispés.

— Veux-tu dire que tu désires cesser de venir aux séances ?

Plusieurs hochements de tête affirmatifs, très rapides.

— Il n'y a aucun mal à cela, Melissa. Tu t'es très bien débrouillée. Je suis vraiment fier de toi. Et si tu veux essayer toute seule, je comprends et je pense que c'est très bien. Et tu n'as pas à t'inquiéter. Je serai toujours là si tu as besoin de moi.

Elle se retourna et me fit face.

— J'ai neuf ans, docteur Delaware. Je crois que je suis prête à me débrouiller toute seule.

— Je le crois aussi. Et ne pense pas que tu me fais de la peine.

Elle se mit à pleurer.

J'allai à elle et la serrai dans mes bras. Elle posa sa tête contre ma poitrine et sanglota un moment.

— Je sais que ce n'est pas facile, dis-je. Tu as cru que ça me ferait de la peine. Et depuis déjà quelque temps, n'est-ce pas ?

Elle acquiesça.

— C'est très gentil de ta part, Melissa. J'apprécie beaucoup que tu te soucies de ne pas me faire de peine. Mais il n'y a aucune raison. Je vais bien. Bien sûr tu vas me manquer, mais je continuerai de penser à toi. Et ce n'est pas parce que tu cesses de venir pour des séances régulières que nous ne devons pas rester en contact. Par le téléphone, ou les lettres, par exemple. Tu peux aussi venir me voir, même si tu n'as aucun problème. Juste pour dire bonjour.

— Vos autres patients le font ?

— Bien sûr.

— Ils s'appellent comment ?

Elle me décocha un sourire malicieux, et nous éclatâmes de rire tous deux.

— Le plus important pour moi, Melissa, c'est la façon superbe dont tu t'es comportée. Comment tu as maîtrisé tes peurs. Je suis vraiment impressionné.

— Je crois que je peux bien me débrouiller, affirma-t-elle en s'essuyant les yeux.

— J'en suis certain.

— Je peux ? demanda-t-elle en regardant la grosse corbeille jaune. Vous avez déjà mangé de la pâte de noisette ? C'est bizarre, ça n'a pas du tout le goût des noisettes grillées...

Je lui téléphonai la semaine suivante. C'est Dutchy qui répondit. Je lui demandai comment elle allait.

— Très bien, Docteur. Je vais vous la chercher, ne quittez pas.

Je ne l'aurais pas juré, mais il me sembla détecter une note de sympathie dans sa voix.

Melissa prit le combiné. Elle se montra polie et calme, mais quelque peu distante. Elle m'affirma qu'elle allait bien et qu'elle me ferait signe si elle éprouvait le besoin de venir. Elle ne le fit jamais.

J'appelai deux ou trois fois par la suite. Elle me parut distraite, et peu désireuse de prolonger la conversation.

Quelques semaines plus tard, alors que je faisais ma comptabilité je vis dans son dossier que j'avais été payé par avance pour dix séances qui n'avaient jamais eu lieu. J'envoyai un chèque du montant correspondant à San Labrador. Le lendemain une enveloppe me fut délivrée au cabinet par un coursier. A l'intérieur se trouvait mon chèque proprement déchiré en trois morceaux, avec une feuille de papier à lettre parfumée :

> *Cher docteur Delaware,*
> *Avec toute ma gratitude,*
> *Sincèrement vôtre,*
> *Gina Dickinson.*

La même calligraphie gracieuse que celle utilisée pour me promettre de rester en contact, deux ans auparavant.

Je fis un autre chèque du même montant à l'ordre du Western Pediatric Toy Fund, descendis dans le hall et le postai. Je savais que j'agissais ainsi autant pour moi-même que pour les enfants à qui on achèterait des jouets avec cet argent, et je me répétai que je n'avais aucune raison de me sentir une noble âme.

Puis je repris l'ascenseur jusqu'à mon cabinet et me préparai à accueillir le patient suivant.

6

Il était une heure du matin quand je refermai le dossier. Ces retours dans le passé constituaient un exercice épuisant, et la fatigue m'avait peu à peu envahi. Je me traînai jusqu'au lit et dormis à poings fermés. Je me levai sans réveil à sept heures et m'accordai une bonne douche. Je venais de m'habiller quand la sonnette retentit. J'allai ouvrir.

Milo se tenait sur la terrasse, mains dans les poches. Il portait une chemise de golf jaune barrée de deux larges bandes horizontales vertes, un pantalon de treillis marron, et des baskets montantes qui avaient dû être blanches dans un lointain passé. Sa chevelure noire était plus longue que je ne l'avais jamais vue, sa mèche rebelle cachait maintenant son front en totalité, et ses favoris descendaient jusqu'à la mâchoire. Son visage marqué d'acné, aux traits empâtés, était ombré par une barbe de trois jours et ses prunelles vertes paraissaient voilées, l'éclat habituel remplacé par la couleur terne de l'herbe brûlée.

— La bonne nouvelle, c'est qu'au moins maintenant tu la fermes à clef, grommela-t-il. La mauvaise nouvelle, c'est que tu ouvres toujours sans vérifier d'abord qui est de l'autre côté.

— Qu'est-ce qui te fait penser que je n'ai pas vérifié? répliquai-je en m'effaçant pour le laisser entrer.

— Le délai entre ton dernier pas et le déverrouillage de la porte. C'est ça, la puissance de déduction.

Il tapota son front d'un doigt et prit la direction de la cuisine.

— Bonjour, Inspecteur. Un vrai ravissement de vous voir.

Il grogna sans ralentir son pas.

— Quoi de neuf? fis-je en le suivant.

— Devrait y avoir du neuf? lâcha-t-il, la tête déjà dans le frigo.

Encore une de ses périodes de susceptibilité maussade. Elles devenaient de plus en plus fréquentes.

Il broyait un noir intense.

Il était à la moitié de sa punition — six mois de suspension sans paie. Le plus que pouvait faire le Département sans le limoger. Le Département espérait qu'il apprendrait à apprécier les joies de la vie civile et ne reviendrait jamais. Le Département rêvait.

Il fouilla un moment, dénicha du pain de seigle, un reste de saumon fumé, un carton de lait, un couteau et une assiette, et il entreprit de se confectionner un petit déjeuner.

— Qu'est-ce que tu regardes comme ça? fit-il. Jamais vu un homme cuisiner?

J'allai me préparer. Quand je revins il se tenait devant le plan de travail. Il dévorait un toast au saumon et buvait le lait à même le carton. Il avait encore grossi, et son torse flirtait avec la taille sumo sous la chemise en Nylon.

— T'as une journée chargée de prévue? demanda-t-il. Me suis dit que nous pourrions descendre à Rancho pour égarer quelques balles de golf.

— Je ne savais pas que tu étais golfeur.

— Je ne le suis pas. Mais il faut bien passer le temps, s'pas?

— Désolé, je travaille ce matin.

— Oh! vrai? Je vais partir, alors.

— Non, pas avec des patients. De la paperasse à faire ici.

— Ahh... — Il eut un geste nonchalant. — Je croyais qu'il s'agissait de vrai travail.

— Pour moi c'est du vrai travail.

— Quoi, ton bla-bla écrit?

J'acquiesçai.

— Tu veux que je le fasse à ta place ?

— Faire quoi ?

— Écrire ton rapport.

— C'est une plaisanterie ?

— Non, je suis sérieux. Gribouiller m'a toujours été facile. C'est pour ça que je suis allé jusqu'à la maîtrise, et Dieu sait que ce n'est pas grâce à ces conneries académiques qu'ils m'ont balancées. Je n'ai pas un style flamboyant, mais j'écris de façon... « appliquée, voire prosaïque », d'après les propres termes de mon directeur de thèse.

Il mordit dans son toast et des miettes cascadèrent sur sa chemise. Il ne fit pas mine de les enlever.

— Merci, Milo, mais je ne suis pas encore prêt à prendre un nègre, dis-je en préparant du café.

— S'qu'il y a ? fit-il, la bouche pleine. Pas confiance en mes capacités ?

— C'est un texte scientifique. Une centaine de pages de béton.

— Belle affaire. Peut pas être pire qu'un dossier d'homicide quelconque. — Il utilisa une miette pointue pour se nettoyer un ongle. — Première partie : synopsis du crime. Deuxième partie : narration chronologique. Troisième partie : renseignements sur la victime. Quatrième...

— Je saisis la technique.

Il mit la miette dans sa bouche.

— Le truc pour faire un rapport impec, dit-il en mâchonnant, c'est d'en enlever toute trace de sentiment. Et d'utiliser sans modération une dose de pléonasmes et de tautologies superflues, de préférence abscons, de façon à rendre l'ensemble horriblement barbant. De la sorte, quand un supérieur met son nez dedans, il survole à vitesse grand V sans forcément remarquer qu'on s'est roulé les pouces depuis la découverte du corps et que rien n'a été résolu. Alors, c'est très différent de ce que tu fais ?

Je ne pus retenir un petit rire.

— Jusqu'à maintenant je me disais que je cherchais la vérité. Merci de m'avoir ouvert les yeux.

— Pas de problème. C'est mon boulot.

— A propos de boulot, comment ça se passe en ville ?

Il me gratifia d'un regard particulièrement sombre.

— Toujours pareil, en pire. Des guignols souriants derrière leur bureau. Cette fois ils ont fait intervenir le psy du Département.

— Je croyais que tu avais refusé toute assistance socio-psychologique ?

— Ils ont tourné la difficulté en prétextant une évaluation du stress. C'est dans le texte de la sanction, écrit en caractères microscopiques... — Il secoua la tête, l'air écœuré. — Tous ces faux-derches qui me parlaient très doucement et très lentement, comme si j'étais sénile. Ils m'ont parlé de ma réadaptation. De mon niveau de stress. Ils partageaient « une certaine inquiétude », qu'ils ont dit. As-tu remarqué que ceux qui parlent trop souvent de partager ne partagent jamais vraiment ? Et puis ils ont pris soin de m'informer que mon dossier médical avait été pris par le Département, que donc le Département avait des copies de toutes mes analyses de labo. Du coup ils s'inquiétaient pour mon taux de cholestérol, de triglycérides, la totale... Me sentais-je réellement assez bien pour retourner au service actif ?

Il fit une grimace de dégoût.

— Foutue troupe de princes, pas vrai ? J'ai souri à mon tour et je leur ai dit que c'était marrant, mais quand j'étais dehors, au boulot, ils n'avaient jamais rien eu à taper de mon taux de cholestérol ou de mes triglycérides...

— Et comment ont-ils réagi à ce numéro de charme ?

— Par d'autres sourires et un silence tellement huileux qu'on aurait pu y faire cuire des frites. Ce trou-du-cul de psy les avait mis au parfum... Je ne dis pas ça pour vexer, note bien, c'est dans la nature du bon militaire : détruire l'individu.

Il contempla un instant le carton de lait.

— Ah ! écrémé. Impec. A la santé des triglycérides.

J'emplis le réservoir de la cafetière d'eau et l'entonnoir de kenyan.

— Faut leur reconnaître un truc, à ces trous-du-cul, poursuivit Milo. Ils prennent de l'assurance. Cette fois ils m'ont parlé directement de pension. En dollars et cents, avec calculs actuariels et tout le bataclan, combien ça ferait si j'ajoutais les intérêts possibles avec de bons placements. Et comme ma vie pourrait être agréable avec le pactole engrangé en quatorze ans. Mais comme je ne bavais pas en faisant le beau, ils ont abandonné la carotte et ont sorti le bâton. Ils m'ont laissé entendre que la pension n'était pas gagnée d'avance, vu les circonstances. Bla-bla-bla. Qu'il fallait se décider au bon moment. Bla-bla-bla...

Il se prépara un autre toast au saumon.

— C'est tout ? demandai-je.

— Je les ai laissés blablater un temps, et puis je me suis levé. Je leur ai dit que j'avais un rendez-vous et je suis parti.

— Eh bien, si jamais tu décides de démissionner, tu pourras toujours tenter la carrière diplomatique...

— Eh, j'en ai eu jusque-là, fit-il en levant sa main à l'horizontale au-dessus de sa tête. On me vire six mois, d'accord. On me retire mon flingue, ma plaque et ma paie, d'accord. Mais qu'on me laisse faire mon temps peinard, et qu'on mette la pédale douce sur l'assistance. Toutes ces conneries de fausse sensiblerie... — Il but et mangea avant de continuer. — Mais pour sûr, je suppose que je ne peux pas attendre mieux, vu les circonstances...

Un sourire carnassier fendit son visage.

— Note maximale à l'examen de réalisme, Milo.

— « Agression sur un officier supérieur », dit-il, et son sourire s'agrandit. Ça sonne plutôt bien, tu ne trouves pas ?

— Tu oublies le détail crucial : à la télévision.

Il voulut boire un peu de lait mais il ne put maîtriser son sourire de gargouille et reposa le carton.

— Eh, on est à l'âge des médias, non ? Le chef joue au bon élève quand il passe à la télé. Je leur ai donné un spectacle qu'ils n'oublieront pas.

— Ça, c'est indéniable. Et Frisk ?

— Paraît que son joli petit nez guérit très bien. Et ses nouvelles dents font aussi vraies que les anciennes... Incroyable ce qu'on fait avec le plastique, de nos jours, huh ? Il restera quand même un peu différent. Moins Tom Selleck, plus... Karl Malden. Mais ça n'est pas mauvais pour un officier supérieur, hein ? L'air un rien défraîchi, ça suppose l'expérience et la sagesse.

— Il a repris le travail?

— Non-non. Semblerait que le niveau de stress de Droopy soit encore assez élevé. Lui, il a besoin de congés. Mais il finira par revenir. Avec une promotion, pour qu'il puisse encore mieux baiser son monde et faire des dommages plus systématiques.

— C'est le gendre du directeur adjoint de la police, Milo. Tu as de la chance d'être toujours dans la maison.

Il me fusilla du regard.

— Parce que tu crois que s'ils avaient pu me virer ils s'en seraient privés? Ils sont coincés et ils le savent. L'avocat que Rick m'a forcé à voir m'a affirmé que j'avais de quoi lui intenter un procès de première en droit civil. Ça aurait fait les choux gras des canards pendant des mois. L'avocaillon s'en léchait les babines par avance. Il voyait déjà son gros pourcentage. Et Rick me poussait à le faire. Par principe. Mais j'ai refusé parce que ce n'était pas le bon terrain. Je ne voulais pas qu'une tripotée d'avocats véreux se renvoient la balle dix années durant. Non, c'était une affaire à traiter d'homme à homme. Et le faire devant les caméras a représenté ma meilleure assurance : avec quelques millions de témoins, personne ne pouvait inventer une autre version. C'est pour ça que j'ai attendu qu'il m'ait traité de héros et qu'il m'ait félicité pour le cogner. Personne ne peut prétendre que c'était par dépit. Le Département a une dette envers moi, Alex. Ils devraient me remercier de ne lui avoir abîmé que le portrait. Et si Frisk est malin, il me sera reconnaissant, lui aussi. Et il évitera de me chercher des poux. Pour toujours. J'emmerde ses appuis familiaux. Il a de la chance que je ne lui aie pas arraché les poumons pour les balancer à la caméra.

Ses prunelles s'étaient éclaircies et son teint avait pris quelques traces de rougeur. Avec ses cheveux cachant son front et ses lèvres épaisses, il ressemblait à un gorille de mauvaise humeur.

Je battis lentement des mains.

Il se redressa de quelques centimètres, me contempla un moment puis se mit à rire.

— Ah! rien de tel que l'adrénaline pour donner à la journée une jolie teinte rose. Tu es sûr que tu ne veux pas venir faire un golf?

— Désolé, il faut vraiment que je fasse ce papier et j'ai un patient à midi. Et, pour être franc, envoyer des balles sur un green n'est pas exactement l'idée que je me fais d'un délassement, Milo.

— Je sais, je sais. Pas de bénéfice aérobique. Je parie que tes triglycérides sont impecs.

Je répondis d'un haussement d'épaules. Le café était passé, et je remplis deux tasses.

— Et sinon, qu'as-tu fait pour occuper ton temps ? demandai-je.

Il eut un geste théâtral et feignit un contentement excessif.

— Oh ! ça a été vraiment le pied, mon pote. Couture, découpage, crochet... J'ai fabriqué des petits bateaux avec des allumettes. Il y a tout un monde de beautés à créer soi-même, tu sais. — Il but un peu de café avant d'avouer d'un ton maussade : ça a été la merde. Pire qu'un boulot de bureau. D'abord je me suis dit que j'allais me mettre au jardinage, pour prendre un peu l'air et faire de l'exercice. Le retour à la terre...

— La culture des patates ?

Il gloussa :

— La culture de n'importe quoi, sauf des problèmes. Mais il y en avait un, et majeur : l'année dernière Rick a fait venir ce jardinier-paysagiste qui a replanté tout le terrain avec ces conneries du Sud : cactus, plantes grasses, herbes du désert. Pour que nous réduisions la consommation d'eau, c'est plus écologique. Exit le planteur de patates. Bon, donc je me suis dit que je pourrais remettre la baraque en état, bricoler tout ce qui en avait besoin. J'étais assez habile de mes mains dans le temps. J'ai étudié la construction au collège, et quand je vivais seul je faisais tout moi-même : la plomberie, l'électricité, n'importe. Le proprio m'adorait. Le problème : je n'étais pas assez souvent à la maison pour m'en rendre compte, mais après m'avoir tanné pendant près d'un an Ricky a fini par s'occuper de tout. Il a dégotté un homme à tout faire, un type des îles Fidji, un ancien patient. Ce mec s'était coupé avec une tronçonneuse, et sans Rick il aurait perdu deux doigts. Rick l'a recousu en urgence, et s'est gagné son éternelle gratitude : le type travaille pratiquement pour rien, et il est disponible vingt-quatre heures sur vingt-quatre. Total : à moins qu'il ne rejoue avec sa tronçonneuse, mes talents ne sont pas utiles. Exit le génie de la bricole. Qu'est-ce qu'il reste ? Le lèche-vitrines ? La cuisine ? Entre le service des urgences et la clinique privée, Rick ne mange quasiment jamais à la maison, et moi j'avale ce qui me tombe sous la main. Deux ou trois fois je suis allé sur un terrain de tir à Culver City, pour faire quelques cartons. J'ai écouté deux fois l'intégralité de mes disques, et j'ai lu tant de mauvais bouquins que je préfère ne pas y penser.

— Et un boulot de bénévole ?

Il plaqua ses mains sur ses oreilles en grimaçant.

— Eh bien ? fis-je quand il les ôta.

— J'ai déjà entendu ça. Chaque jour, de l'altruiste Dr Silverman. Le groupe anti-sida de la clinique, les enfants abandonnés, l'aide aux sans domicile fixe, tout ça. « Trouve une cause, Milo, et investis-toi. » Le seul problème, c'est que je me sens foutrement trop mauvais, hargneux. Si quelqu'un me dit un truc de travers, je risque de lui faire manger du bitume. J'ai ce... cette sensation dans la gorge. Des fois je me réveille avec, des fois elle me vient dans la journée, comme ça. Et ne me dis pas que c'est un syndrome de stress post-traumatique, parce que lui donner un nom ne changera rien. Je connais ça, je l'ai déjà vécu après la guerre, et je sais que rien ne l'évacuera de moi. Rien sauf le temps. En attendant je préfère ne pas trop fréquenter de gens, surtout des gens avec de gros problèmes. Je n'ai pas de sympathie à offrir. Je leur dirais de se reprendre et de remettre leur foutue vie sur les rails.

— Le temps guérit, dis-je. Mais le temps peut être accéléré.

Il me jeta un regard incrédule.

— Quoi ? Tu veux faire un peu d'assistance ?

— Je connais pire.

Il se frappa la poitrine des deux mains.

— D'accord. Je suis là. Vas-y, assiste-moi.

Je gardai le silence.

— Ouais, grogna-t-il avant de consulter la pendule murale. De toute façon, faut que j'y aille. Je vais aller taper dans de petites baballes en imaginant que c'est autre chose.

Il se dirigea lourdement vers la porte de la cuisine. Je levai un bras à l'horizontale pour l'arrêter.

— Et si on mangeait ensemble ? Ce soir ? Je devrais être libre à partir de sept heures, à peu près.

— Les repas de charité, c'est à la soupe populaire qu'on les donne, non ?

— Tu as un charme irrésistible, fis-je en baissant le bras.

— D'ailleurs tu n'as pas de rendez-vous ce soir ?

— Non, pas de rendez-vous.

— Et Linda ?

— Elle est toujours au Texas.

— Oh ! Je croyais qu'elle devait revenir la semaine dernière ?

— Elle le devait, oui. Mais elle a prolongé son séjour. Son père.

— Le cœur ?

— Oui. Ça s'est aggravé. Assez pour qu'elle reste là-bas pour une période indéterminée.

— Désolé de l'apprendre. Quand tu lui parleras, transmets-lui mes meilleurs sentiments. Et dis-lui que j'espère que son père se remettra.

Sa colère avait fait place à une sympathie immédiate. Je n'étais pas certain qu'il s'agisse là d'une amélioration.

— Je n'y manquerai pas, assurai-je. Amuse-toi bien à Rancho.

Il fit un pas, s'immobilisa.

— D'accord, tu n'as pas été à la fête non plus. Désolé.

— Ça va bien pour moi, Milo. Et mon offre n'avait rien à voir avec la charité. Va savoir pourquoi, l'idée d'un repas ensemble me plaisait assez. On aurait pu se raconter nos petites histoires entre machos, comme dans ces pubs pour bières.

— Ouais, fit-il. Une bouffe. D'accord, manger, je sais toujours faire. — Il se tapota le ventre. — Et si tu te débats toujours avec ta disserte ce soir, apporte ta copie, Oncle Milo te donnera quelques conseils éclairés.

— Parfait, dis-je. Mais en attendant, pourquoi tu ne penserais pas sérieusement à te trouver une vraie occupation ?

7

Après son départ, je me mis à la tâche. Pour une raison qui m'échappait, je travaillai avec une aisance rarement éprouvée, et midi arriva sans que je m'en rende compte. C'est alors que retentit le second coup de sonnette de la journée.

Cette fois je regardai par l'œil de porte. Le visage qui me faisait face était celui d'une inconnue qui ne l'était pas totalement. Il restait des traces de l'enfant que j'avais naguère connue, qui se mêlaient à une photo illustrant un article de journal vieux de vingt ans. Je calculai alors qu'à l'époque de l'agression, la mère de Melissa ne devait guère être plus âgée que sa fille à présent.

J'ouvris la porte.

— Bonjour, Melissa.

Elle parut surprise, mais sourit.

— Docteur Delaware ! Vous n'avez pas du tout changé !

Nous nous serrâmes la main.

— Entrez donc.

Elle pénétra dans le vestibule et s'immobilisa, mains jointes devant elle.

Le passage de l'enfant à la femme semblait presque achevé, et la preuve en était un résultat très gracieux. Ses pommettes bien dessinées tendaient une peau sans défaut, au bronzage léger, ses cheveux avaient foncé jusqu'à un brun éclairé par le soleil et descendaient jusqu'à sa taille. La frange avait cédé la place à une raie de côté et un front dégagé. Sous les sourcils à l'arc naturel brillaient ses grands yeux gris-vert. Une jeune Grace Kelly.

Une Grace Kelly miniature. Elle mesurait à peine plus d'un mètre cinquante, avait une taille de guêpe et l'ossature très fine. De grands anneaux d'or pendaient à ses oreilles menues. Elle portait un petit sac en agneau en bandoulière, et était vêtue d'une chemise boutonnée, d'une jupe en jeans laissant le genou découvert et de mocassins sans chaussette. Mr. Bon-Chic-Bon-Genre dirigeait peut-être toujours San Labrador.

Je lui désignai un fauteuil dans le salon. Elle s'assit, croisa les jambes au niveau des chevilles et plaça ses mains sur ses genoux.

— C'est très joli chez vous, docteur Delaware, dit-elle après avoir regardé autour d'elle.

Je me demandai comment elle voyait réellement mes cent cinquante mètres carrés de vitres et de séquoia. Le château où elle avait grandi possédait probablement des pièces plus grandes. Je la remerciai et m'assis.

— Ça fait plaisir de vous voir, Melissa.

— Le plaisir est partagé, docteur Delaware, affirmat-elle. Et merci de m'avoir reçue dans un délai aussi court.

— Aucun problème. Pas de difficulté à trouver l'adresse ?

— Non. Je me suis servie de mon Guide Thomas. Je viens de découvrir les Guides Thomas. Ils sont supers.

— En effet.

— Incroyable qu'on puisse mettre autant de renseignements dans un seul livre, n'est-ce pas ?

— Certes.

— Je n'étais jamais venue par ici. C'est très joli.

Sourire. Réservée, mais non hésitante. Correcte. Une « jeune dame » correcte. Parce qu'elle se trouvait en face de moi ? Se métamorphosait-elle en une jeune fille riante et délurée quand elle sortait en ville avec une bande d'amis ?

Sortait-elle en ville ?

Avait-elle des amis ?

Je pris soudain conscience de l'ignorance accumulée en neuf années.

Je lui retournai son sourire et l'étudiai en m'efforçant de ne pas le laisser voir.

Sa posture était droite, peut-être un peu raide. Compréhensible dans la situation présente. Mais pas de signe visible d'anxiété. Ses mains restaient immobiles autour de ses genoux. Aucun geste de nervosité.

— Ça fait un bout de temps, dis-je.

— Neuf ans, oui. Assez incroyable, n'est-ce pas ?

— Oui. Je ne m'attends pas à ce que vous me fassiez un résumé de ces neuf années. Mais j'avoue être un peu curieux de savoir où vous en êtes.

— Rien de très spécial, dit-elle avec un haussement d'épaules. Les études...

Elle se pencha en avant, tendit ses bras et serra un peu plus fort ses genoux. Une mèche de cheveux tomba devant un œil. Elle la repoussa et survola de nouveau le salon du regard.

— Félicitations pour votre diplôme, dis-je.

— Merci. J'ai été acceptée à Harvard.

— Magnifique. Doubles félicitations.

— J'ai été surprise qu'ils me prennent.

— Je parierais qu'ils n'en ont jamais douté.

— C'est gentil de dire ça, docteur Delaware, mais je crois que j'ai eu beaucoup de chance.

— Des « A » dans toutes les matières, ou pas loin ? dis-je.

Retour du sourire réservé. Ses mains restaient collées à ses genoux.

— Pas en gym.

— En ce cas, honte à vous, jeune dame !

Le sourire s'agrandit un peu, mais le maintenir semblait exiger un effort. Elle regardait toujours autour d'elle, comme si elle cherchait quelque chose.

— Alors, quand partez-vous pour Boston ? demandai-je.

— Je ne sais pas... Ils veulent que je leur donne ma réponse dans les deux semaines. Je crois qu'il faut que je me décide.

— Vous voulez dire que vous envisagez de ne pas aller à Boston ?

Elle passa une langue rapide sur ses lèvres, acquiesça et maintint son regard rivé au mien.

— C'est ce que... c'est le problème dont je voulais vous parler.

— Si oui ou non vous irez à Harvard ?

— Ce que signifierait mon départ pour Harvard. En ce qui concerne Mère.

De nouveau elle s'humecta les lèvres de la langue, toussota et se balança très doucement. Puis ses mains abandonnèrent ses genoux et elle prit un presse-papiers en cristal taillé sur la table basse. Elle regarda au travers en plissant les yeux. Elle parut étudier la réfraction de la lumière dorée entrant par les fenêtres du mur sud.

— Votre mère est opposée à votre départ ?

— Non, elle... Elle dit qu'elle veut que je parte à Harvard. Elle n'a fait aucune objection, en fait elle m'a même beaucoup encouragée. Elle dit qu'elle veut vraiment que j'aille à Boston.

— Mais vous vous faites du souci pour elle quand même...

Elle reposa le presse-papiers, avança au bord de son siège et écarta les mains, paumes vers le plafond.

— Je ne suis pas sûre qu'elle puisse s'en sortir, docteur Delaware.

— Si vous êtes loin d'elle ?

— Oui, elle... C'est...

Elle haussa les épaules et commença à se tordre les mains. Ce détail m'attrista plus que je ne l'aurais voulu.

— Est-elle toujours... sa situation est-elle toujours la même ? En ce qui concerne ses peurs ?

— Non. Enfin, elle souffre toujours d'agoraphobie, ça oui. Mais elle va mieux. Grâce à son traitement. J'ai réussi à la convaincre de suivre un traitement, et ça l'aide.

— Bien.

— Oui. C'est bien.

— Mais vous n'êtes pas sûre que ce traitement l'ait assez aidée pour qu'elle supporte sans dommage d'être séparée de vous, c'est ça ?

— Je ne sais pas. Je veux dire, comment pourrais-je avoir la certitude...

Elle eut une moue lasse qui la fit paraître soudain très âgée. Elle baissa la tête et chercha dans son sac, d'où elle sortit un article découpé dans un journal, qu'elle me tendit.

Février de l'année dernière. Un article intitulé « Un nouvel espoir pour les victimes de peurs : mari et femme travaillent en équipe à vaincre les phobies incapacitantes ».

Melissa avait repris le presse-papiers et se concentrait sur lui. Je me mis à lire l'article.

C'était un portrait de Leo Gabney, psychologue de Pasadena, ancien de Harvard, et de son épouse Ursula Cunningham-Gabney, psychiatre, formée au même établissement prestigieux et ancien membre de sa direction. La photographie illustrant l'article montrait les deux thérapeutes assis côte à côte à une table, en face d'une patiente qu'on ne voyait que de dos. La bouche de Gabney était entrouverte : il parlait. Sa femme semblait le regarder du coin de l'œil. Tous deux affichaient une gravité de bon aloi. La légende disait : « LES DRS LEO ET URSULA GABNEY COMBINANT LEURS SAVOIRS POUR TRAVAILLER INTENSIVEMENT AVEC "MARY", UNE AGORAPHOBE EXTRÊME. » L'avant-dernier mot avait été entouré d'un trait rouge.

J'étudiai le cliché. De réputation je connaissais Leo Gabney, et j'avais lu toutes ses publications, mais je ne l'avais jamais rencontré. D'après la photo il avait dans les soixante ans, la chevelure blanche abondante, les épaules étroites, des yeux sombres aux coins tombants derrière des lunettes à montures épaisses, un visage rond et menu. Il était en bras de chemise, avec une cravate noire, et ses avant-bras avaient une finesse osseuse presque féminine. Je l'avais imaginé plus athlétique.

Sa femme était une brune plutôt jolie, bien que d'une manière assez sévère. Hollywood lui aurait donné des rôles de vieille fille coincée mais prête à la métamorphose des sens. Elle portait un pull à col boule, avec un châle à motif cachemire sur une épaule. Ses cheveux coiffés court mettaient bien en valeur son visage. Des lunettes pendaient sur sa poitrine au bout d'une chaîne. Elle paraissait assez jeune pour être la fille de Leo Gabney.

Je levai les yeux de l'article. Melissa faisait toujours tourner le presse-papiers entre ses doigts et feignait d'être hypnotisée par le jeu de lumière dans les facettes du cristal.

La défense du bibelot.

J'avais complètement oublié ce bibelot. Une antiquité française. Une vraie trouvaille, dénichée dans l'arrière-boutique d'un brocanteur de Leucadia Robin et moi... La défense par l'amnésie.

Je repris ma lecture. L'article possédait ce ton louangeur mal déguisé des publicités rédactionnelles s'efforçant de ressembler à du journalisme. Il résumait le caractère novateur des recherches et des traitements du Dr Leo Gabney dans le domaine des désordres dus à l'anxiété chronique.

Ursula Cunningham-Gabney était décrite comme une ancienne étudiante de son mari et la détentrice de deux diplômes, un en psychologie et un en médecine

« En plaisantant, disait son mari, nous la traitons de paradoxe vivant. »

Les époux Gabney avaient tous deux été membres titulaires de la direction de la Harvard Medical School avant de s'installer en basse Californie deux ans auparavant, pour y ouvrir la Clinique Gabney. Leo Gabney avait expliqué ce changement par « la quête d'un mode de vie plus détendu, ainsi que l'opportunité d'apporter au secteur privé le bénéfice de nos recherches et de notre savoir cliniques ».

Puis il décrivait l'approche qui les caractérisait :

« La formation médicale de mon épouse s'avère très utile pour détecter les problèmes d'ordre physique, telle l'hyperthyroïdie, qui peuvent présenter des symptômes semblables aux désordres dus à l'anxiété chronique. Elle est également capable de prescrire à bon escient les plus récents remèdes médicamenteux anti-anxiété. »

« De nombreux traitements nouveaux apparaissent très prometteurs, ajoutait Ursula Cunningham-Gabney, mais aucun n'est suffisant par lui-même. Beaucoup de médecins ont tendance à considérer ces nouvelles médications comme une panacée et à les prescrire sans en évaluer suffisamment les effets. Nos recherches nous ont montré que le meilleur traitement des états d'anxiété chronique est une combinaison précise du traitement par le comportement et par les médicaments. »

« Malheureusement, disait son mari, le psychologue

type montre une ignorance flagrante dans les traitements médicamenteux, et malgré ses connaissances il est incapable d'en prescrire un qui soit efficace. Et le psychiatre type a peu de connaissances de la thérapie comportementale, voire aucune. »

Leo Gabney affirmait que cet état est la source de nombreuses querelles entre ces deux professions, et la cause d'un traitement inadéquat pour beaucoup de patients souffrant de troubles incapacitants tels que l'agoraphobie — la peur morbide des espaces ouverts.

« L'agoraphobie requiert un traitement multimodal et adapté. Nous ne nous limitons pas à notre cabinet. Nous nous déplaçons à domicile, sur le lieu de travail, partout où cela est nécessaire. »

D'autres cercles rouges autour des mots *domicile* et *agoraphobie*.

Le reste de l'article était composé d'exemples de cas, et je le parcourrai rapidement.

— Terminé.

Melissa posa le presse-papiers.

— Vous avez déjà entendu parler d'eux ?

— De Leo Gabney, oui. Il est très connu. Il a fait beaucoup de recherches importantes.

Je lui tendis la coupure de presse, qu'elle rangea dans son sac.

— Quand j'ai lu cet article, expliqua-t-elle, j'ai pensé que c'était ce qu'il fallait à Mère. Depuis un certain temps déjà je cherchais ce genre de chose. Nous avons commencé à en parler, Mère et moi. Du fait qu'elle devrait tenter quelque chose pour résoudre son... problème. Nous en avons discuté pendant plusieurs années. J'ai abordé le sujet quand j'avais quinze ans, quand j'étais assez mûre pour voir combien elle en était affectée. Je veux dire, j'avais toujours su qu'elle était... différente. Mais quand vous grandissez avec quelqu'un, vous êtes accoutumé à sa façon de se comporter, et vous pensez que c'est la seule qui lui convienne.

— Vrai, commentai-je.

— Mais en grandissant, je me suis mise à lire des textes de psychologie et à mieux comprendre les gens. Et je me suis rendu compte que ce devait être très dur pour elle, qu'elle devait beaucoup souffrir. Si je l'aimais, j'avais l'obligation de l'aider. Alors j'ai commencé à lui en parler. Au début elle ne voulait pas répondre, et cherchait à changer de sujet. Ensuite elle a répété qu'elle allait très bien, et que je devais plutôt me soucier de moi. Mais j'ai continué, à petites doses. Par exemple, quand je m'étais bien comportée — si j'avais eu de bons résultats dans mes études — j'abordais le sujet. Pour lui faire comprendre que je méritais d'être prise au sérieux. Finalement, elle s'est mise à vraiment en parler. A me dire combien c'était dur pour elle, combien elle souffrait de l'impression de ne pas être une mère normale, combien elle avait toujours désiré être comme les autres mères, mais chaque fois qu'elle voulait sortir elle succombait à l'anxiété. Et pas uniquement sur un plan psychologique. Elle avait des attaques physiques. Elle ne pouvait plus respirer, elle avait le sentiment de mourir. Comment cette sensation la piégeait, la désarmait, la remplissait d'un sentiment d'inutilité et de honte parce qu'elle ne pouvait pas s'occuper correctement de moi.

Elle agrippa de nouveau ses genoux, se balança un peu d'avant en arrière, regarda un moment le presse-papiers, puis revint à moi.

— Elle a pleuré. Je lui ai dit que c'était ridicule, qu'elle était une mère merveilleuse. Mais elle a affirmé que ce n'était pas vrai, même si j'avais magnifiquement grandi. Malgré elle, et pas grâce à elle. Entendre ça m'a fait beaucoup de peine, et je me suis mise à pleurer aussi. Nous nous sommes consolées dans les bras l'une de l'autre. Elle m'a répété sans arrêt qu'elle était désolée, mais qu'elle était heureuse que je sois tellement meilleure qu'elle. Que j'aurais une vie agréable, que je sortirais et que je verrais des choses qu'elle n'avait jamais vues, que je ferais des choses qu'elle n'avait jamais faites...

Elle s'interrompit, inspira en haletant.

— Ça a dû être très dur pour vous, dis-je. Entendre de tels propos, constater sa souffrance...

— Oui, dit-elle.

Et elle fondit en larmes.

Je pris un Kleenex dans la boîte proche et le lui donnai. Puis j'attendis qu'elle se soit reprise.

— Je lui ai dit et répété que je n'étais pas meilleure qu'elle, dans n'importe quel domaine. Que si j'allais à l'extérieur c'était parce qu'on m'avait aidée. Que vous m'aviez aidée. Parce qu'elle m'aimait assez pour avoir voulu m'aider.

Je pensai à la voix d'une fillette sur la cassette d'une ligne d'urgence, à des lettres parfumées, des coups de fil restés sans réponse.

— ... que moi aussi je l'aimais et que je voulais l'aider. Elle a dit qu'elle savait qu'elle avait besoin d'aide mais qu'aucun traitement ne pourrait l'aider, ni personne. Et puis elle s'est mise à pleurer deux fois plus et m'a avoué que les médecins la terrifiaient. Elle savait que c'était stupide, puéril même, mais elle ne pouvait pas maîtriser sa peur. Elle m'a dit qu'elle ne vous avait jamais parlé au téléphone, et que si j'allais mieux, c'était vraiment malgré elle. Parce que moi j'étais forte, et elle si faible... Je lui ai dit que la force n'est pas quelque chose qu'on possède, c'est quelque chose qu'on acquiert. Qu'elle était forte, elle aussi, à sa manière. Pour endurer ce qu'elle avait enduré et être restée quelqu'un d'aussi gentil, et beau. Parce que c'est ce qu'elle est, docteur Delaware ! Et même si elle n'est jamais sortie de la propriété et qu'elle n'a jamais fait toutes ces choses que font les autres mères, je ne m'en suis jamais souciée. Parce qu'elle a toujours été meilleure que les autres mères. Plus gentille, et plus attentionnée.

J'acquiesçai en silence.

— Elle se sent tellement coupable, mais elle est vraiment merveilleuse. Patiente. Toujours de bonne humeur. Jamais elle n'a élevé la voix. Quand j'étais petite et que je ne pouvais pas dormir — avant que vous me soigniez — elle me serrait dans ses bras et m'embrassait, et elle me répétait que j'étais une petite fille merveilleuse, la plus merveilleuse du monde, et que mon avenir serait radieux. Que je pourrais faire tout ce dont j'avais envie. Même si je l'empêchais de dormir toute la nuit. Même si je mouillais le lit, son lit, elle me serrait contre elle. Dans les draps mouillés. Et elle me disait qu'elle m'aimait, que tout s'arrangerait. Voilà sa gentillesse, et je voudrais lui en rendre un peu.

Elle enfouit son visage dans le mouchoir en papier, qui fut très vite trempé. Je lui en donnai un autre.

Au bout d'un moment elle sécha ses yeux et me regarda.

— Enfin, après plusieurs mois de discussions et de larmes, elle a accepté de voir un médecin, si je lui trouvais celui qui convenait. Un médecin qui viendrait à la maison. Mais je n'ai rien fait pendant quelque temps tout simplement parce que je n'avais aucune idée de la façon dont je pourrais trouver un médecin comme ça. J'ai passé quelques coups de téléphone, mais ceux qui m'ont rappelée ne faisaient pas de visites à domicile. J'ai eu l'impression qu'ils ne me prenaient pas au sérieux, à cause de mon âge. J'ai même pensé vous recontacter...

— Pourquoi ne l'avez-vous pas fait ?

— Je ne sais pas. Je suppose que j'étais gênée. C'est idiot, n'est-ce pas ?

— Pas du tout.

— Bref, un jour j'ai lu cet article. Ça avait l'air parfait. J'ai appelé la clinique et j'ai parlé à la femme. Elle m'a dit que oui, ils pouvaient l'aider, mais que je ne pouvais pas décider d'un traitement à la place de quelqu'un d'autre. Les patients devaient appeler eux-mêmes pour faire l'arrangement. Elle a bien précisé qu'ils ne prenaient que les patients qui prouvaient leur motivation. Elle parlait comme s'il s'agissait d'une demande d'inscription à une université qui choisirait parmi mille candidats pour dix places disponibles... Alors j'ai parlé à Mère, je lui ai dit que j'avais trouvé quelqu'un, je lui ai donné leurs coordonnées et je lui ai demandé de les appeler. Elle a eu très peur, et elle a commencé à avoir une de ses attaques.

— A quoi ressemblent ces attaques ?

— Elle pâlit brusquement, elle crispe ses mains sur sa poitrine et se met à respirer très vite, par à-coups. Comme si elle n'arrivait plus vraiment à respirer. Parfois elle s'évanouit.

— C'est assez impressionnant.

— Je suppose, pour quelqu'un qui le voit pour la première fois sans savoir de quoi il retourne. Mais comme je vous l'ai dit, je connais ces attaques depuis que je suis petite, et je savais qu'elle ne courait pas de véritable danger. Ça peut vous paraître cruel de parler de la sorte, mais...

— Non, ça ne me paraît pas cruel. Vous compreniez ce qui arrivait, et vous pouviez le resituer dans son contexte.

— Oui, c'est exactement ça. Donc j'ai attendu que son attaque passe. D'habitude elles ne durent pas plus de quelques minutes, et ensuite Mère est épuisée et va s'allonger deux ou trois heures. Mais cette fois je ne l'ai pas laissée dormir. Je l'ai prise dans mes bras et je lui ai parlé, très doucement, très calmement. En lui disant que je savais combien ces attaques étaient terribles pour elle, combien elle en avait honte, et en lui demandant si elle ne voulait pas essayer de s'en débarrasser. Pour ne plus jamais ressentir ça. Elle s'est mise à pleurer, mais elle m'a dit que oui, elle voulait essayer. Elle a promis d'essayer, mais pas tout de suite parce qu'elle se sentait trop faible. Alors j'ai attendu, et il ne s'est rien passé durant des semaines. Finalement j'ai perdu patience. Je suis allée dans sa chambre, j'ai composé le numéro de la clinique devant elle, j'ai demandé à parler au Dr Ursula et je lui ai donné le combiné. Et je suis restée devant elle, comme ça.

Elle se leva, croisa les bras sur sa poitrine et prit un air fermé.

— Je crois que je l'ai prise au dépourvu parce qu'elle a parlé au Dr Ursula. Elle a beaucoup écouté en hochant la tête, mais à la fin elle a fixé un rendez-vous.

Elle décroisa les bras et se rassit.

— Voilà, c'est comme ça que c'est arrivé, et ça a l'air de lui faire du bien.

— Depuis combien de temps suit-elle ce traitement ?

— Presque un an. Un an à la fin du mois.

— Elle les voit tous les deux ?

— Au début, ils venaient tous les deux à la maison. Dans une grande voiture noire, avec plein d'équipements. Je pense qu'ils lui faisaient passer un examen médical. Ensuite le Dr Ursula est venue seule, avec juste un carnet et un stylo. Elle passait des heures avec Mère dans sa chambre, tous les jours, même le week-end. Ça a duré des semaines. Et puis elles sont descendues au rez-de-chaussée, elles se sont promenées dans la maison. En discutant comme des amies.

Un froncement de sourcils presque imperceptible pour souligner le mot *amies*.

— Je ne pourrais pas vous dire de quoi elles parlaient, parce qu'elle — le Dr Ursula — a toujours pris soin de garder Mère loin des autres, des domestiques et de moi. Sans jamais rien nous dire, non, mais elle a une façon de vous regarder, vous comprenez que vous ne devriez pas être là...

Autre froncement de sourcils.

— Enfin, après un autre mois elles sont sorties dans le jardin. Elles s'y sont promenées. Ça a duré longtemps, des mois, sans que je puisse voir de progrès. Mère a toujours pu faire ça. Et seule. Sans traitement. Cette phase m'a semblé durer une éternité et personne ne me disait ce qui se passait. J'ai commencé à me demander s'ils, enfin, si elle savait ce qu'elle faisait. Et si j'avais bien fait de l'amener chez nous. La seule fois où j'ai voulu lui en parler, ça a été assez déplaisant...

Elle s'interrompit, se tordit les mains.

— Que s'est-il passé ? demandai-je.

— J'ai rattrapé le Dr Ursula après une séance, au moment où elle allait remonter dans sa voiture, et je lui ai demandé comment Mère se débrouillait. Elle m'a souri et m'a répondu que tout allait bien. En me faisant claire-ment comprendre que cela ne me regardait en rien. Ensuite elle m'a demandé si quelque chose m'ennuyait, mais pas comme si cela l'intéressait. Pas comme vous vous me l'auriez demandé. J'ai eu l'impression qu'elle me rabaissait, qu'elle m'analysait comme une chose. A donner la chair de poule. J'avais hâte de partir !

Elle avait brusquement haussé le ton à la fin de sa phrase. S'en rendant compte elle rougit et se couvrit les lèvres des mains.

Je lui envoyai un sourire rassurant.

— Mais par la suite, j'ai compris. Le besoin de confi-dentialité, je suppose. Je me suis souvenue de ma propre thérapie. Je vous posais toujours des questions sur les autres enfants, juste pour voir si vous briseriez le secret. Pour vous tester. Et après que vous aviez refusé de le faire, je me sentais rassurée. — Elle sourit. — Ça devait être horrible, non, quand je vous mettais à l'épreuve de la sorte ?

— Normal à cent pour cent, dis-je.

Elle réussit à rire.

— Vous avez passé le test avec succès, docteur Delaware. — Sa rougeur s'accentua, et elle se détourna. — Vous m'avez beaucoup aidée.

— J'en suis heureux, Melissa. Et je vous remercie de me le dire.

— Ce doit être un travail plaisant, dit-elle, d'être thérapeute. De dire tout le temps aux gens qu'ils vont bien. Vous n'avez pas à peiner les gens, comme les autres médecins.

— Parfois c'est un travail assez pénible, mais en règle générale vous avez raison. C'est un travail très gratifiant.

— Alors comment se fait-il que vous ne l'exer... Excusez-moi. Cela ne me regarde pas.

— Pas de problème, dis-je. Aucun sujet n'est tabou ici, tant que vous pouvez tolérer de ne pas recevoir de réponse...

— Et voilà, vous recommencez, dit-elle en riant. Vous me dites que je vais bien une fois encore.

— C'est parce que vous allez bien.

Elle effleura le presse-papiers d'un doigt, puis retira sa main.

— Merci. Pour tout ce que vous avez fait pour moi. Non seulement vous m'avez débarrassée de mes peurs, mais vous m'avez aussi prouvé que les gens peuvent changer, qu'ils peuvent gagner. C'est difficile de le voir, parfois, quand vous êtes pris dans une situation. J'ai même pensé étudier la psychologie, figurez-vous. Et peut-être devenir thérapeute.

— Vous feriez un très bon thérapeute.

Son visage s'illumina.

— Vous le pensez vraiment ?

— Oui. Vous êtes intelligente, vous aimez les gens, et vous avez de la patience. D'après ce que vous m'avez raconté sur votre façon d'aider votre mère, vous avez même une patience considérable.

— Eh bien... Je l'aime. Je ne sais pas si je pourrais me montrer aussi patiente avec quelqu'un d'autre.

— Cela vous serait probablement plus facile, Melissa.

— Oui, vous avez sans doute raison. Et à dire vrai, je ne me sentais pas spécialement patiente pendant tout ce temps, à cause de ses résistances, et de ses faux-fuyants. A certains moments, j'ai eu envie de lui hurler au visage de se prendre en main pour changer. Mais je ne l'ai pas pu. C'est ma mère. Elle a toujours été si merveilleuse avec moi...

— Mais après vous être démenée pour qu'elle suive un traitement, vous deviez la regarder se promener avec le Dr Ursula dans le jardin pendant des mois, sans que rien ne se passe. Et cela usa vraiment votre patience.

— C'est vrai ! Je devenais vraiment sceptique, vous savez ! Et puis, tout d'un coup, les choses ont commencé à se modifier. Le Dr Ursula lui a fait passer la grille d'entrée. Juste de quelques pas sur le trottoir, et elle a eu une attaque. Mais c'était la première fois qu'elle sortait de la propriété depuis... la première fois que je l'ai vue faire ça. Et le Dr Ursula ne l'a pas fait rentrer à cause de l'attaque. Elle lui a donné quelque chose à respirer dans un genre d'inhalateur, comme pour les asthmatiques, et elle l'a forcée à attendre à l'extérieur de la grille, jusqu'à ce qu'elle se soit calmée. Elles ont recommencé le lendemain, et les jours suivants, et chaque fois Mère a eu une attaque. C'était vraiment pénible de voir ça. Et puis Mère a réussi à rester calme sur le trottoir. Ensuite elles se sont mises à faire le tour du quartier, en se tenant par le bras. Et il y a de cela deux mois à peu près, le Dr Ursula lui a fait conduire sa voiture. Une Rolls-Royce Silver Dawn de 54, une des premières avec direction assistée et vitres fumées. Mon père l'avait achetée quand il était en Angleterre, et il l'a offerte à Mère. Elle a toujours adoré cette voiture. Il lui arrivait de s'asseoir derrière le volant quand la Rolls venait d'être lavée, mais sans la mettre en marche. Elle ne l'avait jamais conduite. Elle a dû dire au Dr Ursula que c'était son automobile préférée, parce qu'elles sont montées dedans toutes les deux, et la Rolls a descendu l'allée, a passé la grille et elles sont parties se promener. Mère en est au point où elle est capable de conduire s'il y a quelqu'un dans la voiture, avec elle. Elle se rend en voiture à la clinique, avec le Dr Ursula ou quelqu'un d'autre. Ce n'est pas très loin de chez nous, dans Pasadena. Ça n'impressionnerait sans doute pas un livreur, mais quand on pense au stade où elle était il y a un an, c'est fantastique, vous ne trouvez pas ?

— Tout à fait. Et elle se rend souvent à la clinique ?

— Deux fois par semaine. Le lundi et le jeudi, pour une thérapie de groupe, avec d'autres femmes qui souffrent du même problème.

Elle se renfonça dans son siège en souriant.

— Je suis tellement fière d'elle, docteur Delaware... Je ne voudrais pas tout gâcher.

— En allant à Harvard ?

— En faisant quoi que ce soit qui risquerait de tout gâcher. Je veux dire, pour moi c'est comme si Mère était sur une balance, avec deux plateaux. La peur d'un côté, le bonheur de l'autre. Pour l'instant elle penche plutôt du côté du bonheur, mais je ne peux m'empêcher de penser que le moindre problème pourrait faire pencher les plateaux dans le sens contraire.

— Vous estimez votre mère très fragile.

— Elle est fragile ! Tout ce qu'elle a enduré l'a rendue très fragile.

— Avez-vous discuté avec le Dr Ursula de l'impact de votre départ possible ?

— Non, dit-elle d'un ton soudain réticent. Non, je ne lui en ai pas parlé.

— J'ai l'impression, bien qu'elle ait beaucoup aidé votre mère, que le Dr Ursula n'est pas une des personnes que vous préférez.

— C'est vrai. Elle est très... froide.

— Y a-t-il autre chose chez elle qui vous dérange ?

— Seulement ce que je vous ai dit. Sa façon de m'analyser... Je crois qu'elle ne m'aime pas.

— Pourquoi donc ?

Elle secoua la tête, et une de ses boucles d'oreilles brilla au soleil.

— C'est juste les... les vibrations qu'elle dégage. Je sais que ça peut paraître... imprécis, mais elle me met mal à l'aise. La façon dont elle m'a fait comprendre d'aller voir ailleurs, sans me le dire. Comment pourrais-je l'approcher pour un sujet personnel ? Elle me rabaisserait encore. J'ai l'impression qu'elle veut m'exclure.

— Avez-vous essayé d'en parler à votre mère ?

— J'ai discuté de sa thérapie avec elle deux ou trois fois. Elle m'a expliqué que le Dr Ursula lui faisait gravir des échelons, et qu'elle allait lentement. Qu'elle m'était reconnaissante de l'avoir poussée à suivre un traitement, mais qu'à présent elle devait se conduire en adulte et agir seule. Je n'ai pas voulu discuter ce point, pour ne rien faire qui aurait pu... tout gâcher.

Elle se tordit les doigts, repoussa ses cheveux d'une main nerveuse.

— Melissa, est-ce que vous vous sentez un peu rejetée ? Par le traitement ?

— Non, ce n'est pas du tout cela. Bien sûr, j'aimerais en savoir plus, en particulier à cause de mon intérêt pour la psychologie. Mais ce n'est pas ce qui m'importe le plus. S'il faut tout ce secret pour que le traitement réussisse, alors je suis contente. Et même si cela ne va pas plus loin, c'est déjà un progrès énorme.

— Vous doutez que le traitement aille plus loin ?

— Je ne sais pas... Vus au jour le jour, les progrès paraissent si lents... — Elle sourit. — Vous voyez bien, docteur Delaware, je ne suis pas patiente du tout.

— Donc, malgré les progrès de votre mère, vous n'êtes pas convaincue qu'elle soit arrivée assez loin pour que vous puissiez la laisser seule ?

— Exactement.

— Et vous vous sentez frustrée de ne pas en savoir plus sur son pronostic à cause de la façon dont se comporte le Dr Ursula avec vous ?

— Très frustrée, oui.

— Et le Dr Leo Gabney ? Seriez-vous plus à l'aise si vous lui parliez ?

— Non. Je ne le connais pas du tout. Je vous l'ai dit, il n'est venu qu'au tout début. Le genre scientifique, il marchait très vite, il prenait tout le temps des notes et commandait sa femme. C'est lui qui dirige dans leur couple.

Cet avis fut appuyé d'un petit sourire.

— Et alors même que votre mère dit qu'elle veut que vous alliez à Harvard, vous n'êtes pas sûre qu'elle puisse se débrouiller. Et vous avez l'impression que personne ne peut vous dire si elle en est capable.

Elle eut une petite moue contrite, qui se transforma en un faible sourire.

— Un dilemme, je suppose. C'est ridicule, non ?

— Pas du tout.

— Et vous recommencez à me dire que je vais bien...

Nous échangeâmes un sourire.

— Qui d'autre pourrait prendre soin de votre mère ? demandai-je.

— Il y a les domestiques. Et Don, je suppose. C'est son mari.

Elle avait lâché l'information avec une innocence très étudiée. Malgré cela, je ne pus cacher ma surprise :

— Quand s'est-elle mariée ?

— Il y a quelques mois.

Ses mains se crispèrent.

— Quelques mois... répétai-je.

Elle se tortilla sur son siège.

— Six mois, précisa-t-elle.

Un silence.

— Vous voulez m'en parler ?

Elle n'en donnait pas l'impression, pourtant elle répondit :

— Il s'appelle Don Ramp. Il a été acteur. Jamais acteur de premier plan, il n'a joué que des utilités : des rôles de cow-boy, ou de soldat, ce genre de choses. Maintenant il possède un restaurant. A Pasadena, pas à San Lab, parce qu'à San Lab vous n'avez pas le droit de vendre de l'alcool, et lui vend toutes sortes de bières. C'est sa spécialité. Des bières importées. Et de la viande : spécialité de côtes premières... Tankard and Blade, ça s'appelle. Avec des armoiries et des épées un peu partout, dans le style vieille Angleterre. C'est un peu ridicule, mais pour San Labrador ça a un cachet presque exotique...

— Comment a-t-il fait la connaissance de votre mère ?

— Vous voulez dire, étant donné qu'elle ne sort jamais ?

— Oui.

Ses mains se crispèrent un peu plus.

— C'est de ma f... C'est moi qui les ai présentés. J'étais au Tankard avec des amis, une réunion entre étudiants. Don était là, à accueillir les gens, et quand il a appris qui j'étais il est venu me dire qu'il avait connu Mère. Des années auparavant. Ils avaient été sous contrat avec les studios tous les deux à la même époque. Il s'est mis à me poser des questions, à me demander comment elle allait. Et puis il m'a dit et répété que c'était quelqu'un de très bien, une femme très jolie, pleine de talent... Il m'a même dit que moi aussi j'étais très jolie !

— Vous ne vous trouvez pas jolie ?

— Soyons sérieux, docteur Delaware ! Enfin bref, il avait l'air si gentil, et puis c'était la première personne que je rencontrais qui ait connu Mère avant, à l'époque de Hollywood. Je veux dire, à San Labrador les gens sont rarement issus du milieu du spectacle. Ou alors ils ne le disent pas. Une fois un autre acteur — une vraie star, c'était Brett Raymond — a voulu s'installer là-bas. Il avait acheté une vieille maison qu'il voulait raser pour s'en construire une neuve, à son goût. Il y a eu un tas de ragots sur sa fortune qui était douteuse parce que le cinéma était un négoce de Juifs et que forcément ce n'était pas clair, et que Brett Raymond lui-même était juif mais qu'il essayait de le cacher, ce genre de bassesses. En fin de compte, le comité local d'urbanisation lui a créé tellement d'ennuis avec de la paperasserie et des contrôles qu'il a fini par changer d'avis et s'est installé à Beverly Hills. Et à San Labrador les gens ont dit : « Très bien, sa place est là-bas, pas ici. » Vous comprenez pourquoi je ne risquais pas de rencontrer des gens du cinéma à San Labrador. Aussi, quand Don s'est mis à parler de l'ancien temps, je me suis dit que c'était une chance, comme de découvrir un lien avec le passé.

— Entre ça et un mariage, il y a une petite différence, fis-je remarquer.

Elle eut un sourire amer.

— Je l'ai invité à la maison, pour faire une surprise à Mère. C'était avant qu'elle ne commence son traitement. Je cherchais tout ce qui pouvait la sortir de l'état où elle était. Pour qu'elle noue des contacts. Il est arrivé avec trois douzaines de roses et un magnum de Taittinger. J'aurais dû deviner qu'il avait... une idée derrière la tête. Je veux dire, des roses et du champagne... Et puis, une chose en a amené une autre. Il s'est mis à venir souvent. L'après-midi, avant l'ouverture du Tankard. Il lui apportait de la viande de premier choix, des roses, des petits cadeaux. C'est devenu régulier, et même moi je m'y suis habituée. Et il y a six mois, à peu près au moment où Mère s'est risquée en dehors de la propriété, ils m'ont annoncé qu'ils allaient se marier. Comme ça. Ils ont fait venir un officier de la mairie, et ils se sont mariés, à la maison.

— Donc il la voyait quand vous tentiez de persuader votre mère d'accepter un traitement.

— Oui.

— Quelle était sa position par rapport au traitement ?

— Je ne sais pas. Je ne le lui ai jamais demandé.

— Mais il n'a pas combattu cette idée.

— Non. Don n'est pas du genre à combattre.

— De quel genre est-il ?

— C'est un séducteur. Tout le monde l'aime, dit-elle avec un mépris évident.

— Et vous ?

Elle me lança un regard irrité, rejeta en arrière une mèche qui était retombée sur son front, d'un geste très sec.

— Moi ? Ça ne marche pas.

— Vous pensez qu'il n'est pas sincère ?

— Je pense qu'il est... creux. Un pur produit de Hollywood.

Elle faisait écho aux a priori qu'elle venait de critiquer, et elle s'en rendit compte.

— Je sais, ça peut paraître très « bonne société de San Labrador », mais il faudrait que vous le rencontriez pour comprendre ce que je veux dire. Il est bronzé même en hiver, il ne vit que pour le tennis et le ski, il sourit tout le temps, même sans raison. Père était un homme *profond*. Mère mérite mieux. Si j'avais su que cela en arriverait là, jamais je n'aurais fait ce premier pas.

— A-t-il des enfants, de son côté ?

— Non. Il ne s'est jamais marié. Jusqu'à maintenant.

L'emphase qu'elle mit sur le dernier mot provoqua ma question suivante :

— Craignez-vous qu'il ait épousé votre mère pour sa fortune ?

— Ça m'a traversé l'esprit... Don n'est pas pauvre, mais il n'est pas du même milieu que Mère.

Elle accompagna la condamnation d'un geste de la main si négligent qu'il me marqua.

— Une partie de votre indécision à partir pour Harvard n'est-elle pas due au fait que vous pensez qu'elle a besoin d'être protégée de lui ?

— Non, mais je ne le vois pas capable de prendre vraiment soin d'elle. Et je ne saisis toujours pas pourquoi elle l'a épousé.

— Et les domestiques, ils ne prennent pas soin d'elle ?

— Ils sont tout dévoués, mais elle a besoin de plus que cela.

— Mais Jacob Dutchy ?

— Jacob... dit-elle d'une voix chevrotante. Jacob est mort.

— Je suis désolé.

— L'année dernière. Il a développé un genre de cancer et il est parti assez vite. Après le diagnostic, il est allé dans une sorte de maison de repos. Mais il n'a pas voulu nous donner ses coordonnées. Il ne voulait pas qu'on le voie malade. Après qu'il... Après, l'établissement où il était a téléphoné à Mère pour lui annoncer la nouvelle. Il n'y a même pas eu de funérailles, juste une crémation. Ça m'a vraiment fait quelque chose, de ne pas pouvoir l'aider. Mais Mère m'a dit que nous l'avions aidé en le laissant faire à sa manière.

D'autres larmes. D'autres mouchoirs en papier.

— Je garde de lui le souvenir d'un homme de caractère.

Elle baissa la tête.

— Au moins, ça a été rapide.

J'attendis qu'elle en dise plus, mais elle garda le silence.

— Il vous est arrivé tant de choses, fis-je après un moment. C'est forcément très éprouvant. Je comprends que vous ayez tant de mal à décider ce que vous devez faire à présent.

— Oh ! docteur Delaware ! fit-elle dans un sanglot.

Elle se leva brusquement et se précipita dans mes bras. Mi-enfant, mi-femme. Elle avait mis du parfum pour le rendez-vous, quelque chose de lourd et de fleuri, une fragrance qui n'était pas de son âge. Une essence que j'aurais plutôt assimilée à une vieille tante célibataire. Je l'imaginai se frayant seule son chemin dans l'existence, avec les pièges, les erreurs...

J'en fus attristé pour elle. Ses doigts étaient crispés dans mon dos, et ses larmes mouillaient mon veston.

Je murmurai quelques paroles de réconfort qui me parurent aussi substantielles que la lumière dorée entrant par la fenêtre. Quand elle eut cessé de pleurer depuis une minute, je m'écartai doucement.

Elle battit en retraite aussitôt et se rassit, l'air honteux. En se tordant les mains...

— Tout va bien, Melissa, dis-je. Vous n'avez pas à être forte tout le temps.

Le réflexe du psy.

La parole de circonstance. Mais dans ce cas, était-ce vrai ?

Elle se releva et se mit à faire les cent pas dans le salon.

— Je ne peux pas croire que je craque comme ça. C'est tellement... J'avais l'intention que cette entrevue soit... professionnelle. Une consultation, pas...

— Pas une séance de thérapie ?

— Oui. C'était pour elle. Je croyais vraiment que j'allais bien, que je n'avais plus besoin de thérapie. Je voulais vous montrer que j'allais bien.

— Et vous allez bien, Melissa. Mais la période est extrêmement stressante pour vous. Tous ces bouleversements dans la vie de votre mère, la perte de Jacob...

— Oui, dit-elle d'un ton absent. Il était adorable.

Je laissai s'égrener quelques secondes avant de reprendre :

— Et maintenant, le problème de Harvard. C'est une décision majeure. Il serait très inconséquent de ne pas la prendre au sérieux.

Elle soupira.

— Je vais vous poser une question, Melissa : si tout le reste allait sans anicroche, voudriez-vous partir ?

— Eh bien... Je sais que c'est une occasion en or. Mais il faut que je... J'ai besoin de sentir que je fais bien.

Elle secoua la tête et leva les bras au ciel.

— Je ne sais pas. J'aimerais savoir...

Elle me dévisagea. En réponse je lui souris et lui désignai le canapé. Elle s'y assit.

— Qu'est-ce qui pourrait vous convaincre réellement que votre mère ira bien ?

— Qu'elle aille bien ! Qu'elle soit normale ! Comme tout le monde. Ça a l'air horrible à dire, comme si j'avais honte d'elle, mais ce n'est pas cela. Je me fais du souci, voilà tout.

— Vous voulez être sûre qu'elle puisse se débrouiller seule.

— C'est justement ça : elle le peut. Dans sa chambre. C'est son domaine. Mais le monde extérieur... Maintenant qu'elle sort, qu'elle essaie de changer... Ça me fait peur.

— C'est normal.

Un silence.

— Je suppose que je gaspillerais ma salive à vous rappeler que vous ne pouvez pas continuer indéfiniment à prendre les responsabilités à la place de votre mère. A jouer le rôle d'une mère pour votre mère. Que cela créera des problèmes dans votre vie et ne sera pas une bonne chose pour votre mère.

— Oui, je sais. C'est ce que N... Bien sûr, c'est vrai.

— Quelqu'un vous a dit la même chose ?

Elle se mordit la lèvre inférieure.

— Seulement Noel. Noel Drucker. C'est un ami. Pas un petit ami, juste un ami. Enfin, il m'apprécie un peu plus qu'un ami, mais je ne suis pas certaine de ce que je ressens pour lui. Cependant, je sais que je le respecte. C'est quelqu'un d'exceptionnellement bon.

— Quel âge a-t-il ?

— Un an de plus que moi. Il a été accepté à Harvard l'année dernière, et il a travaillé pour économiser de l'argent. Sa famille n'est pas riche, il n'y a que sa mère et lui. Il a travaillé toute sa vie et il est très mature pour son âge. Mais quand il parle de Mère, j'ai envie de lui dire de... de s'arrêter.

— Vous lui avez déjà expliqué ?

— Non, c'est quelqu'un de très sensible, et je ne veux

pas le blesser. Et puis, je sais qu'il est gentil. Il pense à moi.

— Eh bien, soufflai-je, vous prenez soin d'un tas de personnes.

— Peut-être, oui, fit-elle avec un petit sourire gêné.

— Et qui prend soin de Melissa?

— Je peux prendre soin de moi, rétorqua-t-elle avec un regard de défi qui me précipita neuf ans en arrière.

— Je sais que vous le pouvez, Melissa. Pourtant, même ceux qui savent prendre soin des autres ont parfois besoin qu'on prenne soin d'eux.

— Noel essaie de prendre soin de moi. Mais je ne veux pas le laisser faire. C'est idiot, n'est-ce pas? De le frustrer de la sorte. Mais il faut que je fasse les choses à ma manière. Et il ne comprend pas comment il faut faire avec Mère. Personne ne comprend.

— Noel et votre mère s'entendent bien?

— Pour le peu qu'ils se sont vus, oui. Elle trouve que c'est un gentil garçon. Ce qu'il est. Tout le monde pense la même chose. Si vous le connaissiez, vous comprendriez pourquoi. Et il l'aime bien. Mais il prétend que je lui fais plus de mal que de bien en la protégeant, qu'elle ira mieux quand elle le décidera. Comme si c'était elle qui décidait!

Melissa se leva et se remit à arpenter la pièce. Ses mains voletaient d'un bibelot à un autre, et elle feignit une soudaine fascination pour les tableaux accrochés aux murs.

— De quelle façon puis-je vous aider au mieux, Melissa? demandai-je.

Elle pivota sur un pied et me contempla.

— J'ai pensé que peut-être... vous pourriez parler à Mère, et me donner vos impressions?

— Vous voulez que je fasse une évaluation de votre mère? Que je vous donne une opinion professionnelle sur sa capacité à supporter votre départ pour Harvard?

Elle se mordilla la lèvre inférieure, effleura sa boucle d'oreilles, rejeta ses cheveux en arrière d'un bref mouvement de tête.

— J'ai confiance en votre jugement, docteur Delaware. Ce que vous avez fait pour moi, la façon dont vous

m'avez aidée à changer... C'était comme... de la magie.
Si vous me dites que je peux la laisser sans risque, alors
je partirai à Harvard.

Comme de la magie.

Des années auparavant c'est elle que j'avais vue en
magicienne. Mais le lui dire maintenant aurait été la para-
lyser.

— Nous avons formé une bonne équipe, Melissa.
Vous avez montré de la volonté, du courage, tout comme
maintenant.

— Merci. Alors, acceptez-vous ?

— Je serais heureux de parler avec votre mère. Si elle
y consent. Et si les Gabney n'y voient pas d'inconvénient.

Elle se rembrunit.

— Pourquoi eux ?

— Il me faut la certitude que je n'interfère pas dans le
cours de leur traitement.

— D'accord, dit-elle. J'espère seulement qu'elle ne
vous créera pas de problèmes...

— Le Dr Ursula ?

— Mh-oui.

— Vous voyez des raisons pour qu'elle le fasse ?

— Non. Elle est simplement... Elle aime tout diriger.
Je ne peux pas m'empêcher de penser qu'elle veut que
Mère garde des secrets. Des secrets qui n'ont rien à voir
avec la thérapie.

— Quelle sorte de secrets ?

— Je n'en sais rien, avoua-t-elle. C'est bien là le problème : je n'ai aucune preuve, seulement une impression.
Je sais que ça peut paraître idiot. Noel dit que je parle
comme une paranoïaque.

— Il ne s'agit pas de paranoïa. Vous vous faites beaucoup de soucis pour votre mère, vous vous occupez d'elle
depuis des années. Il ne vous semblerait pas naturel de
simplement...

Sa tension se dissipa, et elle sourit.

— Je recommence, c'est ça ? fis-je d'un ton de plaisanterie.

Elle se mit à glousser, s'interrompit, embarrassée.

— J'appellerai le Dr Ursula aujourd'hui, dis-je, et
nous commencerons à partir de là. Ça vous va ?

— Ça me va.

Elle s'approcha du bureau et inscrivit le numéro de téléphone de la clinique sur un morceau de papier.

— Ne vous en faites pas, Melissa, dis-je. Nous trouverons une solution.

— Je l'espère, vraiment. Vous pouvez m'appeler sur ma ligne privée, le numéro où vous m'avez eue hier.

Elle retourna près de la table basse, prit son sac à main et le tint contre elle, à hauteur de taille.

La défense par accessoires.

— Il y a autre chose ? demandai-je.

Elle jeta un coup d'œil rapide vers la porte.

— Non. Je crois que nous en avons fait pas mal, n'est-ce pas ?

— Nous avions beaucoup à rattraper.

Nous marchâmes de concert vers la porte.

Elle tourna la poignée.

— Eh bien, merci encore, docteur Delaware.

Je sentis la tension dans sa voix, la vis dans la raideur de ses épaules. Elle était plus tendue qu'à son arrivée.

— Vous êtes bien sûre qu'il n'y a rien d'autre dont vous voulez me parler, Melissa ? Je ne suis pas pressé, j'ai du temps devant moi.

Elle me dévisagea un instant, puis ses paupières se baissèrent sur ses yeux comme des volets de sécurité. Ses épaules s'affaissèrent.

— C'est lui, dit-elle d'une très petite voix. McCloskey. Il est revenu. A Los Angeles. Complètement libre... Et je ne sais pas ce qu'il va faire !

8

Je refermai la porte et la fis rasseoir dans le salon.

— Je voulais vous en parler dès le début, mais...

— Cela donne une dimension totalement différente à votre crainte de partir.

— Oui, mais pour être franche, j'aurais été inquiète même sans lui. Il ne fait qu'ajouter à mes soucis.

— Quand avez-vous découvert qu'il était revenu ?

— Le mois dernier. Il y avait cette émission à la télévision, un documentaire sur les victimes du Premier Amendement — comment dans certains États la famille peut écrire à la prison pour savoir quand le criminel demande une liberté conditionnelle. De la sorte vous pouvez protester. Je savais qu'il était sorti des années auparavant et qu'il avait déménagé. Mais j'ai écrit quand même, pour voir si je pouvais apprendre quelque chose. Je suppose que c'était une autre partie de la même démarche, j'essayais d'aider ma mère. La prison a mis longtemps à répondre, pour me dire d'entrer en contact avec le Département des libérations conditionnelles. Ça a été un véritable casse-tête. J'avais toujours les mauvaises personnes, et on me faisait attendre. Finalement j'ai dû rédiger une demande de renseignements, et j'ai réussi à obtenir le nom de son dernier officier de conditionnelle. Ici, à L.A. ! Seulement il ne le voyait plus. McCloskey avait terminé sa période de conditionnelle.

— Depuis combien de temps est-il sorti de prison ?

— Six ans. C'est Jacob qui me l'a appris. Je l'ai

121

embêté pendant quelque temps pour savoir, pour essayer de comprendre. Il ne voulait pas répondre, mais je n'ai pas lâché prise. Et quand j'ai eu quinze ans il a fini par admettre qu'il gardait toujours un œil sur McCloskey. Il savait qu'il avait été libéré depuis deux ans et qu'il avait quitté l'État.

Elle ferma ses mains en deux poings menus qu'elle agita avec colère.

— Ce monstre n'a fait que treize ans des vingt-trois de sa condamnation. « Remise de peine pour bonne conduite » ! C'est écœurant, non ? Personne ne se soucie de la victime. On aurait dû l'envoyer à la chambre à gaz !

— Jacob savait où McCloskey était allé ?

— Au Nouveau-Mexique. Ensuite en Arizona, je crois, et puis au Texas. Il a travaillé avec les Indiens dans les réserves, ou quelque chose comme ça. Jacob m'a dit qu'il essayait de tromper le Département des conditionnelles en leur faisant croire qu'il était devenu raisonnable, et que probablement ce stratagème marcherait. Et il avait raison, parce qu'ils l'ont bien libéré, et maintenant il peut faire ce qu'il veut. L'officier de la conditionnelle était quelqu'un de bien, mais il approchait de la retraite. Il s'appelait Bayliss, et il semblait concerné par cette affaire. Mais il a dit qu'il ne pouvait rien faire, malheureusement.

— Pense-t-il que McCloskey représente une menace pour votre mère, ou pour qui que ce soit ?

— Il a dit qu'il n'avait aucune preuve, mais qu'il n'était pas sûr. Que personne ne pouvait être sûr, avec un individu comme McCloskey.

— McCloskey a tenté d'entrer en contact avec votre mère ?

— Non, mais qui peut dire qu'il ne le fera pas ? Il est fou, et ce genre de folie ne change pas d'un claquement de doigts, n'est-ce pas ?

— Rarement, en effet.

— Alors il représente bien un danger réel, non ?

Je n'avais pas de réponse à ce genre de question.

— Je comprends que vous vous fassiez du souci, fis-je sans beaucoup aimer le son de ma voix.

— Docteur Delaware, comment pourrais-je la laisser ?

122

Peut-être est-ce un signe — son retour à Los Angeles. Le signe que je ne devrais pas la laisser. Je veux dire, je peux suivre des études de qualité ici aussi. L'UCLA et l'USC m'ont tous deux acceptée. Et en fin de compte, ça ne fera pas de différence...

Une chanson différente de celle qu'elle avait chantée quelques moments plus tôt

— Melissa, quelqu'un possédant votre intelligence peut obtenir une bonne formation n'importe où. En dehors des études, existe-t-il une autre raison pour laquelle Harvard vous intéresse ?

— Je ne sais pas... Peut-être simplement mon ego. Oui, ça doit être ça : me démontrer à moi-même que j'en suis capable.

— D'autres raisons ?

— Eh bien... Il y a Noel. Il veut vraiment que j'aille là-bas et je me suis dit... Je veux dire, c'est le meilleur établissement du pays, n'est-ce pas ? Alors je me suis dit, pourquoi ne pas demander mon inscription ? Au début, c'était une sorte de plaisanterie, parce que je ne croyais pas qu'ils m'accepteraient. — Elle eut une moue désemparée. — Il y a des fois où je me dis que tout aurait été plus simple si j'étais une étudiante moyenne. J'aurais eu moins de choix.

— Melissa, n'importe qui dans votre position — et dans la situation que vous vivez avec votre mère — éprouverait le même conflit intérieur. Et maintenant McCloskey. Mais la vérité, c'est que même s'il représente un danger vous n'êtes pas dans la position de défendre votre mère contre lui.

— Qu'est-ce que vous racontez ? rétorqua-t-elle d'un ton agressif. Vous voudriez que je laisse tomber ?

— Je dis qu'il faut absolument enquêter sur McCloskey. Et il faut un professionnel. Pour découvrir la raison qui l'a fait revenir ici, et ce qu'il prépare. S'il est jugé dangereux, alors on pourra faire quelque chose.

— Faire quoi, par exemple ?

— Obtenir un internement légal. Prendre des précautions de sécurité. Votre propriété est-elle bien gardée ?

— Je crois, oui. Il y a un système d'alarme, et des grilles. Et la police patrouille régulièrement. Il y a si peu de délits à San Labrador que la police est presque au service des résidents. Est-ce que nous devrions faire autre chose ?

— Avez-vous parlé de McCloskey à votre mère ?

— Non, bien sûr que non ! Je ne voulais pas la paniquer, pas alors qu'elle commence à aller mieux.

— Et votre... Mr. Ramp ?

— Non. Personne n'est au courant. Personne ne m'a demandé mon avis sur rien, de toute façon, et je n'ai rien dit.

— En avez-vous parlé à Noel ?

La gêne passa dans son regard.

— Oui. Il sait.

— Qu'a-t-il dit ?

— D'oublier tout ça. Mais pour lui c'est facile, ce n'est pas sa mère ! Vous n'avez pas répondu à ma question, docteur Delaware : y a-t-il autre chose que nous devrions faire ?

— Ce n'est pas à moi de le décider. Il y a des professionnels qui sont spécialistes de ce genre de situation.

— Où pourrais-je en trouver un ?

— Laissez-moi voir dans mes connaissances. Je pourrai peut-être vous aider pour ce point. En attendant, pourquoi ne ferions-nous pas comme convenu ? Je vais contacter les Gabney pour leur demander s'ils ne voient pas d'inconvénient à ce que je rencontre votre mère. Si c'est d'accord, je vous le dirai et vous pourrez organiser un rendez-vous pour moi. Dans le cas contraire, nous repasserons en revue les options restantes. Mais dans l'une ou l'autre éventualité, il faudra que nous parlions un peu plus, vous et moi. Vous voulez que nous fixions un rendez-vous ?

— Demain ? dit-elle aussitôt. A la même heure. Si vous avez le temps.

— Je l'ai.

— Merci. Et désolée si je m'énerve aussi facilement en ce moment...

— Vous êtes très bien, assurai-je avant de la raccompagner pour la seconde fois jusqu'à la porte.

— Merci, docteur Delaware.

— Prenez soin de vous, Melissa.

— Promis, dit-elle.

Mais elle me faisait penser à une fillette écrasée par les devoirs scolaires.

Après son départ je réfléchis aux éléments qu'elle avait révélés : le remariage de sa mère, le jeune homme dans sa vie, le décès de Dutchy, le retour de McCloskey. Le tout annoncé d'un ton presque pathétique. Avec une fausse nonchalance qui trahissait une autodéfense forcenée.

Mais avec tout ce qu'elle devait affronter — la perte, l'ambivalence, des décisions cruciales, l'érosion de son influence personnelle —, l'autodéfense était une réaction très compréhensible.

Le problème de son influence personnelle constituait sans doute un des points les plus difficiles à maîtriser pour elle. Un sens hyperdéveloppé de son pouvoir personnel était l'héritage logique de toutes ces années passées à élever sa mère, au lieu d'une situation inverse. Elle l'avait utilisé pour conduire sa mère au bord de la métamorphose.

Elle avait endossé le rôle de la marieuse.

Pour être vaincue par sa propre réussite : forcée de battre en retraite à l'arrière-plan et de passer son autorité à un thérapeute. Et de partager sa mère avec son beau-père.

En ajoutant à cela les tensions et les doutes normaux d'une adolescente, la situation devait être intenable pour elle.

Qui prenait soin de Melissa ?

Naguère, Jacob Dutchy avait tenu ce rôle.

J'avais peu connu l'homme, mais sa disparition m'attristait. Le majordome loyal, toujours prêt à protéger ses maîtres. Il avait eu une certaine... présence.

Supprimée. Comme par un claquement de doigts du Destin.

Pour Melissa, son décès équivalait à la perte d'un père.

Quel résultat dans ses relations avec les hommes ? Le développement d'une confiance aveugle ?

Si ce qu'elle avait dit sur Don Ramp — et sur Noel Drucker — était révélateur, le chemin n'avait pas été des plus aisés, jusqu'alors.

Et maintenant Harvard exigeait une décision, ce qui évoquait le spectre de redditions futures.

Qui avait réellement peur de cette séparation ?

Les peurs de Melissa n'étaient certes pas sans quelques motifs.

Un Mikoski avec de l'acide.

Pourquoi McCloskey était-il revenu à Los Angeles, presque vingt ans après sa condamnation ? Treize ans ferme, plus six de liberté sur parole, cela lui faisait cinquante-trois ans. J'avais vu ce que des années de prison pouvaient faire à un homme, et je me demandai s'il était autre chose qu'un ancien détenu brisé par la réclusion, las de tout, qui recherchait le réconfort de perdants comme lui, dans des gîtes au fond d'impasses.

Mais il avait pu utiliser le temps passé à San Quentin à nourrir sa haine. En imaginant des scènes d'acide et de sang, en remplissant la bouteille...

Un sentiment déconcertant d'incertitude commençait à s'installer en moi, le même que celui éprouvé neuf ans plus tôt, quand j'avais eu l'impression de rater la cible. Quand j'avais enfreint toutes mes règles pour traiter une enfant terrifiée.

Le sentiment de n'être pas vraiment allé au cœur du problème.

Neuf ans plus tôt, l'état de Melissa s'était amélioré, malgré cela.

Magie.

Combien de lapins restaient encore dans le chapeau ?

J'appelai la Clinique Gabney, et un répondeur me débita les numéros et les codes d'urgence des bips des deux médecins. Aucun autre membre de l'établissement n'était nommé. Je laissai donc un message à l'attention d'Ursula Cunningham-Gabney. Après avoir expliqué que j'étais le thérapeute de Melissa Dickinson, je lui demandai de me contacter le plus tôt possible. Pendant les quelques heures suivantes je reçus diverses communications téléphoniques, mais aucune en provenance de Pasadena.

A sept heures dix Milo arriva. Il portait les mêmes vêtements que le matin, agrémentés de taches d'herbe sur le pantalon et d'auréoles de transpiration aux aisselles. Il sentait vaguement le gazon et avait l'air épuisé.

— Réussi des trous ?

Il secoua la tête, dénicha une Grolsch dans le frigo, l'ouvrit et grommela :

— Le sport, ce n'est décidément pas mon truc. Et courir après une petite tache blanche et ronde qui file sur une pelouse, ça aurait plutôt tendance à me rendre dingue. — Il renversa la tête en arrière pour ingurgiter une bonne moitié de la bière. — On festoie où, au fait ?

— A ta convenance.

— Ah ! tu me connais, je ne vais que dans la haute société. La preuve, je me suis habillé pour.

Nous finîmes dans un stand vendant des tacos sur Pico, près de la Vingtième, dans la mauvaise partie de Santa Monica, à respirer les gaz d'échappement à une table au bois couturé de marques de couteau. Nous mangeâmes des tortillas porc-et-légumes-marinés mollement cuites à l'étouffée, que nous fîmes glisser avec des Coca-Cola Classic dans leur gobelet en carton.

Le stand était blotti entre un magasin de spiritueux et un distributeur bancaire, au coin d'un morceau d'asphalte dévasté. Des sans-logis et quelques autres qui ne voulaient pas vivre dans les logis qu'ils avaient peut-être traînaient non loin. Deux d'entre eux nous suivirent du regard tandis que nous prenions nos achats au comptoir et allions nous installer. Des idées de mendicité ou d'actes moins avouables faisaient luire leurs prunelles voilées. Milo les tint à l'écart avec des regards de flic susceptible.

Nous mangeâmes en surveillant les parages.

— Assez à la bonne franquette pour toi ? me dit-il.

Avant que j'aie pu répondre il s'était levé et se dirigeait vers le comptoir. Un type de mon âge environ, maigre et crasseux, le visage mangé de barbe, saisit l'occasion et s'approcha de moi avec un sourire édenté, en grommelant des propos incompréhensibles tandis qu'il faisait des gestes vagues de la main droite. Son autre bras restait collé à son torse, replié comme une patte de poulet, la main à l'épaule.

Je lui tendis un billet d'un dollar. Le bras valide se détendit avec une précision de crustacé. Il s'était éloigné avant que Milo ne revienne à la table, un carton de tacos à la main.

Mais il l'avait vu, et il ricana en s'asseyant.

— Pourquoi as-tu fait ça ?

— Le type est un déficient mental.

— Ou il simulait.

— Dans les deux cas, il avait l'air assez désespéré, non ?

Avec une moue désapprobatrice Milo ôta le papier d'un taco dans lequel il mordit. Une fois la bouchée avalée, il déclara :

— Tout le monde est désespéré, Alex. Continue à faire ça et ils vont tous nous coller comme de la moisissure.

C'était le genre de réflexion qu'il n'aurait sans doute pas eue trois mois plus tôt.

Je regardai autour de nous et remarquai la façon dont les autres le contemplaient.

— Je ne m'en fais pas trop pour ça.

Il désigna le carton empli de tacos.

— Vas-y, c'est pour toi.

— Tout à l'heure, peut-être.

Je bus une gorgée de Coke qui était devenu insipide.

— Si tu voulais te renseigner sur un ex-taulard, dis-je après un moment, comment t'y prendrais-tu ?

— Quel genre de renseignements ? fit-il en postillonnant des particules de viande de porc.

— Comment le type s'est comporté en prison, ce qu'il fait maintenant...

— Le type en question est en conditionnelle ?

— Il a terminé sa conditionnelle. Il est maintenant libre comme l'air.

— Un parangon de réhabilitation, huh ?

— C'est bien là qu'est la question.

— Depuis combien de temps Mr. Parangon est-il libre comme l'air ?

— A peu près un an.

— Et pourquoi a-t-il plongé ?

— Agression, tentative d'assassinat, association de malfaiteurs. Il a payé quelqu'un pour agresser sa victime.

— Il a payé, huh ? fit Milo en s'essuyant la bouche.

— Payé pour créer des dommages sérieux à sa victime, ou pire.

— Alors il faut se dire que ce fumier restera un fumier.

— Et si je voulais quelque chose de plus précis ?

— Jusqu'à quel point ?

— C'est en rapport avec une patiente.

— Ah, genre ultra-confidentiel ?

— A ce point, oui.

— Eh bien, ça n'est pas un gros problème. Tu — je veux dire un flic, parce que M. Tout-le-Monde aurait du mal à faire ça — tu suis la chaîne. Le passé est la meilleure prévision pour l'avenir, pas vrai ? Le premier maillon, c'est donc son dossier. Niveaux national et local. Tu bavardes avec les flics qui l'ont connu à la mauvaise époque, de préférence avec ceux qui l'ont cravaté. Ensuite tu jettes un œil aux archives du District Attorney. Normalement il doit y avoir des recommandations pour l'application de la peine, des rapports de psy, et le reste. Histoire de voir comment il s'est comporté derrière les barreaux. Même si ceux qui le connaissent le mieux sont les trous-du-cul qui ont fait leur temps avec lui. Si tu as un moyen de pression sur l'un d'eux, tu t'en sers. Ensuite tu vas voir son officier de conditionnelle. Là, le problème c'est la paperasse et les rotations. Ils tamponnent beaucoup de rapports creux. Les chances de trouver quelque chose d'intéressant sont assez minces. Dernier pas, tu identifies ses double-C — Connaissances Connues —, la racaille avec qui il traîne depuis qu'il est libre. C'est tout. Rien de très compliqué, boulot de routine. Et en fin de compte ça ne t'apprendra sûrement pas grand-chose. Alors si tu as une patiente qui se fait de la bile, à ta place je lui conseillerais un minimum de précautions. Acheter un bon gros flingue et apprendre à s'en servir. Peut-être un chien, aussi. Un pit-bull, par exemple.

— La ligne que tu viens de définir, un avocat privé pourrait s'en charger ?

Il m'observa au-dessus de son taco.

— Un avocat type ? Non. Pas dans un temps raisonnable. Un avocat connaissant bien un bon privé pourrait le faire faire, mais il faudrait que le privé ait de très bons contacts dans la police.

— Comme un ex-flic ?

Il acquiesça.

— Certains privés sont d'anciens flics. Tous se font

129

payer à l'heure, et ce genre de truc va prendre pas mal d'heures. Si ta cliente est riche, c'est aussi bien...

— Ça pourrait peut-être t'intéresser ?

Il posa son taco.

— Quoi ?

— Une petite consultation privée, Milo. Un vrai passe-temps. As-tu le droit de travailler durant ta suspension ?

— Je suis Joe Le Citoyen, je fais ce que je veux. Mais pourquoi aurais-je envie de le faire ?

— C'est mieux que de courir après de petites taches blanches sur une pelouse, non ?

Il grogna, reprit son taco, l'avala et en attaqua un autre.

— Bon sang, je ne saurais même pas combien demander de l'heure, grommela-t-il.

— Ça veut dire que tu envisages d'accepter ?

— Je barjote. Cette patiente, c'est la victime ?

— La fille de la victime. Dix-huit ans. Je l'ai traitée il y a des années, quand elle était enfant. Elle vient d'être acceptée dans une université hors de l'État et elle n'est pas certaine d'y aller, même si c'est probablement la meilleure chose qui pouvait lui arriver.

— A cause de cette racaille qui est revenue ?

— Elle a d'autres raisons pour hésiter. Mais la présence de la racaille l'empêche de régler ces autres problèmes. Je ne peux pas la pousser à partir au loin avec ce danger potentiel dans les parages, Milo.

Il approuva d'un hochement de tête, engloutit son taco.

— La famille ne manque pas d'argent, poursuivis-je. C'est pourquoi j'ai parlé d'avocats. S'ils n'en ont pas déjà un bataillon à leur disposition, ils pourraient en engager un. Mais si toi tu te charges de ce petit travail, je sais qu'il sera bien fait.

— Ah ! fit-il en remontant le col de sa chemise à la verticale. Milo Marlowe, Milo Spade... Lequel sonne le mieux ?

— Que dirais-tu de : Sherlock Sturgis ?

— Et toi tu deviens quoi, alors ? Le Dr Watson du Nouvel Age ? Ouais, bien sûr, dis à la famille que s'ils veulent je me renseignerai sur ce type.

— Merci.

— *No problemo.* — De l'ongle il se cura les dents puis baissa les yeux sur sa chemise tachée de transpiration. — Le climat n'est pas très adéquat pour un imper mastic. Les chemises mastic, ça existe ?

— Sors le grand jeu : L.A. Vice. Parfum Armani.

Nous finîmes nos verres et mangeâmes quelques tacos de plus. Alors que nous allions rejoindre la voiture, un des sans-abri s'approcha de nous. C'était un homme corpulent, de race indéterminée, qui affichait un rictus malheureux et donnait tous les signes d'une paralysie tremblante. Milo lui jeta un regard aigu, puis sortit de sa poche une poignée de pièces de monnaie. Il la lui donna puis essuya ses mains sur son pantalon et tourna le dos à l'homme qui bégayait des bénédictions émues. Il n'avait pas fini de jurer quand il ouvrit la portière. Mais les épithètes manquaient de conviction. J'avais entendu beaucoup plus coloré de la part de Milo.

Le Dr Ursula Cunningham-Gabney avait rappelé durant mon absence et laissé un numéro de téléphone où on pouvait la joindre toute la soirée. Je le composai et une voix féminine de gorge, bien timbrée, me répondit.

— Docteur Cunningham-Gabney ?

— Elle-même.

— Ici le Dr Delaware. Merci d'avoir répondu à mon appel, docteur Gabney.

— Seriez-vous par chance le docteur Alexander Delaware ?

— Oui, c'est moi.

— Ah ! je connais bien vos recherches — *pavor nocturnus* chez l'enfant. Mon mari et moi l'avons inclus dans une bibliographie sur les désordres dus à l'anxiété, effectuée l'année dernière pour *The American Journal of Psychiatry*. Un travail qui faisait beaucoup réfléchir.

— Merci. Vos travaux ne me sont pas inconnus non plus.

— Où exercez-vous, docteur Delaware ? Nous ne traitons pas les enfants, et nous en adressons souvent à des collègues.

— Dans la partie ouest de L.A., mais je ne travaille plus dans la thérapie : je ne fais que du médico-légal. Des consultations à court terme.

— Je vois. Le message que j'ai reçu indiquait que vous étiez le thérapeute de quelqu'un...

— De Melissa Dickinson. J'ai été son thérapeute, pour être exact. Il y a des années. Mais je suis toujours disponible pour mes anciens patients. Elle est venue me voir il y a peu.

— Melissa, répéta-t-elle. Une jeune fille si *sérieuse*...

— Elle a pas mal de raisons d'être sérieuse.

— Oui, c'est vrai. La pathologie de la famille est profondément présente. Je suis heureuse qu'elle se soit enfin décidée à chercher de l'aide.

— Son principal souci semble être sa mère, dis-je. Et le problème de leur séparation. Comment sa mère réagira si elle part à Harvard.

— Sa mère est très fière de Melissa. Et elle souhaite vraiment que sa fille aille à Boston.

— Oui, Melissa me l'a dit. Mais elle se fait quand même beaucoup de soucis.

— Cela ne fait aucun doute, en effet. Mais les craintes de Melissa ne sont que les siennes.

— Il n'y a donc aucun risque de rechute de la mère, si Melissa s'en va ?

— C'est très peu probable, docteur Delaware. En fait, je suis certaine que Gina — Mrs. Ramp — apprécierait cette liberté nouvelle. Melissa est une jeune fille très attachante et une fille dévouée, mais elle peut se rendre assez... omniprésente.

— Ce mot est de sa mère ?

— Non, Mrs. Ramp ne s'exprimerait jamais de cette façon. Mais c'est ce qu'elle ressent. C'est pourquoi j'espère que vous pourrez faire comprendre à Melissa toute l'ambivalence de son attitude, et assez vite pour qu'elle décide de partir. J'ai cru comprendre qu'il y avait une date limite. Harvard n'est pas un établissement réputé pour sa patience, je le sais par expérience. Il va donc falloir qu'elle fasse sa demande. Il serait regrettable qu'un détail vienne tout arrêter.

Je pensai à McCloskey et demandai :

— Mrs. Ramp a-t-elle d'autres craintes qu'elle pourrait avoir transmises à Melissa ?

— Transmises ? Une sorte de contagion émotionnelle ?

Non, je dirais même que c'est plutôt le contraire : il y a risque que Melissa transmette son anxiété à sa mère. Mrs. Ramp a présenté un des cas de phobie les plus extrêmes que nous ayons jamais traités, et nous en avons traité beaucoup. Mais elle a accompli des progrès extraordinaires et elle continuera. Si on lui en laisse la chance.

— Voulez-vous dire que Melissa pourrait mettre en danger les progrès de sa mère ?

Un petit silence, puis :

— Melissa veut bien faire, docteur Delaware. Et je comprends très bien ses craintes. Grandir avec une mère qui n'assumait pas son rôle l'a poussée à devenir hypermature. A un certain niveau, cela relève d'une saine adaptation au milieu. Mais la situation évoluant, et à ce stade précis, sa possessivité ne peut que réduire la confiance de sa mère.

— Comment manifeste-t-elle cette possessivité ?

— En se montrant beaucoup trop présente à certaines étapes cruciales de la thérapie.

— Je ne suis toujours pas sûr de comprendre.

— Très bien, je vais vous expliquer. Comme vous le savez sans doute, le traitement de l'agoraphobie doit se faire *in vivo*, prendre place dans le monde réel, là où se trouvent les stimuli déclenchant l'angoisse. Pour parler littéralement, sa mère et moi progressons pas à pas. Nous avons franchi la grille de sa propriété, nous avons fait le tour du pâté de maisons. C'est un progrès lent mais régulier, calculé de façon à éviter au maximum toute angoisse au patient. Melissa se débrouille toujours pour être présente aux moments importants. A nous surveiller, bras croisés sur la poitrine avec un air de *scepticisme absolu* sur le visage. C'en est presque comique, mais cela représente évidemment une distraction négative. Au point que j'ai programmé certaines sorties en fonction des horaires de Melissa, quand elle est à l'école par exemple. Mais à présent elle ne suit plus de cours et elle se montre de plus en plus... présente.

— Lui en avez-vous déjà parlé ?

— J'ai tenté de le faire, docteur Delaware. Mais à l'évidence Melissa n'a aucun désir de discuter avec moi.

— Curieux, dis-je. Elle voit les choses très différemment.

133

— Oh ?

— Elle estime qu'elle a essayé d'avoir des renseignements auprès de vous et que vous l'avez repoussée.

Un silence.

— Oui, dit-elle enfin, cela ne m'étonne pas. Distorsion névrotique classique. Je comprends sa position, docteur Delaware. Elle doit affronter de nombreuses ambivalences actuellement : un sentiment de jalousie et de crainte intense. Ce ne peut pas être facile pour elle. Mais je dois me concentrer sur ma patiente. Et Melissa aurait en effet besoin de votre aide — ou de celle de quelqu'un d'autre, si vous ne vous sentez pas disponible — pour clarifier sa situation.

— Elle aimerait que je parle à sa mère. Afin de définir les sentiments de sa mère, de façon à se décider pour Harvard. Je voulais vous demander si cela ne poserait pas de problème. Je ne veux pas interférer avec votre traitement.

— Très sage de votre part. De quoi exactement comptez-vous parler avec Mrs. Ramp ?

— Uniquement de ses sentiments envers le départ possible de Melissa. Et d'après ce que vous venez de me dire, ils semblent clairs. Après les avoir entendus de sa bouche, je serai plus à même de m'occuper des doutes de Melissa.

— En utilisant votre position pour plaider son départ à Harvard ?

— Précisément.

— Eh bien, je ne vois aucun mal à ce que vous agissiez ainsi. Tant que vous limitez votre discours à ce domaine.

— Y a-t-il des sujets précis que vous préféreriez que je n'aborde pas ?

— A ce stade, je dirais qu'il vaut mieux éviter tous les sujets qui ne sont pas directement liés à la carrière universitaire de Melissa. Ne compliquons pas les choses.

— Ce cas me semble n'avoir jamais été très simple, fis-je remarquer.

— C'est vrai, dit-elle d'un ton mélodieux. Mais c'est la beauté de la psychiatrie, non ?

A neuf heures j'appelai Melissa. Elle décrocha à la première sonnerie.

— J'ai contacté une connaissance, un inspecteur de police en congé temporaire qui a donc du temps libre. Si vous voulez toujours qu'on enquête sur McCloskey, il peut s'en charger.

— Oui, je le veux toujours. Dites-lui de se mettre au travail.

— Cela peut prendre un peu de temps, prévins-je, et les détectives privés sont payés par l'employeur.

— Aucun problème. Je réglerai les dépenses.

— Vous-même?

— Bien sûr.

— Le total pourrait être assez conséquent.

— Je dispose de fonds personnels, docteur Delaware. J'ai payé pour certaines choses pendant longtemps. Je paierai vos honoraires, et je ne vois donc pas pourquoi je ne pourrais pas payer...

— Melissa...

— Pas de problème. Vraiment. Je sais très bien gérer mon argent. Et j'ai plus de dix-huit ans, ce qui rend la chose parfaitement légale. Puisque je dois partir et vivre en indépendante, pourquoi ne pas commencer maintenant?

Elle sentit mon hésitation et ajouta :

— C'est la seule façon. Je tiens à ce que ma mère ne sache pas qu'il est de retour.

— Et Don Ramp?

— Je ne veux pas non plus qu'il soit mis au courant. Ce n'est pas son problème.

— Très bien. Nous réglerons les détails lorsque nous nous verrons demain. A propos, j'ai parlé avec le Dr Ursula, et elle m'a dit qu'elle ne voyait aucun inconvénient à ce que je rencontre votre mère.

— Bien. J'en ai déjà parlé à Mère, et elle est d'accord pour vous voir. Demain. Ce n'est pas formidable? Pouvons-nous annuler notre rendez-vous pour cela, à la place?

— D'accord. Je viendrai demain à midi.

— Merci, docteur Delaware. Je vous ferai préparer un déjeuner. Qu'aimez-vous manger?

— Le déjeuner n'est pas nécessaire, mais merci quand même.

— Vous en êtes bien sûr ?

— Tout à fait.

— Très bien. Vous savez comment venir à San Labrador ?

— Je sais comment venir à San Labrador.

Elle m'indiqua comment arriver jusqu'à la propriété et je notai ses indications.

— D'accord, Melissa. Alors à demain.

— Docteur Delaware ?

— Oui, Melissa ?

— Mère est inquiète. A votre propos. Je lui ai pourtant dit que vous étiez très gentil, mais elle redoute ce que vous pourriez penser d'elle. A cause de l'attitude qu'elle a eue avec vous par le passé.

— Dites-lui que je comprends, et que mes crocs ne poussent qu'à la pleine lune.

Pas de rire.

— Je ne serai pas agressif le moins du monde, Melissa. Tout se passera bien pour elle.

— Je l'espère.

— Melissa, une partie de ce que vous affrontez est en train de se définir, et je ne parle pas de votre gestion de l'argent. Vous découvrez votre propre identité et vous permettez à votre mère d'agir par elle-même. Je sais que c'est une période difficile, et je pense qu'il vous a fallu beaucoup de courage pour arriver là où vous êtes. Le simple fait de *m'appeler* a demandé beaucoup. Nous allons arranger les choses, Melissa.

— Je vous entends bien, dit-elle. Simplement c'est dur. C'est dur d'aimer autant quelqu'un.

9

La voie rapide reliant L.A. à Pasadena s'annonce par
quatre tunnels dont les entrées sont festonnées, à la
maçonnerie travaillée. Pas du tout le genre de décoration
qu'un conseil municipal approuverait de nos jours, mais
cet exemple du progrès humain a été inscrit dans le bassin
il y a longtemps, c'est la première autoroute de la cité,
l'empire du mouvement incessant qui se déguise en
liberté.

C'est à présent une ceinture d'asphalte sale et laide.
Trois voies étroites bordées d'érables anémiés par les gaz
d'échappement et de maisons allant de fausses reliques
victoriennes à des constructions dignes de *La Route du
tabac*. Des ralentisseurs disposés par un maniaque apparaissent sans prévenir. Le temps a peint en gris les ponts
autoroutiers en béton — la patine de L.A. — qui lancent
des ombres tristes sur l'asphalte. Chaque fois que je
prends ce chemin je pense à Raymond Chandler, Natha-
nael West et James M. Cain. Une histoire de la Californie
du sud qui n'a sans doute jamais existé mais qui teinte
l'imagination de brumes délicieuses.

Je pense également à Las Labradoras et à ces parties
aristos de Pasadena, Sierra Madre ou San Labrador, qui
pourraient aussi bien se trouver sur la lune quand on voit
leurs points communs avec la jungle urbaine à l'autre
bout de la voie rapide.

Las Labradoras...

J'avais fait leur connaissance des années avant celle de

Melissa, et rétrospectivement une certaine similarité thématique entre les expériences m'apparut évidente. Pourquoi n'avais-je pas établi ce rapport plus tôt ?

C'étaient des femmes qui entre elles s'appelaient filles. Deux douzaines d'étudiantes de la même sororité qui s'étaient bien mariées et s'étaient installées dans le luxe très tôt. Après avoir eu un ou deux enfants qui les occupèrent jusqu'à ce qu'ils atteignent l'âge scolaire, elles commencèrent à chercher comment passer leur temps. Le nombre les rassurant, elles se réunirent et fondèrent un club exclusif, comme à la belle époque de leur sororité. Elles établirent leur quartier général dans un bungalow du Cathcart Hotel, un nid douillet valant deux cents dollars par jour mais qu'elles obtinrent gratuitement avec le service, car un des maris possédait une partie de la société hôtelière, et l'autre la banque qui lui avait accordé un crédit. Après avoir composé leur code de lois internes et avoir élu leurs officiers, elles cherchèrent une *raison d'être*. Le travail hospitalier leur parut admirable en tous points, et elles consacrèrent tout d'abord leur énergie à reconstruire et tenir la boutique de souvenirs du Cathcart Memorial.

Puis on diagnostiqua au fils d'une d'elles une maladie rare et douloureuse, et l'enfant fut transféré au Western Pediatric Hospital, seul endroit à L.A. où l'affection pouvait être traitée. L'enfant survécut, mais souffrit par la suite de douleurs chroniques. Sa mère abandonna le club afin de dévouer tout son temps à son fils. Las Labradoras décidèrent d'offrir leurs services aux pédiatres du Western.

A l'époque j'étais en troisième année de pratique et je dirigeais un programme psychosocial de réhabilitation pour les enfants gravement malades et leur famille. Le chef du personnel me convoqua dans son bureau et me suggéra de trouver une occupation à « ces dames ». Il parla de problèmes budgétaires dans les sciences « douces » et insista sur la nécessité de « créer une interface avec les forces positives au sein de la population ».

Un mardi de mai, j'enfilai un costume trois-pièces et me rendis au Cathcart Hotel. Je mangeai des canapés aux fruits de mer et des sandwichs mous, je bus du café presque transparent... et je m'entretins avec ces dames.

Elles avaient dépassé la trentaine, étaient toutes vives d'esprit et possédaient un charme naturel rafraîchissant ; elles avaient fait leurs études secondaires durant les années soixante et, bien que ce fût dans des établissements restés hermétiques aux mouvements sociaux de l'époque, même ces *señoritas* protégées avaient été touchées par l'air du temps. Elles, leurs maris, leurs enfants, la façon dont elles vivaient et continueraient de vivre constituaient L'Ennemi, et elles en étaient conscientes. Elles étaient les emblèmes du Privilège que voulaient abattre les révolutionnaires.

A cette époque je portais la barbe et conduisais un Dodge Dart au bord de la ruine mécanique. Malgré mon costume et ma coupe de cheveux récente, j'imaginais que pour elles je devais être l'exemple type du révolutionnaire. Pourtant elles m'accueillirent chaleureusement, écoutèrent avec beaucoup d'attention mon exposé de l'après-midi sans jamais quitter des yeux les diapositives d'enfants malades et de salles de chirurgie que je leur projetais.

A la fin de la séance elles avaient toutes les larmes aux yeux. Et leur désir de se rendre utiles s'en était trouvé renforcé.

Je décidai que la meilleure façon de mettre à profit leur bonne volonté serait de les employer comme guides des familles de nouveaux admis. Des sortes d'aides psychosociales qui court-circuiteraient légalement les chinoiseries administratives que l'hôpital sécrétait plus vite encore que ses dettes. Je définis des services de deux heures hebdomadaires, qu'elles passeraient dans leurs uniformes dessinés par elles-mêmes, pour accueillir avec le sourire les familles déboussolées et leur faire faire le tour de la misère humaine. Mais elles travailleraient à l'intérieur du système pour en masquer certaines de ses indignités, et non pour plonger dans les profondeurs de la douleur et de la tragédie. Pas de sang ni de chairs à vif pour elles. Le directeur du personnel trouva l'idée excellente.

Ces dames aussi. Je mis au point le programme de formation : cours, visites détaillées de l'hôpital, liste de livres à connaître, séances de psychodrame, discussions de groupe.

Elles se révélèrent des étudiantes de premier ordre. Elles prenaient des notes avec application et formulaient des commentaires très pertinents. Après trois semaines de ce régime, elles obtinrent toutes leur diplôme, un document spécialement créé pour elles et noué par une faveur rose que le chef du personnel leur remit en main propre. Une semaine avant la date à laquelle devaient commencer leurs rotations, je reçus une lettre manuscrite sur papier bleuté :

LAS LABRADORAS
BUNGALOW B, THE CATHCART PASADENA,
CALIFORNIA 91125

Cher Docteur Delaware,

Au nom de mes Sœurs et en mon nom propre, je tiens à vous remercier pour la considération que vous nous avez témoignée ces dernières semaines. Nous avons toutes conscience d'avoir beaucoup appris et très largement profité de cette expérience. Toutefois nous regrettons de ne pouvoir participer au programme « Accueil personnalisé » car il présente des problèmes stratégiques pour certaines d'entre nous. Nous espérons que cela ne vous occasionnera aucun inconvénient, et nous avons fait une donation au Western Pediatric Hospital Christmas Fund pour compenser quelque peu notre non-participation.

Nos meilleurs vœux pour une excellente année et toute notre admiration pour le travail formidable que vous faites. Sincèrement vôtre, Nancy Brown, Présidente, Las Labradoras.

Je trouvai son numéro dans mon Rolodex et lui téléphonai le lendemain, à huit heures du matin.

— Oh ! bonjour, dit-elle. Comment allez-vous ?

— Je tiens le coup, Nancy. Je viens de recevoir votre lettre.

— Oui, je suis désolée. Je sais combien cela peut paraître horrible, mais nous ne pouvons vraiment pas participer au programme d'accueil.

— Vous mentionnez des « problèmes stratégiques ». Puis-je vous être d'une aide quelconque pour les résoudre ?

140

— Non, et je le regrette. Cela n'a aucun rapport avec votre programme, docteur Delaware. C'est à cause de... l'environnement.

— L'environnement ?

— Celui de l'hôpital. L.A., Hollywood... La plupart d'entre nous avons été très surprises de la distance, et certaines pensent que c'est tout simplement trop loin.

— Trop loin ou trop dangereux ?

— Trop loin *et* trop dangereux. Beaucoup de maris ne sont pas d'accord non plus pour que nous allions là.

— Nous n'avons jamais eu de problème, Nancy. Et vous viendriez durant la journée, vous pourriez disposer du parking réservé.

Un silence.

— Les patients viennent et partent tous les jours sans aucun problème, ajoutai-je.

— Oui mais... Vous savez ce que c'est...

— Je devine, dis-je. Très bien. Bonne continuation, alors ?

— Je suis sûre que ça doit vous paraître idiot, docteur Delaware. Et pour être franche, je trouve personnellement que c'est une attitude exagérée. J'ai essayé de les en convaincre. Mais notre charte constitutive précise que nous participons en groupe, ou pas du tout. Nous avons donc voté, et le résultat a été celui-là. Je suis vraiment désolée si cela vous a causé des ennuis. Et nous espérons que l'hôpital acceptera notre donation dans l'esprit où elle a été faite.

— Je ne doute pas que ce soit le cas.

— Alors merci et au revoir, docteur Delaware. Bonne journée.

Des petits mots sur du papier de luxe, des désengagements par chèque, une façon très particulière de vous envoyer sur les roses par téléphone. Sans doute le style San Labrador.

J'y pensai jusqu'à ce que je quitte l'autoroute à Arroya Secco et tourne vers l'est sur California Boulevard, derrière Cal Tech. Je passai une série de courbes douces jusqu'à des rues calmes, puis Cathcart Boulevard apparut et je repris la piste de l'est vers le cœur de San Labrador.

Le Saint des Saints de ces Dames.

Une canonisation qui avait échappé au Vatican.

Les origines de l'endroit devaient tout à un désengagement par chèque.

Naguère domaine privé de H. Cathcart, héritier d'une dynastie ayant fait fortune dans les chemins de fer de la Côte Est, San Labrador avait des allures de vieille respectabilité mais n'avait acquis ses privilèges de ville que depuis un demi-siècle.

Cathcart était arrivé en basse Californie au début du siècle, dans le but de faire profiter la famille des possibilités commerciales de l'endroit. Il avait aimé ce qu'il voyait et s'était mis à acquérir des hôtels et des lignes ferroviaires, des orangeraies, des champs de haricots et des pâturages aux limites est de Los Angeles, ce qui constituait un fief de quelque quarante kilomètres carrés au pied des monts San Gabriel. Après l'édification de la demeure obligée, il entoura celle-ci de jardins magnifiques et baptisa l'ensemble San Labrador. Une petite autosanctification qui fit frétiller les langues épiscopales.

Puis, en plein milieu de la Grande Dépression, il découvrit que ses fonds n'étaient pas illimités. Il ne garda pour lui qu'un kilomètre carré de terres et divisa le reste des jardins en parcelles qu'il vendit aux magnats de sa connaissance. Il assortit toutes les transactions de clauses restrictives visant à lui assurer une existence inchangée, en harmonie avec la nature et au cœur des meilleurs aspects de la civilisation occidentale.

Le restant de sa vie se résume à peu de chose. En 1937 la grippe l'emporta. Il laissait derrière lui un testament qui léguait sa propriété à la ville de San Labrador si celle-ci se constituait légalement dans les deux ans. Les richissimes propriétaires de son entourage agirent avec célérité. Dix mois après le décès de Cathcart ils déposèrent une demande en bonne et due forme au L.A. County Board of Supervisors. La demeure de Cathcart devint un musée géré par le comté mais au budget privé, les jardins un parc botanique que personne ne visitait, du moins jusqu'à la création des voies rapides.

Pendant l'après-guerre les parcelles furent subdivisées pour accueillir les nouvelles petites fortunes. Mais les règles de l'endroit restaient immuables : pas de gens de couleur, pas d'Orientaux, de Juifs ou de Mexicains. Pas d'habitations communautaires. Interdiction de servir de l'alcool dans les endroits publics. Pas de night-clubs, de cinémas ou de lieux « de divertissement populaire ». Les commerces étaient cantonnés dans un espace de huit blocs sur Cathcart Boulevard, et aucun bâtiment commercial ne pouvait dépasser un étage. Le style architectural imposé étant néo-espagnol, les plans de chaque nouvelle construction devaient être approuvés par le conseil municipal.

Selon les lois fédérales, les restrictions raciales finirent par être annulées, mais il existait bien des moyens de les appliquer discrètement, et San Labrador resta totalement blanche. Les autres commandements régissant San Labrador survécurent au temps et aux procès, peut-être parce qu'ils possédaient une assise juridique solide. A moins que ce ne fût grâce au nombre de juges et aux deux district attorneys qui résidaient à San Labrador.

Quelle qu'en soit la raison, l'immunité au changement prônée par la ville demeurait patente. Alors que je roulais à vitesse réduite sur Cathcart, rien ne me parut avoir subi de modification depuis ma dernière venue. A quand remontait-elle ? Trois ans, pour une exposition de Turner. J'avais visité la bibliothèque et déambulé dans le jardin botanique. Avec Robin...

La circulation était assez fluide, mais lente. Le long du boulevard aux voies séparées par un terre-plein gazonné, les mêmes commerces se succédaient dans des constructions de style vaguement espagnol, lesquelles semblaient écrasées par la hauteur des pistachiers plantés naguère par H. Farmer Cathcart. Des médecins, des dentistes... Beaucoup d'orthodontistes. Des tailleurs pour les deux sexes proposaient des tenues d'un classicisme qui faisait paraître Brooks Brothers révolutionnaire. Une profusion de teinturiers, de fleuristes, de décorateurs d'intérieur, de banques et d'agences de courtage. Je comptai trois papeteries sur deux pâtés de maison, et la raison de leur installation ici me parut évidente. Les plaques sur les portes débordaient de titres ronflants évoquant une nomenclature victorienne factice. Mais je ne repérai aucun endroit de divertissement, pas de restaurant ni de bar. Des panneaux fréquents indiquaient la direction du musée aux touristes.

Un homme de type hispanique vêtu d'une salopette bleue d'employé municipal poussait un aspirateur industriel sur le trottoir. Quelques personnes à cheveux blancs le croisèrent. Sinon les rues étaient désertes.

Une banlieue résidentielle pour le *haut monde*, avec la perfection d'une illustration publicitaire. A l'exception du ciel, bien sûr, strié de suie et crasseux au-dessus des collines. Car tout l'argent du monde et les contacts les plus haut placés ne pouvaient changer les lois géographiques : le vent venu de l'océan poussait le *smog* ici, où la barrière des collines le retenait assez longtemps pour qu'il se dépose sur toute chose. L'atmosphère de San Labrador était empoisonnée cent vingt jours par an.

Suivant les indications de Melissa, je continuai six blocs après la zone commerciale pour prendre la première à gauche et remonter Costwold Drive, une voie qui grimpait en serpentant pendant environ un kilomètre, sous l'ombre rafraîchissante des pins qui la bordaient. Ici le silence était digne d'un lendemain de guerre nucléaire : l'habituelle stérilité humaine de L.A., en un peu plus prononcé.

Je me rendis compte que c'était dû aux véhicules. Ou plutôt à leur absence. Pas une seule voiture garée le long du trottoir. La règle du STATIONNEMENT INTERDIT A TOUTE HEURE, avec la sanction d'un sabot de Denver pour les roues de tout contrevenant et une amende très dissuasive. Dominant la rue déserte, des demeures massives à toit de tuiles s'élevaient au milieu de pelouses vallonnées. A mesure que je montais, les maisons devenaient plus impressionnantes.

Au sommet de la colline, la rue faisait une fourche : vers l'ouest, Essex Ridge, et Sussex Knoll vers l'est. Une muraille de genévriers et de houx de Californie à baies rouges devant des forêts de chênes et de copalmes cachait les résidences aux regards trop curieux.

Je réduisis ma vitesse et roulai au pas jusqu'à l'apercevoir. Un double portail de pin sculpté entre deux épais montants goujonnés, l'ensemble surmonté de piques métalliques vert-de-gris. Une haie compacte de quelque trois mètres cinquante se pressait derrière les grilles de métal délimitant la propriété. Le numéro 1 se trouvait sur le battant gauche du portail, le O sur le droit. A la gauche du 1, un œil électronique et un interphone étaient sertis dans le bois. J'approchai la voiture, baissai la vitre et appuyai sur le bouton d'appel de l'interphone.

— Docteur Delaware ? fit la voix de Melissa à travers le haut-parleur.

— Bonjour, Melissa.

— Une seconde.

Il y eut un grondement sourd, un grincement, et les deux battants s'ouvrirent vers l'intérieur. J'engageai ma voiture dans une allée pierrée ascendante qui avait été arrosée si récemment que l'air en était encore brumeux. De chaque côté défilaient des régiments de cèdres odorants. Je passai un corps de garde qui aurait pu héberger dans le confort deux familles de classe moyenne. A présent des pins de Monterey bordaient l'allée. Finalement ils cédèrent la place à des cousins plus modestes, des cyprès tordus et des cornouillers de montagne cernés par des massifs irréguliers de rhododendrons pourpres et de camélias japonais blancs et roses.

Cette allée était très sombre, et le silence y paraissait plus total encore. Je songeai à Gina conduisant sa Rolls vers la rue, seule, et j'eus une image nouvelle de son affliction. Et de ses progrès.

Les arbres s'espacèrent enfin pour révéler une pelouse de la taille d'un stade. L'herbe drue était contenue par des bordures de bégonias et de jasmin. Loin à l'ouest, j'aperçus des éclairs de lumière entre les cyprès, des mouvements et l'éclat du métal. Deux — non, trois — hommes en bleu de travail, trop distants pour que je puisse les voir distinctement. Les fils Hernandez ? Je comprenais maintenant pourquoi il n'avait pas trop de toute sa progéniture pour l'aider.

Les jardiniers taillaient la végétation avec de grands sécateurs à haies, et le cliquetis assourdi troublait à peine le calme trop profond des lieux. Pas d'outillage motorisé ou à air comprimé, ici. Par convention ou pour obéir au règlement de la propriété ?

L'allée se terminait par un demi-cercle, devant deux palmiers-dattiers. Entre les troncs noueux des arbres, deux volées de marches larges se rejoignaient en pince devant l'entrée de la maison. Des glycines ornaient les balustrades en pierre du double escalier.

J'observai la maison avec quelque étonnement. Ce qui aurait pu n'être qu'une construction de trois niveaux aux dimensions imposantes se révélait plaisant au regard, grâce au savoir-faire de l'architecte qui avait agencé avec subtilité des angles glissants à la vue, des décrochements étudiés et la richesse des détails. Les fenêtres étaient en ogive, leurs vitres à petits carreaux, protégées de grilles en fer forgé vert sombre de style néo-mauresque. Balcons, vérandas, larmiers, corniches et meneaux étaient taillés dans de la pierre à chaux couleur moka. Les tuiles des toits à l'espagnole étaient ordonnées avec une précision parfaite. Des incrustations de verre teinté révélaient un mépris de la symétrie que compensait très largement l'impression d'équilibre dégagée par l'ensemble.

Pourtant, par sa taille et son isolement, la maison donnait un sentiment saisissant d'oppression et de tristesse qui n'était pas sans rappeler un musée. Un endroit agréable à visiter, sans doute, mais je n'aurais pas aimé y résider en souffrant de phobie.

Je garai la voiture et en descendis. Au cliquetis lointain des sécateurs s'ajoutèrent le pépiement d'oiseaux et le froissement de la brise dans les feuillages. Je gravis l'escalier sans parvenir à imaginer ce qu'avait pu être la vie d'une enfant unique ici.

Le porche était assez vaste pour accueillir un semi-remorque. Les deux battants de la porte étaient en chêne massif laqué, également doublé de fer forgé, et chaque battant était divisé en une demi-douzaine de panneaux verticaux. Ils étaient gravés de scènes champêtres. Je les contemplai avec intérêt tout en pressant le bouton de la sonnette.

Deux carillons résonnèrent gravement à l'intérieur, et presque aussitôt le battant de droite s'ouvrit. Vêtue d'une chemise blanche, de jeans et de tennis blanches, Melissa paraissait encore plus menue qu'à l'accoutumée. Une poupée dans une maison de poupée construite à une échelle bien supérieure,

— C'est quelque chose, hein? fit-elle d'un ton un peu gêné.

— Très joli.

Elle sembla soulagée et sourit.

— C'est mon père qui a fait les plans. Il était architecte.

C'était plus qu'elle ne m'en avait dit sur lui en neuf années. Je me demandai ce qui pourrait encore émerger, maintenant que je faisais une visite à domicile.

Elle effleura très brièvement mon coude, puis retira sa main.

— Entrez, dit-elle, je vais vous faire faire le tour de la maison.

Le tour était pour le moins révélateur. Le hall d'entrée avait les dimensions d'un terrain de croquet, et à l'arrière s'élevait un escalier courbe en marbre vert. Sous celui-ci et au-delà, des portes béantes ouvraient sur des pièces caverneuses, de véritables galeries d'art aussi vastes que silencieuses et dont la fonction précise m'échappait. Je vis des plafonds à coffrage ou cathédrale, des lambris brillants, des tapisseries, des lucarnes en verre teinté, des tapis orientaux ou d'Aubusson étalés sur des sols en marbre ou couvrant des parquets à la française en noyer. Un tel éclat et une telle opulence grisèrent mes sens au point que je me sentis perdre l'équilibre physiquement, et je dus faire un effort pour ne pas vaciller.

Je me souvins d'avoir éprouvé cette sensation une seule fois par le passé, plus de vingt ans auparavant. J'étais alors étudiant et j'avais visité l'Europe avec pour seule compagnie mon sac à dos, un abonnement de chemin de fer et quatre dollars par jour. Au Vatican, j'étais resté abasourdi devant les murs incrustés d'or et les richesses accumulées là au nom de Dieu. J'avais quand même repris mes esprits pour observer les autres touristes et les paysans italiens venus du Sud et tout aussi stupéfaits que moi. Les paysans ne quittaient jamais une salle sans glisser quelques pièces de monnaie dans les troncs placés près de chaque porte.

Melissa parlait en désignant chaque objet d'art. Nous pénétrâmes dans une pièce pentagonale aux murs couverts de livres et sans fenêtre. Elle indiqua un tableau éclairé d'un spot, au-dessus d'une cheminée.

— Et celui-ci est un Goya, *Le duc de Montero sur son coursier*. Père l'a acheté en Espagne quand le marché de l'art était encore accessible. Il ne suivait pas les modes. Cette toile était considérée comme mineure dans l'œuvre de Goya il y a encore quelques années. Trop décorative. L'art du portrait était peu prisé. A présent les salles des ventes nous écrivent tout le temps. Père a eu la prescience de se rendre en Angleterre et d'en ramener des *quantités* de tableaux préraphaélites quand tout le monde les jugeait kitsch, au mieux. Des œuvres en verre Tiffany aussi, pendant les années cinquante, quand les experts les qualifiaient de « frivolités ».

— Vous connaissez bien votre sujet, remarquai-je.

Elle rougit légèrement.

— On m'a appris.

— Jacob ?

Elle acquiesça et détourna les yeux.

— Je suis sûre que vous en avez assez vu pour aujourd'hui.

Elle tourna les talons et se dirigea vers la porte.

— Et vous vous intéressez à l'art, vous aussi ? demandai-je.

— Je n'y connais pas grand-chose, pas à la façon de Père ou de Jacob. J'aime ce qui est beau, si cela ne blesse personne.

— Que voulez-vous dire ?

Elle se rembrunit Nous quittâmes la bibliothèque, traversâmes une autre pièce immense dont le plafond était décoré de poutres en noyer décorées de peintures. Au-delà des portes-fenêtres je vis d'autres pelouses impeccablement entretenues, des massifs de fleurs, et plus loin une véritable forêt, des allées dallées, des statues, une piscine à l'eau améthyste, une portion de terrain rectangulaire en contrebas et entourée de hauts grillages vert sombre. Je perçus le bruit étouffé de la balle contre le cordage des raquettes.

A une trentaine de mètres du court de tennis se trouvait un bâtiment long et bas couleur crème qui ressemblait à une étable. Une dizaine de larges portes en bois, certaines entrouvertes, qui donnaient sur une étendue pavée où luisaient les longues carrosseries d'automobiles de collection. Des flaques d'eau brillaient ici et là sur les pavés. Une silhouette en salopette grise était penchée sur un capot interminable, peau de chamois en main, occupée à polir la calandre d'un engin magnifique. D'après la forme particulière des pots d'échappement, je pensai qu'il s'agissait d'un phaéton Duesenberg, et je demandai confirmation à Melissa.

— Oui, dit-elle, c'est bien ça.

Regardant droit devant elle, la jeune fille me guida de nouveau dans le dédale des cavernes emplies d'œuvres d'art, vers le devant de la maison.

— Je ne sais pas, dit-elle soudain. Il y a tant de choses qui semblent belles au début et qui deviennent horribles par la suite... C'est comme si la beauté pouvait être une malédiction.

— McCloskey ? risquai-je.

Elle enfonça ses poings dans les poches de son jean et approuva d'un hochement de tête grave.

— J'ai beaucoup réfléchi à son sujet...

— Plus qu'auparavant ?

— Beaucoup plus. Depuis notre discussion. — Elle s'arrêta et se tourna vers moi. — Pourquoi serait-il revenu, docteur Delaware ? Qu'est-ce qu'il veut ?

— Peut-être rien, Melissa. Peut-être que cela n'a aucune signification. Mais si quelqu'un peut le découvrir, c'est bien mon ami.

— Je l'espère. Je l'espère vraiment. Quand peut-il commencer ?

— Je le contacterai dès que possible. Il s'appelle Milo Sturgis, à propos.

— C'est un nom qui sonne bien. Un nom solide.

— C'est quelqu'un de solide.

Nous nous remîmes en marche. Une femme corpulente dans un uniforme blanc cirait le plateau d'une table. A notre approche elle tourna légèrement la tête pour nous regarder de côté. Madeleine, plus grisonnante et ridée, mais toujours aussi forte d'apparence. Une grimace de reconnaissance crispa son visage une seconde, puis elle me tourna le dos et poursuivit sa tâche.

Melissa et moi repassâmes dans le hall d'entrée, et elle se dirigea vers l'escalier de marbre vert. Alors qu'elle posait la main sur l'extrémité de la balustrade, je lui lançai :

— A propos de McCloskey, êtes-vous inquiète pour votre propre sécurité ?

— Ma propre sécurité ? dit-elle en s'immobilisant, un pied sur la première marche. Pourquoi devrais-je l'être ?

— Aucune raison. Mais vous parliez tout à l'heure de la beauté qui peut se transformer en malédiction. Vous avez l'impression que votre physique peut être une menace pour vous ?

— Pour moi ? — Elle rit trop vite, et trop fort. — Allons, docteur, montons à l'étage. Je vais vous montrer ce qu'est la vraie beauté.

10

Le sol du palier était constitué d'une rosace de marbre noir d'environ six mètres de diamètre, incrustée de motifs bleus et jaunes. Des meubles de campagne venus de France étaient alignés contre les murs, pieds tordus, corps renflés et surchargés de marqueterie. Des peintures Renaissance — chérubins, harpes, agonies de saints — couvraient le papier peint à la couleur de vieil alcool. Des moulures blanches d'un pied de largeur signalaient les ouvertures de trois couloirs. Dans le premier, sur la droite, deux femmes vêtues de blanc passaient l'aspirateur. Les deux autres étaient plongés dans les ténèbres et vides. L'ensemble faisait penser à un hôtel. Il y planait l'ambiance triste de désœuvrement d'un établissement de loisir hors saison.

Melissa s'engagea dans le couloir du milieu et passa devant cinq portes blanches aux clenches noires et dorées.

A la sixième, elle s'arrêta et toqua.

Venue de l'intérieur, une voix dit :

— Oui ?

— Le Dr Delaware est ici, répondit Melissa.

Et elle ouvrit la porte.

Je m'étais préparé à une autre dose de magnificences, mais je me retrouvai devant une pièce de dimensions restreintes et très simple. Un petit salon mesurant tout au plus six mètres carrés, aux murs peints d'un gris perle terne éclairé d'un minuscule plafonnier opaque.

Une porte blanche occupait un tiers du mur du fond. Les autres murs étaient nus, à l'exception d'un orné d'une lithographie : une Mère à l'enfant d'une facture très dépouillée, sans doute un Cassatt. Un canapé gris, devant une table basse en pin et deux fauteuils à même armature qui créaient une aire de conversation. Un service à café en porcelaine sur la table. Une femme sur le canapé.

Elle se leva et dit :

— Bonjour, docteur Delaware. Je suis Gina Ramp.

Sa voix était très douce.

Elle avança d'une démarche où se mêlaient la grâce et une bizarrerie indéfinissable. L'étrangeté de son port se situait à partir de son cou. Sa tête était curieusement rejetée en arrière et penchée de côté, comme si elle venait de recevoir un coup.

— Enchanté de vous rencontrer, madame Ramp.

Elle prit ma main, la serra brièvement et la relâcha aussitôt.

Elle était grande, au moins vingt-cinq centimètres de plus que sa fille, et sa silhouette gainée dans une robe de coton gris à manches longues et s'arrêtant au genou, gardait des allures de mannequin. Le col boutonné jusqu'en haut du cou. Un alignement de boutons blancs. Poches rapportées. Sandales grises à talons plats. Un bracelet très sobre en or au poignet. Des boucles d'oreilles en or simples. Pas d'autres bijoux. Pas de parfum.

La chevelure était d'un blond tirant sur l'argenté. La coupe en était courte et dure, à la garçonne. Presque ascétique.

Son visage était pâle, d'un ovale parfait pour l'objectif de la caméra, avec un nez au dessin net, un menton ferme, de grands yeux gris-bleu avec une touche de vert. L'air un peu hautain des mannequins de studio remplacé par une expression plus mature, plus décontractée. Je notai un très léger abandon de la fermeté dans les contours, des lignes imperceptiblement molles. Des rides joyeuses marquaient le coin des yeux, celles de la concentration entre les sourcils, la suggestion ombrée d'un ramollissement à la jonction des lèvres et des joues.

Quarante-trois ans, d'après ce que m'avait appris un

vieil article de journal, et elle les portait. Pourtant le temps avait adouci sa beauté. Et d'une certaine façon lui avait donné de la densité.

Elle se tourna vers sa fille et sourit. Puis elle baissa la tête, dans une posture presque rituelle, et me montra le côté gauche de son visage.

La peau était tendue au maximum, et translucide comme certains verres. Trop nette. Avec cet éclat fade de la transpiration maladive. La ligne de la mâchoire était un peu trop précise, rappelant subtilement le squelette qui affleurait, comme si on avait ôté les muscles pour les remplacer par quelque substance artificielle. L'œil gauche tombait un peu, de façon très discrète mais visible, et la peau de la paupière inférieure était sillonnée d'un entrelacs très dense de filaments blancs. Ces cicatrices semblaient flotter sous la surface de la peau, comme le tracé de vers nageant dans une gélatine couleur chair.

Sous la mâchoire, le cou était marqué de trois stries rosâtres, comme si elle avait été giflée là et que la trace des doigts refusait de disparaître. La commissure gauche de sa bouche était étrangement figée, offrant un contraste brutal avec l'œil las et donnant à son sourire un déséquilibre qui aurait pu suggérer une ironie incompréhensible.

Elle tourna la tête et sa peau prit la lumière selon un angle différent. Donnant l'aspect d'un œuf dur marbré.

La beauté profanée.

— Merci, chérie, dit-elle à Melissa, en lui décochant un sourire bancal.

En partie, le côté gauche de son visage n'avait pas adopté l'expression.

En une fraction de seconde, je me rendis compte que j'avais complètement ignoré Melissa. Je me tournai vers elle en souriant. Elle nous observait avec une concentration très intense, presque avec dureté. Brusquement les coins de sa bouche s'étirèrent vers le haut tandis qu'elle s'efforçait de répondre à notre amabilité de façade.

— Viens ici, mon bébé, dit encore sa mère en allant vers elle, bras ouverts.

Elle serra sa fille contre elle, utilisant sa taille supérieure pour envelopper Melissa, et lui caressa les cheveux.

Melissa recula et me lança un regard gêné. Elle avait rougi.

— Tout ira bien, mon bébé. Tu peux nous laisser.

— Amusez-vous bien, dit Melissa d'une voix coassante.

Elle nous dévisagea un instant, puis sortit de la pièce en laissant la porte ouverte.

Gina Ramp se leva et alla la fermer.

Puis elle se tourna vers moi selon un angle qui ne laissait apparaître que le côté naturel de son visage. Elle désigna le service en porcelaine.

— Un café ?

— Non, merci.

J'allai m'asseoir dans un des fauteuils. Elle retourna s'installer sur le canapé, s'assit sur le bord, buste très droit, jambes croisées aux chevilles, mains sur les cuisses. La même posture que celle adoptée par Melissa lors de sa dernière visite.

— Eh bien..., dit-elle en souriant de nouveau et en se penchant pour mettre une tasse au centre de sa soucoupe.

Elle prit plus de temps que nécessaire pour ce geste.

— Content de vous rencontrer, fis-je.

— Enfin ? enchaîna-t-elle, et une expression peinée supplanta son sourire.

Avant que je puisse répondre, elle ajouta :

— Je ne suis pas quelqu'un de si terrible, docteur Delaware.

— Bien sûr que non.

J'avais parlé avec trop d'emphase, ce qui la fit sursauter avant de me considérer longuement. Quelque chose chez elle — et dans cet endroit — m'enlevait une bonne partie de mes moyens. Je m'enfonçai dans mon siège. Elle croisa de nouveau les jambes et tourna un peu la tête, comme en réponse à des directives de metteur en scène. Elle ne me montrait plus que son bon profil, comme une Première Dame lors d'un talk-show électoral.

— Je ne suis pas ici pour vous juger, dis-je prudemment. Mais pour parler du possible départ de Melissa à Harvard. C'est tout.

Ses lèvres se serrèrent, et elle secoua la tête.

— Vous l'avez tellement aidée. Malgré moi.

— Non. A cause de vous.

Elle ferma les yeux, inspira brutalement et ses mains se crispèrent sur ses genoux à travers le tissu de la robe.

— Ne vous en faites pas, docteur Delaware. J'ai passé bien des épreuves. Je suis capable d'affronter des vérités déplaisantes.

— La vérité, madame Ramp, c'est que Melissa est devenue la magnifique jeune femme qu'elle est en grande partie grâce à l'amour et au soutien qu'elle a trouvés ici.

Elle rouvrit les yeux, secoua lentement la tête.

— Vous êtes gentil, mais la vérité c'est que bien que j'aie su que je la trahissais je n'ai jamais pu me sortir de ce... de cela. Ça semble tellement défaitiste, mais...

— Je sais. L'anxiété peut être aussi paralysante que la polio.

— L'anxiété, répéta-t-elle. Quel terme édulcoré... Ça ressemble plus à une agonie sans cesse recommencée. Comme de vivre au bord de la mort, sans même le savoir... — Elle tourna la tête et me présenta un croissant de chair endommagée. — Je me suis sentie piégée. Désemparée, pas du tout à la hauteur. Alors j'ai continué de la trahir.

Je gardai le silence, et elle poursuivit :

— Savez-vous qu'en treize années je n'ai jamais assisté à une seule réunion parents d'élèves-enseignants ? Je n'ai jamais applaudi lors d'une représentation de théâtre de l'école, jamais participé aux parties de campagne scolaires, jamais rencontré les autres mères des quelques élèves avec qui elle jouait... Je n'ai pas été une mère, docteur Delaware. Pas dans le vrai sens du terme. Elle doit m'en vouloir pour cela. Peut-être même me détester.

— En a-t-elle donné le moindre indice ?

— Non, bien sûr. Melissa est une bonne fille, trop respectueuse pour dire ce qu'elle a sur le cœur. Même si j'ai tenté de la faire parler. — Elle se pencha en avant : Docteur Delaware, elle fait bonne figure, elle a l'impression qu'elle doit toujours se comporter de façon adulte, comme une petite dame parfaite. Je lui ai imposé cela. Ma faiblesse le lui a imposé... — D'une main elle effleura le côté endommagé de son visage. — J'ai fait d'elle une adulte prématurée, et je lui ai volé son enfance. Alors je sais qu'elle doit garder sa colère au fond d'elle-même. Bien cachée.

— Je ne vais pas vous affirmer que vous lui avez offert la meilleure éducation, madame Ramp, dis-je posément. Ou que vos peurs ne l'ont pas influencée. Elles l'ont influencée. Mais à travers tout cela, d'après ce que j'ai constaté durant sa thérapie, elle a vu en vous une mère toujours aimante. Et elle continue de vous voir ainsi.

Elle baissa la tête, la prit entre ses mains, comme si le compliment lui était douloureux à entendre.

— Lorsqu'elle mouillait vos draps vous la serriez contre vous et ne la réprimandiez pas. Pour une enfant, ça signifie beaucoup plus que la participation d'un adulte à des réunions parents d'élèves-enseignants.

Elle se redressa et me regarda fixement. La mollesse de son visage était plus apparente encore. Tournant légèrement la tête, elle me présenta son profil le meilleur et sourit.

— Je comprends comment vous lui faites du bien, dit-elle. Vous mettez en avant votre point de vue avec... avec une force qu'il est difficile d'affronter.

— Est-il besoin que nous nous affrontions ?

Elle se mordit la lèvre inférieure. Sa main vola vers son visage, l'effleura, retomba.

— Non, bien sûr. Simplement j'ai tant travaillé sur... l'honnêteté. A m'efforcer de me voir telle que je suis vraiment. Ça fait partie de ma thérapie. Mais vous avez raison, mon état ne doit pas vous préoccuper. Celui de Melissa, oui. Que puis-je faire pour l'aider ?

— Je suis certain que vous savez combien elle hésite à aller à Harvard, madame Ramp. Pour l'instant elle rapporte sa décision à son inquiétude pour vous. Elle craint que son départ à ce stade de votre thérapie ne remette en cause les progrès que vous avez accomplis. Il est donc important pour elle de vous entendre dire de manière très explicite que vous irez bien. Que vous continuerez à progresser en son absence. Que vous voulez qu'elle parte. Si vous le voulez.

— Docteur Delaware, dit-elle en me regardant droit

dans les yeux, bien sûr, je le veux. Et je le lui ai dit. Je le lui dis depuis que j'ai appris qu'elle avait été admise. Je suis ravie pour elle, c'est une occasion merveilleuse. Elle doit partir !

Son intensité me surprit.

— Ce que je veux dire, poursuivit-elle, c'est que je vois combien est cruciale la période actuelle pour Melissa. Cette rupture. Ce départ dans une nouvelle existence. Bien sûr, elle va me manquer. Mais j'en suis arrivée à un point où je peux enfin penser à elle comme j'aurais toujours dû penser à elle. Comme à une enfant. J'ai fait des progrès extraordinaires, docteur Delaware. Je suis prête à en faire d'autres, à voir la vie de façon entièrement différente. Mais je n'arrive pas à en convaincre Melissa. Je sais qu'elle le dit, mais elle n'a pas changé d'attitude, au fond d'elle-même.

— Comment aimeriez-vous qu'elle change ?

— Elle me surprotège. Elle continue de me couver. Ursula — le Dr Cunningham-Gabney — a essayé de lui en parler, mais Melissa se referme comme une huître. Elles semblent avoir toutes deux un conflit personnel. Quand j'essaie de lui dire que je vais mieux, elle me sourit, me dit : « Magnifique, Mère », et elle s'en va. Je ne lui en veux pas, non. Je l'ai laissée jouer à la mère si longtemps... Maintenant je paie pour cette erreur.

Elle baissa de nouveau les yeux, se tint le front d'une main. Elle resta un long moment ainsi, avant de reprendre :

— Je n'ai eu aucune attaque depuis quatre semaines. Pour la première fois depuis très longtemps, je vois le monde, et j'ai l'impression que je peux le supporter. C'est comme une renaissance. Je ne veux pas que Melissa se limite à cause de moi. Que puis-je dire pour le lui faire comprendre ?

— Vous semblez dire ce qui convient. Peut-être n'est-elle simplement pas prête à l'entendre.

— Je ne veux pas lui dire que je n'ai pas besoin d'elle. Jamais je ne pourrai la blesser de la sorte. Et ce ne serait pas la vérité. J'ai vraiment besoin d'elle, comme n'importe quelle mère a besoin de sa fille. Je veux que nous restions toujours proches. Et je ne lui envoie pas de messages cryptés, docteur Delaware, croyez-moi. Le Dr Cunningham-Gabney et moi avons beaucoup travaillé sur ce point. Pour projeter une communication claire. Mais Missy refuse de l'entendre.

— Une partie du problème vient de ce que son conflit n'a rien à voir avec vous ou vos progrès. Tout individu de dix-huit ans serait anxieux à la perspective de quitter son foyer pour la première fois. La vie menée jusqu'alors par Melissa — la relation entre vous deux, la taille de cette maison, l'isolement —, tout cela rend son départ plus terrifiant que pour une autre adolescente. En se focalisant sur vous, elle n'a pas à affronter ses peurs personnelles.

— Cette maison... C'est une monstruosité, n'est-ce pas ? Arthur était un collectionneur, il s'est construit un musée ici.

Une trace d'amertume, aussitôt maîtrisée.

— Il ne l'a pas fait par égoïsme, ce n'était pas le style d'Arthur. C'était un amoureux de la beauté, il croyait à l'embellissement du monde et il possédait un goût très sûr. Moi je n'ai pas cet esthétisme. Je peux apprécier une jolie peinture quand on la met devant moi, mais jamais je n'en ferais collection. Ce n'est pas dans ma nature.

— Pourriez-vous envisager de déménager un jour ?

Une ombre de sourire.

— J'envisage beaucoup de choses, docteur Delaware. Une fois les portes ouvertes, il est difficile de ne pas les franchir. Mais nous — le Dr Cunningham-Gabney et moi —, nous travaillons ensemble afin que je me maîtrise, que je ne dépasse pas mes possibilités. J'ai encore beaucoup à accomplir. Et même si j'étais prête à tout laisser pour courir le monde, je ne ferais pas cela à Melissa. Je ne lui retirerais pas tout ce qui la soutient.

D'un doigt elle toucha la porcelaine de la théière.

— C'est froid, dit-elle avec un sourire. Vous ne voulez pas que j'appelle pour en avoir du frais, vous en êtes bien sûr ? A moins que vous désiriez manger quelque chose ? Avez-vous déjeuné ?

— Non, merci.

— Ce que vous avez dit, à propos de sa façon d'éviter ses conflits intimes en me maternant... Si tel est le cas, comment puis-je lui retirer ça ?

— Elle acceptera vos progrès naturellement, graduellement, en les voyant continuer. Et pour être tout à fait franc, vous ne parviendrez peut-être pas à la persuader d'aller à Harvard avant la fin des inscriptions.

Elle se rembrunit.

— J'ai l'impression qu'il y a autre chose qui complique la situation, expliquai-je. La jalousie.

— Oui, j'en suis consciente. Ursula m'a fait remarquer combien Melissa est jalouse.

— Melissa a bien des motifs de jalousie, madame Ramp. Elle a vécu beaucoup de bouleversements sur une période de temps restreinte, en dehors de vos progrès : le décès de Jacob Dutchy, votre remariage... — Le retour du fou... — Et ce qui accroît la dureté de la situation pour elle, c'est qu'elle se rend responsable d'une bonne partie de ces changements. Parce qu'elle vous a poussée à suivre un traitement, qu'elle vous a présenté à votre second mari.

— Je sais, dit-elle. Et c'est vrai. C'est elle qui m'a poussée à suivre une thérapie. Elle m'a harcelée jusqu'à ce que je me décide, je ne pourrai jamais assez l'en remercier. Et la thérapie m'a aidée à ouvrir une fenêtre dans ma prison. Parfois je me sens tellement idiote de ne pas avoir agi ainsi depuis des années. Toutes ces années...

Elle modifia sa position et me présenta l'intégralité de son visage, comme si elle posait.

Elle n'avait rien dit sur son remariage. Je n'insistai pas plus sur le sujet.

Elle se leva brusquement, ferma sa main en un poing et le leva devant elle pour le contempler d'un air résolu. La tension blanchit le côté endommagé de son visage et fit ressortir les marques sur son cou.

— Il faut que je la persuade, d'une façon ou d'une autre. Je suis sa mère, pour l'amour du Ciel !

Silence. Non : le ronronnement lointain d'un aspirateur.

— Vous m'avez l'air très persuasive en ce moment même, dis-je. Pourquoi ne l'appelez-vous pas pour le lui dire ?

Elle réfléchit un instant, baissa son poing mais sans le décrisper.

— Oui. Oui, je vais le faire. Tout de suite.

Elle s'excusa, ouvrit la porte dans le mur du fond et disparut. J'entendis des pas étouffés, un bruit de voix. Je me levai pour jeter un œil.

Elle était assise sur le bord d'un lit à baldaquin, dans une immense chambre blanc cassé au plafond peint d'une fresque de courtisans à Versailles profitant de la douceur de vivre avant le chaos.

Elle était légèrement penchée en avant, et tenait près de ses lèvres le combiné d'un téléphone blanc et or. Ses pieds étaient posés à plat sur un épais tapis coloré. Le lit était couvert d'un dessus en satin et le téléphone était posé sur une table de chevet orientale. De hautes fenêtres flanquaient le lit de part et d'autre, aux vitres claires sous des lambrequins bordés d'or. Des miroirs à cadres dorés, une profusion de dentelles, des tableaux aux couleurs joyeuses. Assez d'antiquités françaises pour mettre à l'aise le fantôme de Marie-Antoinette.

Elle hocha la tête, murmura quelque chose et raccrocha. Je retournai m'asseoir à ma place. Elle revint dans la pièce un moment plus tard.

— Elle monte. Cela ne vous dérange pas d'assister à cette conversation ?

— Si cela ne dérange pas Melissa.

Elle sourit.

— Cela ne la dérangera pas. Elle vous apprécie beaucoup. Elle vous considère comme un allié.

— Je suis son allié.

— Bien sûr, dit-elle avec aisance. Nous avons tous besoin d'alliés, n'est-ce pas ?

Quelques minutes passèrent, puis des pas se firent entendre dans le couloir. Gina se leva et accueillit Melissa sur le seuil de la pièce. Elle lui prit la main et la fit entrer, puis elle plaça ses mains sur les épaules de sa fille, et la regarda gravement, comme si elle allait lui donner sa bénédiction.

— Je suis ta mère, Melissa Anne. J'ai commis des erreurs, je me suis montrée une mère faible et insuffisante, mais cela ne change rien au fait que je suis ta mère et que tu es mon enfant.

Melissa la dévisagea d'un air éberlué, puis se tourna vers moi.

Je lui adressai un sourire que j'espérais rassurant, et posai mon regard sur sa mère. Melissa m'imita.

— Je sais ce que ma faiblesse t'a infligé, ma chérie. Mais tout cela va changer. Tout va être différent.

Au mot *différent*, Melissa se raidit.

Gina le remarqua et attira sa fille contre elle pour la serrer dans ses bras. Melissa n'opposa aucune résistance, mais elle ne marqua pas le moindre élan.

— Je veux que nous soyons toujours unies, ma chérie, mais je veux aussi que nous vivions chacune notre vie.

— Nous le faisons, Mère.

— Non, nous ne le faisons pas, ma chérie. Nous nous aimons, et tu es la meilleure fille dont pourrait rêver une mère. Mais ce que nous partageons est trop... emmêlé. Nous devons le démêler. Défaire les nœuds.

Melissa recula un peu et leva les yeux vers sa mère.

— Que veux-tu dire ?

— Ce que je dis, ma chérie, c'est que ce séjour dans l'Est est pour toi une occasion en or. Tu l'as gagné. Je suis très fière de toi, tout ton avenir te tend les bras, et tu as l'intelligence et le talent pour en tirer le meilleur. Alors saisis cette occasion. J'insiste pour que tu saisisses cette occasion.

Melissa se dégagea des bras de Gina.

— Tu insistes ?

— Non, je n'essaie pas de... ce que je veux dire, ma chérie, c'est que...

— Et si moi je ne veux pas saisir cette occasion ?

Le ton de Melissa restait doux, mais combatif. Le ton d'un procureur préparant son assaut.

— Je pense simplement que tu devrais aller à Harvard, Melissa Anne.

La conviction était moins présente dans sa voix.

Melissa eut un sourire sibyllin.

— C'est bien, Mère, mais ce que j'en pense, moi ?

Gina l'attira de nouveau à elle et la serra contre sa poitrine. Le visage de la jeune fille restait impassible.

— Ce que tu penses est le plus important, ma chérie, dit Gina, mais je veux être certaine que tu sais ce que tu penses vraiment, et que ta décision n'est pas entachée par tes craintes pour moi. Parce que je vais bien, maintenant, et je vais continuer d'aller bien.

Melissa la contempla un instant. Son sourire s'était agrandi, mais il était devenu froid. Gina détourna la tête sans cesser d'embrasser sa fille.

— Melissa, intervins-je, votre mère a beaucoup réfléchi à la question. Elle est certaine de pouvoir se débrouiller.

— Vraiment?

— Oui, j'en suis certaine, dit Gina, et sa voix avait grimpé dans les aigus d'une demi-octave. Et j'espère que tu respecteras cette opinion.

— Je respecte toutes tes opinions, Mère. Mais cela ne veut pas dire que je dois vivre ma vie selon tes opinions.

Gina ouvrit la bouche, la referma.

Melissa prit doucement les bras de sa mère, les écarta et recula de deux pas. Puis elle crocha ses pouces dans les passants de ceinture de son jeans.

— Mon bébé...

— Je ne suis pas un bébé, Mère, répondit-elle sans se départir de son sourire glacial.

— Non, non bien sûr. Bien sûr que tu n'es pas un bébé... Je m'excuse de t'avoir appelée ainsi, mais il est difficile de se débarrasser des vieilles habitudes. C'est même le cœur du sujet : changer. Je travaille à changer, tu sais combien j'y travaille dur, Melissa. Cela signifie une vie différente. Pour nous deux. Je veux que tu ailles à Boston.

Melissa me jeta un regard de défi.

— Parlez à votre mère, Melissa, fis-je simplement.

La jeune fille reporta son attention sur Gina, puis vers moi. La méfiance avait étréci ses yeux.

— Que se passe-t-il ici?

— Rien, mon b... Rien. Le Dr Delaware et moi avons eu une discussion très plaisante. Il m'a aidée à clarifier un peu plus certaines choses. Je comprends que tu l'apprécies autant.

— Ah oui?

Gina voulut répondre, hésita et se mura dans le silence.

— Melissa, dis-je, cette famille subit actuellement des

changements majeurs. C'est une période difficile pour tout le monde. Votre mère cherche la meilleure façon de vous faire comprendre qu'elle va vraiment bien. Afin que vous ne vous sentiez pas obligée de prendre soin d'elle.

— Oui, dit Gina, c'est exactement cela. Je vais vraiment bien, ma chérie. Va dans le monde et vis ta propre vie. Sois toi-même.

Melissa était restée immobile. Son sourire avait disparu, et je vis qu'elle tordait spasmodiquement ses doigts.

— On dirait que les adultes ont décidé entre eux de ce qui était le meilleur pour ma petite personne...

— Oh, ma chérie... Ce n'est pas du tout cela !

— Personne n'a rien décidé, fis-je d'un ton posé. L'important, c'est que vous continuiez à vous parler, pour préserver la communication entre vous.

— Nous y parviendrons. Nous passerons ce cap, n'est-ce pas, ma chérie ?

Elle avança vers sa fille, bras ouverts.

Melissa recula jusqu'au seuil de la pièce, se reprit en se tenant au chambranle de la porte.

— C'est parfait, siffla-t-elle. Parfait...

Ses yeux lançaient des éclairs. Elle pointa un index accusateur sur moi.

— Je n'attendais pas cela de vous.

— Ma chérie ! s'exclama Gina.

Je me levai.

Melissa secoua la tête et mit ses mains en avant, en écran.

— Melissa..., dis-je.

— Laissez tomber. Laissez tomber !

La rage la faisait trembler. Elle fit volte-face et s'enfuit.

J'allai jusqu'à la porte et jetai un coup d'œil dans le couloir. Je la vis qui s'éloignait en courant, ses cheveux voletant derrière elle.

J'hésitai à la suivre puis renonçai et me retournai vers Gina pour tenter de la calmer.

Mais elle n'était pas en état d'entendre mon discours.

Une pâleur cadavérique avait envahi ses traits et elle plaquait sa main sur sa poitrine. La bouche entrouverte, elle hoquetait en cherchant à respirer. Son corps était parcouru de frissons violents.

Son tremblement s'intensifiait de seconde en seconde. Je me précipitai vers elle, mais elle recula en vacillant et me repoussa d'une main. Ses yeux étaient exorbités.

Plongeant une main dans la poche de sa robe, elle chercha durant ce qui me parut un très long moment un petit inhalateur coudé en plastique blanc. Elle en inséra l'embout entre ses lèvres, ferma les yeux et s'efforça de clore sa bouche sur l'appareil. Mais ses dents tremblotaient sur le plastique et elle avait des difficultés à bien le tenir. Nos regards se rencontrèrent, mais le sien était vitreux et je savais qu'elle était ailleurs. Enfin elle serra ses mâchoires sur l'inhalateur et réussit à inspirer profondément en appuyant sur un bouton situé à l'autre extrémité de l'appareil.

Un très léger sifflement. Ses joues restaient concaves, son côté blessé encore plus creusé. Elle serra l'inhalateur dans une main, et de l'autre s'agrippa au montant du canapé pour assurer son équilibre. Elle retint son souffle plusieurs secondes avant d'ôter l'embout d'entre ses lèvres et de s'écrouler sur le siège.

Sa poitrine se soulevait par à-coups. Je restai immobile à observer le rythme de sa respiration ralentir, puis je m'assis auprès d'elle. Elle tremblait encore, je pouvais sentir les frissons dans le tissu couvrant le canapé. Elle respirait par la bouche et s'efforçait de calmer sa respiration. Elle ferma les yeux, les rouvrit, parut me reconnaître et referma les yeux. La transpiration luisait sur son visage. Je touchai sa main, et elle répondit à ma pression par une autre, très faible. Sa peau était froide et moite.

Nous restâmes assis ainsi, sans bouger, sans parler. Elle voulut dire quelque chose mais aucun son ne franchit la barrière de ses lèvres. Elle appuya sa nuque au dossier et fixa du regard le plafond. Des larmes avaient empli ses yeux.

— C'était une petite attaque, murmura-t-elle. J'ai réussi à la contrôler...

— Oui, vous avez réussi.

Elle avait toujours l'inhalateur dans la main. Elle le contempla un instant, puis le reglissa dans sa poche. Elle se pencha en avant, reprit ma main et la serra en se mettant à respirer avec une lenteur appliquée.

Nous étions si proches que j'entendais les battements de son cœur. Mais je me concentrai sur un autre bruit, celui de pas qui pouvaient approcher. Et je pensai à Melissa revenant dans la pièce et nous voyant dans cette attitude.

Quand elle décrispa sa main, je la laissai la retirer de la mienne. Il fallut encore deux minutes avant que sa respiration ne revienne à la normale.

— Vous voulez que j'appelle quelqu'un? demandai-je.

— Non, non, ça va aller, dit-elle en tapotant sa poche.

— Qu'y a-t-il dans cet inhalateur?

— Un relaxant musculaire. Ursula et le Dr Gabney ont fait des recherches pour le créer. Il est très bien. Pour le court terme.

Son visage était baigné de transpiration, et ses cheveux collés en boucles sur son front. Le côté abîmé ressemblait à du plastique boursouflé.

Elle poussa un soupir de soulagement.

— Voulez-vous que je vous apporte un verre d'eau? proposai-je.

— Non, merci, ça va aller, je vous assure. C'est plus impressionnant que grave. Celle-là n'était pas importante. La première en... quatre semaines... Je...

— La confrontation a été rude.

Elle plaqua une main sur sa bouche.

— Melissa!

Elle bondit sur ses pieds et se précipita hors de la pièce.

Je la suivis dans le tunnel sombre du couloir jusqu'à un escalier en spirale. J'essayai de rester à courte distance, pour ne pas me retrouver perdu dans cette demeure disproportionnée.

11

L'escalier descendait jusqu'à un étroit palier donnant sur un office aussi grand que mon salon. Nous le traversâmes et pénétrâmes dans la cuisine, une pièce très spacieuse peinte en jaune moutarde et au sol carrelé de tuiles hexagonales blanches. Deux murs étaient occupés par les réfrigérateurs et les congélateurs, ainsi que par un plan de travail digne d'un restaurant. Des casseroles et autres ustensiles en cuivre étaient accrochés à des présentoirs métalliques.

Aucune odeur de cuisine. Un compotier plein de fruits était posé sur le plan de travail. La grosse gazinière à huit feux était nue, immaculée.

Gina Ramp me précéda à l'extérieur, dans une seconde cuisine plus petite, puis dans une pièce où était entreposée l'argenterie et une salle à manger lambrissée qui aurait pu accueillir un congrès. Elle regardait partout sans cesser d'appeler Melissa.

Avec pour seule réponse le silence.

Nous rebroussâmes chemin, tournâmes deux ou trois fois pour finir dans la pièce au plafond peint. Deux hommes en tenue de tennis entrèrent par la porte-fenêtre, serviette autour du cou et raquette à la main. La sueur marquait de croissants humides leurs aisselles. Tous deux étaient grands et athlétiques.

Le plus jeune avait une vingtaine d'années et portait ses cheveux blonds rejetés sur les épaules. Dans son visage long et étroit, on remarquait surtout un menton à la fossette assez profonde pour y insérer un diamant et des yeux noirs très petits. Son hâle avait nécessité plus d'un été.

L'autre homme — je lui donnai une cinquantaine d'années — était plus massif mais sans mollesse, un athlète qui avait toujours entretenu sa forme physique. La mâchoire carrée, les yeux bleus. Les cheveux noirs coupés court, les tempes grisonnantes, une moustache grise proprement coupée au-dessus de la lèvre supérieure. Le visage buriné, le teint coloré. Le cow-boy de Marlboro dans un Country Club.

Il releva un sourcil et s'adressa à Gina :

— Que se passe-t-il ?

Sa voix était bien timbrée, profonde, du genre à paraître amicale même quand elle ne l'était pas.

— As-tu vu Melissa, Don ?

— Bien sûr, il y a une minute, fit-il en me jetant un coup d'œil. Un problème ?

— Sais-tu où elle est, Don ?

— Elle est partie avec Noel.

— Avec Noel ?

— Il faisait les voitures quand elle est arrivée en courant, comme si elle avait le diable à ses trousses. Elle lui a dit quelque chose et ils sont partis tout de suite dans la Corvette. Quelque chose ne va pas, Geen ?

— Oh, mon dieu, dit Gina en baissant les épaules.

L'homme moustachu l'entoura d'un bras protecteur et me gratifia d'un autre regard méfiant.

— Que se passe-t-il donc ?

Gina se força à sourire et se recoiffa d'une main.

— Ce n'est rien, Don. Une petite... Je te présente le Dr Delaware. Le psychologue dont je t'ai parlé. Nous tentions de parler à Melissa de Harvard, et elle l'a mal pris. Je suis certaine qu'elle n'ira pas.

Il lui prit le bras, eut un mouvement de lèvres qui fit saillir le centre de sa moustache et arqua de nouveau les sourcils. La force silencieuse. Encore un qui était né pour passer devant une caméra...

— Docteur, dit Gina, je vous présente mon mari, Donald Ramp. Don, le Dr Alex Delaware.

— Ravi de faire votre connaissance.

Ramp tendit une main puissante que je serrai rapidement. Le jeune homme s'était retiré dans un coin de la pièce.

— Ils ne peuvent pas être allés très loin, Geen. Si tu veux, je vais partir à leur recherche, pour les ramener.

— Non, ça ne fait rien, Don, fit-elle en effleurant sa joue du bout des doigts. C'est le prix de la vie avec une adolescente, chéri. Et puis je suis sûre qu'elle va revenir bientôt. Peut-être sont-ils simplement partis chercher de l'essence.

Le jeune joueur de tennis examinait un bol en jade avec une fascination un peu trop intense pour être réelle. Il le levait, le reposait, le reprenait en main.

Gina se tourna vers lui.

— Comment allez-vous aujourd'hui, Todd ?

Le bol fut reposé.

— Très bien, madame Ramp. Et vous ?

— Je me maintiens, Todd. Comment s'est comporté Don aujourd'hui ?

Le blond se permit un sourire de réclame pour dentifrice et répondit :

— Il commence à maîtriser les enchaînements. Il ne lui manque qu'un peu d'entraînement.

Ramp s'étira avec un grognement moqueur.

— Ces vieux os se rebellent devant le labeur. — Et, se tournant vers moi : — Docteur, je vous présente Todd Nyquist. Mon entraîneur, soigneur, professeur de tennis et Grand Inquisiteur.

Nyquist eut un rictus amusé et tapota sa tempe de l'index.

— Docteur.

— Et non seulement je souffre, ajouta Ramp, mais en plus je paie pour souffrir.

Sourires obligés de tout le monde.

Ramp regarda sa femme avec insistance.

— Tu es sûre que je ne peux rien faire, chérie ?

— Non, Don. Nous allons attendre, ils vont forcément revenir bientôt. Noel n'avait pas encore terminé, n'est-ce pas ?

Ramp regarda à l'extérieur, vers la cour pavée.

— Ça n'en a pas l'air, en tout cas. Il devait lustrer

l'Isotta et la Delahaye, et pour l'instant il les a seulement lavées.

— Alors ils sont probablement partis chercher de l'essence, répéta Gina. Ils vont revenir, et avec le Dr Delaware nous reprendrons où nous nous sommes arrêtés. Va donc te doucher, mon chéri. Et ne te fais pas de souci.

Sa voix était tendue. Comme celle des deux hommes. Ils s'essayaient au bavardage sans arriver à desserrer complètement les mâchoires.

Un silence, tendu lui aussi.

— Quelqu'un veut boire quelque chose ? proposa Gina.

Ramp tapota son estomac.

— Pas pour moi, merci. Je vais prendre ma douche. Enchanté de vous avoir rencontré, Docteur. Merci pour tout.

— C'est très naturel, dis-je sans trop savoir pour quoi il me remerciait.

Il s'essuya le visage avec l'extrémité de sa serviette, fit un clin d'œil à la cantonade et s'éloigna de quelques pas avant de s'arrêter et de se retourner vers Nyquist :

— Accroche-toi. A mercredi, si tu m'épargnes les poucettes.

— Pas de problème, monsieur Ramp, fit Nyquist avec le même rictus. — Puis, s'adressant à Gina : — J'accepterais volontiers un Pepsi, madame Ramp. Ou n'importe quoi de frais et de sucré.

Ramp l'observait toujours. Il paraissait hésiter à rebrousser chemin, mais finalement il sortit de la pièce.

Nyquist fléchit les genoux, étira le cou, se passa une main dans les cheveux et fit courir ses doigts sur le tamis de sa raquette.

— Je vais demander à Madeleine de vous servir quelque chose, lui dit Gina.

— Impeccable, fit Nyquist, mais son sourire disparut.

Elle le laissa là et m'accompagna vers l'avant de la maison.

Installés dans les fauteuils d'une des cavernes, nous étions entourés par des œuvres de génies et des curiosités.

Tout endroit que n'occupait pas une démonstration d'art était couvert de miroirs, et ces multiples réflexions distordaient la perspective réelle en une plaisanterie cryptique. A demi englouti dans les coussins, je me sentais diminué, comme Gulliver à Brobdingnag.

— Quel désastre ! murmura-t-elle. Comment aurais-je pu mieux faire ?

— Vous avez bien fait. Mais il lui faudra du temps pour trouver ses marques.

— Mais elle n'a pas le temps. Harvard attend une réponse.

— Comme je vous l'ai dit, madame Ramp, il n'est peut-être pas très réaliste d'espérer qu'elle sera prête à une date arbitraire.

Elle ne répondit pas.

— Supposons qu'elle reste ici encore une année, à vous regarder aller de mieux en mieux. A s'accoutumer aux changements. Elle peut toujours demander son transfert à Harvard pendant sa seconde année.

— Oui, sans doute... mais je veux vraiment qu'elle aille à Harvard. Pas pour moi — elle effleura sa joue de la main —, pour elle. Elle a besoin de partir d'ici, de cette propriété. C'est tellement... c'est un univers fermé sur lui-même. Tous ses besoins sont satisfaits, tout est fait pour elle. Ce peut être une situation incapacitante.

— On dirait que vous craignez qu'elle ne parte jamais si elle ne le fait pas maintenant.

Elle soupira.

— Malgré tout cela, fit-elle en embrassant la pièce d'un geste vague, toute cette beauté, l'ambiance peut devenir malsaine. Une maison sans porte. Croyez-moi, je sais de quoi je parle.

Sa réflexion me stupéfia. Je crus avoir réussi à cacher ma surprise, mais elle me détrompa :

— Qu'y a-t-il ?

— L'expression que vous venez d'utiliser, « une maison sans porte ». Lorsque je la traitais, Melissa dessinait des maisons sans porte ni fenêtres.

— Oh... Oh, mon Dieu...

Sa main caressa la poche contenant l'inhalateur.

— Avez-vous jamais prononcé cette formule devant elle ?

170

— Je ne crois pas... Ce serait terrible si je l'avais fait, n'est-ce pas ? Lui mettre cette image dans la tête...

— Pas obligatoirement, assurai-je. — *Oyez, Oyez, le Grand Docteur Qui-Sait-Tout va parler...* — Cela lui aurait donné une image concrète avec laquelle elle pouvait composer. Quand elle a commencé à aller mieux, elle s'est mise à dessiner des maisons avec des portes. Je doute que cette demeure représente un jour pour elle ce qu'elle a été pour vous.

— Comment pouvez-vous être aussi affirmatif ?

— Je ne puis être certain de rien, dis-je doucement. Je pense simplement que nous n'avons pas à supposer que votre prison est la sienne.

Malgré le ton amical, elle parut blessée de ma réponse.

— Oui, bien sûr, vous avez raison. Elle a sa personnalité, je ne devrais pas la voir comme un clone. — Elle se tut quelques secondes, puis demanda : Donc vous pensez qu'elle n'aura pas de problèmes si elle reste ici ?

— Pour un certain temps.

— Combien ?

— Assez longtemps pour qu'elle se sente à l'aise quand elle partira. De ce que j'ai pu constater il y a neuf ans, elle est assez douée pour trouver son rythme.

Elle ne dit rien, s'absorba dans la contemplation d'une horloge vénérable incrustée d'écailles de tortue.

— Peut-être sont-ils partis se promener, dis-je.

— Noel n'avait pas fini son travail, répliqua-t-elle d'un ton définitif.

Elle se leva, fit le tour de la pièce d'un pas lent, regard baissé vers le sol. Je me mis à examiner les toiles d'un œil plus attentif. Dans cette seule pièce étaient représentées les écoles flamandes et hollandaises, ainsi que la Renaissance italienne. J'aurais sans doute dû identifier ces tableaux, mais les pigments étaient plus brillants et frais que tous ceux que j'avais vus dans les musées. Certains frôlaient même le criard. Je me souvins alors de ce qu'avait dit Jacob Dutchy sur la passion d'Arthur Dickinson pour la restauration. Du coup je sentis la force de l'aura du disparu dans la propriété.

Une maison transformée en monument.

Mausolée, doux mausolée...

De l'autre côté de la pièce, Gina dit :

— Je suis impardonnable. Je voulais vous remercier. Tout de suite, dès que nous avons été présentés. Pour tout ce que vous avez fait il y a des années, et pour ce que vous faites encore maintenant. Je vous prie de me pardonner, et d'accepter mes remerciements honteusement différés.

— Acceptés, dis-je en souriant.

Elle jeta un coup d'œil à l'horloge.

— J'espère qu'ils vont rentrer bientôt.

Une demi-heure passa, trente longues minutes meublées par un bavardage emprunté et un cours express sur l'art flamand débité d'un ton monocorde de robot par mon hôtesse. Et pendant tout ce temps j'entendis la voix de Dutchy. Au point de me demander à quoi ressemblait celle de l'homme qui lui avait tout enseigné.

Lorsqu'elle n'eut plus rien à dire elle se leva et déclara :

— Ils sont peut-être vraiment allés se promener avec la voiture. Les attendre ne sert à rien. Je suis désolée de vous faire perdre ainsi votre temps.

Je réussis à émerger du piège mouvant des coussins et la suivis le long d'un parcours d'obstacles constitués de meubles de prix, jusqu'à la porte d'entrée.

Elle en ouvrit un battant.

— Quand elle rentrera, dois-je aborder le problème tout de suite avec elle ?

— Non, je ne pousserais pas les choses ainsi, dis-je. Laissez son comportement vous indiquer le moment propice. Lorsqu'elle sera prête à parler, vous le verrez. Si vous désirez ma présence la prochaine fois que vous aurez une discussion, et à la condition que Melissa soit d'accord, je viendrai. Mais elle va peut-être m'en vouloir. Elle risque de penser que je l'ai trahie.

— Je suis désolée, dit Gina. Je ne voulais pas gâcher vos rapports.

— Ça peut s'arranger. Ce qui est important pour l'instant, c'est vos rapports à vous deux.

Elle acquiesça, tapota sur la poche de sa robe contenant l'inhalateur. Puis elle s'approcha et effleura mon visage du bout des doigts, comme elle l'avait fait avec son mari. J'eus ainsi une vue très proche de ses cicatrices — un brocart blanc. Elle déposa un baiser sur ma joue.

Retour sur l'autoroute. Retour sur la planète Terre.

Bloqué à l'échangeur routier, j'écoutais les Gipsy Kings en essayant de ne pas me demander si j'avais tout gâché. Mais j'y pensai quand même, et finis par décider que j'avais fait de mon mieux.

En arrivant chez moi je téléphonai à Milo. Il décrocha aussitôt.

— Ouais ? grogna-t-il.

— Eh ! quel accueil chaleureux.

— Ça rebute les trouducs qui veulent remuer la merde. Quoi de neuf ?

— Prêt à te mettre au travail sur cette affaire d'ancien taulard ?

— Mouais. J'y ai réfléchi, et j'ai pensé que cinquante de l'heure plus les frais serait raisonnable. Ça conviendra à ton client, d'après toi ?

— Je n'ai pas encore eu l'occasion d'aborder les détails d'argent. Mais je ne crois pas que cela pose problème, les fonds sont abondants. Et ma cliente m'a assuré qu'elle disposait de l'entièreté.

— Pourquoi serait-ce différent ?

— Elle n'a que dix-huit ans et...

— Tu veux que je travaille pour la gamine, Alex ?

— Ce n'est pas une adolescente ordinaire, Milo. Elle a dû grandir vite, trop vite d'ailleurs. Elle dispose de son propre argent, et elle m'a assuré que le paiement n'était pas un problème. Je tiens juste à avoir confirmation qu'elle comprend exactement ce que comporte sa demande. Je pensais lui en parler aujourd'hui, mais ça ne s'est pas déroulé comme prévu.

— La gamine... Bon sang, tu me trouves des airs de chaperon ?

— Bah, je te connais comme ma poche...

— Uh-huh... Bon, dis-m'en un peu plus sur cette histoire. Qui exactement a été agressé, et de quelle façon ?

Je commençai à lui décrire l'attaque à l'acide sur Gina Ramp.

— Woah, fit-il froidement, on dirait l'affaire McCloskey.

— Tu es au courant?

— J'en ai entendu parler. C'était quelques années avant mon époque, mais à l'académie c'était un cas d'école. Sur les procédures d'interrogatoire.

— Des raisons particulières?

— L'étrangeté de l'ensemble. Et le type qui nous enseignait ce cours, Eli Savage, était un des interrogateurs de McCloskey.

— Étrange dans quel sens?

— Déjà, pour le mobile. Les flics sont comme n'importe qui, ils aiment classifier, réduire les faits à des formules simples : l'argent, la jalousie, la passion, plus quelques déviations sexuelles expliquent quatre-vingt-dix-neuf pour cent des mobiles de crimes violents. Cette affaire n'entrait dans aucune de ces catégories. D'après mes souvenirs, McCloskey et sa victime auraient naguère eu une liaison qui s'était terminée amicalement, six mois avant qu'il ne l'agresse. Pas de rancœur visible de sa part, pas de lettres d'injure ou d'amour, pas de coups de fil anonymes, aucune des formes de persécution qu'on voit couramment dans les affaires d'amour fini et mal digéré. Et elle ne sortait avec personne d'autre, donc la jalousie semblait hors du tableau. L'argent n'était pas un mobile très valable puisqu'il n'avait contracté à son bénéfice aucune assurance sur elle, et on n'a pas découvert par quel moyen il aurait pu gagner un dollar à l'agresser, alors qu'il avait payé un joli paquet le type qui a fait le sale boulot. A la limite il y avait la vengeance gratuite. Il l'aurait peut-être accusée de faire péricliter son affaire, il avait une agence de mannequins, je crois.

— Je suis admiratif devant ta mémoire.

— Faut pas. Un cas comme celui-là, ça ne s'oublie pas. Je me souviens qu'on nous a montré des photos de la victime, avant et après, et aussi pendant les opérations. Elle en a eu une flopée, c'était un vrai désastre. A l'époque, je me suis demandé quel genre d'individu pouvait faire un truc pareil à quelqu'un d'autre. Maintenant, évidemment, je sais, mais j'étais encore dans ma période de douce innocence, alors. Bref, en ce qui concerne un mobile lié à l'argent, c'est tombé à l'eau également. La perte de l'agence n'avait rien à voir dans la chose. McCloskey se clochardisait à grands coups d'alcool et de dope, et il s'est donné du mal pour le démontrer durant son interrogatoire. Il répétait sans arrêt aux inspecteurs qu'il avait raté sa vie, il a même supplié qu'on écourte son calvaire, ce genre de truc. Il voulait faire savoir à tout le monde que le contrat qu'il avait mis sur elle n'avait rien à voir avec les affaires.

— Alors avec quoi cette agression avait à voir ?

— C'est là le gros point d'interrogation. Il a refusé de le dire, même quand ils l'ont un peu bousculé. Il devenait sourd et muet dès qu'on abordait la question du mobile. Ça ne laissait que l'angle du psychopathe, mais personne ne lui a trouvé d'antécédents violents. C'était un petit voyou, un trou-du-cul qui aimait bien fréquenter les vrais durs, flamber un peu dans le style Las Vegas. Mais c'était surtout un genre qu'il se donnait, tous ceux qui le connaissaient l'ont défini comme un petit.

— Les petits peuvent mordre aussi.

— Ou se faire élire chef derrière un bureau. Peut-être qu'il jouait la comédie, en effet, qu'il était un foutu sadique et le cachait tellement bien que personne ne s'en est jamais douté. C'était la théorie de Savage, une explication psychologique, un truc tordu. L'affaire le rongeait. Il s'enorgueillissait d'être un interrogateur de première. Je me souviens qu'il a fini son topo sur l'affaire en affirmant que le mobile de McCloskey importait peu. L'essentiel était de le savoir au frais derrière les barreaux pour un paquet d'années, et c'était ça notre boulot : les mettre hors circulation. Après, c'était le boulot des psys, à la rigueur.

— Un paquet d'années est passé, justement...

— Combien de temps est-il resté en cage ?

— Treize ans sur une condamnation initiale de vingt-trois. Réduction de peine pour bonne conduite, ensuite libération conditionnelle de six ans.

— Habituellement, la conditionnelle ne dépasse pas trois ans... Il a probablement passé un marché quelconque. — Il soupira. — Il fallait s'y attendre. On défigure quelqu'un, on viole un bébé, ce genre de douceurs, ensuite on suit les cours de réhabilitation, on est bien poli avec tout le monde et on sort après avoir fait la moitié de sa peine. — Il réfléchit un instant, puis dit : treize ans, hein ? Et tu dis qu'il est revenu en ville ?

— Oui. Il a passé la majeure partie de sa conditionnelle au Nouveau-Mexique et en Arizona, à travailler dans des réserves indiennes.

— Le vieux bluff de la rédemption.

— Six ans, c'est un bluff de longue durée..

— Mais qui sait s'il n'a pas dérapé pendant ces six années ? Qui sait combien d'Indiens sont morts ? Et même s'il s'est tenu à carreau, six années là-bas valent mieux que de pelleter de la merde dans un pénitencier ou de faire tout son temps. Il n'a pas prétendu avoir rencontré Jésus, par hasard, dans le style de Chuckie Colson ?

— Je ne sais pas.

— Que sais-tu d'autre sur lui ?

— Seulement que sa conditionnelle vient d'arriver à terme, qu'il a payé selon la loi et qu'il est libre ; que son dernier officier de conditionnelle s'appelait Bayliss, qu'il est proche de la retraite ou qu'il l'a déjà prise.

— On dirait que ta gamine de dix-huit ans fait un bon détective

— Elle a appris tous ces détails d'un des domestiques, un type du nom de Dutchy qui tenait le rôle de super-majordome chez eux. Il a surveillé McCloskey depuis sa condamnation. Il était très protecteur envers la famille. Mais il est mort.

— Ah ! ce qui laisse les riches désemparés obligés de se protéger eux-mêmes. Et McCloskey a essayé d'entrer en contact avec la famille ?

— Non. De ce que j'ai pu voir, la victime et son mari ne savent même pas qu'il est revenu à L.A. Mais la fille — Melissa — le sait, et elle s'inquiète.

— Elle n'a pas tort, dit-il.

— Tu penses donc que McCloskey est dangereux.

— Qui peut dire ? D'un côté, il est sorti de taule depuis six ans et il n'a pas fait de vagues ; de l'autre, il a laissé ses potes indiens pour revenir ici. Peut-être a-t-il une excellente raison qui n'a rien à voir avec une quelconque méchanceté. Peut-être pas. Résultat, ce ne serait pas une mauvaise idée d'éclaircir ce point. Ou au moins d'essayer.

— Donc...

— Ouais, donc. Il est temps d'aiguiser l'œil du privé. Bon, d'accord, si elle veut bien de moi, je m'en occuperai.

— Merci, Milo.

— Ouais, ouais. En fait, Alex, même s'il n'a pas de bonne raison pour revenir, je me sentirais quand même inquiet.

— Pourquoi ?

— Ce que je t'ai dit tout à l'heure : le mobile. Personne ne sait pourquoi il a fait cette saloperie. Personne n'a jamais réussi à le situer. En treize ans, il s'est peut-être confié à un compagnon de cellule, ou au psy de la prison. Mais s'il ne l'a pas fait, ça veut dire que c'est un enfoiré très secret. *Mucho* patient. Et chez moi ce genre de truc allume la lampe rouge. Pour tout dire, si j'étais moins macho, moins invincible, ça me foutrait même une sacrée trouille.

12

Après que Milo eut raccroché, j'hésitai à appeler San Labrador, et je finis par décider de laisser Melissa et Gina s'arranger, si elles le pouvaient.

J'allai auprès du bassin, lançai des boulettes aux koï et m'assis en face de la cascade. Les poissons paraissaient plus actifs qu'à l'accoutumée, mais peu intéressés par la nourriture. Ils se poursuivaient en formations serrées de trois ou quatre. Ils faisaient la course, bondissaient hors de l'eau, se cognaient aux parois rocheuses.

Un peu étonné, je me penchai au bord du bassin pour regarder de plus près. Les poissons m'ignorèrent et continuèrent leur course folle.

Je compris que les mâles poursuivaient les femelles.

Je vis le frai. De petites grappes scintillantes d'œufs étaient accrochées aux angles du bassin, pareilles à du caviar décoloré, fragiles comme des bulles de savon, qui brillaient dans les derniers rayons du soleil.

La première fois depuis des années que j'avais une ponte. L'événement signifiait peut-être quelque chose.

Je m'accroupis et observai les poissons un moment, en me demandant s'ils mangeraient les œufs avant l'éclosion, et si des alevins survivraient.

Je ressentis la brusque envie de les sauver, mais je savais que la chose n'était pas de mon ressort. Je n'avais nulle part où mettre le frai. Les éleveurs professionnels possèdent plusieurs bassins. Retirer les œufs et les mettre dans des seaux aurait équivalu à leur ôter toute chance de survie.

Rien d'autre à faire qu'attendre.

Rien de tel que l'inactivité pour clore une agréable journée.

Je rentrai dans la maison et me préparai à manger : un steak grillé, une salade et une bière, que je dégustai au lit, en écoutant un CD de Perlman et Zukerman interprétant Mozart. Je me laissai emporter par la musique, mais une petite partie de ma conscience restait en éveil, en attente d'un appel téléphonique venu de San Labrador.

Le concert privé arriva à sa fin. Pas de sonnerie de téléphone. Un autre CD se positionna dans le lecteur. Le miracle de la technique. Ce lecteur laser était une véritable merveille. Un don d'un homme qui avait préféré les machines aux hommes.

Un autre duo dynamique occupa la scène : Stan Getz et Charlie Byrd.

Les rythmes brésiliens ne me réussissaient pas plus que Mozart. Le téléphone restait muet.

Je m'immergeai un peu plus dans la musique. Mes pensées allèrent vers Joel McCloskey, cet homme qui ne montrait aucun remords mais qui conservait secrets ses motifs. Je songeai à la façon dont il avait brisé l'existence de Gina Paddock. Des cicatrices, celles visibles, et les autres. Ces crochets que les gens plantent dans l'être aimé pendant qu'ils voyagent vers le désir. La torture quand les crochets déchirent l'autre pour se libérer.

Sur une impulsion que je ne cherchai pas à analyser, j'appelai San Antonio.

Une voix féminine nasillarde répondit.

— Allôô ?

En fond sonore, je perçus le brouhaha d'une télévision. Une comédie, d'après les rires pré-enregistrés.

La belle-mère.

— Bonsoir, madame Overstreet. Ici Alex Delaware. Je vous appelle de Los Angeles...

Un moment de silence, puis :

— Euh... 'Soir, Doc. Comment va ?

— Bien. Et vous ?

Un soupir presque assez long pour que j'aie le temps de réciter l'alphabet.

— Aussi bien que c'est possible.

— Et Mr Overstreet ?

— Ben... Nous prions tous et nous espérons qu'il va se rétablir, Doc. Comment ça va, à L.A. ? Je n'y suis pas retournée depuis des années. Tout doit être plus grand et plus rapide et plus bruyant, sûrement... c'est comme ça que devient la vie, pas vrai ? Vous devriez visiter Dallas et Houston, et ici, aussi. Quoique non, ici, il faudra encore du temps avant que ça ressemble aux autres villes...

Assaut de paroles. Avec l'impression d'avoir été repoussé dans les cordes, je me dégageai mollement :

— La vie continue son cours.

— Si vous êtes chanceux, oui... — Un soupir. — Enfin bref, assez philosophé, de toute façon ça ne changera rien et ça n'aidera personne. Je suppose que vous aimeriez parler à Linda ?

— Si elle est disponible.

— Elle n'est que ça, disponible. La pauvre chérie ne sort pas de la maison, alors que je lui dis que ce n'est pas bon pour une fille de son âge de rester assise toute la journée à jouer les infirmières. Elle devient toute pâle. Notez, je ne la pousse pas à aller faire la foire tous les soirs, alors que son papa est dans un tel état, sans parler de ce qui peut lui arriver à n'importe quel moment. C'est pour ça qu'elle n'ose rien faire qu'elle pourrait se reprocher plus tard, vous comprenez. Mais rester assise des heures, comme ça, ce n'est bon pour personne. Et surtout pas pour elle. Si vous voyez ce que je veux dire.

— Oui, bien sûr.

— A mon avis, c'est comme le pudding au tapioca. Quand on ne le mange pas assez vite il se forme une peau qui devient dure dans les coins, et après personne n'en veut plus. C'est la même chose pour une femme. C'est aussi vrai que le Serment d'Allégeance, vous pouvez me croire.

— Oui, bien sûr.

— Enfin bref... Je vais la chercher, et je vais lui dire que c'est un appel longue distance.

Clunk.

Des cris au-dessus du babillage télévisuel.

— Liin-da! Liin-da, c'est pour toi!... Téléphone, Linda! C'est lui, Linda, tu m'entends? Allez, dépêche-toi, c'est un appel longue distance!

Des pas, puis une voix tendue :

— Attends, je te prends dans une autre pièce.

Quelques secondes d'attente.

— D'accord... Une seconde. Je l'ai. Tu peux raccrocher, Dolores!

Une hésitation. Un déclic. Fin des rires en boîte.

Un soupir.

— Bonsoir, Alex.

— Bonsoir.

— Cette femme... Combien de temps t'a-t-elle mâchonné l'oreille?

— Voyons... Il me manque une partie du lobe droit, c'est tout.

Elle eut un rire sans joie.

— Incroyable qu'il m'en reste encore, à moi. Incroyable aussi que Papa... Eh bien... Comment vas-tu?

— Bien. Comment est ton père?

— C'est fluctuant. Un jour il a l'air mieux, le lendemain il ne peut pas sortir du lit. Le chirurgien dit qu'il doit absolument être opéré mais qu'il est encore trop faible pour supporter un tel choc. Trop sujet à la congestion, et ils ne savent toujours pas combien d'artères sont touchées. Ils essaient de stabiliser son état par le repos et un traitement approprié, afin qu'il soit assez fort pour subir d'autres tests. Je ne sais pas... Que puis-je faire? C'est la vie. Alors... Comment vas-tu? Je t'ai déjà posé la question, n'est-ce pas?

— Je m'occupe.

— C'est bien, Alex.

— Les koï ont pondu.

— Pardon?

— Les koï — les poissons du bassin — ont pondu des œufs. C'est la première fois qu'ils le font.

— Magnifique. Alors tu vas être papa.

— Ouaip.

— Prêt à endosser une telle responsabilité?

— Je n'en suis pas certain. Il s'agit de naissances multiples...

181

Si elles avaient lieu.

— Au moins tu n'auras pas de couches à changer. C'est un avantage.

Nous rîmes tous deux, voulûmes reprendre la parole au même moment et rîmes un peu plus. Synchronicité. Mais une synchronicité sans aisance. Comme dans une mauvaise pièce de théâtre.

— Tu es passé à l'école ? demanda-t-elle.

— La semaine dernière. Tout paraissait aller bien.

— Très bien, d'après ce que j'ai entendu dire. J'ai parlé à Ben il y a quelques jours. Il va devenir un principal de premier ordre.

— C'est quelqu'un de bien. Et organisé. Tu as bien fait de le recommander.

— Oui, c'est vrai. Il est très organisé. — Elle laissa échapper un petit rire creux. — Je me demande si je retrouverai du travail quand je reviendrai.

— Je suis sûr que oui. Tu as défini quelque chose, concernant ton retour ?

— Non, dit-elle sèchement. Comment diable pourrais-je faire des prévisions ?

Je gardai le silence.

— Je ne voulais pas être désagréable, Alex. Mais c'est insupportable ce... cette attente. Il m'arrive de penser que c'est la chose la plus dure au monde. Pire même que... enfin, inutile de ressasser ce genre de choses, n'est-ce pas ? Tout ça fait partie des épreuves qu'une grande fille doit affronter pour devenir adulte, pas vrai ?

— Je dirais que tu as eu plus que ta part d'épreuves, ces derniers temps.

— Oui, c'est bon pour vous durcir le cuir.

— J'aime bien ton cuir tel qu'il est.

Une pause.

— Alex, merci d'être venu ici le mois dernier. Les trois jours que tu as passés avec moi ont été les meilleurs que j'ai eus.

— Tu veux que je revienne ?

— J'aimerais pouvoir te dire oui, mais je ne serais pas très agréable.

— Tu n'as pas à être agréable.

— C'est gentil de dire ça, mais... Non, ça ne marcherait pas. J'ai besoin de... d'être avec lui. De m'assurer qu'il est bien soigné.

— J'en déduis que Dolores ne s'est pas vraiment métamorphosée en infirmière ?

— Et tu déduis bien. C'est Mme Calimero. Un ongle cassé prend des proportions de tragédie. Jusqu'à maintenant c'était une imbécile heureuse, elle n'avait jamais eu à vivre quelque chose de comparable. Mais plus il est malade et plus elle s'effondre. Et lorsqu'elle s'effondre elle parle. Seigneur, ce qu'elle parle... Je ne sais pas comment Papa peut la supporter. Dieu merci je suis là pour le protéger un peu. C'est comme si elle était le mauvais temps, une tempête de mots.

— Je sais : j'ai été pris dans une averse.

— Mon pauvre.

— Je survivrai.

Un silence. J'essayai sans succès d'imposer à mon esprit l'image de sa blondeur, la sensation de nos corps se touchant...

— Enfin, dit-elle d'une voix lasse.

— Y a-t-il quelque chose que je puisse faire à distance ?

— Merci, mais je ne vois rien, Alex. Pense à moi, et prends soin de toi.

— Toi aussi, Linda.

— Ça ira.

— Je sais.

— Je crois que je l'entends tousser... Oui, il tousse. Il faut que j'y aille.

— Alors au revoir, Linda.

— Au revoir, Alex.

Je me changeai, enfilai un short, un tee-shirt et des tennis et m'efforçai d'oublier la conversation téléphonique et les douze heures précédentes en courant quelques kilomètres. Je rentrai au coucher du soleil, pris une douche puis m'enveloppai dans ma vieille robe de chambre jaune. Mes tongs en pur caoutchouc aux pieds, je retournai dans le jardin et à l'aide d'une lampe-torche je scrutai le bassin. Les poissons restaient inertes. Même la lumière ne les réveilla pas.

Torpeur post-coïtale ? Certaines grappes d'œufs semblaient avoir disparu, mais il en restait encore un bon nombre collées aux parois.

J'étais là depuis un quart d'heure quand je perçus la sonnerie du téléphone. Des nouvelles de San Labrador, enfin. Avec un peu de chance, la mère et la fille avaient commencé à se parler.

Je remontai l'escalier quatre à quatre et entrai dans la maison à temps pour décrocher à la cinquième sonnerie.

— Allô.

— Alex ?

Une voix familière. Familière bien que je ne l'aie pas entendue depuis un bon bout de temps. Cette fois les images cascadèrent dans mon esprit.

— Bonsoir, Robin.

— On dirait que tu es essoufflé. Tout va bien ?

— Oui. Je suis simplement remonté en vitesse du jardin.

— J'espère que je ne t'ai pas interrompu dans... quelque chose.

— Non, non. Quoi de neuf ?

Sa voix me parut manquer d'entrain, mais je ne me prenais plus pour un expert depuis déjà belle lurette.

— Alors, comment va ? la relançai-je.

— Très bien. Je travaille sur un archet pour Joni Mitchell. Elle va l'utiliser sur son prochain album.

— Super.

— Il y a beaucoup de décoration gravée, mais le défi me stimule. Et toi ?

— Le boulot.

— C'est bien, Alex.

La même expression employée par Linda. Inflexions identiques. L'éthique protestante, ou quelque chose par rapport à moi ?

— Comment va Dennis ?

— Envolé. Il a fui le nid.

— Oh !

— Mais ça va bien, Alex. Ça couvait depuis longtemps. Ce n'est pas un désastre.

— Ah ! bon.

— Je n'essaie pas de faire la dure, Alex. Je ne dirai

pas que ça ne m'a rien fait. Ça m'a fait quelque chose. Sur le moment. Même si l'attirance était mutuelle, il y a toujours eu ce... vide entre nous. Mais j'ai passé l'épreuve. Ce que lui et moi partagions, ce n'était pas comme... Je veux dire, notre relation avait ses bons et ses mauvais côtés, bien sûr. Mais c'était différent... de toi et moi.

— C'est assez logique.

— Oui. Je ne sais pas s'il y aura jamais quelque chose d'équivalent à ce que nous avons eu. Je ne joue pas la manipulation, Alex, c'est simplement ce que je ressens.

Un picotement curieux enflamma mes paupières.

— Je sais, dis-je simplement.

— Alex, reprit-elle d'une voix tendue, ne te sens pas obligé de répondre, en aucune façon. Dieu, ça sonne vraiment ridicule... Mais j'ai tellement peur d'être seule...

— Que se passe-t-il ?

— Je n'ai vraiment pas la forme ce soir, Alex. J'aurais bien besoin d'un ami.

Je m'entendis répondre :

— Je suis ton ami. Quel est le problème ?

Autant pour mes grandes résolutions...

— Alex, dit-elle presque timidement, est-ce que ça pourrait être face à face, et pas simplement au téléphone ?

— Bien sûr.

— Chez moi ou chez toi ? dit-elle avant de rire un peu trop fort.

— J'arrive.

Je roulai jusqu'à Venice dans un état second. Je me garai sur le front de mer du Pacifique sans remarquer les graffiti ni les odeurs de détritus, les ombres et les sons qui peuplaient l'allée.

Avant que j'atteigne sa porte elle l'avait ouverte. Des lumières douces caressaient les coques massives des machines. L'odeur sucrée du bois et celle, plus amère, de la laque flottèrent à ma rencontre, se mêlant à son parfum, une fragrance que je ne lui connaissais pas. J'en éprouvai une pointe de jalousie nerveuse, et un peu d'excitation.

Elle portait un kimono gris et noir descendant

jusqu'aux pieds, dont le bas était marqué de sciure. Des courbes sous la soie. Des poignets souples. Les pieds nus...

Ses boucles auburn brillantes cascadaient librement sur ses épaules. Je notai son maquillage fraîchement apposé, des ridules que je n'avais jamais vues. Et son visage en forme de cœur auprès duquel je m'étais éveillé tant de matins. Toujours aussi belle, aussi familière que la lueur de l'aube. Mais avec quelque chose d'inconnu, héritage peut-être de ces voyages qu'elle avait faits seule. Cela me rendit triste.

Ses yeux sombres brûlaient de honte et d'attente. Elle se força à plonger son regard dans le mien.

Sa lèvre inférieure tremblota. Elle haussa les épaules.

Je la pris dans mes bras, la sentis m'envelopper des siens et se coller à moi comme une seconde peau. Ma bouche trouva la sienne, nos chaleurs se mêlèrent. Je la soulevai dans mes bras et la portai à l'étage.

Ma première sensation au réveil fut la confusion. Une sorte d'étonnement désolé qui me taraudait comme une gueule de bois, bien que nous n'ayons rien bu la veille. La première chose que j'entendis fut un grincement lent et rythmique, comme une samba paresseuse provenant d'en bas.

Le lit était vide à côté de moi. Certaines choses ne changent jamais.

Je m'assis et regardai par-dessus la rambarde de la mezzanine. Elle ponçait au papier de verre la caisse en bois de rose d'une guitare maintenue dans les mâchoires à coussinets d'un étau. Elle était penchée sur l'établi, en salopette de jeans, lunettes de sécurité et masque chirurgical sur le visage, sa chevelure regroupée en un nœud enroulé. Des copeaux couleur chocolat s'entassaient à ses pieds.

Je l'observai un moment, puis je m'habillai et descendis la rejoindre. Elle ne m'avait pas entendu et poursuivait sa tâche, avec une lime maintenant. Je dus me placer directement en face d'elle pour attirer son attention. Même ainsi quelques secondes passèrent avant que nos regards se rencontrent. Elle avait concentré sa vision sur le bois richement veiné.

Enfin elle s'arrêta, posa la lime sur l'étagère au-dessus de l'établi et descendit son masque. Les lunettes étaient couvertes de poussière rosâtre, ce qui donnait l'impression d'yeux injectés de sang.

— C'est celle-là. Celle pour Joni, dit-elle en dévissant un peu l'étau et en soulevant l'instrument.

Elle le fit pivoter sur lui-même pour me faire voir la table.

— Caisse arrondie standard, expliqua-t-elle, mais au lieu d'érable elle veut du bois de rose pour la caisse et les bords, avec un arc minimal. Le son devrait être intéressant.

— Bonjour, fis-je.

— Bonjour.

Elle repositionna la guitare dans l'étau, ne la quittant pas des yeux tant que l'instrument n'était pas correctement maintenu. Ses doigts effleurèrent la lime.

— Bien dormi ?

— Comme un chérubin. Et toi ?

— Idem.

— Envie d'un petit déjeuner ?

— Pas vraiment, dit-elle. Mais il y a plein de trucs dans le frigo. *Mi frigo es su frigo.* Sers-toi.

— Je n'ai pas très faim non plus.

Ses doigts pianotèrent une seconde sur la lime.

— Désolée.

— Pour quoi ?

— De ne pas vouloir de petit déjeuner.

— Trahison impardonnable, dis-je. Tu n'en réchapperas pas.

Elle sourit, baissa les yeux sur l'établi, me regarda de nouveau.

— Tu sais comment je suis. La vitesse. Je me suis levée tôt, à cinq heures et quart. Parce qu'en fait j'ai mal dormi. Pas à cause de... J'étais simplement nerveuse à cause de ça. — Elle caressa la caisse convexe de l'instrument. — J'essayai de définir la meilleure façon de travailler le grain du bois. C'est un brésilien, tu imagines ce que m'a coûté une pièce de cette épaisseur, et le temps que j'ai mis avant d'en trouver une aussi large, avec cette qualité. Elle veut une caisse d'une seule pièce, alors je ne peux pas rater et ça me rend nerveuse. Je travaille très lentement. Mais ce matin ça a été plutôt bien. Alors j'ai continué. Quelle heure est-il ?

— Sept heures dix.

— Pas possible, fit-elle en crispant et en décrispant ses doigts. Je n'arrive pas à croire que je travaille depuis presque deux heures.

— Fatiguée ?

— Non, je me sens bien. Je fais ces exercices pour éviter les crampes. Ça marche très bien.

Elle toucha de nouveau la lime.

— Tu es dans l'ambiance, ma fille. Ne t'arrête pas maintenant.

Je déposai un baiser sur le sommet de son crâne. Elle enferma mon poignet entre ses doigts, repoussa les lunettes sur son front de l'autre main. Ses yeux étaient réellement rougis. Lunettes mal ajustées ou larmes ?

— Alex, je...

Je barrai ses lèvres de mon index et baisai sa joue gauche. Une trace de son parfum, maintenant familier, effleura mon nez, mêlée à l'odeur de la sciure et celle de transpiration. Un cocktail qui éveillait trop de souvenirs.

Je voulus libérer doucement mon poignet, mais elle s'y agrippa, le pressa contre sa joue. Nos pouls s'accordèrent.

— Alex, dit-elle en levant les yeux vers les miens, je ne voulais pas que ça se passe comme ça. Je t'en prie, crois-moi. Ce que je disais à propos de l'amitié, j'étais sincère.

— Tu n'as aucune raison de t'excuser.

— Pourtant j'ai l'impression que je dois le faire.

Je ne dis rien.

— Alex, que va-t-il se passer ?

— Je ne sais pas.

Elle baissa ma main, s'écarta et fixa l'établi des yeux.

— Et elle ? dit-elle. Le prof ?

Le prof. Je lui avais dit que Linda était le principal d'un établissement scolaire.

Rétrogradation au service de l'ego.

— Elle est au Texas. Pour une durée indéterminée. Un père malade.

— Oh ! Désolée de l'apprendre. C'est sérieux ?

188

— Problèmes cardiaques. Il ne va pas très fort.

Elle pivota un peu sur ses talons, me fit face et cligna plusieurs fois des yeux. Le souvenir des problèmes de santé de son propre père ? Ou simplement la poussière ?

— Alex, je ne veux pas... Je sais que je n'ai aucun droit de te le demander, mais... Quelle est ton entente avec elle ?

Je contournai l'établi, m'appuyai des deux mains sur le bois massif et levai les yeux vers le plafond d'acier rouillé.

— Il n'y a pas d'entente. Nous sommes amis.

— Elle souffrirait d'apprendre ce qui s'est passé ?

— J'ai du mal à l'imaginer sautillant de joie, mais je n'ai pas l'intention de lui soumettre un rapport écrit.

La colère dans ma voix devait être assez transparente car elle crispa les mains sur le rebord de l'établi.

— Écoute, je suis désolé. C'est une situation assez compliquée et moi aussi je me sens... déboussolé. Pas vraiment à cause d'elle, mais ça entre peut-être en ligne de compte. Non, c'est surtout à cause de nous. Nos retrouvailles, aussi brusquement. La nuit dernière... Merde, ça fait combien de temps ? Deux ans ?

— Vingt-cinq mois, répondit-elle. Mais on ne tient pas le compte...

Elle posa sa tête contre ma poitrine, caressa mon oreille, mon cou.

— Ça aurait pu être vingt-cinq heures, dis-je. Ou vingt-cinq ans.

Elle inspira profondément.

— Nous collons si bien ensemble, dit-elle. J'avais oublié à quel point.

Elle se redressa et me saisit les épaules.

— Alex, ce que nous avons vécu, c'est comme un tatouage. Il faut couper profondément pour s'en débarrasser.

— Je pensais plutôt à des hameçons. Quand on les arrache.

Elle tressaillit et se frotta le bras.

— Choisis ton analogie, dis-je. De toute façon, il s'agit de souffrance.

— Il pourrait y avoir plus, Alex. Pourquoi n'y aurait-il pas plus ?

Les réponses envahirent mon esprit en un brouhaha indescriptible et contradictoire. Avant que je ne puisse choisir une raison, elle reprit :

— Nous pouvons au moins y penser. Que pourrions-nous perdre à y penser ?

— Même si je le voulais, je ne pourrais pas y penser. Tu possèdes trop de moi.

Ses yeux s'embuèrent.

— Je prendrai ce que je peux prendre.

— Joyeuse gravure, fis-je en tournant les talons.

Elle prononça mon nom.

Je m'arrêtai, regardai en arrière. Elle avait les mains sur les hanches et son visage s'était contorsionné dans cette moue de petite fille que les femmes semblent ne jamais abandonner. Le prélude aux larmes, sans doute inscrit dans le chromosome X. Avant que les valves ne s'ouvrent en grand elle rabaissa les lunettes de protection devant ses yeux, reprit la lime, me tourna le dos et se remit au travail.

Je sortis de la pièce avec aux oreilles la samba de grincements qui m'avait accueilli à mon réveil. Mais je n'avais aucune envie de danser.

J'avais le choix entre occuper ma journée à des tâches impersonnelles ou devenir dingue. Je me rendis à la bibliothèque biomédicale de l'Université pour chercher les références nécessaires à ma monographie. Je trouvai une masse de données prometteuses sur l'ordinateur, mais peu se révélèrent intéressantes. A midi j'avais dépensé pas mal d'énergie pour peu de résultats, et je décidai qu'il était temps de plier la tente et de m'attaquer à mes propres affaires.

D'abord j'appelai d'un téléphone payant en dehors de la bibliothèque pour savoir si j'avais des messages. Rien de San Labrador, six autres mais aucune urgence. Je répondis à tous, puis j'allai à Westwood Village, payai une place de parking un prix exorbitant, trouvai un snack-bar déguisé en restaurant et parcourus le journal tout en mâchonnant un hamburger caoutchouteux.

Je parvins à ne rentrer chez moi qu'à trois heures de l'après-midi. J'allai observer le bassin. Un peu plus de frai, mais les poissons semblaient toujours léthargiques. Je commençai à m'inquiéter pour leur santé. J'avais lu quelque part qu'ils pouvaient mettre leur vie en péril dans la frénésie de la passion.

Les uniformes changeaient, mais le jeu restait toujours le même.

Je leur donnai à manger, puis ramassai les feuilles mortes dans le jardin. Trois heures vingt. Un peu de ménage occupa encore une demi-heure.

Dépourvu d'excuses, j'allai m'installer dans le bureau, sortis mon manuscrit et me mis au travail. Ça avançait assez bien. Quand je relevai le nez presque deux heures s'étaient écoulées.

Le même truc que Robin. Tu sais ce que c'est. La vitesse.

La colle...

L'énergie de la solitude qui nous pousse les uns vers les autres.

Des hameçons.

Retour au travail.

La défense par l'ennui.

Je repris mon stylo et m'acharnai jusqu'à être à court de mots et que ma poitrine soit trop serrée. Il était sept heures quand je me levai du bureau, et j'accueillis la sonnerie du téléphone avec gratitude.

— Docteur Delaware, ici Joan, à votre service. J'ai un appel d'une Melissa Dickinson. Elle dit que c'est une urgence.

— Passez-la-moi, s'il vous plaît.

Clic.

— Docteur Delaware !

— Que se passe-t-il, Melissa ?

— C'est Mère !

— Qu'est-ce qu'elle a ?

— Elle est partie ! Oh ! mon Dieu, aidez-moi, Je ne sais pas quoi faire !

Respiration heurtée, Un grognement,

— D'accord, Melissa, Calmez-vous et dites-moi exactement ce qui s'est passé,

— Elle est partie ! Partie ! Je ne la trouve nulle part, ni dans le jardin ni dans la maison, J'ai cherché — nous avons tous cherché — et elle n'est plus là ! Je vous en prie, docteur Delaware...

— Depuis combien de temps est-elle absente, Melissa ?

— Depuis deux heures et demie ! Elle est partie pour là clinique pour sa séance de groupe de trois heures, et elle devait revenir vers cinq heures et demie, et il est... Sept heures quatre et ils ne savent pas non plus où elle est. Oh ! mon Dieu !

— Qui ça, « ils » ?

— La clinique. Les Gabney. C'est là qu'elle est allée. Elle avait une séance de groupe... de trois heures à... cinq heures. D'habitude elle y va avec Don... ou quelqu'un d'autre. Une fois je l'ai accompagnée, mais aujourd'hui...

Un halètement plus fort. Une respiration difficile.

— Si vous sentez que vous perdez haleine, prenez un sac en papier et respirez à l'intérieur.

— Non... Non, ça va aller. Il faut que je vous dise... tout.

— Calmez-vous. Je vous écoute.

— Oui. Oui. Où en étais-je ? Oh ! mon Dieu...

— D'habitude elle se rend à sa séance avec quelqu'un, mais aujourd'hui...

— Elle devait y aller avec lui. Don. Mais elle a décidé d'y aller seule ! Elle a insisté pour le faire ! Je lui ai dit... Je ne pensais pas que c'était... mais elle s'est entêtée, elle a répété qu'elle pourrait y arriver, mais elle n'a pas pu ! Je savais qu'elle ne pourrait pas le faire et j'avais raison, elle n'a pas pu ! Mais je ne veux pas avoir raison, docteur Delaware. Je me fiche d'avoir raison ou de faire comme je veux ou n'importe quoi ! Oh ! mon Dieu, je veux juste qu'elle revienne, je veux qu'elle aille bien !

— On ne l'a pas vue du tout à la clinique ?

— Non ! Et ils n'ont appelé qu'à quatre heures pour nous avertir. Ils auraient dû téléphoner tout de suite, non ?

— Combien de temps prend le trajet jusqu'à la clinique ?

— Vingt minutes. Au plus. Elle se donnait une demi-heure, ce qui est plus que suffisant. Ils auraient dû se rendre compte qu'elle n'arrivait pas... S'ils avaient appelé tout de suite, nous aurions pu la rechercher aussitôt. Elle

a disparu depuis plus de quatre heures, maintenant. Oh!
mon Dieu!

— Se pourrait-il qu'elle ait changé d'avis et qu'elle
soit allée ailleurs qu'à la clinique?

— Mais où? Où pourrait-elle être allée?

— Je ne sais pas, Melissa, mais après avoir discuté
avec votre mère je peux comprendre qu'elle ait eu envie...
d'improviser. De briser la routine. Ce n'est pas si rare
chez des patients qui surmontent leurs peurs, parfois ils se
montrent assez téméraires. Pour tester leur nouvelle
liberté.

— Non! s'exclama Melissa. Elle n'aurait pas fait ça,
pas sans téléphoner. Elle sait combien je m'inquiéterais.
Même Don est inquiet, alors qu'il ne se soucie jamais de
rien. Il a prévenu la police et ils la recherchent, mais ils
ne l'ont pas retrouvée ni la voiture...

— Elle conduisait sa Rolls-Royce?

— Oui...

— Dans ce cas elle ne devrait pas être très difficile à
repérer, même à San Labrador.

— Alors pourquoi personne ne l'a vue? Comment se
peut-il que personne ne l'ait vue, docteur Delaware?

Je me remémorai les rues désertes de ce quartier résidentiel de luxe.

— Je suis sûr que quelqu'un l'a vue, dis-je. Peut-être
a-t-elle eu des problèmes mécaniques. C'est une vieille
voiture, et même les Rolls ne sont pas à l'abri d'une
panne.

— Impossible. Noel garde les voitures en parfait état,
et la Rolls était comme neuve. Et si elle avait eu une
panne, elle aurait appelé! Elle ne me ferait pas cela. Elle
est comme une enfant, docteur Delaware, elle est incapable de se débrouiller à l'extérieur, elle n'a aucune idée
de ce que c'est, à l'extérieur. Oh! mon Dieu, et si elle a
eu une attaque et qu'elle est passée par-dessus une falaise
ou autre chose, et qu'elle est allongée là, sans recours...
Je n'en peux plus. C'est trop, trop!

Les sanglots se déversèrent de l'écouteur, si sonores
qu'involontairement je reculai l'oreille.

J'entendis un hoquet bruyant.

— Melissa...

— Je... panique... Peux plus... respirer...

— Détendez-vous, commandai-je. Vous pouvez respirer. Vous pouvez très bien respirer. Faites-le. Respirez régulièrement, lentement...

Un autre hoquet étranglé.

— Respirez, Melissa. N'essayez pas de parler. Respirez et détendez-vous. De plus en plus profondément. Inspirez... et expirez. Inspirez... et expirez. Tout votre corps s'alourdit, vous êtes de plus en plus détendue. Pensez à des choses agréables... Votre mère qui entre dans la maison. Elle va bien. Elle va aller bien.

— Mais...

— Écoutez-moi, Melissa. Faites comme je vous dis. Paniquer ne peut pas l'aider. Vous énerver ne peut pas l'aider. Vous inquiéter ne peut pas l'aider. Il faut que vous soyez en possession de tous vos moyens, alors il faut que vous vous détendiez et que vous respiriez calmement. Vous êtes assise ?

— Non, je...

— Trouvez un siège et asseyez-vous.

Frottement d'un meuble qu'on bouge. Bruit sourd.

— Ça y est... Je suis assise.

— Bien. Maintenant trouvez une position confortable. Allongez vos jambes devant vous et détendez-vous. Respirez lentement et profondément. Chaque respiration va vous détendre un peu plus.

Silence.

— Melissa ?

— Ça va... Ça va.

Souffle d'une expiration appliquée.

— Bien. Voulez-vous que je vienne ?

Un « oui » murmuré.

— Alors vous allez devoir rester calme jusqu'à ce que j'arrive. Ça me prendra environ une demi-heure.

— D'accord.

— Vous en êtes sûre ? Je peux rester au téléphone jusqu'à ce que vous vous sentiez assez calme.

— Non... Oui, je suis assez calme. Venez, s'il vous plaît. Je vous en prie.

— Restez calme. J'arrive.

13

L'obscurité rendait encore plus lugubres les rues désertes. Alors que je remontais Sussex Knoll, le double faisceau de phares apparut dans mon rétroviseur pour y rester, aussi constant que la lune. Je tournai au portail en pin du numéro 10, et un gyrophare se mit à clignoter au-dessus des deux autres lumières.

Je m'arrêtai et coupai le moteur. Une voix amplifiée résonna dans la nuit :

— Veuillez sortir de votre véhicule, monsieur.

J'obtempérai. Une voiture de patrouille de San Labrador s'était garée juste derrière la mienne, lumières allumées, moteur au ralenti. Je pouvais sentir l'odeur d'essence et détecter la chaleur du moteur. Par intermittence le gyrophare colorait ma chemise d'un rose peu seyant.

La porte du côté conducteur s'ouvrit et un policier en sortit, une main près de sa hanche. Il était grand et massif. Il brandit quelque chose : une lampe-torche qui m'aveugla. Par réflexe je levai un bras devant mes yeux pour les protéger.

— Les deux mains levées, que je puisse les voir, monsieur.

Je suivis ses instructions. Le pinceau lumineux fouilla l'intérieur de la voiture.

— Je suis le Dr Delaware, dis-je. Le médecin de Melissa Dickinson. On m'attend.

Le policier approcha encore et fut un peu éclairé par la

lanterne halogène fixée au montant gauche du portail, se transformant en jeune Blanc prognathe, au teint de bébé et aux traits bouffis. La visière de sa casquette tombait bas sur ses yeux. Dans un mauvais téléfilm il se serait appelé *Moose*.

Le faisceau de la lampe descendit, illuminant mon pantalon.

— Qui vous attend, monsieur ?

— Les Dickinson. Les Ramp, je veux dire. Melissa Dickinson m'a appelé à propos de sa mère et elle m'a demandé de venir ici. Mrs. Ramp a réapparu ?

— Comment avez-vous dit que vous vous appeliez, monsieur ?

— Delaware. Alex Delaware. — Du pouce je désignai l'interphone. — Pourquoi ne pas vérifier ?

Il digéra la proposition comme s'il s'agissait d'une théorie très profonde.

— Je peux baisser les mains ?

— Allez à l'arrière de votre véhicule, monsieur, et posez les mains à plat sur le coffre. S'il vous plaît.

Sans me quitter des yeux, il avança jusqu'à l'interphone et appuya sur un bouton.

— Oui ? grésilla la voix de Don Ramp.

— Ici l'officier Skopek, de la police de San Labrador, monsieur. Je me trouve devant votre portail d'entrée, avec un monsieur qui prétend être un ami de votre famille.

— Qui est-ce ?

— Mr. Delaware.

— Ah ! oui. Tout va bien, officier.

Une autre voix jaillit de l'interphone, plus forte et autoritaire :

— Rien jusqu'à présent, Skopek ?

— Non, monsieur.

— Continuez de surveiller.

— Oui, monsieur, fit Skopek en effleurant la visière de sa casquette d'un geste inconscient.

Il éteignit sa lampe-torche et les battants en bois du portail s'ouvrirent vers l'intérieur. Je remontai dans ma Seville.

Skopek m'avait suivi jusqu'à la portière. Il attendit que j'aie remis le contact pour se pencher vers moi.

— Désolé pour le désagrément, monsieur, dit-il sans paraître désolé le moins du monde.

— Vous suiviez simplement les ordres, c'est ça?

— Oui, monsieur.

Des projecteurs de faible puissance accrochés aux arbres de l'allée créaient un paysage nocturne que Walt Disney n'aurait pas désavoué. Une Buick énorme était garée devant la demeure. Je notai le projecteur arrière et plusieurs antennes.

C'est Ramp qui m'ouvrit. Il portait un veston bleu à pochette lie-de-vin, un pantalon de flanelle grise et une chemise bleue rayée. Malgré ses vêtements fraîchement repassés, il paraissait las. Et furieux.

— Docteur.

Pas de poignée de main. Il fit demi-tour et s'enfonça dans la maison d'un pas sec, me laissant refermer la porte.

Je pénétrai dans l'entrée. Un autre homme se tenait au pied de l'escalier vert et paraissait absorbé dans la contemplation de ses ongles. A mon approche il leva les yeux vers moi et m'examina sans hâte.

Il pouvait avoir soixante ans et avoisinait les deux mètres, avec une corpulence en rapport. La brillantine faisait luire ses cheveux grisonnants qui couronnaient un visage rougeaud aux traits grossiers. Des lunettes cerclées d'acier étaient posées sur un nez en boule, et ses bajoues de bouledogue compressaient une bouche ridiculement petite en une moue pincée. Il portait un costume gris, une chemise crème et une cravate rayée grise et noire. Je remarquai la broche maçonnique, celle portant le drapeau américain, le bip à sa ceinture. Ses chaussures cirées qui brillaient comme des miroirs.

Il me détaillait toujours du regard.

— Docteur, dit Ramp, je vous présente le chef de la police de San Labrador, Clifton Chickering. Chef, le Dr Delaware, le psychiatre de Melissa.

Le premier regard de Chickering m'apprit que j'avais été le sujet de la discussion. Le second m'informa sur l'opinion que le policier avait des psychiatres. J'étais persuadé que lui préciser que j'étais psychologue ne changerait rien, mais je le fis quand même.

— Docteur, me salua-t-il simplement.

Ramp et lui se regardèrent, puis le policier hocha la tête. Ramp me toisa sans dissimuler sa colère.

— Pourquoi diable ne pas nous avoir dit que ce fumier était revenu en ville ?

— McCloskey ?

— Vous connaissez un autre fumier qui veut du mal à ma femme, vous ?

— Melissa m'a parlé de lui sous le sceau du secret. Je devais respecter ce souhait.

— Oh ! bon Dieu ! explosa Ramp, avant de tourner le dos pour arpenter le hall.

— La fille aurait des raisons particulières pour garder cette information secrète ? demanda Chickering.

— Pourquoi ne le lui demandez-vous pas ?

— Je l'ai fait. Elle m'a répondu qu'elle ne voulait pas alarmer sa mère.

— Alors vous avez la réponse.

— Hum, fit Chickering en me gratifiant d'un regard de principal pour un élève psychopathe.

— Elle aurait pu me prévenir, moi, dit Ramp en cessant de faire les cent pas. Pour l'amour du Ciel ! Si je l'avais su, j'aurais pu prendre des dispositions pour la protéger.

— Y a-t-il le moindre indice indiquant que McCloskey est impliqué dans la disparition ? dis-je.

Ramp jura.

— Il est ici, et elle a disparu. Qu'est-ce qu'il vous faut de plus ?

— Il est en ville depuis six mois, rappelai-je.

— Et c'est la première fois qu'elle sort seule. Il attendait l'occasion.

Je me tournai vers Chickering.

— De ce que j'ai pu constater, chef, vous exercez une surveillance efficace. Quelles chances McCloskey aurait-il eues de traîner depuis six mois dans les parages sans se faire remarquer ?

— Aucune, répondit aussitôt le policier et, s'adressant à Ramp : il a raison, Don. Si ce type est derrière tout ça, nous le saurons très vite.

— Quelle belle confiance, Cliff ! Mais pour l'instant vous n'avez pas pu le retrouver !

Chickering se rembrunit.

— Nous avons son adresse, sa description. Il est sous surveillance. Dès qu'il fera surface, il sera attrapé plus vite qu'un repas gratuit dans la zone.

— Et qu'est-ce qui vous fait croire qu'il refera surface ? Et s'il est caché quelque part, avec...

— Don, dit Chickering, je comprends...

— Eh bien pas moi ! éructa Ramp. A quoi servira la surveillance de son adresse alors qu'il est sûrement parti depuis déjà longtemps ?

— C'est l'esprit criminel, dit calmement le policier. Ils ont tendance à revenir au bercail.

Ramp lui lança un regard écœuré et se remit à marcher nerveusement de long en large.

Je vis Chickering blêmir.

— Don, fit-il d'un ton conciliant, nous travaillons en parfaite coordination avec le LAPD, Pasadena, Glendale et tous les secteurs. Tous les ordinateurs sont mis à contribution. L'immatriculation de la Rolls figure sur leurs listes d'alerte. Il n'a aucune voiture enregistrée à son nom, mais tous les rapports d'incidents sont passés au crible.

— Combien de voitures figurent sur ces rapports ? Dix mille ?

— Tout le monde est en alerte, Don. On prend la chose très au sérieux. Il ne pourra pas aller loin.

Ramp l'ignora et continua d'arpenter le hall. Chickering se tourna vers moi.

— Ce n'était pas un secret qu'il fallait garder, Docteur.

— Ça, c'est foutrement vrai, marmonna Ramp.

— Je comprends ce que vous ressentez, mais je n'avais pas le choix. Légalement, Melissa est une adulte responsable.

— Ah oui ? Et ce que vous avez fait est légal, hein ? On verra ça, faites-moi confiance, grinça Ramp.

— Laissez-le, Don ! éclata une voix du haut de l'escalier.

Vêtue de jeans et d'une chemise d'homme, Melissa se tenait sur le palier. Sa chevelure était attachée sans soin, ses yeux rougis, et la chemise trop grande la faisait paraître sous-alimentée. Elle descendit rapidement l'escalier incurvé, en balançant les bras comme un coureur à pied.

— Melissa..., commença Ramp.

Elle se campa devant lui, menton arrogant et poings serrés.

— Laissez-le tranquille, Don. Il n'a *rien* fait. C'est moi qui lui ai demandé de ne rien dire. Il *devait* m'écouter, alors *laissez tomber*, hein ?

Ramp se redressa de toute sa taille.

— Nous avons déjà entendu ce...

— *La ferme, bon sang !* explosa Melissa. J'en ai marre de ces idioties !

Au tour de Ramp de pâlir. Un léger tremblement agita ses mains pendant une seconde.

— Vous feriez mieux de vous calmer, jeune demoiselle, dit Chickering.

Melissa se tourna vers lui et agita un poing fermé.

— Vous, vous n'avez pas à me dire ce que je dois faire ! Vous devriez être dehors, à faire votre travail. Lancez plutôt vos ahuris de flics à la recherche de ma mère, au lieu de rester ici avec *lui*, à boire notre whisky !

La rage déforma les traits de Chickering, mais il parvint à la masquer derrière un sourire crispé.

— Melissa ! s'exclama Ramp.

— *Melissa !* parodia-t-elle de façon outrancière. Je n'ai pas le temps d'écouter vos sornettes ! Ma mère est là, dehors, et nous devons la retrouver. Alors arrêtez de vous défouler sur un bouc émissaire et cherchez le meilleur moyen de le faire !

— C'est très exactement ce que nous faisons, jeune demoiselle, rétorqua Chickering.

— Et comment ? Avec vos patrouilles dans San Labrador ? Quel intérêt ? Elle n'est plus à San Labrador. Si elle y était, elle aurait été repérée depuis longtemps.

Il fallut un moment à Chickering pour être capable d'articuler :

— Nous faisons tout ce que nous pouvons.

C'était un peu léger, et il en avait conscience. Le regard de Ramp et de Melissa le lui confirma.

Il boutonna son manteau et se tourna vers Ramp :

— Je peux rester aussi longtemps que vous avez besoin de ma présence ici, mais dans votre intérêt je serai plus efficace à l'extérieur.

— Certainement, répondit Ramp d'un ton découragé.

— Gardez espoir, Don. Nous allons la retrouver, ne vous en faites pas.

Avec un haussement d'épaules Ramp s'éloigna et disparut dans les entrailles de la demeure.

— Content d'avoir fait votre connaissance, Docteur, me dit Chickering avant de pointer l'index comme un revolver sur Melissa : jeune demoiselle.

Il sortit sans se retourner.

— Quel incapable, maugréa Melissa quand la porte se fut refermée. Tout le monde sait qu'il n'est qu'un incapable.

— Comment est-il devenu chef ?

— Qui sait... A l'ancienneté, probablement. Il n'y a quasiment pas de crime dans San Labrador, donc personne ne le défie. Mais ce n'est pas grâce à lui, en fait : tout étranger au quartier se voit comme le nez au milieu du visage, ici. Et la police contrôle systématiquement tous les gens qui n'ont pas l'air vraiment riches.

Son débit était rapide mais coulant, à peine marqué d'intonations aiguës. Un aperçu de la panique que j'avais entendue au téléphone.

— La petite ville bourgeoise classique.

— C'est exactement cela. Ici, il ne se passe jamais rien. — Elle baissa la tête. — Sauf maintenant... C'est ma faute, docteur Delaware. J'aurais dû lui parler de McCloskey !

— Melissa, rien n'indique que McCloskey soit impliqué dans la disparition de votre mère. Pensez à ce que vous venez de dire à propos de la police qui contrôle systématiquement les étrangers. La possibilité que quelqu'un ait pu l'épier sans être repéré est nulle.

— Épier..., répéta-t-elle en frissonnant. J'espère que vous avez raison. Mais alors où est-elle ? Que lui est-il arrivé ?

Je choisis mes mots avec soin.

— Melissa, il est possible qu'il ne lui soit rien arrivé, mais qu'elle soit absente de sa propre volonté.

— Vous voulez dire qu'elle se serait *enfuie* ?

— Je veux dire qu'elle a pris la voiture et a peut-être décidé de s'offrir une promenade.

— Impossible ! rétorqua-t-elle d'un ton véhément. Impo-ssi-ble !

— Melissa, lorsque j'ai parlé avec votre mère j'ai eu l'impression qu'elle avait vraiment envie d'un peu de liberté.

Mais elle secoua la tête avec entêtement. Puis elle me tourna le dos et fit face à l'escalier.

— Elle m'a dit être prête à faire des pas de géant, que cette maison l'étouffait. J'ai eu le sentiment très net qu'elle voulait changer et considérait même la possibilité de déménager après votre départ.

— Non ! Elle n'a rien emporté, j'ai vérifié dans sa chambre. Toutes les valises sont là. Je sais tout ce qu'elle a dans ses armoires, et elle n'a rien pris !

— Je ne veux pas dire qu'elle avait planifié un quelconque voyage, Melissa. Je parle d'une action spontanée, impulsive.

— Non, insista-t-elle. Elle ne m'aurait pas fait ça.

— Vous êtes son principal objet d'attention, c'est vrai, mais elle a peut-être été... grisée par cette liberté qu'elle recommence à expérimenter. Elle a voulu conduire la Rolls seule, aujourd'hui. Elle a voulu décider. Une fois sur la route, dans sa voiture préférée, peut-être a-t-elle tellement apprécié ce moment qu'elle a décidé de se promener un peu. Cela ne remet absolument pas en cause l'amour qu'elle a pour vous. Mais parfois, quand les choses commencent à changer, elles changent vite...

Elle se mordit la lèvre inférieure, lutta contre les larmes et dit, d'une voix très fluette :

— Vous pensez vraiment qu'elle n'a rien ?

— Je pense qu'il faut faire tout ce qui est possible pour essayer de la localiser, mais je n'irais pas imaginer le pire, non.

Elle respira plusieurs fois avec lenteur, consciencieusement, s'entortilla les doigts.

— Seule sur la route. Et elle aurait continué à conduire. Ça serait quelque chose... — Les yeux écarquillés, un instant fascinée par l'éventualité d'une telle scène, avant de se laisser submerger par le ressentiment. — Non, je n'arrive pas à y croire. Jamais elle ne me ferait ça, à moi.

— Elle vous aime beaucoup, Melissa, mais elle...

— Oui, elle m'aime ! s'écria-t-elle en pleurant. Elle m'aime et je veux qu'elle *revienne* !

Des pas firent résonner le dallage de marbre sur notre gauche. Nous nous tournâmes dans cette direction pour découvrir Ramp, son veston jeté sur un bras.

De ses mains nues Melissa s'efforça aussitôt de sécher ses larmes.

— Je suis désolé, Melissa, dit-il. Tu avais raison : il n'y a aucune raison d'accuser quiconque. Désolé si je vous ai offensé, Docteur.

— Pas de problème, assurai-je.

Il avança et me serra la main. Melissa se détourna, tapota impatiemment du pied, se passa plusieurs fois la main ouverte sur les cheveux.

— Melissa, reprit Ramp, je sais ce que tu ressens... Je... Nous sommes tous dans le même bain, Melissa, nous devons nous serrer les coudes. Pour la ramener.

— Que voulez-vous de moi ? rétorqua Melissa sans le regarder.

J'observai Ramp. Il paraissait sincèrement peiné. Paternel, presque. Melissa l'ignorait toujours avec ostentation.

— Je sais, Chickering est un crétin, et pas plus que toi je n'ai confiance en lui. Alors réfléchissons ensemble, pour voir si nous pouvons trouver quelque chose. Pour l'amour du Ciel, Melissa...

Il se tenait mains écartées dans un geste de supplication figée, une peine évidente inscrite sur son visage. Ou alors il était meilleur acteur que Laurence Olivier.

— Pourquoi pas...

Paraître s'ennuyer autant devait lui demander un certain effort.

— Écoute, continua-t-il, ça ne sert à rien de rester ici. Allons plutôt près du téléphone. Je peux vous offrir quelque chose à boire, Docteur ?

— Un café, si vous en avez.

— Bien sûr.

Nous le suivîmes dans la maison jusqu'à un salon au plafond strié de poutres peintes. Par les portes-fenêtres on pouvait voir la pelouse et le court de tennis baignés dans une lumière verte. La piscine formait un losange bleu paon. Une des portes du garage était restée ouverte.

Ramp décrocha le téléphone, composa un numéro à deux chiffres.

— Café dans le petit salon, je vous prie. Trois tasses.

Il raccrocha et se tourna vers moi.

— Installez-vous, Docteur.

Je m'assis dans un fauteuil club au cuir pâle craquelé par le soleil. Melissa se percha sur le bras d'un fauteuil en rotin proche. Elle se gratta la lèvre de l'index, tiralla sa queue de cheval.

Ramp resta debout, la mise toujours impeccable, les traits toujours tirés.

Un moment plus tard Madeleine entra avec le plateau à café qu'elle déposa sans un mot sur la table basse. Ramp la remercia et emplit les trois tasses. Café noir pour lui et moi, avec un nuage de crème et du sucre pour Melissa. Elle accepta sa tasse mais ne but pas. Ramp et moi sirotâmes la boisson brûlante.

Personne ne parlait.

Sa tasse finie, Ramp rompit le silence :

— Je vais rappeler Malibu, annonça-t-il.

Il décrocha le téléphone, composa un numéro et écouta de longues secondes avant de raccrocher d'un geste très précautionneux.

— Qu'y a-t-il à Malibu ? m'enquis-je.

— Notre... La maison d'été de Gina. A Broad Beach. Non qu'elle se rendrait là-bas, mais c'est le seul endroit auquel je puisse penser...

— C'est ridicule, lâcha Melissa. Elle déteste la mer.

Néanmoins Ramp recommença, sans plus de résultat que lors de son premier appel.

Je terminai mon café. Le silence avait repris ses droits. Melissa posa sa tasse.

— C'est stupide, déclara-t-elle.

Avant que Ramp ou moi ayons pu répondre, le téléphone sonna.

Melissa prit Ramp de vitesse et décrocha.

— Oui, mais parlez-moi d'abord... Mais enfin, c'est quand même moi qui suis la plus... Quoi ? Oh, non ! Qu'est-ce que vous... C'est ridicule. Comment pouvez-vous en être aussi sûr ? Stupidités !... Non, je suis parfaitement capable de... Mais écoutez-moi...

Elle se tut et resta pétrifiée, bouche ouverte. Puis elle écarta le combiné de son oreille et le contempla avec incrédulité.

— Il a raccroché !

— Qui donc ? demanda Ramp.

— Chickering ! Cet abruti m'a raccroché au nez !

— Pourquoi téléphonait-il ?

Sans quitter le combiné des yeux, elle répondit :

— McCloskey. Ils l'ont retrouvé. A Los Angeles. Ils l'ont interrogé et ils l'ont laissé repartir !

— Bon sang ! gronda Ramp.

Il arracha le combiné à Melissa et composa un numéro en hâte.

En grinçant des dents il ouvrit son col de chemise.

— Cliff ? Ici Don Ramp. Melissa dit que vous... Je comprends bien, Cliff, mais... Oui, je sais. C'est assez inquiétant, mais ce n'est pas une raison... D'accord. Je sais bien que vous êtes... Oui, oui... — Froncement de sourcils et petite moue. — Dites-moi simplement ce qui s'est passé... Je vois... Mais comment pouvez-vous en être certain, Cliff ? Nous ne parlons pas d'un saint, voyons... Oui... Oui, bien sûr, mais... Et il n'y avait pas moyen ? Bon. D'accord, je le lui dirai. Merci d'avoir appelé, Cliff... Oui, on reste en contact.

Il raccrocha.

— Il s'excuse d'avoir coupé aussi brusquement, dit-il à Melissa. Il m'a dit qu'il t'a expliqué être très occupé à coordonner les recherches, et que tu continuais à... le rabrouer. Il veut que tu saches qu'il a les intérêts de ta mère très à cœur.

Les yeux voilés, Melissa restait immobile.

— La police lui a mis la main dessus et l'a laissé repartir...

Ramp lui entoura les épaules de son bras, et elle ne résista pas. Elle paraissait anesthésiée, trahie. J'avais déjà vu plus de vie dans des statues de cire.

— Apparemment, dit Ramp, il peut justifier de son emploi du temps pour chaque minute de la journée, et ils n'ont aucun motif pour le retenir. Ils ont été forcés de le relâcher, Melissa. C'est la loi.

— Les imbéciles, dit-elle d'une voix basse. Les pauvres imbéciles ! Peu importe où il était toute la journée ! Il ne fait pas les choses lui-même ! Il paie des gens pour ça ! — Sa voix s'éleva jusqu'au cri : il paie des gens ! Alors quelle importance qu'il n'ait pas été là ?

Elle se dégagea du bras de Ramp et plaqua ses mains sur ses joues. Elle laissa échapper un cri étranglé de frustration. Ramp fit mine de s'approcher d'elle mais se ravisa et se tourna vers moi.

Je me levai et allai auprès de Melissa. Mais elle recula jusqu'à un angle de la pièce et se tourna vers le mur en sanglotant comme une fillette injustement punie.

Ramp me lança un regard attristé.

Tous deux, nous savions qu'elle aurait eu besoin d'un père. Et aucun de nous ne pouvait combler ce manque.

Elle finit par cesser de pleurer. Mais elle ne changea pas de position.

— Aucun de nous n'a confiance en Chickering, dis-je. Peut-être qu'un détective privé serait utile...

Melissa fit volte-face.

— Votre ami !

Ramp la considéra d'un air interloqué, mais elle ne me lâcha pas du regard.

— Expliquez-lui, me dit-elle.

— Hier, avec Melissa, nous avons discuté de l'éventualité d'une enquête sur McCloskey. Un de mes amis est inspecteur de la police de Los Angeles, en congés pour l'instant. C'est quelqu'un de très compétent, qui a beaucoup d'expérience. Il a accepté d'enquêter sur McCloskey. Il accepterait certainement aussi de s'occuper de la disparition de votre femme. Si elle réapparaît bientôt, vous pourriez néanmoins avoir toujours envie de vous renseigner sur les faits et gestes de McCloskey. Mais bien sûr, vos avocats ont peut-être l'habitude d'employer les services de quelqu'un d'autre...

— Non, dit Melissa. Je veux votre ami. Point final.

Ramp la regarda, puis se tourna vers moi.

— Je ne sais pas qui ils emploient, je veux dire les avocats. Nous n'avons jamais eu affaire à une situation semblable. Votre ami est vraiment bon ?

— Il vient de le dire, intervint Melissa avec humeur. C'est lui que je veux, et c'est moi qui paie.

— Ce ne sera pas nécessaire, Melissa. Je réglerai ces frais.

— Non, c'est moi qui paierai. Il s'agit de *ma* mère et on fera à *ma* façon.

Ramp soupira.

— Nous en reparlerons plus tard. Pour l'instant, docteur Delaware, si vous vouliez bien avoir l'obligeance d'appeler votre ami...

Le téléphone sonna de nouveau. Tous deux sursautèrent. Cette fois, Ramp fut le plus rapide.

— Oui ? Oh, bonjour, Docteur... Non, désolé. Elle n'a pas... Oui, je comprends...

— Elle, souffla Melissa. Si elle avait appelé plus tôt, nous aurions pu commencer les recherches avant.

De la main Ramp couvrit son oreille libre.

— Désolé, Docteur, je n'ai pas entendu ce que vous disiez... Oh, c'est très aimable de votre part, mais non, je ne vois aucune raison pressante pour que vous... Une minute, je vous prie.

Appliquant la paume sur le microphone du combiné, il me regarda.

— Le Dr Cunningham-Gabney demande si elle doit venir ici. Vous voyez des raisons pour qu'elle vienne ?

— A-t-elle des... informations cliniques concernant Mrs. Ramp qui pourraient aider à la localiser ?

— Tenez, fit-il en me passant le combiné.

— Docteur Cunningham-Gabney, ici Alex Delaware.

— Docteur Delaware... — La voix bien modulée avait perdu un peu de son côté mélodieux. — Je suis très alarmée par les événements d'aujourd'hui. Melissa et sa mère auraient-elles eu une confrontation avant la disparition de Mrs. Ramp ?

— Pourquoi cette question ?

— Gina m'a appelée. Ce matin, Elle a laissé entendre qu'elle avait eu quelques désagréments, Melissa aurait-elle découché avec un petit ami ?

Prenant soin de ne pas croiser le regard de Melissa, je répondis :

— La chose n'est pas impossible, Docteur, mais je doute que ce soit un facteur déterminant.

— Ah! vraiment? Toute tension inhabituelle peut pousser quelqu'un comme Gina à un comportement imprévisible.

Melissa ne me quittait pas des yeux.

— Pourquoi ne pas nous voir? proposai-je au Dr Cunningham-Gabney. Pour discuter de tous les facteurs cliniques significatifs qui pourraient nous éclairer sur la situation.

Un petit silence, puis :

— Elle est à côté de vous, c'est ça? Elle vous surveille?

— C'est exact.

— Très bien. J'imagine que vous rejoindre et provoquer une nouvelle confrontation ne serait pas la meilleure chose à faire. Pourriez-vous passer me voir à la clinique maintenant?

— Ça me va, dis-je. Si Melissa n'y voit pas d'inconvénient, bien entendu.

— Cette enfant a beaucoup trop de pouvoir, fit-elle sèchement.

— C'est possible, mais d'un point de vue clinique je pense que la méthode est recommandée.

— D'accord. Demandez-lui son avis.

De la paume je couvris le microphone.

— Melissa, vous voyez une objection à ce que j'aille discuter avec elle? A la clinique. Pour partager les informations — les données psychologiques — afin d'essayer d'imaginer où peut se trouver votre mère.

— Ça semble une bonne idée, fit Ramp.

— Bien sûr, lança Melissa d'un ton aigre. N'importe. Elle eut un geste presque méprisant de la main.

— Mais je peux rester ici aussi longtemps que vous estimez ma présence nécessaire, ajoutai-je.

— Non, non, vous pouvez y aller maintenant. Ça ira pour moi. Allez lui parler.

Je m'adressai de nouveau à mon interlocutrice téléphonique :

— Je serai là d'ici une demi-heure, docteur Cunningham-Gabney.

— Ursula, je vous en prie. A des moments pareils le collage des deux noms est assez insupportable. Savez-vous comment venir ici ?

— Melissa me l'indiquera.

— Je n'en doute pas.

Avant de partir j'appelai chez Milo, mais j'eus le répondeur avec la voix de Rick. Melissa et Ramp parurent catastrophés quand je leur appris qu'il n'était pas là, et je compris alors tous les espoirs qu'ils mettaient déjà en ses capacités. Doutant de lui faire une faveur en le projetant ainsi dans le *haut monde*, je laissai un message lui demandant de me rappeler, à la Clinique Gabney pour les deux heures à venir, chez moi ensuite.

Je m'apprêtai à partir quand le carillon de l'entrée résonna. Melissa bondit sur ses pieds et courut ouvrir. Ramp la suivit à longues enjambées de sportif.

Je les imitai et arrivai au hall d'entrée quand Melissa ouvrit la porte. Un jeune homme brun d'une vingtaine d'années se tenait sur le seuil. Il fit un pas vers Melissa, sembla sur le point de la prendre dans ses bras mais arrêta son geste en apercevant Ramp.

Il était plutôt petit, un mètre soixante-cinq environ, mince, le teint olivâtre, les lèvres pleines, un regard sombre sous des sourcils fournis. Ses cheveux noirs étaient coupés court sur le crâne et les côtés, plus longs sur la nuque. Il portait une courte veste rouge d'aide-serveur, un pantalon noir, une chemise blanche et un nœud papillon noir. A la main il tenait un trousseau de clefs.

Il jeta un coup d'œil nerveux autour de lui.

— Du nouveau ? dit-il.

— Rien, répondit Melissa.

Il se rapprocha un peu d'elle.

— Bonjour, Noel, lança Ramp.

Le garçon le regarda.

— Bonjour, monsieur Ramp. Tout est en ordre. Jorge s'occupe des voitures. Il n'y en a pas beaucoup ce soir, c'est assez calme.

D'une main, Melissa effleura la manche du garçon.

— Sortons d'ici, fit-elle.

— Où allez-vous ? s'enquit Ramp.

— Dehors, répliqua Melissa. A sa recherche.

— Vous pensez vraiment que...

— Oui, je le crois. Viens, Noel, dit-elle en le tirant par la veste.

Le garçon consulta Ramp du regard. Ce dernier se tourna vers moi. Je restai aussi impassible que le Sphinx.

— D'accord, Noel, décida Ramp. Tu as ta soirée. Mais sois prudent...

Avant qu'il ait terminé sa phrase les deux jeunes gens étaient à l'extérieur. La porte se referma brutalement.

Ramp la contempla quelques secondes puis se tourna vers moi. Il avait l'air très las.

— Voulez-vous un verre, Docteur ?

— Non, merci. Je suis attendu à la Clinique Gabney.

— Ah, c'est vrai.

Il m'accompagna jusqu'à la porte.

— Vous avez des enfants, Docteur ? me demanda-t-il.

— Non.

Ma réponse parut le déconcerter.

— Les enfants sont parfois difficiles, n'est-ce pas ? dis-je.

— Parfois, oui. Elle est très vive d'esprit, et il m'arrive de penser que cela rend les choses encore plus dures, pour tout le monde d'ailleurs, elle comprise. Gina m'a dit que vous aviez traité Melissa quand elle n'était encore qu'une enfant.

— De sept à neuf ans, oui.

— De sept à neuf ans, répéta-t-il, pensif. Deux années... Vous avez donc passé plus de temps avec elle que moi. Et vous la connaissez probablement beaucoup mieux.

— C'était il y a longtemps, dis-je. J'ai vu une facette différente de sa personnalité.

Il lissa sa moustache de l'index, tripota son col.

— Elle ne m'a jamais accepté. Et elle ne m'acceptera sans doute jamais. Exact ?

— Les choses peuvent changer.

— Vous le pensez vraiment ?

Il ouvrit la porte sur une brise fraîche. Je me rendis compte que je ne savais pas comment aller à la Clinique Gabney. Je lui demandai s'il pouvait m'indiquer la route.

— Aucun problème, répondit-il. Je connais le chemin par cœur, j'ai accompagné Gina de nombreuses fois. Quand elle avait besoin de moi.

14

Sur le chemin de Pasadena, je me surpris à jeter des coups d'œil dans les allées perpendiculaires à la route, à scruter les buissons au passage, et les rues adjacentes dans l'espoir de repérer une ombre anormale, l'éclair d'un chrome, la forme recroquevillée d'une femme à terre.

C'était irrationnel. Parce que des professionnels étaient déjà passés là avant moi. Je vis trois voitures de patrouille de la police de San Labrador dans un rayon de dix pâtés de maisons, et une d'elles me suivit même un moment avant d'abandonner.

C'était irrationnel parce que les rues étaient désertes. On aurait vu un tricycle à cent mètres de distance.

Un voisinage qui gardait ses secrets hors des rues.

Où Gina avait-elle emmené les siens ?

Malgré mes propos rassurants à Melissa, je n'avais pas réussi à me convaincre que tout cela se résumait à une parenthèse impromptue de l'agoraphobie de sa mère. A ce que j'avais pu constater, Gina était quelqu'un de vulnérable. De fragile. Le simple fait de se disputer avec sa fille avait déclenché sa crise.

Comment aurait-elle pu se maîtriser à l'extérieur, dans le monde réel, quoi que cette expression signifiât ?

Sans m'en rendre compte, je continuai de chercher tout en conduisant. En crachant à la face de la raison, ce qui me rasséréna un peu.

La Clinique Gabney occupait le coin généreux d'un

pâté de propriétés résidentielles qui avaient cédé à contre-cœur un peu de place à quelques commerces et à des appartements. La clinique avait naguère été une belle demeure privée. Une construction de taille imposante, à deux étages, aux murs couverts de bardeaux, avec un style artisanal plaisant, trônant derrière une grande pelouse plate. Trois pins géants ombraient la pelouse. Un porche courait tout le long de la façade, assombri par des avant-toits massifs. Peu de fenêtres aux battants sur-dimensionnés, beaucoup de bois de décoration. L'éclai-rage trop pauvre ne mettait pas en valeur l'ensemble. Aucune indication de ce qui se passait à l'intérieur.

Un muret de fragments de roc sertis dans du ciment délimitait la propriété, interrompu sans portail à l'endroit où commençait une étroite allée cimentée. Sur la gauche un portail de planches avait été ouvert, donnant accès à une longue allée pour les véhicules. Une Saab Turbo 9000 blanche était garée à l'entrée, bloquant l'accès à tout autre véhicule. Je garai donc la Seville dans la rue — on était plus tolérant à Pasadena qu'à San Labrador — et remontai à pied la petite allée cimentée.

Une plaque de porcelaine blanche était clouée à la porte. GABNEY y était peint en majuscules d'imprimerie noires. Le marteau du heurtoir représentait la gueule gri-maçante d'un lion mordant un anneau de cuivre, sous une petite lampe jaune. Je le soulevai et le laissai retomber. La porte vibra — do dièse, je l'aurais parié.

Une autre lumière jaillit sous le porche, et un instant plus tard la porte s'ouvrit. Ursula Cunningham-Gabney se tenait sur le seuil, vêtue d'une robe en laine bordeaux qui s'arrêtait cinq centimètres au-dessus du genou et sou-lignait sa sveltesse. Des torsades verticales accentuaient encore l'impression. Et des talons aiguilles parachevaient le tout.

La permanente qu'elle arborait sur la photo de l'article était maintenant remplacée par une coiffure brillante plus floue. Des lunettes à la John Lennon pendaient au bout d'une chaîne passée à son cou, luttant pour occuper la place de la poitrine avec un rang de perles. La poitrine elle-même était convexe et concave exactement là où cela convenait. Sa taille était fine, ses jambes fuselées et très,

très longues. Le visage plutôt carré, au modelé délicat, était bien plus joli que sur la photo. Plus jeune aussi. Elle ne paraissait pas plus de trente ans. Un cou velouté, une ligne de mâchoire bien dessinée, de grands yeux bleu clair, des traits nets qui n'avaient pas besoin du camouflage dont elle avait usé : fond de teint pâle, blush artistement appliqué, fard à paupières mauve, rouge à lèvres d'un carmin profond. Le but était de sembler sévère, et il était atteint.

— Docteur Delaware ? Entrez.

— Alex, dis-je. Tant qu'à faire.

Ma remarque la dérouta une fraction de seconde.

— Oui, bien sûr. Alex.

Elle plaqua un sourire sur son visage. Puis l'effaça.

D'un geste elle m'invita à pénétrer dans un hall qui m'aurait paru grandiose si je ne connaissais pas le palais Dickinson. Le sol était couvert d'un parquet somptueux, les murs pannelés de chêne sombre. Des bancs en bois ouvragé encadraient un portemanteau, et une horloge murale disait SANTA FE sous le 12 et RAILROAD au-dessus du 6. Les tableaux décorant l'ensemble représentaient des paysages brumeux de Californie, le genre de peintures que les galeries de Carmel avaient tenté de faire passer pour des chefs-d'œuvre pendant des années.

Le salon se trouvait sur la gauche, comme le révélaient des portes coulissantes ouvertes. D'autres murs pannelés, d'autres toiles ayant des paysages pour thème — le Yosemite, Death Valley, la côte près de Monterey. Des chaises à dossier droit, tendues de tissu noir, étaient disposées en un cercle. De lourdes tentures cachaient les fenêtres. Ce qui aurait pu être la salle à manger se trouvait sur la droite, transformée en salle d'attente, avec des canapés dépareillés et des tables basses chargées de revues.

Elle marchait deux pas devant moi, vers le fond du hall d'entrée. Son pas était énergique, décidé ; sa robe très moulante ; le déhanchement sobre, mais fluide. Pas de bavardage.

Elle s'arrêta, ouvrit une porte et s'effaça.

Je pénétrai dans ce qui avait probablement été naguère une chambre de domestique. Une pièce petite, au plafond bas, mal éclairée et aux murs gris. Ici les meubles avaient une simplicité contemporaine : un fauteuil de secrétaire à dossier bas, en pin et cuir gris, derrière un bureau du même bois. Deux chaises devant. Sur le mur derrière le bureau, trois étagères à tasseaux surchargées de dossiers. Des diplômes couvraient le mur de gauche, et la fenêtre ouvrant dans celui de droite avait été masquée d'un store gris plissé.

Une seule œuvre d'art, près des étagères. Une lithographie de Cassatt. Couleurs douces. Une Mère à l'enfant.

Hier j'avais vu une autre œuvre du même artiste. Dans une autre pièce simple et grise.

Fallait-il déceler un lien particulier dans ce genre de détails communs à la patiente et à sa thérapeute ?

Je pensai à l'énigme de l'œuf et de la poule, et laissai tomber.

Ursula Cunningham-Gabney s'assit derrière le bureau et croisa les jambes. La jupe remonta sur ses cuisses, et elle ne fit rien pour la redescendre. Elle mit ses lunettes et me contempla un moment.

— Des nouvelles d'elle ? demanda-t-elle.

Je secouai la tête négativement.

Elle eut un froncement de sourcils et de l'index remonta ses lunettes sur son nez fin.

— Vous êtes plus jeune que je ne pensais, dit-elle.

— J'allais dire la même chose. Et vous avez décroché deux doctorats...

— Ça n'a rien de bien remarquable, répondit-elle. J'ai sauté deux classes à l'école élémentaire, je suis entrée à Tufts à quinze ans et à Harvard à dix-neuf. Leo Gabney était mon professeur principal et il m'a servi de guide. Il m'a évité les erreurs qui en font trébucher beaucoup. J'ai étudié de front deux spécialisations : psychobiologie et médecine, les deux en suivant des cours préparatoires en licence. Ensuite Leo m'a encouragée à aller dans une école de médecine. J'ai fait ma thèse dans les deux premières années, en combinant mon internat avec mes cours de psychologie, et j'ai fini par obtenir la licence dans les deux domaines.

— Ça semble assez frénétique.

— C'était merveilleux, dit-elle sans la moindre trace de sourire. Ces années ont été merveilleuses.

Elle ôta ses lunettes, posa ses mains à plat sur le bureau.

— Alors, Alex. Qu'allons-nous faire avec la disparition de Mrs. Ramp ?

— J'espérais que vous pourriez me mettre un peu plus au courant.

— J'aimerais tirer avantage du fait que vous l'avez vue plus récemment que moi.

— Je croyais que vous la receviez tous les jours.

— Non, pas depuis quelque temps déjà. Nous avons réduit nos séances individuelles à deux ou quatre par semaine, selon ses besoins. Je l'ai vue pour la dernière fois mardi, le jour où vous avez téléphoné. Elle m'a paru en très bonne forme. C'est pourquoi j'ai estimé que vous pouviez lui parler. Qu'est-il arrivé avec Melissa pour qu'elle soit aussi choquée ?

— Elle essayait de persuader Melissa qu'elle allait bien, et que Melissa pouvait partir sans crainte à Harvard. Melissa s'est énervée, elle a claqué la porte et sa mère a eu une attaque d'angoisse. Mais elle a réussi à la maîtriser en inhalant un produit qu'elle a décrit comme un relaxant musculaire et en faisant des exercices de respiration jusqu'à ce qu'elle ait retrouvé son calme.

Elle acquiesça.

— Le Tranquizone. C'est un médicament plein de promesses. Mon mari et moi sommes parmi les premiers à l'utiliser dans le traitement clinique. Son avantage principal est son action très spécifique : il agit directement sur le système nerveux sympathique et ne semble avoir aucun effet sur le thalamus ou le système musculaire. On évite tous les problèmes causés par le Valium ou le Xanax, par exemple. Et son administration par voie orale permet d'améliorer la respiration très rapidement, ce qui fait aussitôt baisser le syndrome d'anxiété. Le seul inconvénient réside dans la courte durée des effets.

— Il a parfaitement agi sur elle, en tout cas. Elle s'est calmée très vite, et s'est rassérénée à l'idée d'avoir maîtrisé l'attaque.

— C'est ce sur quoi nous travaillons. L'amour-propre. Nous utilisons le Tranquizone comme tremplin pour une restructuration personnelle consciente. Nous leur faisons connaître le succès, ensuite nous les entraînons à se voir dans le rôle de celui qui décide, à considérer l'attaque comme un défi et non une tragédie. A force de petites victoires, ils se reconstruisent une confiance en eux-mêmes.

— Pour elle, c'était une victoire, cela ne fait aucun doute. Après s'être calmée, elle s'est rendu compte que le problème avec Melissa n'était toujours pas résolu. Cela l'a dérangée, mais l'anxiété n'est pas reparue.

— Comment a-t-elle réagi à cela ?

— Elle s'est mise à chercher Melissa.

— Bien, bien... Action-orientation.

— Malheureusement, Melissa était partie. Elle avait quitté la propriété avec un ami à elle. Je suis resté avec Mrs. Ramp pendant une demi-heure environ, à attendre son retour. C'est la dernière fois que je l'ai vue.

— Quelle a été l'attitude de Mrs. Ramp pendant que vous attendiez avec elle ?

— Soumise. Elle s'inquiétait de la façon dont elle s'était comportée avec Melissa. Mais sans panique. En fait elle paraissait très calme.

— Quand Melissa a-t-elle réapparu ?

Je me rendis compte que je n'en savais rien et l'avouai.

— Eh bien, dit-elle, l'incident doit avoir affecté Gina plus qu'elle ne l'a laissé paraître. Même à moi. Elle m'a téléphoné ce matin et m'a dit qu'il y avait eu une « confrontation ». Elle m'a semblé tendue, mais elle a affirmé qu'elle allait très bien. Sa capacité à se percevoir en état de contrôle de la situation est tellement importante pour elle que je n'ai pas insisté. Mais j'ai compris qu'il nous faudrait parler. Je lui ai proposé de choisir entre une séance individuelle et une séance de groupe, et elle a dit qu'elle préférait la séance de groupe, que si cela ne résolvait rien pour elle peut-être resterait-elle après pour en discuter en tête à tête. C'est pourquoi j'ai été particulièrement surprise de ne pas la voir aujourd'hui, puisqu'il y avait séance de groupe et que c'était important pour elle. Pendant la pause de quatre heures, j'ai appelé chez elle et j'ai eu son mari. Il m'a dit qu'elle était partie pour participer à la séance, à deux heures et demie. Je n'ai pas voulu l'alarmer, mais je lui ai quand même suggéré de prévenir la police. Et avant que j'aie fini ma phrase, j'ai entendu des cris derrière lui.

Elle s'interrompit, avança le buste de sorte que sa poitrine reposait sur le bord du bureau.

— Apparemment Melissa venait d'entrer dans la pièce et elle a compris ce qui se passait. Elle est devenue hystérique.

Une autre pause. Les seins ne bougeaient pas, comme une offrande.

— Vous ne paraissez pas apprécier Melissa outre mesure, remarquai-je.

Elle se redressa sur son siège, se laissa aller contre le dossier.

— Ce n'est pas vraiment le sujet, non ?

— Pas vraiment, en effet.

Elle tira sur sa jupe, avec un peu plus de vivacité car celle-ci refusait de redescendre.

— Très bien, fit-elle, vous êtes donc son avocat. Je sais que les pédiatres tombent souvent dans ce genre de travers, et peut-être est-ce nécessaire dans certains cas. Mais absolument pas dans celui qui nous préoccupe. Nous avons affaire à une situation de crise. A une femme atteinte de phobie sévère, une des patientes les plus atteintes qu'il m'ait été donné de traiter, et j'en ai traité beaucoup. Elle se trouve à l'extérieur et doit affronter des stimuli auxquels elle n'est pas du tout préparée puisqu'elle a brisé le rythme de son traitement. Elle a pris des risques alors qu'elle n'y était pas prête, à cause de la pression ressentie dans sa relation avec une adolescente *extrêmement* névrosée. Et c'est là qu'intervient mon plaidoyer : je dois me préoccuper prioritairement de *ma* patiente. Je ne doute pas que vous ayez noté l'aspect pathologique de la relation entre la mère et la fille ?

Elle cligna plusieurs fois des yeux, et une roseur qui ne devait rien au maquillage marqua ses pommettes.

— Peut-être, répondis-je. Mais Melissa n'a pas inventé cette relation. Elle l'a subie, elle n'est pas née comme ça. Alors pourquoi accuser la victime ?

— Je vous assure...

— De plus je ne vois pas pourquoi vous mettez cette disparition sur le compte d'un conflit mère-fille. Gina

Ramp n'a jamais laissé sa fille souffrir de sa pathologie auparavant.

D'une poussée elle fit reculer son siège à roulettes d'un demi-mètre, sans me quitter des yeux.

— Et qui accuse la victime, maintenant ?

— D'accord, reconnus-je. Ce n'est pas une manière très productive de procéder.

— En effet. Avez-vous d'autres renseignements à me communiquer ?

— Je suppose que vous êtes au courant des circonstances qui ont déclenché cette phobie ? L'attaque à l'acide ?

— Vous supposez juste, répondit-elle sans presque bouger les lèvres.

— L'agresseur, Joel McCloskey, est revenu à Los Angeles.

Sa bouche forma un O parfait, mais aucun son n'en sortit. Elle décroisa les jambes et serra les genoux.

— Oh, merde, souffla-t-elle avec grâce. Quand est-ce arrivé ?

— Il y a six mois, mais il n'est pas entré en contact avec la famille. Aucune preuve qu'il ait quoi que ce soit à voir avec la disparition. La police l'a interrogé et il avait un alibi, ils l'ont donc relâché. Et s'il avait voulu leur créer des ennuis, il avait tout le temps : il est sorti de prison il y a six ans. Depuis il n'est jamais entré en contact avec elle ou la famille.

— Six ans !

— Depuis sa sortie de prison, oui. Mais il a passé la majeure partie de ce temps hors de cet État.

— Elle ne m'en a jamais rien dit.

— Elle n'était pas au courant.

— Alors comment le savez-vous, vous ?

— Melissa l'a découvert récemment, et elle me l'a dit. Je vis ses narines frémir.

— Et elle n'a rien dit à sa mère ?

— Elle ne voulait pas l'inquiéter. Elle avait l'intention d'engager un détective privé pour surveiller les agissements de McCloskey.

— Malin. Très malin, dit-elle en secouant la tête avec étonnement. A la lumière des derniers événements, vous soutenez sa position ?

— Au moment où elle a pris cette décision il pouvait sembler raisonnable de ne pas traumatiser Mrs. Ramp. Si le détective avait découvert que McCloskey représentait une menace réelle, alors Mrs. Ramp aurait été avertie.

— Comment Melissa a-t-elle su que McCloskey était revenu ?

Je lui répétai ce que j'avais appris.

— Incroyable, dit-elle. Cette gamine a de l'initiative, je dois lui reconnaître ça. Mais son intervention a...

— C'était une position a priori, par ailleurs rien ne prouve qu'elle ne soit pas valable. Pouvez-vous affirmer que *vous* auriez averti Mrs. Ramp dans les mêmes circonstances ?

— J'aurais aimé avoir le choix de le faire.

Un silence. Elle semblait plus vexée qu'en colère.

Une partie de moi-même voulait s'excuser, mais l'autre avait envie de la sermonner sur la façon de communiquer efficacement avec la famille d'une patiente.

— Et dire que tout ce temps j'ai travaillé à lui montrer que le monde extérieur était sans danger, alors qu'il était là, quelque part...

— Écoutez, il n'y a aucune raison de penser que quoi que ce soit de terrible lui soit arrivé. Elle a peut-être eu des problèmes avec la voiture. Ou bien elle a décidé de déployer ses ailes un peu plus ; le fait qu'elle ait choisi de conduire seule la Rolls jusqu'ici indique peut-être qu'elle éprouvait le besoin de se lancer.

— Et le retour de cet homme ne vous dérange pas ? La possibilité qu'il l'ait épiée depuis six mois ?

— Vous vous êtes souvent rendue à San Labrador. Lorsque vous marchiez avec elle dans les rues, l'avez-vous jamais vu, lui ou quelqu'un d'autre ?

— Non. Mais s'il était apparu je ne l'aurais pas remarqué. J'étais totalement concentrée sur elle.

— Même ainsi, San Labrador est bien le dernier endroit où il est possible d'épier quelqu'un sans se faire remarquer. Les rues sont vides, il n'y a pas de piétons, pas de circulation, ce qui rend tout étranger suspect, et c'est exactement le but recherché. Quant à la police, elle agit comme un service de gardiennage privé. Sauter sur tout étranger a l'air d'être leur spécialité.

— C'est vrai, dut-elle concéder. Mais s'il était resté assis dans sa voiture à l'arrêt, pour ne pas être repéré ? S'il s'était contenté de passer dans le quartier — pas tous les jours, juste une fois de temps en temps ? A différentes heures de la journée, dans l'espoir de l'apercevoir. Et aujourd'hui il aurait pu la voir, justement, et la suivre. Ou bien ce n'était pas lui : puisqu'il a déjà payé quelqu'un pour l'agresser, il peut avoir recommencé. C'est pourquoi son alibi ne signifie rien en ce qui me concerne. Et cet homme qui l'avait attaquée, celui que McCloskey a payé ? Lui aussi est peut-être revenu en ville.

— Melvin Findlay ? Ce n'est pas l'homme que je choisirais pour ce genre de travail.

— Que voulez-vous dire ?

— Un Noir dans une voiture à San Labrador ne tiendrait pas deux minutes. Et Findlay a payé cher en prison pour avoir joué à l'homme de main. Difficile de croire qu'il serait assez stupide pour tenter de l'agresser une deuxième fois.

— Peut-être. J'espère que vous avez raison. Mais j'ai étudié l'esprit criminel et j'ai depuis longtemps abandonné tout espoir en l'intelligence humaine.

— Puisqu'on parle d'esprit criminel, Mrs. Ramp vous a-t-elle jamais dit ce que McCloskey lui reprochait ?

Elle ôta ses lunettes, tambourina sur la table du bout des doigts, chassa une poussière d'une pichenette.

— Non, jamais. Parce qu'elle n'en sait rien. Elle n'a aucune idée des raisons de sa haine. Ils ont eu une liaison, mais ensuite ils se sont séparés en bons termes. Elle a été vraiment abasourdie par l'agression. Et cela a rendu la chose d'autant plus difficile pour elle, parce qu'elle ne savait pas, qu'elle ne comprenait pas. J'ai passé beaucoup de temps à travailler sur cet aspect de sa phobie. — Elle pianota encore un peu sur le bureau. — Non, cela ne lui ressemble pas du tout. Elle a toujours été une patiente modèle, elle n'a jamais dévié du plan établi. Même s'il ne s'agit que d'une panne de voiture, je l'imagine bloquée dans un environnement inconnu, saisie par la panique...

— Porte-t-elle sa médication sur elle ?

— Elle le devrait, en tout cas. Elle a pour instructions d'avoir toujours le Tranquizone à portée de main.

— Et de ce que j'ai vu, elle sait très bien s'en servir.

Elle me fixa d'un regard intense, puis m'adressa un sourire pincé qui fit ressortir la ligne nette de sa mâchoire.

— Vous êtes un optimiste, docteur Delaware.

Je lui souris largement.

— Ça m'aide à vivre.

Son expression s'adoucit un peu, et un instant je crus que je verrais l'éclat de ses dents. Mais elle se contenta d'une grimace indéchiffrable et dit :

— Excusez-moi. Je crois que je ne suis pas assez informée. Il faut que je remédie à cela.

Elle décrocha le téléphone et composa le 911. Lorsqu'elle eut le standard, elle se présenta et demanda à parler au chef de la police.

— Il s'appelle Chickering, lui dis-je tandis qu'elle attendait.

Elle hocha la tête, leva un index et dit dans le combiné :

— Chef Chickering ? Ici le Dr Ursula Cunningham-Gabney, le médecin traitant de Gina Ramp... Non, rien... Oui, bien sûr... Oui, elle devait, à trois heures cet après-midi... Non, pas du tout... — Une expression d'exaspération. — Chef Chickering, je vous assure qu'elle était en pleine possession de ses facultés. Absolument... Non, pas du tout... Je ne pense pas que cela serait très prudent, ni nécessaire d'ailleurs... Non, je vous dis qu'elle avait un comportement tout à fait rationnel... Oui. Oui, je comprends... Excusez-moi, mais j'ai pensé à une chose qui mériterait peut-être votre attention. L'homme qui l'a agressée... Non, pas lui, celui qui a jeté l'acide, Findlay. Melvin Findlay. Vous l'avez localisé ?... Oh, je vois... Oui, bien sûr. Merci, Chef.

Elle raccrocha, l'air dépité.

— Findlay est mort. Décédé en prison il y a plusieurs années. Chickering était vexé que je lui pose la question, comme si je mettais en doute ses capacités professionnelles.

— Il m'a semblé que lui mettait en doute l'équilibre mental de Gina.

Elle prit un air dégoûté.

222

— Il voulait savoir si elle était « complètement là » ! Jolie expression, non ? — Elle leva les yeux au plafond. — Je crois qu'il aurait aimé que je lui dise qu'elle est folle. Comme si cela eût rendu sa disparition plus acceptable.

— Plus acceptable s'il ne la retrouve pas, dis-je. Après tout, qui peut être tenu responsable des actions d'un fou ?

De nouveau elle cligna plusieurs fois des paupières, très vite. Puis elle baissa les yeux sur le bureau et la sévérité quitta ses traits. Elle paraissait plus jeune. Pendant un moment je vis une petite fille myope, dont l'intelligence s'était développée plus vite que celle de ses pairs, mais qui avait eu des difficultés relationnelles. Je l'imaginai assise dans sa chambre, à lire et à se demander si un jour elle trouverait sa place dans le monde.

J'aurais parié que sa beauté s'était épanouie sur le tard.

— Nous sommes responsables, déclara-t-elle. Nous avons accepté la responsabilité de prendre soin d'elle. Et nous sommes assis là, sans pouvoir rien faire.

La frustration se lisait maintenant sur son visage. Je me mis à contempler le Cassatt. Elle le vit et sa tension parut croître encore un peu.

— Magnifique, n'est-ce pas ?

— Oui.

— Cassatt était un génie. Quel rendu de l'expressivité, surtout dans sa manière de montrer l'âme enfantine.

— J'ai entendu dire qu'elle n'aimait pas les enfants.

— Oh ! vraiment ?

— Vous avez cette œuvre depuis longtemps ?

— Assez, oui. — Elle effleura sa chevelure d'une main rapide, me décocha un autre sourire fermé. — Mais vous n'êtes pas venu ici pour parler d'art. Puis-je autre chose pour vous ?

— Voyez-vous d'autres facteurs psychologiques qui pourraient expliquer la disparition de Gina ?

— Par exemple ?

— Des accès de dissociation. Amnésie, fugue incontrôlée. Aurait-elle pu subir une rupture et se retrouver perdue à l'extérieur, sans savoir qui elle est ?

Elle réfléchit un moment.

— Il n'y a aucun précédent de ce type chez elle. Son

223

ego est intact, ce qui est d'ailleurs assez remarquable si l'on considère ce qu'elle a vécu. En fait j'ai toujours vu en elle une de mes agoraphobes les plus *rationnelles*. En ce qui concerne l'origine de ses symptômes. Avec certains d'entre eux, vous ne savez pas comment a commencé leur agoraphobie. Aucun traumatisme déclencheur. Mais dans son cas les symptômes se sont manifestés à la suite d'un stress émotionnel et physique intense. Opérations multiples, périodes prolongées d'alitement — une sorte d'agoraphobie médicalement prescrite, si vous voulez. Si l'on ajoute à cela que l'agression a eu lieu alors qu'elle sortait de chez elle, il aurait presque été irrationnel qu'elle ne réagisse pas comme elle a réagi. Peut-être même au niveau biologique : certaines recherches ont révélé des modifications structurelles dans le mésencéphale à la suite de traumatismes.

— C'est assez cohérent, dis-je. Et je suppose qu'après son retour nous risquons de ne jamais savoir ce qui s'est passé.

— Que voulez-vous dire ?

— A cause de la vie qu'elle mène. L'isolement. A sa façon, elle est très autosuffisante. C'est une situation qui peut pousser à aimer le secret. Et même à s'y complaire. Je me souviens, quand je traitais Melissa, d'avoir comparé les secrets dans cette famille à leur monnaie privée. Je me disais qu'un étranger ne saurait jamais ce qui se passait au fond. Gina a peut-être fait provision de monnaie...

— C'est le but de la thérapie, dit-elle : atteindre cette provision. Ses progrès dans ce sens sont d'ailleurs remarquables.

— Je n'en doute pas. Je disais simplement qu'elle peut toujours décider de garder certaines choses secrètes.

Son visage se durcit, comme si elle se préparait à combattre cette hypothèse. Mais elle attendit de s'être calmée avant de répondre.

— Il se peut que vous ayez raison. Nous nous rattachons tous à quelque chose, n'est-ce pas ? Ces jardins secrets que nous entretenons avec soin... — Elle se détourna de moi et poursuivit : « Des jardins emplis de fleurs d'acier. Avec des racines, des tiges et des pétales en acier. » C'est ce que m'a dit un schizophrène, un jour, et je trouve l'image assez appropriée. Le sondage le plus profond ne saurait arracher des fleurs en acier si elles ne veulent pas être déracinées, vous ne pensez pas ?

Elle me regarda de nouveau. Avec ce même air vexé.

— Sans doute, dis-je. Mais si elle décide de déraciner ses fleurs, vous serez sans doute la personne à qui elle offrira son bouquet.

Un sourire assez faible. L'éclat bref des dents, qui étaient très blanches et bien plantées.

— Vous ne seriez pas en train de vous montrer condescendant, docteur Delaware ?

— Non, et si c'est ainsi que mes propos sont perçus, j'en suis sincèrement désolé, docteur Cunningham épouse Gabney.

Le trait d'humour renforça un peu l'ombre de sourire.

— Et les autres membres de son groupe ? continuai-je. Pourraient-ils savoir quelque chose d'utile à son sujet ?

— Non. Elle n'en voit aucun en dehors des séances.

— Combien sont-ils ?

— Deux.

— Petit groupe.

— C'est un désordre psychologique assez rare. Et trouver des patients motivés disposant des moyens nécessaires à un traitement aussi long réduit encore le nombre des candidats.

— Comment se comportent les deux autres patients ?

— Assez bien pour quitter leur foyer et venir aux séances.

— Assez bien pour être interrogés ?

— Par qui ?

— La police. Le détective privé. Il va la rechercher, en plus de son enquête sur McCloskey.

— Absolument pas. Ce sont des individus fragiles. Ils ne savent même pas qu'elle a disparu, pour l'instant.

— Mais ils savent qu'elle n'est pas venue aujourd'hui.

— Les absences aux séances ne sont pas rares. La plupart d'entre eux ont manqué des séances à un moment ou un autre du traitement.

— Mrs. Ramp avait déjà manqué une séance avant aujourd'hui ?

— Non, mais là n'est pas le propos. Aucune absence ne serait jugée digne d'intérêt par les autres membres du groupe.

— Seront-ils plus curieux si elle ne vient pas lundi prochain ?

— S'ils le sont, je m'en chargerai. A présent, si cela ne vous dérange pas, je préférerais ne pas aborder le sujet de mes autres patients. Ils n'ont pas perdu leur droit à la confidentialité.

— Très bien.

Elle fit mine de croiser de nouveau ses jambes, se ravisa et garda ses pieds bien à plat sur le sol.

— Eh bien, dit-elle, nous n'avons pas beaucoup progressé, n'est-ce pas ?

Elle se leva, défroissa sa robe du plat de la main et regarda derrière moi, vers la porte.

— Aurait-elle quelque raison de partir... volontairement ? demandai-je.

Elle tourna vivement la tête vers moi.

— C'est-à-dire ?

— La grande évasion, fis-je aimablement. Échanger son mode de vie contre autre chose de totalement différent. Abandonner le support thérapeutique pour se lancer dans une indépendance totale.

— Une indépendance totale ? Ça n'a absolument aucun sens.

La porte s'ouvrit brusquement avant qu'elle ait eu le temps de me reconduire. Un homme fonça dans le hall. Leo Gabney. J'avais vu sa photo deux jours plus tôt, mais je dus le regarder à deux fois avant de le reconnaître.

Il nous vit en plein élan et s'arrêta si brutalement que je n'aurais pas été étonné de voir des marques de freinage sur le parquet.

C'était son accoutrement qui m'avait dérouté : une chemise à carreaux rouge et blanche, un blue-jean moulant et des bottes à bout pointu avec des talons biseautés. Sa ceinture était de cuir épais clouté, et la grosse boucle en argent formait la lettre *psi* — contribution de l'alphabet grec à son identité professionnelle. Un mousqueton accroché à un passant de son pantalon lui servait de porte-clefs,

Urban Cowboy, mais il lui manquait la musculature de rigueur. Malgré son âge, il avait l'allure d'un adolescent. Un mètre soixante-cinq pour une soixantaine de kilos, le thorax concave et les épaules moins larges que celles de sa femme. Sa chevelure broussailleuse grisonnait par endroits au-dessus d'un visage tanné par le soleil. Des yeux d'un bleu vif, sous de gros sourcils blancs. Son front haut était marqué de taches de sénescence et sillonné d'une douzaine de rides de souci. Le nez fort avait les narines pincées, et par contraste le menton était un peu faible. La pomme d'Adam formait une excroissance rougeâtre sur le cou, et l'échancrure de son col laissait voir quelques poils blancs de la poitrine. Le tout donnait une impression assez étrange mais pas saugrenue.

Il gratifia sa femme d'un baiser sur la joue, et moi d'un regard digne d'un habitué de la dissection.

— C'est le Dr Delaware, dit-elle.

— Ah, docteur Delaware. Je suis le Dr Gabney.

Sa voix était puissante, une basse profonde surprenante pour un coffre aussi étroit, et fortement empreinte d'un accent de Nouvelle-Angleterre.

Il tendit la main. Elle était fine et douce — il n'avait pas dû ligoter beaucoup de veaux —, molle au point que les os paraissaient avoir mariné dans du vinaigre. La peau était lâche, sèche et froide, comme celle d'un lézard à l'ombre.

— A-t-elle réapparu ? demanda-t-il.

— Hélas non, Leo, répondit sa femme.

Il émit un claquement de langue irrité.

— Diable de situation. Je suis venu aussi vite que possible.

— Le Dr Delaware vient de m'apprendre que McCloskey, l'homme qui l'avait fait agresser, est revenu à Los Angeles.

Les sourcils neigeux se haussèrent sur le front, se transformant en V inversés.

— Oh ?

— La police l'a retrouvé, mais il a un alibi et ils ont dû le laisser aller. Nous parlions du fait qu'auparavant il a payé quelqu'un, il n'y a donc pas de raison pour qu'il ne recommence pas. L'homme qu'il avait payé la première

227

fois est mort, mais cela n'exclut pas qu'il fasse appel à une autre fripouille, n'est-ce pas ?

— Non, bien sûr. Quelle horreur. Le laisser en liberté est une absurdité, c'est absolument prématuré. Pourquoi n'appellerais-tu pas la police pour le leur rappeler, chérie ?

— Je doute qu'ils prêtent beaucoup d'attention à mes propos. Le Dr Delaware estime également qu'il est très improbable que quelqu'un ait pu épier Gina sans être remarqué par la police de San Labrador.

— Et pourquoi cela ? fit-il.

— A cause des rues désertes et du fait que la compétence principale de la police locale est la surveillance des étrangers au quartier.

— Compétence est un terme bien relatif, Ursula. Appelle-les, et rappelle-leur avec doigté que le comportement de McCloskey est du type actif, non passif, et qu'il peut avoir agi de nouveau. Les inadaptés sociaux répètent souvent le même schéma dans leurs actions. Ils sont tous pareils.

— Leo, je ne crois pas que...

— S'il te plaît, chérie.

Il prit ses deux mains dans les siennes, en massa le dos avec ses pouces.

— Nous sommes confrontés à des esprits inférieurs, et la sécurité de Mrs. Ramp est en jeu.

Elle ouvrit la bouche pour objecter, la referma puis dit :

— Très bien, Leo.

— Merci, chérie. Ah, autre chose : sois gentille de déplacer la Saab. Je dépasse dans la rue.

Elle nous tourna le dos et sortit rapidement. Gabney suivit son déhanchement d'un regard que je ne pouvais qualifier que de lascif. Lorsqu'elle referma la porte il se tourna vers moi pour la première fois depuis que nous nous étions serré la main.

— Docteur Delaware, la célébrité du *pavor nocturnus*. Passons dans mon bureau, voulez-vous ?

Je le suivis vers l'arrière de la maison, dans une grande pièce lambrissée qui avait dû être naguère la bibliothèque. Un drapé de velours groseille à lambrequin doré couvrait la majeure partie d'un mur. Les autres étaient occupés par des bibliothèques sculptées dans un style vaguement rococo et des tableaux assez sombres de chiens et de chevaux. Le plafond était aussi bas que celui du bureau de sa femme, mais décoré de moulures et d'une rosace centrale d'où pendait un lustre hérissé de bougies électriques.

Un bureau de deux mètres de long, en bois sculpté, trônait devant une des bibliothèques. Un encrier et un porte-plume en cristal et argent, un ouvre-lettres en ivoire, un vieux sous-main et une lampe à abat-jour vert partageaient le cuir rouge recouvrant le meuble avec une corbeille à courrier et des revues de psychologie empilées, certaines encore dans leur emballage postal. La bibliothèque derrière lui était emplie de livres portant son nom et de dossiers étiquetés ARTICLES/REVUES, de 1951 à l'année dernière.

Il s'assit au bureau, dans le fauteuil en cuir à haut dossier, et me désigna un siège en face de lui.

La deuxième fois en quelques minutes que je me retrouvais à la place du visiteur. Je commençais à me sentir dans la peau d'un patient.

Avec le coupe-papier, il fendit le film plastique protégeant un exemplaire du *Journal of Applied Behavorial Analysis*, ouvrit le magazine au sommaire qu'il parcourut, puis posa la revue. Il en prit une autre qu'il feuilleta, sourcils froncés.

— Mon épouse est une femme étonnante, dit-il en choisissant un troisième périodique. Un des esprits les plus fins de sa génération. Docteur en médecine à vingt-cinq ans. Vous ne trouverez pas de praticien plus habile ou plus dévoué.

Je me demandais s'il tentait d'effacer l'attitude déplorable qu'il avait eue avec elle.

— Impressionnant, lâchai-je.

— Extraordinaire, oui, fit-il en reposant la troisième revue, un sourire aux lèvres. Après cela, que pouvais-je faire sinon l'épouser ?

Sans me laisser le temps de réagir, il poursuivit :

— Nous aimons dire en plaisantant qu'elle est un paradoxe vivant.

Il gloussa, cessa subitement et pêcha dans une des poches de sa chemise un paquet de tablettes de chewing-gum.

— A la menthe ? proposa-t-il.

— Non, merci.

Il ôta l'emballage d'une tablette et se mit à la mâcher avec application. Son évocation de menton montait et descendait avec une régularité de machine.

— Pauvre Mrs. Ramp. A ce stade de son traitement elle n'est pas équipée pour se retrouver ainsi à l'extérieur. Ma femme m'a téléphoné dès qu'elle s'est rendu compte que quelque chose n'allait pas. Nous possédons un ranch à Santa Ynez. Malheureusement, je n'avais guère de solution à lui proposer. Qui aurait pu prévoir une telle situation ? Qu'a-t-il bien pu se passer ?

— Bonne question.

— Mais affligeante. Je voulais être ici, au cas où quelque chose se produirait. J'ai tout laissé tomber au ranch et je suis venu immédiatement.

Ses vêtements me semblaient pourtant propres et non froissés. Je me demandai ce qu'il avait bien pu laisser tomber au ranch. Me remémorant la douceur de ses mains, je demandai :

— Vous montez à cheval ?

— Un peu, fit-il sans cesser de mâchonner. Mais je n'ai pas vraiment de passion pour les chevaux. Je n'aurais jamais acheté ceux que nous possédons, mais ils faisaient partie de la propriété. C'est l'espace que je désirais. L'endroit que j'ai choisi a quelque quatre mille mètres carrés de terrain. J'ai pensé y planter des ceps de Chardonnay...

Sa mâchoire s'immobilisa un instant, et je vis la boule du chewing-gum passer à l'intérieur d'une joue, comme une chique.

— Pensez-vous qu'un comportementaliste est capable de produire un vin de qualité ?

— On dit que les grands vins résultent de paramètres incontrôlables.

Il eut un petit sourire.

— Rien de tel, en fait. On n'a pas assez cherché ces paramètres, voilà tout.

— Peut-être. Bonne chance.

Il se laissa aller contre le dossier de son siège et posa ses mains sur son ventre.

— L'air, dit-il en reprenant sa mastication, voilà ce qui m'attire là-bas, en fait. Malheureusement ma femme ne peut pas en profiter, elle souffre d'allergies. Aux chevaux, à l'herbe, aux pollens des arbres, tout un tas de choses qui ne l'ont jamais gênée à Boston. C'est pourquoi elle se concentre autant sur le travail clinique, ce qui me laisse libre de me concentrer sur l'expérimentation.

Ce n'était pas précisément le genre de conversation que j'avais espéré avoir avec le grand Leo Gabney à l'époque où j'imaginais ces rencontres. Et je n'étais pas sûr du motif de son invitation.

— Alex Delaware, dit-il comme s'il sentait mon trouble. J'ai suivi vos travaux avec intérêt, et je ne parle pas uniquement de vos études sur le sommeil. « Traitement multimodal des obsessions autodestructrices chez l'enfant » ; « Aspects psychologiques des maladies chroniques et des hospitalisations prolongées chez l'enfant » ; « Répercussions des maladies sur la communication et la cellule familiale » ; etc. Une production solide, et une écriture très claire.

— Merci.

— Vous n'avez rien publié depuis quelques années...

— Je travaille sur quelque chose en ce moment même. Mais j'ai été pas mal occupé à d'autres tâches.

— Pratique privée ?

— Médico-légal.

— Quel sorte de médico-légal ?

— Les cas découlant de traumatismes ou de blessures. Certaines affaires de garde d'enfant.

— Sale sujet, la garde d'enfant, dit-il. Que pensez-vous de la garde alternée ?

— Elle peut être satisfaisante, dans certaines situations.

Il sourit.

— Bien éludé. Je suppose que c'est un échantillon de la faculté d'adaptation gagnée auprès du système légal. Personnellement, j'estime que les parents devraient être fortement incités à pratiquer la garde alternée. S'ils échouent de façon répétée, le parent montrant les meilleures capacités d'éducateur devrait se voir attribuer la garde principale, quel que soit son sexe. Vous n'êtes pas d'accord?

— Je pense que c'est l'intérêt de l'enfant qui doit primer.

— Tout le monde est de cet avis, Docteur. Le problème est de rendre opérantes ces bonnes intentions. S'il ne tenait qu'à moi, aucune décision concernant la garde ne serait prise avant que des observateurs exercés aient vécu avec la famille plusieurs semaines. Ils devraient ensuite rédiger un rapport détaillé en utilisant des paramètres comportementaux valables, structurés, et soumettre le tout à des spécialistes en psychologie. Que pensez-vous de cette méthode?

— Elle semble intéressante, en théorie. En pratique...

— Non, non, fit-il en mâchant furieusement. Je parle d'expérience pratique. Ma première épouse a voulu m'assassiner légalement. C'était il y a longtemps, quand les tribunaux ne voulaient même pas écouter les pères. Elle buvait et fumait, et elle était totalement irresponsable. Mais pour l'imbécile de juge qui a statué sur l'affaire, le facteur crucial se résumait à savoir qui possédait des ovaires. Il lui a tout donné — ma maison, mon fils, soixante pour cent des misérables possessions que j'avais accumulées en tant qu'assistant non titularisé. Et un an plus tard, elle a fumé au lit alors qu'elle était complètement ivre. La maison a brûlé, et j'ai perdu mon fils à tout jamais.

Il avait parlé d'un ton neutre, la voix aussi expressive qu'une corne de brume.

Il plaça ses coudes sur la table et réunit la pointe des doigts de ses deux mains pour me regarder au travers.

— Je suis désolé, dis-je simplement.

— Ça a été une période terrible de ma vie, fit-il en mastiquant au ralenti. Pendant un certain temps j'ai cru que plus rien n'aurait de valeur. Et puis j'ai rencontré Ursula. Je suppose donc qu'il y a toujours un espoir.

Je notai l'éclat qui s'était allumé dans ses prunelles. Celui de la passion.

Je pensai à la façon dont elle lui avait obéi, au regard

qu'il avait posé sur elle quand elle sortait. Était-ce la capacité de sa femme à être à la fois femme et enfant qui l'attirait ?

Il baissa les mains.

— Peu après cette tragédie je me suis remarié. Avant Ursula. Une autre erreur de jugement, mais au moins il n'y a pas eu d'enfant. Quand j'ai fait la connaissance d'Ursula elle préparait sa licence et moi j'étais professeur principal à l'université, ainsi qu'à la faculté de médecine, sans compter mon poste de conseiller d'éducation. J'ai tout de suite compris son potentiel, et j'ai décidé de l'aider à l'optimiser. L'accomplissement le plus satisfaisant de mon expérience personnelle. Êtes-vous marié, Docteur ?

— Non.

— C'est une convention merveilleuse quand les convergences nécessaires sont là. Mes deux premières unions ont été des échecs parce que je me suis laissé influencer par l'intangible. J'ai ignoré ma formation. Ne séparez pas de votre vie les acquis de vos études, mon jeune ami. Vos connaissances du comportement humain vous donnent un avantage incomparable sur l'*homo incompetens* commun... — Il s'octroya un petit rictus satisfait. — Mais assez de discours. Quel est votre avis sur toute cette histoire ? La pauvre Mrs. Ramp ?

— Je n'ai pas d'avis, docteur Gabney. Je suis venu m'informer.

— Ce problème avec McCloskey... Il est très pénible de songer qu'un tel homme est libre de ses mouvements. Comment avez-vous su, pour lui ?

Je le lui dis.

— Ah, la fille. Elle contient sa propre anxiété en essayant de contrôler le comportement de sa mère. Dommage qu'elle n'ait pas fait profiter autrui de ce qu'elle savait. Avez-vous d'autres éléments sur McCloskey ?

— Les détails de l'agression, rien de plus. Personne ne semble avoir découvert pour quel motif il a agi ainsi.

— Oui. Un psychopathe muet. Très atypique. En règle générale ce genre d'individu adore se vanter de ses méfaits. Je suppose qu'il aurait été intéressant de savoir dès le commencement. Je veux dire, afin de définir les variables. Mais en fin de compte je ne pense pas que le traitement en ait souffert. La clef du problème consiste à éviter les grands discours et à leur faire changer de comportement. Mrs. Ramp progressait très bien. J'espère que tous ces efforts n'auront pas été en pure perte.

— Et si sa disparition était directement liée à ses progrès ? dis-je. Si elle avait été grisée par cette liberté nouvelle et qu'elle avait voulu en avoir plus encore ?

— Qu'elle se soit mise à *improviser* ? La théorie est intéressante, mais nous décourageons toute modification du plan que nous avons établi.

— On connaît le cas de patients qui ont voulu agir par eux-mêmes...

— A leur détriment.

— Vous ne pensez pas qu'ils peuvent parfois savoir ce qui leur convient le mieux ?

— Non, pas en général. Si je le croyais, je ne pourrais pas leur demander trois cents dollars de l'heure sans remords, n'est-ce pas ?

Trois cents dollars. A ce tarif, et avec le traitement intensif pratiqué, trois clients pouvaient assurer le fonctionnement de toute la clinique.

— Votre femme et vous avez les mêmes honoraires ?

A son rictus, je vis que j'avais posé la bonne question.

— Non, moi seulement. Ma femme demande deux cents dollars. Seriez-vous offusqué par ces chiffres, docteur Delaware ?

— Ils dépassent ceux auxquels je suis accoutumé, mais nous vivons dans un pays libre.

— Exact. J'ai passé la plus grande partie de ma carrière dans le milieu universitaire et les hôpitaux publics, à donner des soins aux pauvres, à définir des traitements pour des gens qui ne déboursaient pas un dollar. A ce stade de ma vie, j'ai décidé qu'il n'était que justice d'offrir aux riches le bénéfice du savoir que j'ai accumulé.

Il prit le porte-plume en argent, le fit tourner entre ses doigts puis le reposa.

— Donc, vous pensez que Mrs. Ramp a peut-être « improvisé »...

— Je pense simplement que c'est une possibilité.

234

Quand je l'ai vue hier, elle a fait allusion à des changements qu'elle voulait opérer dans sa façon de vivre.

Les yeux bleus prirent une fixité totale.

— Vraiment ? Quelle sorte de changements ?

— Elle a implicitement dit qu'elle n'aimait pas la maison où elle vivait, à cause de sa taille et de toute cette opulence. Qu'elle désirait maintenant quelque chose de plus simple.

— Quelque chose de plus simple... Rien d'autre ?

— Non, c'est à peu près tout.

— Eh bien, disparaître de cette façon peut difficilement être considéré comme une simplification.

— Avez-vous des impressions cliniques qui expliqueraient cette disparition ?

— Mrs. Ramp est une femme charmante, dit-il platement. Très douce. Instinctivement, on a envie de l'aider. Et d'un point de vue clinique, son cas est assez simple, un cas d'école d'anxiété conditionnée classiquement, renforcée et alimentée par des facteurs opérants : les effets réducteurs d'anxiété, de fuite répétée et de solitude, le tout accentué par des responsabilités sociales limitées et un altruisme accru de l'entourage.

— Une dépendance conditionnée ?

— Précisément. Par beaucoup de côtés c'est une enfant. Comme tous les agoraphobes, qui sont dépendants, ritualistes, routiniers au point de se rattacher à des habitudes dépassées. Plus la phobie dure et plus elle se renforce, entraînant un rétrécissement très net de leur éventail comportemental. Ils peuvent finir par se retrouver figés par l'inertie. Une sorte de cryogénisation psychologique, si vous me pardonnez l'audace de l'image. Les agoraphobes sont des réactionnaires psychologiques, docteur Delaware. Ils ne bougent que s'ils y sont vigoureusement poussés. Chaque pas en avant se fait avec une grande dépense d'énergie. C'est pourquoi je la vois mal sillonner le monde extérieur à la recherche de quelque paradis nébuleux.

— En dépit de ses progrès ?

— Ses progrès sont certes encourageants, mais elle en a encore beaucoup à faire. Ma femme et moi avons défini des schémas de progression très détaillés.

La phrase sonnait plus comme l'aveu d'une compétition que comme l'expression d'une collaboration. Je m'abstins de tout commentaire.

Il prit une autre tablette de chewing-gum et la glissa entre ses lèvres.

— Le traitement est très bien conçu. Nous offrons des services à la hauteur des émoluments demandés. Selon toute probabilité, Mrs. Ramp reviendra au nid et en profitera de nouveau.

— Donc vous ne vous inquiétez pas pour elle ?

Il mâcha vigoureusement, avec quelques bruits de déglutition.

— Je me sens concerné par ce qui lui arrive, mais l'inquiétude serait anti-productive. Elle provoquerait de l'anxiété. Or j'entraîne mes patients atteints de phobie à éviter l'anxiété, et je m'entraîne donc à pratiquer ce que je prêche.

15

Il me raccompagna jusqu'à la porte en soliloquant sur la science. Alors que je traversais la pelouse je vis que la Saab avait été déplacée plus avant dans l'allée. Derrière était garée une Range Rover grise. Le pare-brise en était poussiéreux, hormis les deux arcs dessinés par les essuie-glaces.

Je visualisai Gabney au volant, roulant à travers les buissons de *mesquite*, et je m'éloignai en songeant au couple étrange que formaient ces deux-là. Au premier abord, elle donnait l'impression d'être glaciale, énergique, et accoutumée à se battre pour défendre ses droits. Il n'était pas difficile de comprendre ce qui avait dressé Melissa contre elle. Mais la glace était si mince qu'elle fondait au moindre examen sérieux pour révéler une vulnérabilité comparable à celle de Gina. Était-ce la base qui avait permis une empathie exceptionnelle ?

Qui avait montré à l'autre les petites pièces grises et l'art de Mary Cassatt ?

Quelle qu'en soit la raison, elle paraissait sincèrement préoccupée. La disparition de Gina l'avait secouée.

Par contraste son mari semblait vouloir mettre de la distance entre lui et toute cette affaire. Il réduisait la pathologie de Gina à un cas de routine, ses souffrances à un exercice de jargon scientifique. Pourtant, malgré la nonchalance affichée, il était descendu aussitôt de Santa Ynez à L.A. Un trajet de deux heures. Mais peut-être se faisait-il du souci pour sa femme, ce qu'il cachait alors très bien.

La vieille séparation mâle-femelle.

Les hommes prennent la pose.

Les femmes souffrent.

Je repensais à la façon dont il m'avait narré la perte de son fils. La facilité avec laquelle il avait raconté son histoire suggérait qu'il l'avait débitée un millier de fois déjà.

Pour travailler sur cette épreuve ? En vue d'une désensibilisation ?

A moins qu'il n'ait réellement maîtrisé l'art de laisser le passé derrière lui.

Un jour, je l'appellerais peut-être pour lui demander des leçons.

Il était dix heures moins dix quand j'arrivai à Sussex Knoll. Une seule voiture de police patrouillait encore dans les rues. J'avais dû passer l'inspection car personne ne m'empêcha de me garer près du portail.

Dans l'interphone, la voix de Don Ramp me sembla rauque, et lasse.

— Non, rien de nouveau, dit-il. Venez donc nous rejoindre.

Le portail s'ouvrit, et j'engageai ma voiture dans l'allée. D'autres projecteurs extérieurs avaient été ajoutés, créant un jour artificiel froid. Comme sur un aéroport à trois heures du matin. Ou au cœur de Las Vegas, à n'importe quel moment.

Pas d'autre véhicule devant la demeure. La double porte d'entrée était grande ouverte, et Ramp se tenait immobile entre les deux battants, en manches de chemise.

— Rien du tout, dit-il quand j'eus gravi les quelques marches. Qu'ont dit les médecins ?

— Rien de significatif.

Je lui parlai de l'appel d'Ursula au sujet de Melvin Findlay.

Son visage devint lugubre.

— Du nouveau avec Chickering ? demandai-je.

— Il a téléphoné il y a une demi-heure. Rien de neuf, « elle va probablement bien, aucune raison de s'inquiéter »... On voit bien qu'il ne s'agit pas de *sa* femme ! Je lui ai demandé de contacter le FBI, mais il prétend qu'ils ne bougeront pas sans preuve d'enlèvement, et de préférence avec passage de la victime d'un État à un autre.

Il leva les mains dans un geste de désarroi, puis les laissa retomber mollement.

— « La victime ». Je ne veux même pas penser à elle en ce terme, mais...

Il referma les portes. Le hall d'entrée était illuminé, mais le reste de la maison paraissait plongé dans la nuit.

Il traversa le hall pour allumer l'éclairage du couloir.

— Votre femme vous a-t-elle jamais dit pourquoi McCloskey l'a fait agresser ?

Il s'arrêta et fit demi-tour.

— Pourquoi cette question ?

— Pour comprendre comment elle se positionne par rapport à l'agression.

— Comment elle se positionne ?

— Les victimes de crimes se lancent souvent dans des enquêtes personnelles pour comprendre. Elles veulent en savoir plus sur le criminel, ses motifs, ce qui a fait d'elles des victimes. Afin de rationaliser l'agression. C'est une façon de se protéger d'éventuelles agressions futures. Votre femme a-t-elle agi de la sorte ? Parce que personne ne semble connaître le mobile de McCloskey...

— Non, fit-il en se remettant à marcher. Du moins pas que je sache. Et elle n'a aucune idée du mobile de McCloskey. A dire vrai, nous n'avons jamais beaucoup parlé de tout cela. Je fais partie de son présent, pas de son passé. Mais elle m'a expliqué que ce salopard a toujours refusé de s'expliquer. La police n'a pas pu le faire avouer. C'était un alcoolique et un drogué, mais cela n'explique pas tout, n'est-ce pas ?

— Quel genre de drogues ?

Il appuya sur l'interrupteur et la lumière jaillit dans le grand salon où Gina Ramp et moi avions attendu la veille. Mais hier semblait déjà de l'histoire ancienne. Une carafe à long col emplie d'un liquide ambré se détachait parmi les verres en cristal biseauté posés sur un petit bar portable en bois de rose. Ramp me tendit un verre, mais je refusai d'un signe de tête. Il se servit un doigt d'alcool, hésita puis doubla la dose. Il reposa la carafe et s'accorda une large rasade.

— Je ne sais pas, dit-il. Les drogues n'ont jamais été mon truc. — Il leva son verre. — Ça et la bière, c'est aussi loin que je me risque. Je ne l'ai jamais très bien connu, seulement des rapports lointains au studio. C'était un suiveur. Il s'est accroché à Gina comme une sangsue. Un rien du tout. Hollywood en regorge. Aucun talent particulier, c'est pourquoi il utilisait celui de filles pour les photos.

Il s'avança un peu plus dans la pièce et marcha sur un tapis qui absorba le bruit léger de sa marche, restaurant le silence de la demeure. Je le suivis.

— Melissa est-elle revenue ?

— Oui. Elle est là-haut, dans sa chambre. Elle y est montée directement. Elle avait l'air assez défaite.

— Noel est toujours avec elle ?

— Non, il est retourné au Tankard, mon restaurant. Il travaille pour moi à garer les voitures des clients, et il donne un coup de main au service. C'est un bon garçon, sorti de rien, et je lui prédis un bel avenir s'il continue dans cette voie. Melissa représente un peu trop pour lui, peut-être, mais je suppose qu'il lui faudra l'apprendre par lui-même.

— Trop dans quel sens ?

— Elle est trop maligne, trop jolie, trop fringante. Il est follement amoureux d'elle et Melissa le piétine sans s'en rendre compte. Ce n'est pas de la cruauté ou du snobisme de sa part, juste sa façon d'être. Elle avance sans se soucier du reste.

Comme pour atténuer ses critiques, il ajouta :

— C'est presque étonnant qu'elle ne soit pas snob, d'ailleurs, avec tout ce luxe... Bon sang, vous imaginez ce que ça peut être de grandir ici ? Moi j'ai grandi à Lynwood, quand c'était encore majoritairement une population blanche qui y vivait. Mon père était camionneur indépendant, et c'était un homme au sale caractère. Si bien que très souvent personne ne voulait de ses services. Nous avons toujours eu quelque chose dans notre assiette, mais pas plus. Je n'aimais pas devoir faire attention, mais je sais maintenant que ça a fait de moi quelqu'un d'un peu meilleur. Non que Melissa ne soit pas quelqu'un de bien. Je pense qu'à la base c'est une jeune fille très bien.

Mais elle a l'habitude de faire à sa façon, alors elle fonce quand elle veut quelque chose, sans se soucier de ce que les autres aimeraient autour d'elle. La situation de Gina l'a fait mûrir très rapidement. De fait, on pourrait presque s'étonner qu'elle ait gardé un tel équilibre.

Il s'assit lourdement sur un canapé trop moelleux.

— Enfin, ce n'est sûrement pas moi qui vous apprendrai quelque chose sur les enfants... Mais où diable peut-elle bien être ? Et ce détective privé, vous avez réussi à le joindre ?

— Pas encore. Je vais essayer de nouveau.

Il bondit sur ses pieds et alla me chercher un téléphone sans fil.

Je composai le numéro de Milo. Le message du répondeur fut interrompu avant la fin.

— Allô ?

— Rick ? C'est Alex. Milo est là ?

— Salut, Alex. Oui, bien sûr. Nous venons de rentrer. Nous avons vu un film assez nul. Je vais le prévenir.

Quelques secondes plus tard :

— Ouais ?

— Prêt à commencer ?

— Quoi donc ?

— Ta carrière de détective privé.

— Ça ne peut pas attendre demain matin ?

— Il y a du nouveau...

Je jetai un coup d'œil à Ramp. Il me regardait fixement, l'air hagard. En termes choisis je rapportai donc les derniers éléments de l'affaire à Milo, de l'interrogatoire sans effet de McCloskey à la mort de Melvin Findlay en prison. Au lieu de faire quelque commentaire sur l'un ou l'autre, comme je m'y attendais, Milo me demanda :

— Elle a emporté des affaires avec elle ?

— Melissa affirme que non.

— Et comment Melissa peut-elle en être aussi certaine ?

— Elle dit connaître par cœur la garde-robe de sa mère. D'après elle, si quelque chose manquait elle l'aurait remarqué.

Ramp m'observait avec une curieuse intensité.

— Même un négligé microscopique ?

— Je ne pense pas qu'il y ait eu ce genre de choses, Milo.

— Pourquoi pas ?

Ramp était toujours hypnotisé par la vision de ma personne au téléphone. Il n'avait pas touché à son verre.

— Ça ne cadre pas.

— Ah. Le petit mari est là ?

— Exact.

— Très bien, passons à autre chose, alors. Qu'ont fait les flics du coin, à part patrouiller dans les rues ?

— A part ça, je n'en sais trop rien. Personne ici n'est très marqué par le niveau de leurs compétences...

— Ils n'ont pas la réputation d'être des flèches dans ce quartier, c'est vrai... D'un autre côté, que peuvent-ils faire ? Aller frapper à toutes les portes du voisinage pour se mettre à dos tous les milliardaires ? On ne peut pas décréter l'état d'urgence parce qu'une dame n'est pas rentrée chez elle pour l'apéritif. Elle n'est absente que depuis quelques heures. Et avec le genre de tacot dans lequel elle se promène, quelqu'un l'aura peut-être aperçue. Ils ont diffusé un communiqué, au moins ?

— Le chef de la police assure l'avoir fait.

— Tu fricotes avec les chefs de police, maintenant ?

— Il était ici.

— Ah ! les relations, goguenarda Milo. C'est ça, les riches...

— Et le FBI ?

— Non, ces gars-là ne bougeront pas tant qu'il n'y a pas preuve flagrante de crime, et de préférence un crime du genre à faire les gros titres des canards. A moins que tes amis influents aient des contacts en béton dans le milieu politique.

— Quelle sorte de béton ?

— Béton armé, le genre qui peut appeler Washington et convaincre le big boss. Et même dans ce cas, il faudrait qu'elle ait disparu depuis deux jours avant que les Feds ou qui que ce soit prennent l'affaire au sérieux. Sans preuve d'un crime grand modèle, à la rigueur ils enverront deux agents aux trognes d'acteurs pour rédiger un rapport, qui feront le tour de la baraque dans leurs jolis costumes d'opérette en léchouillant leur talkie-walkie. Ça fait combien, six heures, c'est ça ?

242

Je consultai ma montre.

— Plus près de sept, à présent.

— Ça n'implique pas encore la moindre monstruosité criminelle, Alex. Tu as autre chose à m'apprendre ?

— Pas grand-chose. Je reviens de chez ses thérapeutes. Ils n'ont aucun renseignement exploitable.

— Bah, tu connais ces types-là, plaisanta-t-il. Ils sont plus doués pour poser des questions que pour y répondre.

— Il y en a que tu aimerais poser ?

— Il y a quelques petits trucs qu'il me serait utile de savoir, oui.

Ramp sirotait son verre en me surveillant du regard.

— Ça pourrait être utile, en effet, dis-je.

— Je crois que je pourrai être là dans une demi-heure, à peu près, mais en principe ça va être la routine-placebo, Alex, je te préviens. Parce que dans les cas de disparitions, on épluche d'abord les comptes en banque et autres pistes financières, et ça ne peut se faire que pendant les heures de bureau. Quelqu'un a vérifié dans les hôpitaux ?

— Je suppose que la police l'a fait. Si tu pouvais...

— Pas difficile de passer quelques coups de fil. En fait je peux en passer une bonne quantité en une demi-heure au lieu de perdre une demi-heure à venir...

— Je crois que ce serait une bonne idée de le faire face à face.

— C'est vraiment ce que tu penses, huh ?

— Oui.

— Beaucoup de tremblote ? Tu crois au pouvoir du placebo ?

— Oui.

— Attends... — Silence. Il avait dû mettre la main sur le microphone. Après quelques secondes : ouais, d'accord, le Dr Silverman ne gambade pas de joie mais il est philosophe. Peut-être même qu'il acceptera de me trouver ma cravate.

Nous attendîmes sans beaucoup parler. Ramp buvait et s'enfonçait peu à peu dans un des fauteuils trop confortables, tandis que je réfléchissais à la réaction de Melissa si sa mère ne réapparaissait pas rapidement.

Je considérai l'opportunité de monter voir comment

elle allait, mais je me rappelai les propos de Ramp sur la fatigue de la jeune fille et décidai de la laisser se reposer. Selon la suite des événements, elle dormirait peut-être assez mal dans les jours à venir.

Une demi-heure passa ainsi, et vingt minutes de plus. Enfin le carillon de la porte d'entrée résonna, et je précédai Ramp pour aller ouvrir. Milo pénétra dans l'entrée, mieux vêtu que je ne l'avais jamais vu : blazer marine, pantalon gris, chemise blanche, cravate marron, mocassins bruns. Il était rasé de près et avait même les cheveux un peu plus courts. Mais trois mois de mise à pied n'avaient pas changé son air de bras armé de la loi.

Je fis les présentations. L'expression de Ramp se modifia subtilement pendant qu'il observait Milo. Ses yeux s'étrécirent et sa moustache frémit.

Suspicion muette. Le cow-boy de Marlboro toisant un voleur de bétail. Le costume de Gabney aurait sans doute beaucoup mieux convenu à l'ancien acteur.

Milo avait dû s'en rendre compte, mais il ne marqua aucune réaction.

Ramp le détailla du regard quelques secondes encore, puis laissa tomber :

— J'espère que vous pourrez nous aider.

Le ton était encore plus soupçonneux. La photo de Milo avait été diffusée sur les chaînes de télévision plusieurs mois auparavant, certes, mais Ramp possédait peut-être une excellente mémoire visuelle, comme beaucoup d'acteurs, même les plus mauvais. Ou bien une bonne vieille homophobie aiguisait ses souvenirs.

— L'inspecteur Sturgis est en congé de la police de Los Angeles, dis-je, à peu près certain de l'avoir déjà annoncé.

Ramp continuait de fixer Milo du regard.

Milo finit par lui retourner la politesse.

Ils s'affrontèrent ainsi un moment encore, et je pensais à deux taureaux de rodéo dans des stalles voisines qui tenteraient de s'impressionner en frappant du sabot sur le sol et des cornes dans les planches.

C'est Milo qui brisa la confrontation silencieuse :

— Jusqu'ici, voici ce que je sais...

Et il répéta presque mot pour mot ce que je lui avais dit.

— Exact? conclut-il.

— Oui.

Milo poussa un grognement satisfait, sortit de son blazer un carnet et un crayon, fit tourner quelques pages avant de s'arrêter.

— J'ai eu la confirmation que la police de San Labrador a diffusé une description d'elle dans tout le comté. D'habitude c'est une perte de temps, mais avec ce véhicule, peut-être pas. Ils ont une automobile enregistrée sous la définition « Sedan Rolls-Royce 1945, plaque minéralogique AD RR SD, immatriculation SOG 22 ». Correct?

— Correct.

— La couleur?

— Noir et gris métallisé.

— Mieux qu'une Toyota pour être remarquée, commenta Milo. Avant de venir ici j'ai appelé quelques services d'urgence des environs. Aucune personne admise qui corresponde à sa description.

— Dieu merci, souffla Ramp.

La sueur perlait à son front.

Milo leva les yeux vers le plafond, les rebaissa et engloba l'entrée et les pièces visibles d'un regard rapide.

— Jolie maison. Combien de pièces?

La question prit Ramp au dépourvu.

— Je ne suis pas sûr. Je n'ai jamais compté. Trente, ou trente-cinq, je crois.

— Et combien de pièces utilise votre femme?

— Utiliser? En fait, surtout sa suite. Trois pièces, quatre si on compte la salle de bains. Un petit salon, la chambre et une pièce adjacente où se trouvent des bibliothèques, un bureau, quelques équipements de gymnastique, un réfrigérateur.

— On dirait une maison à l'intérieur d'une maison, dit Milo. Vous disposez vous aussi d'une telle suite?

— Non, juste une chambre, répondit Ramp en rosissant sous son hâle. A côté de ses appartements.

Milo inscrivit quelques mots sur son calepin.

— Vous voyez une raison quelconque pour qu'elle ait décidé de se rendre seule chez son médecin?

— Je ne sais pas... Ce n'était pas prévu. Je devais

l'accompagner. Nous devions partir à trois heures, mais elle m'a téléphoné à trois heures moins dix à mon restaurant pour me dire que ce n'était pas la peine que je vienne la chercher et qu'elle conduirait elle-même la Rolls. J'ai voulu l'en dissuader, mais elle m'a assuré que tout irait bien. Et comme je ne voulais pas affaiblir sa confiance en elle...

— Trente-cinq pièces, dit Milo en notant quelque chose. En dehors de sa suite, fréquente-t-elle d'autres endroits de la maison, où elle pourrait mettre des affaires ?

— Pas à ma connaissance. Pourquoi ?

— Quelle est la taille de la propriété ?

— Un peu plus de trois mille mètres carrés.

— Elle s'y promène souvent ?

— Elle s'y promène sans crainte, oui, si c'est ce que vous voulez dire. Elle a pris l'habitude de marcher dans la propriété assez souvent, avec moi, quand c'était le seul endroit où elle osait s'aventurer. Ces derniers temps — depuis quelques mois — elle a quitté les limites de la propriété pour faire de courtes promenades à pied avec le Dr Cunningham-Gabney.

— Hormis la grille principale, y a-t-il un autre accès à la propriété ?

— Pas que je sache.

— Aucune sortie arrière ?

— Non. La propriété jouxte une autre propriété, celle du Dr Elridge et de sa femme. Les deux sont séparées par des haies très hautes, près de trois mètres.

— D'autres constructions sur la propriété ?

Ramp réfléchit quelques secondes.

— Voyons, si l'on compte les garages...

— Des garages ? Combien ?

— Dix. En fait c'est un seul bâtiment bas et long séparé en dix garages. C'est le premier mari de Gina qui l'a fait construire pour y entreposer ses voitures de collection. Certains de ces véhicules n'ont pas de prix. Les portes sont fermées tout le temps, sauf celle de la Rolls, qui n'est jamais verrouillée.

Milo griffonna quelque chose sur son calepin, releva les yeux.

— Poursuivez, dit-il.

Ramp parut déconcerté par l'invite.

— Les autres constructions sur la propriété, rappela Milo.

— Les autres constructions... Une remise de jardin, les cabines pour se changer près de la piscine, le vestiaire du court de tennis. C'est tout, à moins de compter aussi le belvédère.

— Où sont logés les employés de maison ?

— Ici même. Un des couloirs de l'étage dessert leurs appartements.

— Combien d'employés ?

— Il y a Madeleine, bien sûr, deux domestiques et le jardinier. Le jardinier ne vit pas sur la propriété. Il a cinq fils dont aucun n'est employé par nous à temps complet mais qui aident tous, à l'occasion.

— Un des employés a-t-il vu votre femme partir ?

— Une des domestiques nettoyait l'entrée, et elle l'a vue sortir de la maison. Mais je ne pourrais pas affirmer que quelqu'un a vu Gina prendre la voiture. Si vous voulez les interroger, je peux les faire venir tout de suite.

— Où sont-ils ?

— Dans leurs chambres.

— Quand finissent-ils leur service ?

— A neuf heures. Ils ne se retirent pas dans leurs chambres tout de suite. Parfois ils restent dans la cuisine pour bavarder en buvant un café. Ce soir je les ai libérés plus tôt. Je ne voulais pas de crise d'hystérie.

— Ils sont choqués à ce point ?

Ramp acquiesça.

— Ils la connaissent depuis longtemps, et cela les rend un peu protecteurs.

— Et vos autres domiciles ?

— Il n'y en a qu'un autre, sur la plage de Malibu. Gina ne s'y rend jamais. Elle n'aime pas l'eau, d'ailleurs elle ne nage jamais dans la piscine, ici. Mais j'ai téléphoné deux fois là-bas quand même. Rien.

— A-t-elle dit quelque chose récemment, disons dans les derniers jours ou les dernières semaines, à propos d'un départ qu'elle aurait envisagé ? Un départ seule ?

— Absolument pas, et je ne...

— Pas d'indices lâchés au hasard ? Des remarques qui à l'époque ne semblaient pas signifier ce qu'elles peuvent signifier maintenant ?

— Je vous ai dit non !

La rougeur de Ramp s'était brusquement accentuée. Placide, Milo tapota son carnet avec son stylo.

— Ça n'aurait aucun sens, reprit Ramp avec plus de calme. Elle voulait plus de contacts avec les autres, pas moins. C'est là le but de tout le traitement : la réinsérer dans une vie sociale normale. Et pour parler franc, je ne vois pas l'intérêt de ce genre de questions. Quelle importance ce qu'elle a pu dire ? Elle n'est pas partie en vacances, pour l'amour du Ciel ! Quelque chose lui est arrivé à l'extérieur. Pourquoi n'allez-vous pas en ville pour secouer un peu ce psychopathe de McCloskey ? Montrer un peu à ces abrutis qui l'ont relâché comment la police travaille !

Sa respiration s'était précipitée, et les veines saillaient à ses tempes.

— Avant de venir ici, dit calmement Milo, j'ai parlé à l'inspecteur de la division centrale qui a interrogé McCloskey. Un type nommé Bradley Lewis. Pas le meilleur des flics, sans doute, mais pas le pire non plus. L'alibi de McCloskey est en béton : il servait à manger aux sans-abri à la mission, où il dort lui-même. Il a épluché des pommes de terre, a fait la plonge et servi la soupe tout l'après-midi. Des dizaines de personnes l'ont vu, y compris le prêtre qui dirige la mission. Il ne s'est pas absenté un seul instant entre midi et huit heures du soir. Il n'y avait donc aucun motif pour que la police le place en garde à vue.

— Et les témoins ?

— Pas de crime, pas de témoin, monsieur Ramp. En ce qui concerne la police, il s'agit simplement d'une dame qui est restée à l'extérieur un peu plus que de coutume.

— Mais n'oubliez pas de qui nous parlons, *et ce qu'il a fait !*

— Exact. Mais il a purgé sa peine, et son temps de conditionnelle est écoulé. Pour la loi, c'est M. Tout-le-Monde. La police n'a rien contre lui.

— Et *vous*, vous ne pouvez rien faire ?

— Je peux encore moins que la police.

— Je ne faisais pas allusion aux douceurs légales, monsieur Sturgis...

Milo sourit et inspira profondément avant de répondre.

— Désolé, ça n'est pas vraiment ma tasse de thé.

— Je suis sérieux, monsieur Sturgis.

Le sourire de Milo disparut.

— Moi aussi, monsieur Ramp. Si c'est le genre d'aide que vous recherchez, vous avez frappé à la mauvaise porte.

Il rangea son crayon dans sa poche.

— Écoutez, fit Ramp sur un ton d'excuse, je ne voulais pas...

Milo l'interrompit d'un geste.

— Je sais que vous vivez un enfer, monsieur Ramp. Je sais que le système pue. Mais aller chahuter McCloskey maintenant n'est pas dans l'intérêt de votre femme. La division centrale a dit l'avoir raccompagné chez lui après l'interrogatoire, car ce type ne possède pas de voiture. Il s'est couché immédiatement. Admettons que j'aille le voir, pour le réveiller. Il refuse de me laisser entrer, et j'entre quand même. Je joue mon petit numéro d'inspecteur Harry. Dans les films, le pouvoir d'intimidation du bon marche très bien sur le méchant. Il avoue tout, et le bon triomphe. Dans le monde réel, le méchant prend un avocat et me colle un procès, ainsi qu'à vous. Et les médias sont prévenus. Entre-temps votre femme revient en chantonnant : elle avait eu un problème de moteur et n'a pas pu téléphoner pour prévenir. Une vraie fin heureuse sauf qu'elle se retrouve de nouveau en première page des feuilles à scandale. Sans parler des dédommagements que vous aurez à verser à McCloskey ou d'un procès qui peut durer des années si vous faites appel. Quel résultat pour les progrès psychologiques de votre femme ?

— Bon sang, maugréa Ramp, anéanti. C'est une histoire de fous...

— J'ai demandé à la division centrale de garder un œil sur lui. Ils ont promis de faire leur possible, mais à dire vrai je ne crois pas que ça donne grand-chose. Si elle n'est pas revenue demain matin j'irai rendre une petite visite à McCloskey. Mais si vous ne pouvez plus attendre, j'y vais tout de suite. Comme il ne me laissera pas entrer chez lui, je me posterai devant sa porte et je ferai le guet toute la nuit. Demain vous aurez un rapport de surveillance très circonstancié. Mes honoraires sont de soixante-dix dollars de l'heure plus les frais, avec une avance de trois jours. Une heure perdue vous sera facturée le même prix qu'une heure bien utilisée. Mais bien sûr, vous êtes en droit de considérer les choses différemment. C'est votre argent.

— Et comment considérez-vous les choses vous-même, monsieur Sturgis ?

— A ce stade, je pense qu'il y a des façons plus efficaces d'utiliser notre temps.

— Par exemple ?

— Par exemple en contactant d'autres hôpitaux, ainsi que les stations-service ouvertes la nuit. L'automobile-club local, si vous en êtes membre.

— Nous le sommes. Je crois que je peux me charger de ça.

— Ne vous gênez pas, alors. Plus nous serons nombreux à nous y mettre, et plus vite le boulot sera fait. Si vous voulez le faire vous-même, je vous donnerai une liste d'autres démarches et je chercherai de mon côté.

— Quelle sorte d'autres démarches ?

— Se brancher avec les auxiliaires médicaux et les compagnies indépendantes d'ambulances, rester en contact avec les services de surveillance routière des différents départements de la police afin de s'assurer qu'aucun renseignement ne se perd — ça arrive souvent, croyez-moi. Si vous voulez aller plus loin, vérifiez auprès des compagnies aériennes, régulières et charter, et auprès des agences de location de véhicules. Vous pouvez aussi suivre la piste des cartes de crédit. Définir lesquelles a emportées votre femme et demander aux compagnies de surveiller leurs numéros. Si un achat est fait avec une de ses cartes de crédit nous saurons quand et où le plus rapidement possible. Si elle n'est pas de retour demain matin, je commencerai également à éplucher ses mouvements bancaires pour voir si elle n'a pas fait de retrait important récemment. Vous êtes cosignataire sur ses comptes ?

— Non, nos finances sont totalement indépendantes.

— Pas de compte joint ?

Ramp croisa les bras sur sa poitrine. Il semblait se tendre un peu plus à chaque seconde.

— Non, monsieur Sturgis. Des retraits, vérifier aux aéroports... Qu'insinuez-vous, au juste ? Qu'elle se serait délibérément *enfuie ?*

— Je suis sûr que non, mais...

— Elle n'a *pas* fait cela.

Milo se passa une main sur le visage.

— Monsieur Ramp, espérons qu'elle revienne d'une minute à l'autre. Si tel n'est pas le cas, il faut considérer son absence sous l'angle d'une disparition, et les disparitions ne sont pas très bonnes pour l'ego. Et je parle de l'ego de ceux qui attendent le retour de la personne disparue. Parce que, pour faire bien le boulot, il faut envisager toutes les probabilités. C'est comme un médecin qui analyse un kyste. A priori, c'est bénin. Le médecin va vous débiter les statistiques, sourire et vous dire qu'il n'y a certainement aucune raison de s'inquiéter. Mais il va quand même faire analyser le kyste.

Milo déboutonna son blazer et enfonça ses deux mains dans les poches de son pantalon. Puis il fit porter son poids sur une seule jambe et balança l'autre d'avant en arrière, comme pour se dégourdir les muscles.

Ramp l'observa un moment avant de parler :

— Je risque donc de prendre un coup...

— A vous de choisir, dit Milo. L'autre solution est d'attendre sans rien faire.

— Non, non... Allez-y, faites toutes ces démarches. Vous pourrez les accomplir plus rapidement. Je suppose que vous voudrez un chèque avant de commencer ?

— Avant de partir d'ici, oui. Sept cents dollars, soit une avance équivalant à dix heures de travail. Mais d'abord je voudrais que vous réunissiez les domestiques ainsi que le jardinier et ceux de ses fils qui ont travaillé aujourd'hui et ont peut-être vu votre femme. En attendant, j'aimerais jeter un œil à ses appartements et fouiner un peu.

Ramp faillit s'élever contre cette demande, mais il parut ne pas aimer les réponses qu'il envisageait et ravala ses objections.

— Je dérangerai aussi peu que possible. Si vous voulez y assister, aucun problème.

— Non, dit Ramp. Je vais vous montrer. C'est par là.

Il désigna l'escalier. Ils gravirent côte à côte les marches, mais en gardant le maximum de distance entre eux.

Je suivis deux pas en retrait, avec l'impression d'être le type qui avait présenté Mohamed Ali à Foreman.

En arrivant sur le palier j'entendis le bruit d'une porte qu'on ouvre. Dans l'un des couloirs je repérai un rai de lumière qui s'agrandit en triangle avant d'être masqué par une silhouette, deux portes après celle de la suite de Gina Ramp. Melissa sortit dans le couloir, toujours vêtue de sa chemise trop grande et de son jeans. Elle était en chaussettes. Elle s'éloigna de nous d'un pas de somnambule, en se frottant les yeux des deux poings.

Je l'appelai à voix basse.

Elle sursauta, fit volte-face et nous rejoignit en courant.

— Est-ce qu'elle est...

— Non, rien pour l'instant, coupa Ramp. Voici l'inspecteur Sturgis, l'ami du Dr Delaware. Inspecteur, je vous présente Miss Melissa Dickinson, la fille de Mrs. Ramp.

Milo tendit la main, que Melissa serra à peine en le détaillant du regard. Son visage portait des traces rouges — les fausses cicatrices du sommeil. Ses lèvres étaient sèches et ses paupières gonflées.

— Qu'allez-vous faire pour la retrouver ? Qu'est-ce que moi je peux faire ?

— Étiez-vous ici quand votre mère est partie ? demanda Milo.

— Oui.

— De quelle humeur était-elle ?

— Elle allait bien. Elle était excitée de sortir seule, ou plutôt nerveuse, et elle essayait de le cacher en paraissant excitée. J'ai même craint qu'elle n'ait une attaque. J'ai essayé de la dissuader de sortir seule, je lui ai proposé de venir avec elle, mais elle a refusé... Et elle a élevé la voix contre moi. Jamais elle n'avait élevé la voix contre moi...

Elle se mordit la lèvre inférieure et contint ses larmes.

— J'aurais dû insister, ajouta-t-elle d'une voix faible.

— A-t-elle dit pourquoi elle tenait à partir seule? fit Milo.

— Non. Je lui ai posé la question, mais elle n'a pas voulu répondre. Ça ne lui ressemble pas du tout... J'aurais dû me douter que quelque chose n'allait pas.

— Vous l'avez personnellement vue partir dans la Rolls?

— Non. Elle m'a dit de ne pas la suivre. Elle me l'a ordonné... — Nouveau combat contre les larmes. — Alors je suis remontée dans ma chambre. Je me suis allongée pour écouter de la musique, et je me suis assoupie. Comme tout à l'heure... Je n'arrive pas à y croire: pourquoi est-ce que je dors autant?

— La tension, Melissa, dit Ramp.

Elle se tourna vers Milo.

— Que croyez-vous qu'il lui soit arrivé?

— C'est ce que je suis venu découvrir. Votre beau-père va rassembler les employés pour voir si l'un d'eux sait quelque chose que nous ignorons. En attendant, je vais jeter un œil dans sa chambre et passer quelques coups de fil. Vous pouvez m'aider, si ça vous dit.

— Pour téléphoner où?

— La routine, dit Milo. Stations-service, l'automobile-club, le service des patrouilles autoroutières, quelques-uns des hôpitaux du coin. Par mesure de précaution.

— Les hôpitaux, balbutia-t-elle en plaquant une main sur sa poitrine. Oh! mon Dieu!

— Par simple mesure de précaution, répéta Milo. Les flics de San Labrador en ont déjà contacté quelques-uns, moi aussi, et elle n'y a pas été admise. Mais ça paie de prendre ces précautions.

— Les hôpitaux..., marmonna-t-elle une nouvelle fois avant de se mettre à pleurer.

Milo posa une main sur son épaule.

Ramp tira un mouchoir de sa poche et le lui tendit.

— Tiens, dit-il.

Elle ne lui accorda qu'un bref regard, secoua la tête négativement et essuya ses yeux d'un revers de main.

Ramp hésita, puis rempocha son mouchoir et recula de deux pas.

— Pourquoi voulez-vous voir sa chambre ? demanda Melissa à Milo.

— Pour avoir une idée de sa personnalité. Voir si quelque chose n'est pas en ordre. Elle a peut-être laissé des indices derrière elle. Vous pouvez m'aider aussi pour ça.

— Est-ce que nous ne devrions pas faire quelque chose ? Aller à sa recherche ?

— Perte de temps, laissa tomber Ramp.

Elle se retourna brusquement vers lui.

— C'est *votre* opinion.

— Non, celle de Mr. Sturgis.

— Alors laissez-le l'énoncer lui-même !

Les yeux de Ramp s'étrécirent, et un muscle de ses mâchoires crispées se mit à tressauter.

— Je vais chercher les employés, annonça-t-il.

Un instant plus tard il avait disparu par un des couloirs. Dès qu'il fut hors de vue, Melissa déclara :

— Vous devriez garder un œil sur *lui*.

— Pourquoi donc ? fit Milo.

— Elle possède beaucoup plus d'argent que lui...

Milo la regarda fixement une seconde, puis se passa la main sur le visage une fois encore.

— Et vous pensez qu'il aurait pu lui faire quelque chose ?

— Qui sait, s'il pensait pouvoir y gagner ? Ce qui est certain, c'est qu'il aime les choses que l'argent permet : le tennis, la vie ici, la maison de la plage... Mais tout ça appartient à Mère. Je ne sais pas pourquoi ils se sont mariés, ils ne dorment même pas ensemble, ni rien. C'est comme s'il lui rendait visite, un maudit invité qui refuserait de partir. Je ne comprends pas pourquoi elle l'a épousé.

— Ils se querellent souvent ?

— Jamais, répondit-elle aussitôt. Mais ça ne prouve rien, ils ne sont pas assez souvent ensemble pour se quereller. Qu'est-ce qu'elle a bien pu lui trouver ?

— Vous lui avez déjà posé cette question ? intervins-je.

— De façon détournée, oui, parce que je ne voulais pas lui faire de peine. Je lui ai demandé ce qu'il fallait rechercher chez un homme. Elle m'a répondu que la gentillesse et la tolérance étaient les choses les plus importantes.

— Et cela lui correspondait ?

— Moi je trouve qu'il est onctueux, c'est tout.

— Obtiendrait-il sa fortune si quelque chose arrivait à votre mère ?

C'était plus qu'elle ne pouvait affronter. Sa main vola jusqu'à sa bouche.

— Je... Je ne sais pas.

— Il est facile de clarifier ce point. Si elle n'a pas réapparu d'ici demain matin, j'étudierai ses finances. Peut-être pourrai-je trouver un indice exploitable dans sa chambre maintenant.

— Très bien, dit Melissa avec plus d'assurance. Vous ne pensez pas qu'il lui est arrivé quelque chose, n'est-ce pas ?

— Aucune raison pour le penser. Et pour en revenir à ce que vous disiez à propos des recherches à l'extérieur, vos flics locaux patrouillent déjà de façon intensive. Je les ai vus en venant, et c'est ce qu'ils font le mieux. Un bulletin a également été diffusé dans tout le comté concernant votre mère ; j'ai vérifié moi-même parce que je n'avais pas entière confiance. Le Dr Delaware vous dira que je suis M. Sceptique. Tout ça ne signifie pas que les départements de police vont changer leurs méthodes pour chercher votre mère, mais une Rolls attirera leur attention. Si elle ne réapparaît pas rapidement, nous pouvons diffuser plus largement le bulletin, et même avertir la presse qu'elle a disparu. Mais une fois que ces gars-là ont planté leurs dents quelque part, ils ne lâchent plus prise. C'est pourquoi il vaut mieux être prudents.

— Et McCloskey ? Vous êtes au courant ?

Milo acquiesça.

— Alors pourquoi n'allez-vous pas là-bas pour le... bousculer ? Noël et moi, nous l'aurions fait, si nous avions eu son adresse... Peut-être que j'arriverai à la découvrir et nous pourrons le faire.

— Ce n'est pas une très bonne idée, dit Milo avant de répéter les explications données à Ramp.

— Désolée, répliqua-t-elle, mais il s'agit de ma mère et je dois faire ce qui me semble nécessaire.

— Vous pensez que votre mère apprécierait de vous voir allongée dans un des tiroirs de la morgue ?

Melissa ouvrit la bouche de stupéfaction, la referma et se leva. Auprès de Milo elle semblait tellement menue que c'en était presque comique.

— Vous essayez de me faire peur.

— C'est vrai.

— Eh bien, ça ne marchera pas.

— Alors c'est foutrement dommage, dit-il en consultant sa Timex. Ça fait un quart d'heure que je suis ici et je n'ai pas fait grand-chose. On continue à bavarder ou on se met au travail ?

— Au travail, répondit-elle. Bien sûr...

— Sa chambre, coupa Milo.

— Par ici. Je vais vous montrer.

Elle s'engagea dans le couloir d'un pas vif, toute trace de somnolence disparue.

Milo la regarda s'éloigner et marmonna quelque chose que je ne pus saisir.

Nous la suivîmes.

Elle avait atteint la porte et l'ouvrait.

— C'est ici. Je vais vous montrer où tout se trouve.

Milo pénétra dans la première pièce de la suite, et je l'imitai.

Elle me dépassa et se campa devant Milo, lui interdisant l'accès à la chambre.

— Une dernière chose.

— Oui ?

— C'est *moi* qui vous paie. *Pas Don.* Alors vous voudrez bien me traiter en adulte.

16

— Si vous n'aimez pas la façon dont je vous traite, dit Milo, je suis sûr que vous me le ferez savoir. Pour ce qui concerne mes honoraires, je vous laisse voir avec lui.

Il ressortit son calepin et jeta un regard circulaire sur la pièce, alla jusqu'au canapé, tapota les coussins, passa la main en dessous.

— Qu'est-ce que c'est, une salle d'attente pour les visiteurs ?

— Un petit salon, répondit Melissa. Ma mère n'a pas de visite. Mon père l'a décoré ainsi parce qu'il trouvait cela élégant. Il y avait beaucoup plus de meubles très beaux, mais ma mère les a fait enlever pour mettre ce canapé à la place. Elle l'a commandé sur catalogue. En fait ma mère est quelqu'un de très simple. C'est vraiment son endroit préféré, elle y passe le plus clair de son temps.

— Et elle y fait quoi ?

— Elle lit. Elle lit beaucoup, elle adore ça. Et elle fait de la gymnastique. Les appareils sont là, au fond.

Du doigt, elle désigna la chambre derrière elle.

Milo contempla le Cassatt.

— Depuis combien de temps possède-t-elle cette gravure, Melissa ? demandai-je.

— C'est mon père qui la lui a offerte. Lorsqu'elle était enceinte de moi.

— Il possédait d'autres Cassatt ?

— Probablement. Il avait beaucoup de dessins et de

257

gravures. Tout est au second, dans des déposoirs qu'il a lui-même fabriqués pour garder les dessins à l'abri de la lumière. Ici, c'était parfait : pas de fenêtre.

— Pas de fenêtre, répéta Milo. Et ça n'ennuie pas votre mère ?

— Ma mère est une personne lumineuse, répliqua Melissa. Elle crée sa propre lumière.

— Hu-huh, fit Milo.

Il retourna au divan gris, ôta les coussins, les remit.

— Depuis quand a-t-elle changé la décoration ? dis-je.

Ils me dévisagèrent tous deux avec étonnement.

— Simple curiosité, expliquai-je. A propos des changements récents qu'elle aurait pu opérer dans sa façon de vivre.

— C'est récent, en effet, dit Melissa. Ça remonte à deux ou trois mois. La décoration ici était au goût de Père, très ornementale. Elle a tout fait mettre au second étage, en réserve. Je me souviens, elle m'a dit qu'elle se sentait un peu coupable parce que Père avait mis tant de temps à composer cette décoration. Et je lui ai répondu que c'était ses appartements à elle, maintenant, et qu'elle devait faire à sa manière.

Milo poussa la porte de la chambre et y pénétra.

— Elle n'a pas beaucoup modifié cette pièce, n'est-ce pas ? l'entendis-je dire.

Melissa le rejoignit en hâte, et je la suivis.

Milo s'était arrêté devant le lit à baldaquin.

— Je crois qu'elle l'aime comme elle est, dit Melissa.

— Sûrement, oui, fit Milo.

De l'intérieur, la chambre paraissait encore plus grande. Une bonne cinquantaine de mètres carrés, avec un plafond à quatre mètres cinquante décoré de moulures à la ressemblance de tissus torsadés. Une cheminée large de deux mètres à tablette en marbre était surmontée d'une pendule dorée entourée d'une ménagerie d'oiseaux miniatures en argent massif. Un aigle en or était perché au sommet de la pendule et semblait surveiller ses vassaux ailés. Dans un coin, des fauteuils Empire tendus de soie damassée vert olive, un paravent à trois panneaux de style baroque, peint de fleurs en trompe-l'œil, plusieurs petites tables incrustées à l'or fin et éparpillées dans la pièce, sans utilité évidente, aux murs des tableaux représentant des paysages de campagne ou des femmes aux formes voluptueuses et au regard incertain.

Les moulures torsadées convergeaient vers le centre du plafond pour former un nœud de plâtre d'où pendait un lustre en argent et cristal pareil à une montre de gousset géante. Le lit disparaissait sous une couverture matelassée de satin blanc. Des oreillers à taies en tapisserie étaient soigneusement disposés à la tête du lit comme une rangée de dominos écroulés. Une robe de chambre en soie était pliée à l'autre bout. Le lit se trouvait sur un piédestal, ce qui accentuait encore sa hauteur déjà remarquable. Le sommet des montants touchait presque le plafond.

Les appliques au mur derrière la tête du lit diffusaient une pâle lumière qui teintait d'un jaune fade les blancs cassés de la pièce et de gris la moquette épaisse. Milo appuya sur un interrupteur et l'éclat vif du plafonnier inonda la pièce.

Il se baissa et regarda sous le lit, puis se releva.

— On pourrait manger par terre, constata-t-il. Quand la chambre a-t-elle été faite ?

— Sans doute ce matin. Habituellement, Mère la fait elle-même, enfin, à part passer l'aspirateur ou les tâches trop fatigantes. Mais elle aime faire le lit. Elle est très soigneuse.

Je suivis le regard de Milo qui s'était posé sur les tables de chevet de style asiatique. Un téléphone en faux ivoire sur chacune. Un soliflore sur celle de gauche, contenant une rose rouge. Près du vase un livre relié.

Tous les doubles-rideaux étaient fermés. Milo alla jusqu'à une des fenêtres encastrées et tira les lourdes tentures. Il entrouvrit la fenêtre, regarda à l'extérieur. Un courant d'air frais passa dans la pièce, chargé de senteurs florales.

Après avoir étudié la vue un instant, Milo fit demi-tour et s'approcha de la table de nuit où était posé le livre, qu'il prit. Il le feuilleta brièvement, puis le tint par la tranche en le secouant. Rien ne tomba. Il ouvrit la petite porte de la table de chevet. Rien à l'intérieur.

Je le rejoignis et lus le titre du livre : *Patagonia Express*, de Paul Theroux.

— C'est un livre de voyage, dit Melissa.

Milo continuait de fureter en silence.

Le mur opposé au lit était occupé par une armoire de trois mètres de large en noyer massif à dorures, et par une commode ventrue décorée d'herbes et de fruits en marqueterie. Milo ouvrit la partie supérieure de l'armoire. A l'intérieur se trouvait un poste de télévision couleur à écran large vieux d'une dizaine d'années. Sur le poste était posé un exemplaire de *TV Guide*. Milo prit la revue et la feuilleta. Le bas de l'armoire était totalement vide.

— Pas de magnétoscope ? demanda-t-il.

— Non, elle n'aime pas tellement les films.

Il alla ouvrir les tiroirs de la commode et passa les mains à l'intérieur, dans le satin et la soie.

Melissa l'observa un moment avant de demander :

— Que cherchez-vous au juste ?

— Où garde-t-elle ses autres vêtements ?

— Par ici.

Elle désigna la double porte pleine sur la gauche de la pièce. Deux battants en bois de rose indien sculptés et incrustés de cuivre et d'argent, surmontés au mur d'un motif du même bois représentant le Taj Mahal.

Milo alla les ouvrir sans plus de façon.

Ils révélèrent un minuscule vestibule sur lequel ouvraient trois portes. La première donnait accès à une salle de bains de marbre vert, avec une baignoire à remous assez grande pour accueillir une famille entière, un bidet et un lavabo, et des appliques dorées au mur. Des miroirs masquaient le cabinet à pharmacie. Milo l'ouvrit et étudia le contenu des petits rayonnages. Une boîte d'aspirine, un tube de pâte dentifrice, une bouteille de shampooing, des tubes de rouge à lèvres, quelques produits de beauté. L'ensemble n'occupait même pas la moitié de la place.

— D'après vous, fit Milo, quelque chose manque ici ?

— Non, répondit Melissa, c'est tout ce qu'elle garde. Elle n'utilise pas beaucoup de maquillage.

La deuxième porte ouvrait sur une penderie de la taille d'une pièce normale, avec au centre une table à maquillage et un banc rembourré. Le long des murs s'étiraient des portants doubles. Deux des murs étaient lambrissés de cèdre, les deux autres damassés en rose.

Les vêtements étaient rangés par catégorie, mais le classement était des plus simples : il y avait surtout des robes une pièce, dans des tons pâles, quelques robes de soirée et des fourrures, à l'arrière, dont certaines portaient encore leur étiquette ; une dizaine de paires de chaussures, dont trois de basket ; une collection de sweat-shirts empilés dans les compartiments occupant un des murs. On aurait pu caser dans cette pièce une garde-robe trois fois plus importante.

Ici Milo prit son temps. Il fouilla les poches des vêtements, s'accroupit et examina le sol sous les portants. Ses recherches s'avérant infructueuses, il passa dans la troisième pièce.

Celle-là était une combinaison de bibliothèque et de salle de gymnastique. Des étagères en chêne couvraient les murs du sol au plafond. Le parquet était laqué, et des tapis de mousse en cachaient une partie, sur laquelle étaient disposés un rameur, une bicyclette d'appartement, un tapis roulant de marche, ainsi qu'un présentoir supportant une série d'haltères chromées. Une montre à quartz bon marché était accrochée au guidon du vélo d'exercice. Près du support à haltères se trouvait un réfrigérateur. Deux bouteilles d'Évian non ouvertes étaient posées à son sommet. Milo l'ouvrit. Vide.

Il alla ensuite passer la main sur les étagères. Je lus quelques titres.

D'autres ouvrages de Paul Theroux, mais aussi de Jan Morris et de Bruce Chatwin.

Des atlas. Des albums de photographies paysagistes. Des récits de voyage datant de l'ère victorienne jusqu'à l'époque actuelle. Les guides ornithologiques d'Audubon sur l'Ouest. Des guides d'à peu près toutes les parties du globe. Soixante-dix ans de *National Geographic* dans des reliures marron. Des collections complètes de *Natural History, Smithsonian, Oceans, Travel, Sport Diver, Connoisseur*...

Pour la première fois depuis son arrivée, Milo parut troublé. Mais il se reprit aussitôt. Il examina rapidement les autres étagères.

— On dirait que cette bibliothèque a un thème défini, commenta-t-il.

Melissa ne répondit pas.

Je gardai moi aussi le silence.

Aucun de nous n'osait formuler l'évidence.

Nous retournâmes dans la chambre. Melissa paraissait soumise.

— Où garde-t-elle sa comptabilité personnelle ? Ses relevés bancaires ?

— Je ne sais pas. Je ne suis pas sûre qu'elle garde quoi que ce soit ici.

— Comment cela ?

— Ses comptes sont tenus pour elle par Mr. Anger, à la First Fiduciary Trust. C'est le président. Son père et le mien étaient amis.

— Anger, répéta Milo en inscrivant le nom sur son calepin. Vous connaissez le numéro de téléphone ?

— Non. La banque se trouve sur Cathcart, à quelques blocs de l'embranchement où vous avez tourné.

— Une idée du nombre de comptes qu'elle possède ?

— Pas la moindre. Moi j'en ai deux. Un compte en fidéicommis et un compte courant... — Une pause de réflexion, puis elle ajouta : c'est Père qui a voulu que ce soit ainsi.

— Et votre beau-père ? A quelle banque est-il ?

— Je ne pourrais pas vous le dire, répondit-elle en croisant nerveusement ses doigts.

— Avez-vous des raisons de penser qu'il a des difficultés financières ?

— Je ne sais pas...

— Quelle sorte de restaurant dirige-t-il ?

— Spécialité de viandes et de bières.

— Et il vous semble que son établissement marche bien ?

— Assez bien, oui. Il importe beaucoup de bières étrangères, A San Labrador, c'est exotique.

— A propos de boisson, dit Milo, j'avalerais bien quelque chose, moi, Jus de fruit ou soda, Avec de la glace. Y a-t-il un frigo qui ne soit pas vide, dans cette maison ?

— Bien sûr, il y a la cuisine de service au bout de l'aile du personnel, Je peux aller vous chercher quelque chose, Et vous, docteur Delaware ?

— Avec plaisir, merci.

— Un Coca fera l'affaire, indiqua Milo.

Je demandai la même chose.

— Deux Coca, dit-elle, mais sans bouger.

— Qu'y a-t-il ? s'enquit Milo.

— Vous avez fini, ici ?

Il jeta un dernier regard circulaire.

— Sûr.

Nous passâmes par le salon et retournâmes dans le couloir.

— Deux Coca, répéta Melissa en fermant la porte derrière elle. Je reviens tout de suite.

Lorsqu'elle fut partie, je me tournai vers Milo :

— Alors, qu'en penses-tu ?

— Ce que je pense ? Que l'argent ne fait pas toujours le bonheur, mon pote, et tout ça en est bien la preuve. Cette pièce — du pouce il désigna la porte derrière lui —, on dirait une suite dans un hôtel. Comme si elle était descendue du Concorde, avait ouvert ses valises et était sortie faire un tour. Comment a-t-elle pu *vivre* de cette façon, sans laisser une partie d'elle-même ailleurs ? Et que diable pouvait-elle bien *faire* ici toute la journée, pour s'occuper ?

— Elle devait lire et entretenir sa forme physique.

— Ouais. Les bouquins de voyage... Ça ressemble à une mauvaise blague. Un film de série Z qui se voudrait ironique.

Je ne répondis pas.

— Quoi ? fit-il devant mon mutisme. Tu trouves que j'ai perdu le sens de la compassion ?

— Tu parles d'elle au passé.

— Fais-moi une faveur, n'interprète pas mes propos. Je n'ai pas dit qu'elle était morte, simplement qu'elle était partie. A mon avis, elle avait prévu de quitter le nid depuis déjà un bout de temps, et elle a fini par rassembler assez de courage pour passer à l'acte. Elle a sûrement foncé dans la Rolls sur la Route 66, vitres baissées, en chantant à tue-tête.

— Je ne sais pas... Je ne la vois pas abandonnant Melissa.

Il eut un rire bref et dur.

— Alex, je sais bien que c'est ta patiente, et que tu l'apprécies, mais de ce que j'ai pu voir cette gamine est une petite peste. Tu as entendu ce qu'elle a dit à propos de sa mère qui n'avait jamais élevé sa voix contre elle. Tu trouves ça normal ? Maman a peut-être fini par péter les plombs. Tu as vu la façon dont elle traite Ramp ? Et sa suggestion d'enquêter sur lui, sans me fournir aucune raison valable ? Je ne pourrais pas supporter longtemps ce genre de conneries. Sûr, je ne suis pas diplômé en psychologie des gamines. Mais Maman non plus.

— C'est une jeune fille bien, Milo, dis-je. Sa mère a disparu. Elle mérite peut-être un peu de crédit, non ?

— Était-elle toute douceur et amour avant le départ de Maman ? Tu as dit toi-même qu'hier encore elle a piqué une crise et a quitté la maison, au grand déplaisir de Maman.

— D'accord, elle a parfois un caractère un peu difficile. Mais sa mère l'adore. Elles sont très proches l'une de l'autre. J'ai du mal à imaginer la mère partant en laissant sa fille derrière, sans un mot.

— Ne te vexe pas, Alex, mais tu connais vraiment bien la dame ? Tu ne l'as rencontrée qu'une fois. Elle a été actrice. Et en ce qui concerne leur « proximité », réfléchis à ça : une mère qui n'élève jamais la voix contre sa fille. Pendant dix-huit ans ? Même si elle est très bien, il est normal qu'il y ait des accrochages entre elles de temps en temps, non ? La dame devait vivre sur un baril de poudre. Sa colère pour ce que McCloskey lui a infligé. La perte de son mari. Son emprisonnement ici, à cause de ses problèmes. Sacré baril de poudre, hein ? Et la dispute avec la gamine a sûrement allumé la mèche. La gamine a été insolente une fois de trop. Maman a attendu qu'elle revienne, et comme ça tardait elle a envoyé tout paître et s'est dit qu'au lieu de lire des bouquins sur des endroits éloignés, elle allait les visiter...

— En admettant que tu voies juste, crois-tu qu'elle reviendra ? demandai-je.

— Ouais, c'est probable. Elle n'a pas pris grand-chose avec elle. Mais qui peut dire ?

— Et maintenant ? Encore un peu d'effet placebo ?

— Pas *encore*, Alex. L'effet placebo n'a pas encore

264

commencé. Quand j'ai fouillé ces pièces c'était sérieux. J'essayais d'avoir une idée de sa personnalité. Comme s'il s'agissait de la scène d'un crime. Et je vais te dire un truc : malgré tous les endroits pleins de sang où j'ai pu aller enquêter, ces trois pièces m'ont filé des frissons. Ça sent... le vide. Mauvaises vibrations. J'ai déjà ressenti ça dans des jungles en Asie. Un silence de mort, mais tu devines qu'il se passe plein de choses sous la surface.

Il secoua la tête d'un air mécontent.

— Écoute-moi déblatérer ! « Mauvaises vibrations »... Je me mets à parler comme un de ces trous-du-cul adeptes du New Age.

— Non, dis-je, j'ai éprouvé la même chose. Hier, quand je suis venu ici, la maison m'a fait penser à un hôtel vide.

Il roula les yeux, fit une grimace digne de Halloween et griffa l'air de ses mains crispées.

— L'Hôtel *Rrrich*..., fit-il en imitant Bela Lugosi. Ils y viennent mais n'en repartent jamais.

Je ris, d'un rire totalement dénué de joie, mais qui me soulagea un peu. Comme après une de ces plaisanteries qu'on lançait lors des réunions d'équipe, pour détendre un peu l'atmosphère, quand je travaillais à l'hôpital.

— Je crois que le mieux que je puisse faire est de consacrer quelques jours à cette affaire. Avec un peu de chance, elle sera revenue d'ici là. J'ai aussi la possibilité de laisser tomber tout de suite, mais ça n'aurait pour seul résultat que d'affoler un peu plus Ramp et la gamine, et ils iraient chercher quelqu'un d'autre. Au moins, avec moi ils ne seront pas arnaqués. Autant que je gagne vraiment mes soixante-dix dollars de l'heure.

— Je voulais t'en parler, justement. Tu m'avais dit que tu demanderais cinquante dollars...

— C'était bien mon intention. Mais quand je suis arrivé devant cette baraque, j'ai réajusté mon tarif. Et maintenant que j'ai vu l'intérieur, je regrette de ne pas avoir demandé quatre-vingt-dix.

— Échelle mobile ?

— Exactement. Il faut partager la richesse. Une demi-heure ici, et je suis prêt à voter socialiste.

— Gina ressentait peut-être la même chose.

— Que veux-tu dire ?

— Tu as vu comme moi combien sa garde-robe est réduite. Et le salon... la façon dont elle l'a redécoré. Elle a tout commandé dans un catalogue. Peut-être qu'elle s'est simplement *évadée*...

— A moins que ce soit le fin du fin dans le snobisme, Alex. Posséder des œuvres d'art hors de prix et les stocker au grenier.

J'allais mentionner le Cassatt dans le bureau d'Ursula Cunningham-Gabney quand Melissa réapparut avec nos boissons. Sur ses talons venaient Madeleine et deux femmes plus petites, de type hispanique, qui pouvaient avoir une trentaine d'années. L'une avait les cheveux réunis en une longue tresse, l'autre une coupe courte. Si elles avaient quitté leur uniforme pour la soirée, elles venaient de le réendosser. Et elles s'étaient maquillées de frais. Elles arboraient l'expression circonspecte et trop alerte de voyageurs passant les douanes d'un port hostile.

— Voici le détective Sturgis, dit Melissa en nous tendant nos Coca. Il est ici pour découvrir ce qui est arrivé à Mère. Détective, je vous présente Madeleine de Couer, Lupe Ortega et Rebecca Maldonado.

— Mesdames, fit sobrement Milo.

Madeleine croisa les bras sur sa poitrine et nous salua d'un simple hochement de tête. Les deux autres nous dévisagèrent sans réagir.

— Nous attendons Sabino, le jardinier, expliqua encore Melissa. Il habite à Pasadena. Ça ne devrait pas être long... — A notre adresse, elle ajouta : — Elles attendaient dans leurs chambres. Je n'ai pas compris pourquoi elles n'auraient pas eu le droit de sortir, ni pourquoi vous ne commenceriez pas tout de suite. Je leur ai déjà demandé...

Le carillon de l'entrée l'interrompit.

— Une seconde, dit-elle.

Du palier, je la regardai dévaler le grand escalier et traverser le hall jusqu'à la porte. Avant qu'elle y arrive, Ramp l'avait ouverte. Sabino Hernandez entra, suivi de ses cinq fils. Tous portaient des chemises légères à manches courtes et des pantalons propres. Ils firent deux pas dans le hall et s'immobilisèrent, dans la position de repos d'un soldat. L'un des fils portait une cravate, deux autres des guayaberas d'un blanc immaculé. Tous jetèrent des coups d'œil nerveux alentour. Ils étaient terrifiés par les circonstances, à moins que ce ne fût par la taille de la maison. J'aurais aimé savoir combien de fois ils avaient eu l'honneur d'entrer ici, après toutes ces années de bons et loyaux services.

Nous nous rassemblâmes dans le grand salon. Milo resta debout, crayon et calepin en main, tandis que nous prenions tous place sur les sièges trop moelleux de la pièce. Neuf ans avaient beaucoup vieilli Hernandez, avec ses cheveux neigeux, sa mâchoire amollie et son dos voûté. Ses mains étaient affligées d'un tremblement permanent, et il semblait devenu trop frêle pour tout labeur physique. Ce même laps de temps avait transformé ses fils en des hommes robustes qui l'entouraient comme des tuteurs soutenant un arbre vénérable.

Milo posa ses questions et leur demanda de fouiller très soigneusement leurs souvenirs. Il provoqua des regards luisants de larmes chez les femmes, brillants d'intérêt chez les hommes.

Le seul élément nouveau fut la description visuelle du départ de Gina. Deux des fils Hernandez travaillaient en effet devant la maison quand Gina Ramp était partie dans la Rolls. L'un d'eux, Guillermo, élaguait un arbre proche de l'allée et l'avait vue au volant, très clairement : il se tenait sur le côté droit de l'allée, et la Rolls-Royce avait le volant à droite, à l'anglaise, et la vitre teintée côté conducteur était baissée.

La *señora* ne souriait pas, ni n'avait l'air en colère. Elle lui avait paru sérieuse, rien de plus.

Les deux mains sur le volant.

Elle conduisait très lentement.

Elle ne lui avait pas fait de signe, n'avait pas semblé remarquer sa présence.

C'était assez inhabituel, car la *señora* était de coutume très amicale. Mais non, elle n'avait pas l'air apeurée, ou énervée. Pas en colère non plus. C'était autre chose... Guillermo chercha le terme anglais adéquat. Il conféra un instant avec son frère. Leur père regardait droit devant lui, dans le vide, apparemment coupé du présent.

— Elle *réfléchissait*, dit enfin Guillermo. Oui, elle avait l'air de réfléchir à quelque chose d'important.

— Une idée de ce que ça pouvait être ? s'enquit Milo.

Guillermo secoua la tête négativement.

Milo posa la question aux autres. Sans plus de résultat.

Une des bonnes hispaniques se remit à pleurer.

Madeleine la bouscula discrètement, sans la regarder.

Milo demanda à la Française si elle avait quelque chose à ajouter.

Elle déclara que Madame était quelqu'un de merveilleux.

Non. Elle n'avait pas idée de la destination de Madame.

Non. Madame n'avait rien pris avec elle, à l'exception de son sac à main. Son sac à main Judith Leiber, en vachette noire. Le seul qu'elle possédât, car Madame n'aimait pas collectionner. Mais tout ce qu'elle avait était d'excellente qualité. Madame était... *très classique*.

D'autres larmes de Lupe et Rebecca.

Les Hernandez s'agitèrent un peu sur leurs sièges.

Tous avaient le regard vague. Ramp gardait les yeux fixés sur ses mains. Melissa elle-même semblait abattue.

Milo poursuivit son interrogatoire avec beaucoup de tact, puis insista sur quelques points. Il agissait mieux que quiconque, dans les circonstances.

Pour un résultat nul.

Une sensation presque tangible d'impuissance s'appesantit sur la pièce.

Devant les questions de Milo, aucune hiérarchie ne s'était révélée, personne ne s'était fait le porte-parole des autres.

A une époque, les choses avaient été bien différentes.

On dirait que Jacob est un bon ami.

Il prend soin de tout.

Dutchy n'avait jamais été remplacé.

Une autre disparition.

Et maintenant celle-là.

Comme si l'immense demeure était assaillie par le destin et s'écroulait morceau par morceau...

17

Milo renvoya les employés et demanda qu'on lui indique un endroit pour travailler.

— Où vous voudrez, lui répondit Ramp.

— Le bureau du rez-de-chaussée, proposa aussitôt Melissa.

Elle nous conduisit dans la bibliothèque sans fenêtre où se trouvait le tableau de Goya. Au centre de la pièce, le bureau blanc se révéla trop petit pour Milo. Il s'y assit, s'efforça de se mettre à l'aise mais renonça très vite et balaya les murs aveugles d'un regard rapide.

— Jolie vue.

— Père utilisait cette pièce pour travailler, expliqua Melissa. Il l'a dessinée sans fenêtre pour faciliter la concentration.

— Uh-huh, grogna Milo en ouvrant les tiroirs du bureau un à un, avant de les refermer. Il posa son calepin devant lui. — Vous avez des annuaires ?

— Ici, fit Melissa en ouvrant un meuble sous les rayonnages.

Elle en sortit une collection d'annuaires qu'elle empila sur le bureau devant Milo, jusqu'à cacher la moitié de son visage.

— Le noir au-dessus est l'annuaire privé de San Labrador. Même les gens qui ne sont pas répertoriés dans l'annuaire normal y figurent.

Milo divisa la pile trop grande en deux tas moins imposants.

— Commençons par ses numéros de cartes de crédit.

— Elle possède toutes les cartes importantes, dit Ramp. Mais je ne connais pas les numéros par cœur.

— Où range-t-elle ses relevés de compte ?

— A la banque. La First Fiduciary, ici, à San Labrador. Les factures y sont directement adressées, et la banque les règle.

Milo se tourna vers Melissa :

— Vous connaissez les numéros ?

Avec une moue coupable, elle eut un mouvement de tête négatif, comme une étudiante prise en défaut sur une leçon.

Milo griffonna quelques mots sur son calepin.

— Et son matricule de permis de conduire ?

Un silence.

— Ça devrait être facile à obtenir auprès du Service des immatriculations, dit Milo en écrivant toujours. Voyons déjà sa fiche signalétique. Taille, poids, date de naissance, nom de jeune fille...

— Un mètre soixante-douze pour soixante-deux kilos, répondit Melissa. Elle est née un vingt-trois mars. Son nom de jeune fille est Paddock. Regina Marie Paddock.

Elle épela.

— Année de naissance ?

— 1946.

— Numéro de Sécurité sociale ?

— Je ne le connais pas.

— Je n'ai jamais vu sa carte, intervint Ramp. Mais je suis sûr que Glenn Anger peut vous le fournir d'après ses feuilles de déclaration d'impôts.

— Elle ne garde donc aucun papier ici ? s'étonna Milo.

— Pas que je sache.

— La police de San Labrador ne vous a rien demandé de tout cela ?

— Non, dit Ramp. Peut-être se sont-ils dit qu'ils obtiendraient ces renseignements ailleurs. Au registre de la mairie, peut-être.

— Exact, dit Melissa.

Milo posa son crayon.

— Très bien. Il est temps de se mettre au travail.

Il approcha le téléphone de lui.

Ramp et Melissa ne bougèrent pas d'un pouce.

— Vous pouvez rester pour la représentation, fit Milo, mais si vous vous sentez fatigués je vous promets que ça va vous achever.

Melissa se renfrogna un peu et quitta la pièce d'un pas nerveux.

— Je vous laisse à vos devoirs, monsieur Sturgis, dit Ramp avant de s'éclipser lui aussi.

Milo décrocha le téléphone.

Je partis à la recherche de Melissa et la retrouvai dans la cuisine, devant un des placards ouverts. Elle en sortit une bouteille de soda à l'orange, en dévissa le bouchon, prit un verre sur le rayonnage supérieur et entreprit de le remplir. Sans beaucoup de soin, car un peu du liquide tomba sur le plan de travail. Elle ne fit pas mine de l'éponger.

Toujours inconsciente de ma présence, elle leva le verre à ses lèvres et but avec un tel empressement qu'elle s'étrangla à demi et fut saisie d'une quinte de toux. En crachotant elle se frappa la poitrine du plat de la main. Enfin elle me vit, et accentua son mouvement. Quand la crise fut passée, elle dit d'une voix contrite :

— Quel beau spectacle, n'est-ce pas ? Je ne fais rien de bien...

Je m'approchai, arrachai deux feuilles de papier essuie-tout au dévidoir en bois fixé au mur et nettoyai le soda répandu.

— Laissez, je vais le faire, dit-elle en prenant le papier pour éponger ce qui l'était déjà.

— Je sais combien c'est dur pour vous, dis-je. Il y a deux jours encore, nous discutions de Harvard...

— Harvard... Belle occasion, fit-elle d'un ton amer.

— Espérons que ça redevienne une belle occasion très bientôt.

— Oh oui, bien sûr... Comme si je pouvais partir, maintenant...

Elle fit une boulette du papier imbibé et la laissa sur le plan de travail. Puis elle releva la tête et me regarda bien en face, pour amorcer le débat.

— Vous ferez ce qui vous semble le mieux, en fin de compte, dis-je.

L'incertitude fit flotter un instant son regard, qui glissa vers la bouteille.

— Mon Dieu, je ne vous en ai même pas proposé. Désolée.

— Pas grave. Je viens de boire un Coca.

Comme si elle ne m'avait pas entendu, elle ajouta :

— Je vais vous servir un verre.

Elle en prit un autre dans le placard, mais quand elle voulut le placer sur le plan de travail son bras tressaillit si brusquement que le verre faillit tomber. Elle le stoppa au dernier moment, le laissa échapper de nouveau et fit un réel effort pour le stabiliser enfin. Un instant elle resta immobile, à le contempler fixement, puis elle murmura un juron et sortit en courant de la cuisine.

Je la suivis une nouvelle fois, mais ne pus la trouver nulle part au rez-de-chaussée. Je gravis donc l'escalier en marbre vert et allai jusqu'à sa chambre. La porte en était entrebâillée, et je la poussai pour jeter un œil à l'intérieur. Personne. Je l'appelai, mais n'obtins aucune réponse. Je pénétrai alors dans la chambre et fus frappé par de faux souvenirs : ceux que j'avais inventés sur un endroit jamais vu.

Le plafond était couvert d'une peinture représentant des courtisans en tenue d'apparat profitant d'un lieu qui aurait pu être le château de Versailles. Le sol était masqué par une moquette couleur sorbet framboise, les murs d'un papier peint gris et rose à motifs de chatons et d'agneaux. Aux fenêtres, des rideaux en dentelle. Le lit était une réplique réduite de celui de sa mère. Sur les étagères étincelaient des rangées bien ordonnées de boîtes à musique, de plats miniatures et de figurines. Trois maisons de poupées. Un zoo complet d'animaux en peluche.

Les images exactes qu'elle avait décrites neuf ans plus tôt.

La chambre où elle n'avait jamais dormi.

A la droite du lit, un bureau encombré d'un micro-ordinateur, d'une imprimante et d'une pile de livres constituait la seule concession à sa condition de jeune adulte.

J'examinai les livres. Deux manuels de préparation à l'entrée en université, *Planification de la carrière universitaire* et le *Guide Fowler des universités américaines*. Je vis également des brochures d'information venant d'une demi-douzaine d'universités réputées du pays. Celle de Harvard était cornée en plusieurs endroits, et un signet marquait la section *Psychologie*.

Des manuels pour l'avenir dans une pièce habitée par le passé. Comme si son esprit s'était développé pendant que le reste stagnait.

M'étais-je trompé neuf ans auparavant en estimant qu'elle avait changé plus que cela ? En croyant qu'elle allait bien ?

Je sortis de la chambre, hésitai puis renonçai à la chercher encore. Trop facile de se perdre dans une maison aussi vaste.

Je redescendis dans le hall désert où je m'arrêtai, indécis. L'homme sans but. L'horloge en marbre au cadran presque trop décoré pour être lisible indiquait 11 : 45. Gina Ramp avait disparu depuis presque neuf heures.

Et je traînais ici depuis environ la moitié.

Il était temps d'aller dormir un peu, temps de laisser l'enquête aux pros.

J'allai donc avertir le pro que je partais.

Debout derrière le bureau, le combiné coincé entre le menton et l'épaule, il écrivait rapidement. Il avait ouvert sa cravate et remonté sans soin ses manches sur ses avant-bras.

— Uh-huh... Et il est digne de foi, d'habitude ?... Ouais ? Je ne savais pas que vous étiez aussi efficaces... Vraiment ?... Peut-être que j'y penserai, oui... Et c'était à quelle heure ?... D'accord, oui. J'apprécie que vous me parliez à ce stade de l'enquête, Ralph... Ouais, ouais, officiellement, bien que je ne sache pas s'ils s'impliquent activement. San Labrador est... Oui, je sais. Merci, bye.

Il raccrocha et me regarda.

— C'était la patrouille autoroutière. On dirait que ma théorie concernant les autoroutes vient d'être validée. Nous avons un témoignage visuel possible de la bagnole. A quinze heures trente, sur la 2-10, direction est, près d'Azuza. C'est à une quinzaine de kilomètres d'ici, ça concorderait donc niveau horaires.

— Qu'est-ce que tu veux dire par « témoignage visuel possible » ? Et pourquoi a-t-il fallu aussi longtemps pour le savoir, si la Rolls a été repérée à cette heure-là ?

— Le témoignage vient d'un motard qui n'était pas en service. Il était chez lui à écouter son scanner quand il a entendu l'avis de recherche. Alors il a appelé le central. Apparemment, à trois heures et demie il venait d'arrêter un type pour excès de vitesse sur la 2-10, direction ouest, et il allait rédiger son procès-verbal quand il a vu la Rolls ou une voiture qui y ressemblait beaucoup. Elle filait dans l'autre sens. Tout s'est passé trop vite pour qu'il ait le temps de relever l'immatriculation, mais il a pu remarquer qu'elle était anglaise. Ça répond à tes deux questions ?

— Qui conduisait ?

— Il n'a pas pu voir non plus. Mais il n'aurait peut-être pas pu identifier le conducteur, à cause des vitres fumées

— Il a donc remarqué les vitres fumées ?

— Non. C'est la voiture qu'il a regardée. Le modèle. De ce que j'ai compris, c'est un genre de collectionneur, il possède une Bentley d'à peu près la même époque.

— Un flic qui possède une Bentley ?

— Ouais, ça m'a un peu surpris aussi. Mais le flic avec qui je discutais il y a une minute, le sergent du poste de surveillance autoroutier de San Gabriel, c'est un pote au premier. Le collectionneur l'a appelé personnellement, car lui aussi est un fondu de voitures, et il collectionne les Corvette. Beaucoup de flics ont une passion pour les bagnoles, et j'en connais qui ont un deuxième boulot pour se payer leurs petits jouets. Bref, il m'a expliqué que les vieilles Bentley n'étaient pas aussi chères que ça. Vingt mille, pas plus, et même moins si tu achètes une ruine que tu retapes. Les Rolls de la même année sont plus chères parce que plus rares. Il n'y a eu que quelques centaines de ces Silver Dawn. C'est pour cela que le motard l'a remarquée.

— Ce qui signifie que c'était très probablement elle.

— Très probablement. Mais pas à coup sûr. Le gars

qui l'a vue a dit qu'elle était noire avec le toit gris, mais il n'était pas certain à cent pour cent. C'était peut-être noir en totalité, ou gris foncé avec le toit gris clair. N'oublie pas que la Rolls est passée dans l'autre sens à une centaine de kilomètres-heure...

— Mais combien peut-il y avoir de Rolls en circulation à cet endroit et à cette heure ? contrai-je.

— Plus que tu ne l'imagines. Apparemment, il y a une tripotée de Rolls à L. A. Ça date de l'époque où le dollar valait encore quelque chose. Et les collectionneurs sont nombreux dans le coin de Pasadena et San Labrador. Mais oui, je dirai qu'à quatre-vingt-dix pour cent ça peut être elle.

— Vers l'est, sur la 2-10... murmurai-je en imaginant l'autoroute. Où pouvait-elle bien aller ?

— N'importe où, mais il a fallu qu'elle prenne une décision assez rapidement : l'autoroute se termine à une vingtaine de kilomètres de là, juste avant La Verne. Au nord, c'est Angeles Crest et je ne crois pas que ce soit son genre de destination. Au sud, elle a pu passer sur un tas d'autres autoroutes. La 57 qui descend droit vers le sud ; la 10, dans l'une ou l'autre direction, ce qui peut l'amener n'importe où, de la plage à Vegas ; et elle a pu aussi continuer sur les routes secondaires jusqu'au pied des collines, histoire d'admirer la vue à Rancho Cucamonga... Mais après ?

— Je ne sais pas. Mais je parierais qu'elle a préféré ne pas trop s'éloigner de la civilisation.

Il approuva d'un hochement de tête.

— D'accord avec toi. Et *son* type de civilisation. Je pencherais pour Newport Beach, Laguna, La Jolla, Pauma, ou Santa Fe Springs. Mais ça ne réduit pas beaucoup les possibilités. A moins qu'elle ait fait demi-tour pour aller à Malibu, dans sa maison.

— Ramp a téléphoné là-bas, et il n'y a pas eu de réponse.

— Elle n'avait peut-être pas envie de décrocher ?

— Mais pourquoi serait-elle partie dans une direction pour faire demi-tour ensuite ?

— Admettons que tout ait commencé sur un coup de tête. D'après Melissa, elle n'a même pas emporté sa brosse à dents, son nécessaire à maquillage ni le moindre vêtement. Donc elle se met derrière le volant, démarre et roule pour le plaisir de rouler. Elle arrive sur l'autoroute et prend la première entrée : direction est. A la fin de l'autoroute, il faut qu'elle choisisse une direction. Le plus proche de sa maison : sa seconde maison. Il est également possible qu'elle se soit dirigée vers l'est intentionnellement. Ce qui signifie la 10, et ensuite pas mal de possibilités : San Berdoo, Palm Springs, Las Vegas. Ou plus loin encore. Et ça peut faire très loin, Alex : elle peut aller jusqu'au Maine si la Rolls ne la lâche pas. Et si c'est le cas, elle peut la laisser en plan et acheter une autre bagnole aussitôt, avec ses moyens. Pour manger de la route, il suffit d'avoir deux choses : de l'argent et du temps. Elle ne manque ni de l'un, ni de l'autre...

— Une agoraphobe qui jouerait au guerrier de la route ?

— Tu as dit toi-même qu'elle était en cours de guérison. Peut-être que l'autoroute l'y a aidée. Toute cette route libre devant elle, sans feux rouges... Ça peut vous donner une sensation de puissance et l'envie d'oublier les règles. C'est un peu pour ça que les gens se sont installés ici, au début, non ?

Je réfléchis à ce petit exposé, et je me souviens quand j'avais conduit seul sur l'autoroute pour la première fois. J'avais seize ans et je me rendais à l'université. Je venais de franchir les Rocheuses et j'avais vu le désert de nuit. J'avais été terrifié autant que grisé par l'expérience. Et j'avais eu ma première vision de ce fog brun sale qui plane sur la cuvette où se trouve L. A., cette brume épaisse et inquiétante qui n'avait pourtant pas terni la promesse dorée de cette ville découverte à l'aube.

— Oui, peut-être, fis-je enfin.

Il contourna le bureau.

— Et maintenant ? demandai-je.

— On répand la nouvelle et on diffuse plus largement le bulletin de recherche. Il y a gros à parier qu'elle a déjà dépassé les limites du comté, à l'heure qu'il est.

— Ou seulement sa voiture.

Il parut étonné.

— Ce qui veut dire ?

276

— Il est possible qu'il lui soit arrivé quelque chose, n'est-ce pas ? Donc quelqu'un d'autre pourrait se trouver au volant de la Rolls.

— Tout est possible, Alex. Mais si tu étais le méchant, tu piquerais une Rolls, toi ?

— Qui m'a dit il y a déjà bien longtemps que vous n'attrapez que les abrutis ?

— Bon, tu veux voir ça sous l'angle criminel, d'accord. Mais à ce stade il faudrait que je découvre quelque chose de très déplaisant pour penser à autre chose qu'une fugue d'adulte. Et une qui ne fera certainement pas de moi un héros.

— Que veux-tu dire par là ?

— Les fugues sont les cas de disparitions les plus difficiles à résoudre. Et les fugues de riches sont les pires. Parce que les riches ont tendance à jouer selon leurs propres règles. Ils font leurs achats en liquide, ne cherchent pas de boulot, ne prennent pas de crédit. Rien de ce qui laisse des traces écrites. Ce qui arrive à Ramp et à la gamine en est l'exemple type. Un mari standard serait beaucoup plus au fait des cartes de crédit et du numéro de sécu de sa femme. Les couples normaux partagent ce genre de choses. Mais ces gens-là vivent séparément, au moins en ce qui concerne l'argent. Les riches connaissent le pouvoir de l'argent. Ils ficellent leurs avoirs et les protègent comme un trésor enfoui.

— Des comptes bancaires séparés, des chambres séparées...

— La vraie intimité, huh ? Il n'a pas l'air de la *connaître*. Je finirai par me demander pourquoi elle l'a épousé. La gamine n'a peut-être pas tort.

— Peut-être a-t-elle été séduite par sa moustache.

Il me décocha un bref sourire las et alla jusqu'à la porte, où il se retourna pour survoler du regard la pièce sans fenêtre.

— Construite pour faciliter la concentration, grommela-t-il. Rester ici trop longtemps m'aiderait sûrement à devenir dingue...

Je pensai à une autre pièce aveugle.

— En parlant d'intérieur, quand j'étais à la Clinique Gabney j'ai été frappé par la similitude entre la décoration du bureau d'Ursula Gabney et la façon dont Gina a meublé le petit salon de sa suite. Les mêmes déclinaisons de couleurs, le même style de mobilier dans la simplicité. Et la seule œuvre d'art dans le bureau d'Ursula était une lithographie de Cassatt. Une Mère à l'enfant.

— Et ça signifie quoi, Doc ?

— Je ne sais pas exactement, mais si la litho était un cadeau, c'était un cadeau très généreux. La dernière fois que j'ai feuilleté un catalogue de vente aux enchères, les lithos de Cassatt étaient déjà hors de prix.

— Du genre ?

— De vingt à soixante mille dollars pour une litho en noir et blanc. Une en couleur coûterait encore plus, évidemment.

— Et celle du Docteur est en couleur, hein ?

J'acquiesçai.

— Et très semblable à celle de Gina.

— Plus de soixante mille dollars... Qu'est-ce qu'on dit des thérapeutes qui acceptent des cadeaux ?

— Sans être illégal, c'est généralement considéré comme contraire à l'éthique professionnelle.

— Tu penses qu'il pourrait y avoir des rapports type Svengali ?

— Rien d'aussi inquiétant, peut-être. Un investissement excessif, plutôt. De la possessivité. Ursula semble envieuse envers Gina, à la manière d'une sœur pour une autre. Comme si elle voulait avoir Gina pour elle seule. Melissa a très bien senti cela. D'un autre côté, ce n'est peut-être que de la fierté professionnelle. Le traitement a été intensif. Elle a beaucoup fait évoluer Gina. Elle a changé sa vie.

— Et changé son mobilier.

— Je vais peut-être un peu loin dans l'interprétation. Les patients peuvent également influencer les thérapeutes. Ça s'appelle un contre-transfert. Ursula peut avoir acheté un Cassatt parce qu'elle avait vu celui de Gina et avait apprécié. Avec ses honoraires et le tarif de la clinique, elle peut se l'offrir, aucun doute.

— Gros revenus ?

— Très gros, oui. Quand les deux Gabney travaillent ensemble avec un patient, ils lui facturent cinq cents dollars l'heure. Trois cents pour lui, deux cents pour elle.

— Elle n'a jamais entendu la formule « à travail égal salaire égal » ?

— Elle fait plus que sa part. J'ai eu l'impression qu'elle assure la majeure partie des thérapies, tandis que lui reste assis, à jouer au mentor.

Milo émit un claquement de langue.

— Elle ne se débrouille pas trop mal comme mentorisée, hein ? Cinq cents billets... Pff, c'est un bon boulot. Trouvez une poignée de richards perturbés, et vous n'avez pas besoin d'autre chose pour faire bouillir la marmite... Dis-moi, tu crois qu'Ursula cache quelque chose ?

— Cache quoi ?

— Des informations sur toute cette affaire. Si elles sont aussi proches l'une de l'autre que tu sembles le penser, Gina a très bien pu la mettre dans le secret de ses plans pour la grande évasion. Et cette bonne vieille Ursula a peut-être estimé que la fuite serait une bonne chose pour elle, un truc thérapeutique. Si ça se trouve, elle l'a même aidée à régler les détails : Gina a disparu alors qu'elle était censée se rendre à la clinique, n'oublie pas.

— Tout est possible, mais j'en doute. Elle m'a paru sincèrement inquiète de la disparition de Gina.

— Et l'autre ? Doc Mentor ?

— Il a dit ce qui convenait, mais il n'avait pas l'air trop troublé. Il affirme s'être entraîné à ne pas s'inquiéter.

— Le toubib qui se soigne lui-même, hein ? A moins qu'il soit aussi bon acteur que sa femme.

— Tu les verrais de mèche tous les trois ? Je croyais que tu n'aimais pas les théories de conspiration ?

— J'aime ce qui colle aux faits. Mais là, ça ne colle pas. On cherche une direction.

— Il y a deux autres femmes dans le groupe de Gina, dis-je. Si elle avait prévu de fuir, elle leur en a peut-être parlé. Quand j'ai suggéré à Ursula de les questionner, elle s'est aussitôt mise sur la défensive. Elle m'a dit que Gina n'avait pas établi de rapports avec elles, et qu'elles ne pourraient m'être d'aucune aide. Si elle est évasive, c'est le signe qu'elle cache quelque chose.

Il m'accorda un petit sourire ironique.

— Évasive ? Je pensais que vous appeliez ça « la confidentialité ».

Je me sentis rougir, et il me tapota l'épaule d'un geste apaisant.

— Allons, entre amis, on peut se permettre d'être réalistes de temps en temps, non ? A ce propos, je ferais bien d'informer mes clients des dernières nouvelles.

Nous trouvâmes Ramp assis dans la pièce du fond, celle avec les vitres colorées. Il y buvait sec. Les tentures avaient été tirées devant les portes-fenêtres et il regardait dans le vide, yeux mi-clos. Son visage avait pris une teinte brique, et quand nous entrâmes il nous lança un « Messieurs ? » d'une voix faussement enjouée de tenancier de bar.

Milo lui demanda d'appeler Melissa dans sa chambre par le téléphone intérieur. Comme elle ne répondait pas Ramp essaya plusieurs autres pièces, mais sans plus de succès. Il leva vers nous un visage où se lisait le désarroi.

— Je lui parlerai plus tard, décida Milo avant de lui expliquer qu'un motard avait vu la Rolls.

— La 2-10, fit Ramp. Où pouvait-elle aller ?

— Vous avez une idée ?

— Moi ? Non, bien sûr que non. Tout ça n'a aucun sens... Pourquoi prendrait-elle l'autoroute ? Elle commençait tout juste à conduire, bon sang. C'est aberrant...

— Ce serait une bonne idée de diffuser le bulletin de recherche dans tout l'État, dit Milo.

— Bien sûr. Allez-y, faites-le.

— Ça doit être demandé par un département de police. Vos flics locaux ont probablement été mis au courant du témoignage du motard, maintenant, et ils ont peut-être déjà demandé une diffusion plus large du bulletin de recherche. Si vous voulez, je peux leur téléphoner pour confirmation.

— Je vous en prie, fit Ramp.

Il se leva et traversa la pièce. Les pans de sa chemise sortaient devant son pantalon. Le côté droit portait un monogramme rouge, *DNR*.

— Elle, sur l'autoroute..., marmonna-t-il. C'est dingue. Ils sont bien sûr que c'était elle ?

— Non, avoua Milo. La seule chose dont ils soient sûrs, c'est qu'il s'agissait d'un véhicule pareil au sien.

— Alors ce devait être elle. Combien peut-il y avoir de ces satanées Silver Dawn ?

Il baissa les yeux, rajusta sa tenue en hâte.

— L'étape suivante serait de contacter les compagnies aériennes, et demain matin d'aller à la banque pour consulter ses relevés de compte.

Ramp le dévisagea d'un air éberlué, s'agrippa au dossier d'un fauteuil comme un aveugle puis se laissa tomber sur le siège sans quitter Milo des yeux.

— Ce que vous avez dit tout à l'heure... Qu'elle aurait pu fuir. Vous y croyez vraiment, maintenant ?

— Pour l'instant, je ne crois rien, dit Milo avec une douceur de ton qui m'étonna et captiva toute l'attention de Ramp. J'avance pas à pas, en faisant ce qu'il faut faire.

Quelque part dans la demeure, une porte claqua.

Ramp bondit sur ses pieds et quitta la pièce. Quelques instants plus tard, il revenait avec Melissa.

Elle avait passé une veste de chasse kaki sur sa chemise, et ses chaussures étaient tachées de boue.

— J'ai fait fouiller les jardins par les fils de Sabino, annonça-t-elle avant de lancer un regard vif à Ramp. Que se passe-t-il ?

Milo répéta ce qu'il avait appris.

— L'autoroute ? dit Melissa, et ses deux mains se rejoignirent pour se crisper.

— Ça n'a pas de sens, n'est-ce pas ? lui dit Ramp.

Elle l'ignora. Posant ses mains sur ses hanches, elle fit face à Milo.

— Bon, au moins ça signifierait qu'elle est en bonne santé. Et maintenant ?

— Je vais passer des coups de fil jusqu'à l'aube. Ensuite j'irai à la banque.

— Pourquoi attendre jusqu'au matin ? Je vais appeler Anger tout de suite et lui dire de venir ici. C'est le moins qu'il puisse faire, avec tout le travail que lui a fourni cette famille.

— D'accord. Dites-lui que j'aurai besoin de consulter les comptes de votre mère.

— Attendez ici. Je vais lui téléphoner.

Elle quitta la pièce.

— Oui, patron, fit Milo.

18

Elle revint avec une feuille de papier qu'elle tendit à Milo.

— Il vous rencontrera à cette adresse. J'ai dû lui dire de quoi il s'agissait, en lui précisant que je comptais sur sa discrétion. Que pourrais-je faire pendant votre absence ?

— Appeler les compagnies aériennes, dit Milo. Vérifier si quelqu'un a pris un billet d'avion pour n'importe quelle destination en utilisant le nom de votre mère. Précisez que vous êtes sa fille et qu'il s'agit d'une urgence. Si ça ne suffit pas, rajoutez-en un peu : quelqu'un est très gravement malade, par exemple... Contactez tous les départs des aéroports, LAX, Burbank, Ontario, John-Wayne, et aussi Lindbergh. Si vous voulez faire la totale, vérifiez aussi sous le nom de jeune fille de votre mère. Je ne reviendrai ici que si je découvre quelque chose d'important à la banque. Voici mon téléphone personnel.

Il l'inscrivit sur la partie libre de la feuille, la déchira et la donna à Melissa.

— Appelez-moi si vous découvrez quoi que ce soit, dit-elle. Même si cela semble sans importance.

— Compris, dit Milo avant de se tourner vers Ramp : tenez bon.

Sans quitter son siège, Ramp acquiesça mollement.

Je m'adressai à Melissa :

— Est-ce que je peux faire quelque chose pour vous ?

— Non, merci. Je n'ai pas vraiment envie de parler. Je

voudrais *faire* quelque chose. Ne le prenez pas mal, d'accord ?

— Je ne le prends pas mal.

— Je vous téléphonerai si j'ai besoin de vous, ajouta-t-elle.

— Pas de problème.

— *Sayonara*, fit Milo en se dirigeant vers la porte.

— Je sors avec toi, annonçai-je en le suivant.

— Si tu insistes, dit-il alors que nous descendions ensemble l'allée. Mais à ta place, si j'avais l'occasion de fermer un œil, je ne la manquerais pas.

Il était venu dans la Porsche 928 blanche de Rick. Un scanner portable avait été monté sur le tableau de bord depuis la dernière fois que j'avais vu la voiture. Il régla le volume sonore très bas, et le récepteur émit un bourdonnement continu de voix déformées.

— Woah, fis-je en tapotant le boîtier.

— Cadeau de Noël.

— De qui ?

— De moi à moi, dit-il en accélérant, et la Porsche ronfla goulûment. Je pense toujours que tu devrais aller dormir un peu. Ramp a déjà l'air lessivé, et la gamine ne tient que par l'adrénaline. Tôt ou tard il va falloir que tu reviennes ici pour faire ton truc.

— Pas fatigué, maugréai-je.

— Trop énervé ?

— Mouais.

— Tu paieras l'addition demain. Juste au moment d'un appel paniqué.

— Ça ne fait aucun doute.

Il gloussa et fit rouler la Porsche dans l'allée.

Le portail de la propriété était grand ouvert. Il tourna à gauche, sur Sussex Knoll, et une nouvelle fois à gauche. Puis il accéléra jusqu'à Cathcart Boulevard où il engagea la voiture. Toutes les vitrines des commerces étaient encore éteintes. Les lampadaires diffusaient une lumière opaline qui se diluait dans l'air avant d'effleurer le terre-plein gazonné.

— Ouais, c'est là-bas, le bâtiment éclairé.

Il désigna une construction basse de style néo-grec. La façade était de pierres blanches, et des haies basses de buis bordaient une étroite pelouse où s'élevait un mât pour drapeau. Au-dessus de la porte brillait en lettres dorées FIRST FIDUCIARY TRUST BANK et FDCI.

— Ça n'a pas l'air assez grand pour installer une chaîne de production de petits gâteaux, fis-je.

— La qualité, pas la quantité, n'oublie pas.

Il se gara devant la banque. De l'autre côté de la rue, un parking d'une vingtaine de places était délimité par une chaîne métallique accrochée à deux poteaux, pour l'instant baissée sur le sol. Une conduite intérieure Mercedes noire occupait la première place à gauche. Alors que nous sortions de la Porsche, la portière de l'autre voiture s'ouvrit.

Un homme émergea de la Mercedes, referma la portière et resta là, une main posée sur le toit de son automobile.

— Je suis Sturgis, lui lança Milo.

L'homme avança dans le cône de lumière du lampadaire. Il était vêtu d'un costume infroissable gris, d'une chemise blanche et d'une cravate jaune à pois bleus, avec une pochette assortie à son veston. Il portait des chaussures noires confortables. La tenue de secours pour cette heure.

— Glen Anger, monsieur Sturgis, se présenta-t-il. J'espère que Mrs. Ramp ne court aucun danger.

— C'est ce que nous nous efforçons de découvrir.

— Veuillez me suivre, fit-il en désignant la porte de la banque. Le système de sécurité a été débranché, mais il faut encore s'occuper de ceux-là.

Il parlait d'un quatuor de serrures de sécurité disposées autour de la poignée. Sortant un trousseau de clefs il en choisit une et l'inséra dans la serrure supérieure, fit un quart de tour et attendit un déclic avant de retirer la clef. Il agissait avec des gestes nets et rapides. A le regarder, je pensai à un perceur de coffre-fort.

Je l'observai avec attention. Un mètre quatre-vingts pour quatre-vingts kilos, les cheveux courts et grisonnants, un visage tout en longueur qui apparaîtrait sans doute bronzé à la lumière du jour. Le nez menu, la bouche mince, des oreilles petites et collées au crâne, comme s'il avait acheté ses traits et choisi une taille en dessous de la normale. D'épais sourcils sombres rendaient ses yeux clairs encore plus étroits qu'ils ne l'étaient en réalité. Il pouvait avoir entre quarante-cinq et cinquante-cinq ans. S'il avait été tiré du lit, il paraissait bien éveillé.

Avant d'insérer la quatrième clef, il suspendit son geste, scruta la rue déserte dans les deux sens, puis nous jeta un coup d'œil hésitant.

Milo lui répondit d'un regard parfaitement neutre.

Anger tourna la clef et ouvrit la porte de trois centimètres.

— Je suis très inquiet pour Mrs. Ramp, dit-il. D'après ce qu'a dit Melissa, ça semble sérieux.

Milo acquiesça sobrement.

— En quoi pensez-vous que je pourrai vous être utile ? demanda-t-il en me fixant des yeux.

— Alex Delaware, fit Milo comme si mon nom suffisait à justifier ma présence. La première chose que vous pouvez faire est de me communiquer les numéros de ses cartes bancaires et de ses comptes. La deuxième est de me renseigner sur l'état général de ses finances.

— Vous renseigner ? fit Anger, la main toujours posée sur le bouton de la porte.

— Répondre à quelques questions.

La mâchoire de Anger effectua un mouvement curieux d'avant en arrière. Passant le bras autour du montant de la porte, il appuya sur plusieurs interrupteurs à l'intérieur.

La banque était tout merisier ciré, moquette bleu nuit et comptoirs en cuivre. Le plafond était décoré en son centre d'un aigle chauve en relief. Trois guichets et une porte marquée COFFRES-FORTS occupaient un côté, trois tables et le double de chaises l'autre. Au centre du hall se trouvait un petit kiosque d'information.

L'endroit sentait le savon citronné, l'ammoniaque et un argent si vieux qu'il commençait à moisir. En pénétrant dans ces lieux déserts, j'eus l'impression d'être un voleur.

Anger nous précéda jusqu'à une porte marquée W. GLENN ANGER, PRÉSIDENT au-dessus d'un sceau évoquant horriblement celui que venait d'abandonner Ronald Reagan.

Deux serrures seulement à cette porte.

Anger les ouvrit.

— Entrez, je vous en prie.

Son bureau était petit, frais et il y planait une odeur rappelant les voitures neuves. Il était meublé d'un bureau massif — nu à l'exception d'un stylo Cross en or et d'une lampe à abat-jour noir — et de deux fauteuils tendus de tweed marron séparés par une longue table basse. Plusieurs volumes à reliures de cuir étaient posés sur cette table. A la droite du bureau se trouvaient un micro-ordinateur sur son meuble roulant. Des photos de famille occupaient le mur arrière, chacune représentant les mêmes sujets : une femme blonde ressemblant à Doris Day après six mois de suralimentation intensive, quatre garçons blonds, deux magnifiques chiens golden retriever et un chat siamois boudeur.

Les autres murs étaient décorés de deux diplômes de Stanford encadrés, d'une collection d'assiettes décorées par Norman Rockwell, d'une copie sous verre de la déclaration d'Indépendance et d'une vitrine haute emplie de trophées sportifs. De golf, de squash, de natation, de base-ball, d'athlétisme. Des coupes gagnées vingt ans auparavant et gravées au nom des vainqueurs : *Warren Glenn Anger Jr* et *Éric James Anger*. Je m'interrogeai sur les deux garçons qui n'avaient jamais rapporté de trophée au foyer familial et tentai de les identifier sur les photos, mais sans y parvenir. Tous quatre arboraient le même sourire.

Anger s'assit derrière le bureau, tira sur ses manchettes et consulta sa montre. Le dos de ses mains était couvert d'un duvet sombre.

Milo et moi prîmes place dans les fauteuils en tweed. Je jetai un œil aux volumes posés sur la table. Il s'agissait des répertoires des membres de trois clubs privés bataillant toujours pour obtenir l'autorisation municipale d'admettre des femmes et des représentants des minorités.

— Vous êtes détective privé ? demanda Anger.

— Exact.

— Quel genre de renseignements recherchez-vous ?

Milo dégaina son calepin.

— Le solde positif de Mrs. Ramp, pour commencer.

Comment sont répartis ses avoirs Tout retrait récent qui pourrait être significatif.

Les sourcils d'Anger s'infléchirent vers la racine de son nez.

— Pour quelle raison précise désirez-vous savoir tout cela, monsieur Sturgis ?

— J'ai été engagé pour partir à la chasse de Mrs. Ramp. Et un bon chasseur se doit de connaître sa proie.

Anger se rembrunit.

— Les mouvements sur ses comptes pourraient me renseigner sur ses intentions.

— Ses intentions à quel sujet ?

— Des retraits de montants inhabituellement élevés pourraient suggérer qu'elle avait planifié un départ.

Anger effectua une série rapide de petits hochements de tête.

— Je vois. Eh bien, ce n'est pas le cas. Et son solde ? Que vous apprendra-t-il ?

— Je dois savoir ce qui est en jeu.

— En jeu ?

— Combien de temps elle peut rester absente. En admettant que sa disparition soit un acte volontaire.

— Est-ce que vous suggéreriez...

— Et qui hériterait, si ce n'est pas un acte volontaire.

La mâchoire d'Anger reprit son va-et-vient d'avant en arrière.

— Cela semble sinistre.

— Pas vraiment. Je dois juste définir les paramètres indispensables.

— Je vois. Et que pensez-vous qu'il lui est arrivé, monsieur Sturgis ?

— Je n'ai pas assez de renseignements pour penser quoi que ce soit. C'est pourquoi je suis ici.

Anger se renversa dans son fauteuil, roula l'extrémité de sa cravate entre ses doigts, puis la laissa se dérouler.

— Je suis très inquiet pour son bien-être, monsieur Sturgis. Je suis certain que vous êtes au courant de ses problèmes, ses peurs... Penser qu'elle est peut-être à l'extérieur, seule...

Anger conclut par une moue attristée.

— Nous sommes tous inquiets, dit Milo. Alors pourquoi ne pas nous mettre au travail ?

Anger fit pivoter son fauteuil sur le côté, le baissa et se repositionna face à nous.

— Le problème, c'est que la banque se doit d'assurer un certain niveau de...

— Je sais ce qu'une banque se doit d'assurer, et je ne doute pas que vous le fassiez au mieux. Mais il est question d'une femme qui se trouve dans la nature et dont la famille veut retrouver la trace aussi tôt que possible. Donc, si nous commencions nos recherches ?

Anger ne bougea pas. Mais il avait l'air de quelqu'un qui vient de se coincer le doigt dans une portière et qui essaie désespérément de le dégager.

— Qui est votre employeur, monsieur Sturgis ?

— Mr. Ramp et Miss Dickinson.

— Don ne m'a rien dit à votre sujet.

— Il est un peu stressé en ce moment, et il doit essayer de se reposer, à l'heure qu'il est. Mais n'hésitez pas à le contacter pour confirmation.

— Il est stressé ?

— Vous diriez « inquiet du bien-être de sa femme ». Plus longue est son absence, plus grand le stress de son mari. Avec un peu de chance cette affaire se résoudra d'elle-même, et la famille sera extrêmement reconnaissante à ceux qui l'auront aidée dans ces mauvais moments. Les gens ont tendance à se souvenir de ce genre de choses...

— Oui, bien sûr. Mais c'est justement là une partie de mon dilemme. Si cette affaire se résout d'elle-même, la diffusion publique des finances de Mrs. Ramp se sera faite sans aucune justification légale. Puisque seule Mrs. Ramp a le pouvoir d'accepter la diffusion de ces informations.

— Vous marquez un point, reconnut Milo. Si vous voulez, nous ressortirons d'ici en enregistrant le fait que vous avez refusé de coopérer.

— Non, fit Anger, ce ne sera pas nécessaire. Melissa a bien atteint sa majorité, même si c'est récent. A la lumière de la... situation, je suppose qu'elle a tous droits de prendre ce genre de décisions familiales, en l'absence de sa mère.

— De quelle situation parlez-vous ?

— Elle est la seule héritière de sa mère.

— Ramp n'obtiendrait rien ?

— Seulement une somme modique.

— C'est-à-dire ?

— Cinquante mille dollars. Permettez-moi de vous dire ce que je sais : les avocats de la famille sont Wresting, Douse & Cosner, qui ont leur étude en ville. Il est possible qu'ils aient rédigé de nouveaux arrangements, mais j'en doute. En règle générale je suis tenu informé de toute modification. Nous tenons la comptabilité de la famille, et nous recevons copie de tous les documents les concernant.

— Vous pouvez me redonner le nom de ces trois avocats ? demanda Milo, le crayon prêt.

— Wresting. Douse. Et Cosner. C'est une étude ancienne et réputée. Le grand-oncle de Jim Douse était J. Harmon Douse, qui a siégé à la Cour suprême de justice de Californie...

— Qui est l'avocat personnel de Mrs. Ramp ?

— Jim Junior ; le fils de Jim Douse. James Madison Douse, Junior.

Milo copia le nom.

— Vous avez son téléphone en tête ?

Anger récita les sept chiffres sans hésiter.

— Très bien, fit Milo. Ces cinquante mille dollars qui reviendraient à Ramp, c'est le résultat du contrat prénuptial ?

— Oui. Pour autant que je m'en souvienne, le contrat stipule que Don renonce à réclamer toute part des avoirs de Gina en dehors d'un versement unique de cinquante mille dollars. Un contrat très simple. Un des plus courts qu'il m'ait été donné de voir.

— De qui était cette idée ?

— D'Arthur Dickinson essentiellement. Le premier mari de Gina.

— Une voix d'outre-tombe ?

Anger bougea un peu sur son siège et prit un air pincé.

— Arthur voulait que les intérêts de Gina soient bien protégés. Il était très conscient de leur différence d'âge, et de la fragilité de sa femme. Il a spécifié dans son testament qu'aucun époux à venir ne pourrait hériter.

— C'est légal ?

— Il vous faudrait consulter un avocat pour le savoir, monsieur Sturgis. Mais Don n'a jamais montré aucun désir de contester cette disposition. J'étais présent à la signature du contrat. Il a été certifié devant notaire. Don était totalement d'accord. Mieux même, enthousiaste. Il a même affirmé qu'il renonçait aux cinquante mille dollars. C'est Gina qui a insisté pour se conformer aux dispositions définies par Arthur.

— Pourquoi donc ?

— Il s'agit quand même de son mari.

— Alors pourquoi n'a-t-elle pas essayé de lui donner plus ?

— Je ne sais pas, monsieur Sturgis. Il faudrait le demander... — Un petit sourire gêné. — Oui, eh bien, je ne peux qu'imaginer, mais je suppose qu'elle était un peu embarrassée. Cela se passait une semaine avant leur mariage. La plupart des gens répugnent à régler des problèmes financiers dans ces circonstances. Don lui a assuré que c'était sans importance pour lui.

— On dirait qu'il ne l'a pas épousée pour son argent.

Anger lui lança un regard glacial.

— Apparemment non, monsieur Sturgis.

— Vous avez une idée de la raison qui l'a poussé à se marier avec elle ?

— L'amour, j'imagine, monsieur Sturgis.

— Ils sont heureux ensemble, de ce que vous savez ?

Anger croisa ses mains devant sa poitrine.

— Vous enquêtez sur votre propre client, monsieur Sturgis ?

— J'essaie de me peindre un portrait exact d'elle.

— L'art n'a jamais été mon point fort, monsieur Sturgis.

Milo jeta un coup d'œil aux trophées dans la vitrine.

— Ça passerait mieux si je formulais mes questions en termes sportifs ?

— Pas le moins du monde, je le crains.

Avec un petit sourire, Milo griffonna deux lignes sur son calepin.

— D'accord, revenons donc au début. Melissa est la seule héritière.

— C'est exact.

— Pas de legs de charité ?

— Aucun.

— Qui hériterait de la propriété, si Melissa décédait ?

— Sa mère, je pense, mais nous dépassons le champ de mes compétences, là.

— Très bien, alors revenons-y. En quoi consiste cet héritage ? De quelle somme globale parlons-nous ?

Anger hésita une seconde. La prudence du banquier.

— Environ quarante millions. Plus ou moins. Le tout dans des placements extrêmement sûrs.

— Comme ?

— Des bons municipaux de l'État de Californie, des valeurs stables et des actions, des bons du Trésor, certains titres au deuxième et troisième marchés boursiers. Rien de spéculatif.

— Et quel revenu annuel tire-t-elle de ces placements ?

— De trois et demi à cinq millions de dollars, selon les cours.

— Le tout en intérêts ?

Anger acquiesça. Parler chiffres l'avait un peu détendu, et il se pencha en avant, l'air plus alerte.

— Il n'y a pas d'autres revenus. Arthur a fait un peu d'architecture et d'aménagement avant son mariage, mais la majeure partie de sa fortune résulte des royalties tirées de l'étai Dickinson — un procédé qu'il a inventé et qui renforce le métal. Il a vendu tous ses droits peu avant sa mort, ce qui est aussi bien car depuis d'autres techniques ont rendu sa découverte obsolète.

— Pourquoi a-t-il vendu ?

— Il venait de prendre sa retraite et désirait consacrer tout son temps à Gina et à ses problèmes médicaux. Vous êtes au courant de ce qui lui est arrivé, bien sûr. L'agression ?

— Oui. Vous avez une idée de la raison de cette agression ?

Anger parut dérouté.

— Pas la moindre. J'étais encore étudiant quand cela s'est produit. Je l'ai appris par les journaux.

— Ça ne répond pas vraiment à ma question...

— Quelle était votre question ?

— Le mobile de cette agression.

— Je n'en ai aucune idée.

— Et vous n'avez connaissance d'aucune théorie à ce sujet ?

— Je ne prête pas l'oreille aux ragots.

— J'en suis certain, monsieur Anger, mais si vous l'aviez fait, qu'auriez-vous pu entendre ?

— Monsieur Sturgis, il vous faut comprendre que Gina est retranchée du monde depuis déjà longtemps. Elle n'est pas le sujet de conversation local.

— Mais à l'époque de l'agression ? Ou peu après, lorsqu'elle s'est installée à San Labrador. Pas de rumeurs alors ?

— Si je me souviens bien, l'avis général était que le maniaque qui avait fait ça n'avait pas toute sa tête. Et un fou a-t-il besoin d'un motif ?

— Je suppose que non, fit Milo en parcourant ses notes. Ces placements très sûrs, c'est aussi une idée de Dickinson ?

— Absolument. Les règles devant gouverner la gérance de ces placements étaient détaillées dans son testament. Arthur était un homme très prudent, et la collection d'œuvres d'art constituait sa seule excentricité. Il aurait acheté ses vêtements en prêt-à-porter s'il avait pu.

— Vous pensez qu'il était un peu trop conservateur ?

— Ce n'est pas à moi de juger, répondit Anger. Avec ce que lui a rapporté l'étai, il aurait pu investir dans des biens fonciers et faire fructifier le tout jusqu'à atteindre une fortune de deux ou trois cents millions de dollars. Mais il a insisté pour ne prendre aucun risque, et nous avons joué la sécurité, comme il le désirait. Et nous continuons.

— Vous êtes son banquier depuis toujours ?

— La Fiduciary, oui. C'est mon père qui a fondé cette banque. Il travaillait directement avec Arthur.

Le visage d'Anger s'était fermé. A l'évidence il répugnait à partager son crédit. Pas de portrait du Père Fondateur ici. Ni dans la grande salle, d'ailleurs.

De même, je n'avais vu aucun portrait d'Arthur Dickinson dans la demeure qu'il avait construite. Curieux.

— Vous réglez toutes ses factures ? interrogea Milo.

— Tout sauf les petits achats faits en liquide, bien sûr. Les dépenses ménagères.

— Et à combien se monte le total des règlements que vous effectuez sur une période d'un mois ?

— Un moment...

Anger fit pivoter son fauteuil vers le micro-ordinateur qu'il alluma. Il attendit que la machine soit prête, tapa une commande, attendit encore puis composa un nouveau code. L'écran s'emplit de lignes.

— Nous y voilà. Les factures du mois dernier ont atteint un total de trente-deux mille deux cent cinquante-huit dollars et trente-neuf cents. Le mois précédent, un peu plus de trente mille. C'est à peu près la moyenne.

Milo se leva, contourna le bureau et regarda l'écran. Anger voulut cacher les données de la main, mais Milo se penchait déjà au-dessus de lui pour mieux voir, et le banquier renonça.

— Comme vous pouvez le constater, fit-il, la famille vit de façon relativement simple. La plus grande part des dépenses est constituée par les salaires des employés, la maintenance de la maison et les assurances.

— Aucune hypothèque ?

— Aucune. Arthur a payé comptant l'achat de la résidence balnéaire, et il y a vécu pendant la construction de la demeure de San Labrador.

— Et les impôts ?

— Ils sont débités sur un autre compte. Si vous insistez je vous ferai donner le dossier, mais cela ne vous apprendra rien.

— Faites-moi plaisir, dit Milo.

La mâchoire de Anger eut un bref mouvement de va-et-vient et il pianota la commande adéquate. L'ordinateur émit quelques bruits digestifs. Anger se frotta la mâchoire de la main, et je vis que la peau en était légèrement irritée : il s'était rasé avant de venir.

— Voilà, dit-il quand les données s'affichèrent à l'écran. Pour l'année dernière, les impôts fédéraux et de l'État se montaient à une somme globale de presque un million de dollars.

— Ce qui laisse entre deux et demi et quatre millions de dollars...

— Approximativement, oui.

— Où va tout cet argent ?

— Nous le réinvestissons.

— Actions et autres titres ?

— Oui.

— Mrs. Ramp retire-t-elle du liquide pour elle-même ?

— Sa rente personnelle est de dix mille dollars par mois.

— Sa rente ?

— C'est une disposition voulue par Arthur.

— Peut-elle retirer plus ?

— Tout cet argent lui appartient, monsieur Sturgis. Elle peut retirer la somme qu'elle désire.

— Le fait-elle ?

— Fait-elle quoi ?

— Retirer plus que dix mille dollars.

— Non.

— Et les dépenses de Melissa ?

— Elles sont couvertes par un compte séparé de fonds en fidéicommis.

— Bien... Nous parlons donc d'un retrait de cent vingt mille dollars par an. Depuis combien d'années ?

— Depuis le décès d'Arthur.

— Il est mort juste avant la naissance de Melissa, intervins-je. Ce qui fait un peu plus de dix-huit ans.

— Dix-huit fois douze mois... marmonna Milo. Ça fait un peu plus de deux cents mois...

— Deux cent seize, dit Anger par réflexe.

— Multiplié par dix mille, ça nous fait plus de deux millions de dollars. Si Mrs. Ramp a placé cette somme dans une autre banque et gagné les intérêts, la somme pourrait avoir doublé, n'est-ce pas ?

— Elle n'aurait aucune raison d'agir ainsi, rétorqua Anger.

— Où est passé cet argent, alors ?

— Qu'est-ce qui vous fait penser qu'il est passé quelque part, monsieur Sturgis ? Elle l'a sans doute dépensé, pour des besoins personnels.

— Plus de deux millions de dollars en besoins personnels ?

— Monsieur Sturgis, je vous assure que dix mille dollars mensuels pour une femme de son rang, cela n'est pas grand-chose.

— Oui, vous avez sûrement raison.

Anger eut un sourire condescendant.

— On est facilement dépassé par tous ces zéros. Mais croyez-moi, ce genre de somme est vite dépensé. J'ai des clientes qui déboursent plus pour un simple manteau de fourrure. Puis-je vous être utile pour autre chose, monsieur Sturgis ?

— Mr. et Mrs. Ramp ont-ils un compte commun ?

— Non.

— Mr. Ramp est chez vous également ?

— Oui, mais s'il est votre employeur je préférerais que vous parliez de ses finances avec lui.

— Bien sûr, dit Milo. Bien, et maintenant si nous nous occupions de ces cartes de crédit ?

Les doigts d'Anger papillonnèrent sur le clavier. Un grognement de la machine, un nouveau tableau sur l'écran.

— Il y a trois cartes. American Express, Visa et MasterCard. — De l'index, il désigna une colonne : voici les soldes. En dessous vous avez les disponibilités et le total des achats pour l'année fiscale en cours.

— Il n'y a rien de plus ? demanda Milo en recopiant les chiffres.

— Non, monsieur Sturgis. Tout est là.

— Entre ces trois cartes, elle dispose donc d'un crédit mensuel d'environ cinquante mille dollars. Exact ?

— Quarante-huit mille cinq cent cinquante-cinq dollars, corrigea Anger.

— Pas d'achat avec l'American Express, et pas grand-chose avec les deux autres non plus. On dirait qu'elle ne dépense pas beaucoup.

— Elle n'en a pas le besoin, répondit Anger. Nous prenons soin de tout.

— Un peu comme si elle était encore gamine.

— Je vous demande pardon ?

— Sa façon de vivre. Comme si elle n'était qu'une enfant. Elle a tout à disposition, on s'occupe de tout pour elle, pas de problème...

Les mains d'Anger se crispèrent un peu au-dessus du clavier de l'ordinateur.

— Je suis sûr qu'il est très divertissant de se moquer des riches, monsieur Sturgis, mais j'ai remarqué que vous n'êtes pas immunisé contre certains divertissements matériels...

— Ah ouais ?

— Votre voiture. Vous l'avez choisie pour ce qu'elle représente à vos yeux.

— Oh ! la voiture... C'est un emprunt. Mon moyen de locomotion habituel représente beaucoup moins.

— Vraiment, fit Anger d'un ton sceptique.

Milo se tourna vers moi.

— Dis-lui.

— Il se déplace en mobylette, dis-je avec le plus grand sérieux. C'est mieux pour les filatures.

— Sauf quand il pleut, ajouta Milo. Là, je prends mon parapluie.

— On dirait que la petite Melissa s'est peut-être trompée sur les intentions de son beau-père, fit Milo quand nous nous retrouvâmes dans la Porsche.

— Ce serait de l'amour, vraiment ? Pourtant ils ne dorment pas ensemble.

Milo eut une moue désabusée.

— Ramp l'aime peut-être platoniquement, pour la pureté de son âme.

— A moins qu'il ne projette de dénoncer leur union.

— Quel type soupçonneux tu fais... En attendant, il y a tout le pognon de cette rente...

— Deux millions ? dis-je. De la menue monnaie. Ne vous laissez pas impressionner par quelques zéros, monsieur Sturgis.

— Dieu m'en garde, mon pote.

Il engagea la Porsche sur Cathcart qu'il suivit à petite allure.

— En fait, il n'a pas tout à fait tort. Avec ce genre de revenus, cent vingt mille dollars par an *pourraient* ressembler à de l'argent de poche. Si elle les dépensait. Mais après avoir visité ses appartements, je ne vois pas dans quoi ils sont passés. Des bouquins, des magazines et quelques appareillages de gymnastique ne coûtent pas cent vingt mille dollars par an... Bon Dieu, elle n'a même pas un magnétoscope. Il y a bien la thérapie, mais elle n'a commencé que l'année dernière. A moins qu'elle ait donné en secret à des organisations caritatives, dix-huit ans sans dépenser cette rente, ça finit par faire une jolie somme... J'aurais peut-être dû sonder son matelas.

— C'est peut-être avec ça qu'elle a acheté le Cassatt. Les deux Cassatt.

— Possible, mais ça laisse encore un beau paquet. Si elle l'a déposé dans une autre banque, nous ferions bien de découvrir laquelle au plus tôt.

— Comment aurait-elle pu s'arranger avec une autre banque sans quitter sa maison?

— Avec ce genre de sommes en jeu, beaucoup de banquiers se déplaceraient pour la voir.

— Mais ni Ramp ni Melissa n'ont mentionné la visite de banquiers...

— C'est vrai, reconnut-il. Bon, admettons qu'elle ait planqué les billets, tout simplement. Pour le jour où. Et peut-être que « le jour où » est arrivé et qu'elle a tout ça dans son sac à main, en ce moment même.

Je réfléchis à cette hypothèse.

— Qu'y a-t-il? fit Milo.

— Une femme riche avec un tas de dollars dans une Rolls. C'est la définition d'une victime, ça, non?

— Ouais. Et dans une centaine de langues.

Nous repassâmes par Sussex Knoll pour que je reprenne ma voiture. Le portail avait été refermé, mais deux spots surplombant les colonnes avaient été allumés. Des lumières accueillantes, qui créaient une tache d'optimisme déplacée dans l'immobilité grise des premières heures.

— Laisse tomber, pour ma voiture, dis-je. Je la reprendrai demain.

Sans faire de commentaire, Milo effectua un demi-tour et reprit la direction de Cathcart. Il accéléra et conduisit la Porsche avec un brio que je ne lui avais encore jamais vu. En un temps record nous avions rejoint l'autoroute, déserte à cette heure.

Pourtant Milo restait aux aguets. Je le vis regarder à droite et à gauche, dans son rétroviseur, jusqu'à ce que nous ayons atteint l'échangeur du centre-ville. Alors il alluma le scanner et nous écoutâmes les gens blessés qui choisissaient de se punir mutuellement, tandis qu'un autre jour se levait.

19

En arrivant chez moi j'étais toujours aussi tendu. J'allai jusqu'au bassin et vis avec plaisir des grappes d'œufs qui collaient à certaines plantes à la limite de l'eau. Rassuré pour l'instant, je remontai à la maison pour écrire un peu. Un quart d'heure suffit à me rendre somnolent, et j'ôtai mollement mes vêtements avant de tituber jusqu'à mon lit.

Je m'éveillai à six heures quarante ce vendredi, et je téléphonai à Melissa une heure plus tard.

— Oh, dit-elle d'un ton où perçait la déception, comme si elle espérait un autre appel. Je viens de parler avec Mr. Sturgis. Rien de neuf.

— Désolé de l'apprendre.

— J'ai fait exactement comme il avait dit, docteur Delaware. J'ai appelé toutes les compagnies aériennes à tous les aéroports, même ceux de San Francisco et San Josè, qu'il n'avait pas mentionnés. J'ai pensé qu'elle aurait pu aller vers le nord, vous ne croyez pas ? Ensuite j'ai appelé tous les hôtels et les motels que j'ai pu trouver dans les pages jaunes, mais aucun n'avait enregistré son arrivée. Je crois qu'il commence à se rendre compte que l'affaire est peut-être sérieuse.

— Pourquoi cela ?

— Parce qu'il a accepté de parler à McCloskey.

— Je vois.

— Est-il si bon que cela, docteur Delaware ? Je veux dire, comme détective ?

— Le meilleur que je connaisse.

— Je crois qu'il l'est, oui. En fait je l'apprécie plus que la première fois où je l'ai vu. Mais je dois être sûre. Parce que personne n'a l'air de beaucoup s'en faire. La police ne fait rien du tout. Chaque fois que je lui téléphone, Chickering se comporte comme si je lui faisais perdre son temps. Et Don est retourné travailler. Vous vous rendez compte?

— Que faites-vous?

— Je reste ici et j'attends. Et je prie. Je n'avais plus prié depuis mon enfance, avant que vous ne m'aidiez... Je n'arrête pas d'osciller entre l'idée qu'elle va entrer dans la maison dans un instant et la possibilité qu'elle soit... Je dois rester ici. Je ne veux pas qu'elle revienne dans une maison vide.

— C'est très compréhensible.

— En attendant, je pense que je vais contacter des hôtels plus au nord. Peut-être aussi dans le Nevada, ça n'est pas très loin, par la route. Vous voyez d'autres régions qui seraient logiques?

— Tous les États voisins, à mon avis.

— Bonne idée.

— Avez-vous besoin de quelque chose, Melissa? Je peux quelque chose pour vous?

— Non, répondit-elle très vite. Non, merci.

— Je passerai quand même aujourd'hui. Pour récupérer ma voiture.

— Oh bien sûr, quand vous voulez.

— Si vous désirez me parler, il vous suffira de me le dire.

— Bien sûr.

— Prenez soin de vous, Melissa.

— Promis, docteur Delaware. Je préfère garder cette ligne libre, au cas où. Au revoir.

— *Sturgis*, aboya la voix de Milo dans le récepteur.

— Eh bien, c'est mieux que « Ouais? »...

— Je viens d'avoir Melissa au bout du fil. Elle m'a dit que vous aviez discuté?

— Elle a parlé, j'ai écouté. Si c'est cela discuter, alors oui, nous avons discuté.

300

— Elle a l'air de ne pas avoir chômé.

— Elle a travaillé toute la nuit. Cette gamine a de l'énergie.

— Surplus d'adrénaline, fis-je.

— Tu veux que je lui dise de se calmer ?

— Non. Pour l'instant, ça n'est pas plus mal si elle maîtrise son anxiété en se rendant utile. Ce qui m'inquiète beaucoup plus, c'est ce qui pourrait se passer si sa mère ne réapparaît pas rapidement. Si elle commence à craquer...

— Ouais... Bah, tu es là pour ça. Mais si tu veux qu'elle lâche un peu la pression, dis-le-moi.

— Comme si elle allait t'écouter !

— Ouais, pas faux...

— Alors, rien de neuf ?

— Pas le moindre truc. Le bulletin a été diffusé dans tout l'État, et même en Arizona et dans le Nevada. Le contrôle des cartes de crédit est en place. Jusqu'ici aucun achat conséquent ne nous a été rapporté. Pour les petits achats, les commerçants les enregistrent tous quand ils envoient leurs récépissés par la poste, il faudra donc attendre un peu. J'ai vérifié une partie des endroits où Melissa avait appelé, les compagnies d'aviation et les hôtels de luxe en particulier. Personne correspondant à la description de Maman ne s'est inscrit durant la nuit. J'attends l'ouverture du service des passeports, à huit heures, juste au cas où elle aurait pris un vol longue distance. J'ai dit à Melissa de continuer à contacter les lignes intérieures. Elle ferait une assistante sacrément efficace.

— Elle a dit que tu avais accepté de voir McCloskey ?

— Je lui ai promis de le faire aujourd'hui, oui. Ça ne peut pas faire de mal. Le reste ne donne rien, pour l'instant...

— Vers quelle heure as-tu l'intention de lui rendre visite ?

— Bientôt. J'ai laissé un message à Douse, l'avocat. Il doit me rappeler vers neuf heures. Je veux vérifier certaines des affirmations de Anger. Si Douse accepte de répondre à mes questions au téléphone, j'irai voir McCloskey dès que j'aurai raccroché. Sinon il faudra compter deux heures de plus, le temps que je m'arrange en ville. Mais McCloskey n'habite pas très loin de l'étude de Douse, donc je devrais le voir avant midi. Que je le trouve ou pas, c'est une autre paire de manches.

— Passe me prendre.

— Tu as tout ton temps ?

— Assez de temps.

— D'accord. Et tu pourras m'inviter à déjeuner.

Il arriva à neuf heures quarante-cinq et utilisa sans restriction le klaxon de sa Fiat. Le temps que je sorte, il avait déjà garé sa voiture.

— Tu offres le déjeuner *et* le transport.

Il portait un costume gris, une chemise blanche et une cravate bleue.

— Où va-t-on ?

— Centre-ville. Je te guiderai.

Je descendis le Glen jusqu'à Sunset, pris la 405 vers le sud, puis la Santa Monica Freeway vers l'est. Milo recula son siège au maximum pour se mettre à l'aise.

— Comment ça s'est passé avec l'avocat ? demandai-je.

— Le même double langage qu'à la First Fiduss. Il a fallu que je rentre dans le jeu et que je force la mise pour qu'il se mette à coopérer. Mais une fois qu'il s'y est mis, sa paresse naturelle a pris le dessus : il avait l'air tout heureux que cet entretien ait lieu au téléphone. Probable qu'il facturera le coup de fil à sa cliente. En gros, il a confirmé les dires de Anger : Ramp hériterait de cinquante mille dollars, Melissa du reste. Si quelque chose arrivait à Melissa, c'est sa mère qui hériterait. Si toutes les deux décédaient avant que Melissa ait des enfants, le tout irait à des œuvres de charité.

— Des œuvres en particulier ?

— La recherche médicale. Je lui ai demandé de m'envoyer une copie de chaque document. Il m'a dit qu'il aurait besoin de la permission écrite de Melissa pour le faire. Donc je ne vois pas d'inconvénient majeur. Je lui ai aussi demandé s'il avait une idée de la façon dont Gina dépensait sa rente. Comme Anger, il n'a pas eu l'air de trouver que cent vingt mille dollars par an représentaient une somme énorme.

302

La circulation resta fluide jusqu'aux abords de l'échangeur, où elle se densifia brusquement.

— Sors à la Neuvième et prends vers L.A., dit Milo.

Je suivis ses instructions et pris au nord par Los Angeles Street, passai entre des blocs occupés par des magasins de soldes sentant les récupérations de faillites, des firmes d'import-export, des parkings payants. A l'ouest s'élevaient les miroirs géants de buildings bâtis sur un sol mouvant, les fonds de redéveloppement fédéral et l'optimisme de la côte pacifique. A l'est, la ceinture industrielle séparait Downtown de Boyle Heights.

Downtown offrait son habituel double visage : des aspirants-magnats et des cadres dynamiques qui parlaient et marchaient trop vite, accompagnés de secrétaires aux lèvres pincées, croisaient des épaves humaines couvertes de crasse et transportant toute leur existence dans des caddies déglingués.

Dans la 6e Rue, les épaves humaines occupaient le terrain. Par groupes elles se rassemblaient au coin des rues, s'entassaient sous le porche de commerces condamnés ou dormaient à l'ombre de bennes débordant d'ordures diverses. Je m'arrêtai à un feu rouge, et le taxi sur la file voisine le grilla et faillit renverser un type aux longs cheveux blonds et aux yeux peints, vêtu d'un tee-shirt et d'un jean déchiré. L'homme se mit à hurler des injures à pleins poumons et frappa du plat de la main le toit du taxi qui le frôlait. De l'autre côté de la rue, deux flics en uniforme occupés à sermonner une jeune Mexicaine s'arrêtèrent et observèrent la scène avant de revenir à leur verbalisation en cours.

Moins d'un bloc plus loin, je vis deux Noirs très minces portant casquette de base-ball et pardessus se croiser à hauteur d'un hôtel à demi en ruines. Ils baissèrent ensemble la tête, se saluèrent en se frappant dans les mains et l'un tendit un rouleau de billets à l'autre qui sortait quelque chose de sa chaussette. L'échange eut lieu en une fraction de seconde et ils poursuivirent leur chemin comme si de rien n'était.

Milo suivit la direction de mon regard.

— Ah, la libre entreprise, hein... Nous y voici. Gare-toi où tu peux.

Il désignait un long bâtiment de deux étages, à toit plat, sur le côté est de la rue. L'extérieur du rez-de-chaussée était couvert d'un carrelage blanc cassé qui évoquait très fortement les lavabos d'une gare routière. Au-dessus, la façade était en stuc bleu pâle. Une seule rangée de petites fenêtres rayées de barreaux s'ouvrait au sommet du premier étage, mais le reste était aveugle. Quatre ou cinq hommes en haillons formaient un groupe fort peu dynamique près de la porte d'entrée, laquelle était surmontée d'un néon de style déco et hors d'usage formant les mots ETERNAL HOPE MISSION.

Toutes les places de parking devant la façade étant occupées, je dus remonter d'une dizaine de mètres pour trouver un espace juste suffisant, près d'un Winnebago à l'arrière peint d'un logo très sobre disant MOBILE MEDICAL. Non loin traînait un groupe plus important et plus énergique d'épaves humaines : au moins deux douzaines d'hommes et trois ou quatre femmes qui bavardaient et sautillaient sur place en se frottant les bras. Alors que je coupais le contact je compris qu'ils n'étaient pas là pour recevoir des soins. Une queue approximative s'était formée face à une devanture dont le néon n'était pas en panne : DONS DU SANG RÉTRIBUÉS.

Milo sortit une feuille de sa poche, la déplia et la coinça contre le pare-brise de la Seville. Il y était inscrit en caractères d'imprimerie : VÉHICULE DE LA LAPD — EN SERVICE.

— N'oublie pas de tout verrouiller, fit Milo en sortant de voiture.

— La prochaine fois, on prendra la tienne, dis-je en observant un homme chauve aux yeux gonflés qui paraissait engagé dans une dispute virulente avec un orme. « C'est de ta faute ! » répétait-il en frappant le tronc toutes les trois phrases. Ses paumes étaient ensanglantées mais il souriait.

— Pas question, dit Milo. La mienne, ils la boufferaient. Allons-y.

Les hommes qui traînaient devant l'entrée de la mission nous repérèrent bien avant que nous atteignions la porte, et ils s'écartèrent. Mais leur ombre et leur odeur continuèrent de monter la garde. Plusieurs contemplèrent avec envie mes chaussures, des mocassins marron presque neufs, achetés le mois précédent. Je tentai d'imaginer ce que pourraient représenter cent vingt mille dollars dans ce quartier.

A l'intérieur la bâtisse était éclairée crûment et surchauffée. La première salle était vaste, claire et encombrée d'hommes assis ou allongés au hasard sur des chaises en plastique vert. Le sol était couvert d'un linoléum noir et gris, les murs nus à l'exception d'un crucifix très simple en bois accroché à bonne hauteur en face de la porte.

Ici l'odeur corporelle était plus forte, mêlée à celle d'un désinfectant et à la puanteur aigre des vomissures. Un jeune homme noir vêtu d'un polo blanc et d'un pantalon ocre circulait parmi les hommes, un écritoire avec son stylo au bout d'une chaîne et un paquet de feuilles imprimées en main. Sur sa poitrine était brodé le nom GILBERT JOHNSON, volontaire étudiant. Il se frayait un passage parmi les pensionnaires en consultant son écritoire de temps à autre, se penchait pour dire deux mots à l'un ou pour tendre une feuille à un autre. Parfois il obtenait une réponse.

Aucun des hommes ne bougeait beaucoup. Et je ne surpris aucune conversation suivie. Mais il y avait du bruit, plus loin. Le cliquettement métallique et le ronronnement d'une machine, et la mélopée lancinante de ce qui devait être une prière marmonnée à l'unisson.

Milo accrocha le regard du jeune Noir. Celui-ci fronça les sourcils et vint vers nous.

— Puis-je vous aider ?

Sur son écritoire était coincée une liste de noms, certains cochés d'une croix.

— Nous cherchons Joel McCloskey.

Johnson soupira. Il avait à peine plus de vingt ans, les traits épatés, des yeux d'Asiatique, un menton à fossette et une peau guère plus sombre que le bronzage de Glenn Anger.

— Encore ? fit-il.

— Il est ici ?

— Il faudra d'abord que vous parliez au Père Tim. Une seconde.

Il disparut dans un couloir qui s'ouvrait à droite du crucifix et revint presque immédiatement en compagnie d'un Blanc mince d'une trentaine d'années. Ce dernier portait une chemise noire, un col de clergyman et un jean blanc. Ses cheveux étaient blonds, sa moustache fine et tombante, ses bras maigres.

— Tim Andrus, dit-il d'une voix douce. Je croyais que tout était réglé avec Joel.

— Simplement quelques questions supplémentaires, dit Milo.

Andrus se tourna vers Johnson.

— Pourquoi ne reprenez-vous pas le compte des lits, Gilbert ? Ça va être serré ce soir, et nous devons être très précis.

— Tout de suite, Père.

Johnson nous jeta un regard vif puis retourna vers les hommes dont beaucoup nous observaient ouvertement.

Le prêtre leur adressa un sourire rassurant qui ne reçut aucun écho. Il reporta alors son attention sur nous.

— La police est restée ici un certain temps la nuit dernière, et on m'avait assuré que tout était réglé.

— Comme je l'ai dit, mon Père, c'est juste pour quelques questions.

— Ce genre de chose est très perturbant. Pas tant pour Joel, car il est patient. Mais les autres... La plupart ont déjà eu des expériences négatives avec la police, vous comprenez. Et beaucoup sont mentalement instables. Le moindre changement dans la routine...

— Il est patient, dit Milo d'un ton rêveur. C'est bien...

Andrus laissa échapper un rire bref et dur. Une rougeur subite avait coloré ses oreilles.

— Je sais ce que vous pensez, Inspecteur : « Encore un libéral au cœur tendre. » Et peut-être le suis-je, en effet. Mais n'en déduisez pas que je ne connais pas le passé de Joel. Il y a six mois, quand il est arrivé ici, il s'est montré d'une franchise totale. Il ne s'est jamais pardonné ce qu'il a fait toutes ces années auparavant. Et c'est un acte terrible qu'il a perpétré, de sorte que j'étais très réservé sur la possibilité de le laisser servir ici. Mais si je défends quelque chose, c'est bien la puissance du pardon. Le droit à être pardonné. C'est pourquoi j'ai su que je ne pouvais lui tourner le dos. Et ces six mois m'ont prouvé que j'avais eu raison. Personne n'a jamais servi ici avec une telle abnégation. Il n'est plus l'homme qu'il était voilà vingt ans.

— Content pour lui, dit Milo. Nous aimerions quand même lui parler.

— Elle n'a toujours pas réapparu ? La femme qu'il a...

— Fait défigurer à l'acide ? Pas encore, non.

— Je suis vraiment désolé. Joel aussi, j'en suis sûr.

— Pourquoi ? A-t-il exprimé des regrets, mon Père ?

— Il porte toujours le fardeau de son acte, et il s'en repent sans arrêt. En parler à la police a ravivé cette horreur. La nuit dernière, il n'a pas fermé l'œil. Il est resté dans la chapelle, à genoux. C'est là que je l'ai trouvé, et je me suis agenouillé auprès de lui pour prier avec lui. Mais il est impossible qu'il ait un rapport avec cette disparition. Il est resté ici toute la semaine, sans jamais quitter la mission, à faire des journées doubles. Cela, je peux l'attester.

— Quel genre de travail effectue-t-il ici ?

— Tout ce dont nous pouvons avoir besoin. La semaine dernière il a travaillé aux cuisines et a nettoyé les latrines. C'est lui qui demande à nettoyer les latrines. Il le ferait continuellement, si j'acceptais.

— Il a des amis ?

Andrus hésita une fraction de seconde.

— Vous voulez dire... des amis qu'il aurait pu engager pour commettre le mal à sa place ?

— Ce n'était pas le sens de ma question, mon Père, mais puisque vous en parlez...

— Non... Joel sait que c'est exactement ainsi que penserait la police. Une fois déjà, par le passé, il a payé quelqu'un pour pécher : donc il le referait.

— Le passé est la meilleure base de prédiction pour l'avenir, fit Milo.

Andrus effleura son col de l'index et acquiesça gravement.

— C'est une tâche terriblement difficile que la vôtre, Inspecteur. Une tâche vitale. Dieu bénisse tous les honnêtes policiers. Mais un des effets secondaires de cette tâche ardue peut être un certain fatalisme. L'impression que jamais rien ne peut aller mieux...

Milo laissa courir son regard sur les hommes assis à proximité. Ceux qui nous surveillaient détournèrent aussitôt les yeux.

— Vous constatez beaucoup de mieux ici, mon Père ?

Andrus tordit une pointe de sa moustache entre le pouce et l'index.

— Assez pour entretenir ma foi, répondit-il.

— McCloskey fait-il partie de ceux qui entretiennent votre foi ?

La rougeur s'étendit des oreilles au cou du prêtre.

— Je suis ici depuis cinq ans, Inspecteur. Croyez-moi, j'ai perdu toute naïveté. Je ne tire pas des criminels endurcis de la rue avec l'espoir de les voir devenir un jour comme Gilbert. Mais Gilbert a bénéficié d'un foyer stable, d'une aisance relative, d'une bonne éducation. Il est parti sur des bases complètement différentes. Quelqu'un comme Joel doit d'abord gagner ma confiance, et une confiance que j'accorde moins facilement. Les références qu'il a apportées ont aidé à cela, je dois le reconnaître.

— Apportées d'où, mon Père ?

— D'autres missions.

— Ici, à Los Angeles ?

— Non. Des missions en Arizona, et au Nouveau-Mexique. Il a travaillé avec les Indiens, et il a consacré six années de sa vie à aider autrui. Il a payé sa dette à la société et il s'est enrichi en tant qu'être humain. Ceux qui ont travaillé avec lui n'ont que du bien à dire de lui.

Milo garda un silence indéchiffrable.

Le prêtre se permit un léger sourire.

— Eh oui, cela l'a aidé à obtenir sa libération sur parole. Mais il est venu ici en homme libre, Inspecteur. Dans le sens légal du terme. Il travaille ici parce qu'il l'a choisi, non parce qu'il y est obligé. Et pour répondre à votre question concernant ses amis, il n'en a aucun. Il reste très solitaire et se refuse tous les plaisirs de ce monde. Un monde très dur de travail et de prière, voilà ce qu'est devenue sa vie.

— Ça a de foutus airs de sainteté, tout ça, laissa tomber Milo.

La colère crispa le visage du prêtre, et il dut faire un

effort pour s'imposer un calme de façade. Mais quand il parla, sa voix restait tendue :

— Il n'a rien à voir avec la disparition de cette pauvre femme. Je ne comprends vraiment pas pourquoi il faudrait...

— Cette pauvre femme a un nom, coupa Milo. Gina Marie Ramp.

— Je suis au courant de...

— Et elle aussi est restée très solitaire, mon Père. Coupée des plaisirs de ce monde. Mais dans son cas, ce n'est pas par choix. Depuis dix-huit ans, depuis que ce salopard payé par McCloskey l'a défigurée, elle vit dans sa chambre parce qu'elle a trop peur pour en sortir. Pas de liberté sur parole pour elle, mon Père... Alors vous comprenez certainement que beaucoup de gens soient très choqués par sa disparition. Et j'espère que dans votre cœur vous parviendrez à *me* pardonner de vouloir aller au fond des choses. Même si cela signifie un léger dérangement pour Mr. McCloskey.

Andrus baissa la tête et joignit ses deux mains devant lui. Une seconde je crus qu'il priait. Mais il se redressa et je vis que ses lèvres étaient immobiles, et son visage très pâle.

— Pardonnez-moi, Inspecteur. La semaine a été difficile. Deux hommes sont morts durant leur sommeil, deux autres ont été envoyés au dispensaire pour tuberculose... — D'un mouvement de menton, il désigna les hommes assis à quelques mètres. — Nous avons une centaine de pensionnaires de plus que de lits, sans aucune solution en vue, et l'archidiocèse me demande une contribution plus élevée... — Ses épaules s'affaissèrent. — On cherche parfois le réconfort dans de petites victoires. J'essaie de croire que Joel en est une.

— C'est peut-être la réalité, concéda Milo. Mais nous aimerions lui parler quand même.

— Très bien. Suivez-moi. Je vais vous conduire jusqu'à lui.

Il ne nous demanda pas de justifier nos identités. Il ne connaissait même pas nos noms.

Dans le couloir, la première porte ouvrait sur un

immense réfectoire où l'odeur de cuisine supplantait enfin celle des corps non lavés. Des tables en bois couvertes de toile cirée étaient disposées en cinq longues rangées. Des hommes y étaient assis, penchés sur leur repas, un bras méfiant entourant leur assiette. Habitude de prisonnier. Mouvements de cuillère et mastication non stop, avec la joie d'automates fonctionnant au ralenti.

Au fond de la salle, une cuisine métallique à bacs de vapeur était séparée du réfectoire par une vitrine transparente inclinée doublée d'un long comptoir. Devant celui-ci s'alignaient les hommes qui tenaient leur assiette en attendant d'être servis. La scène évoquait irrésistiblement Oliver Twist. Trois silhouettes vêtues de chemise blanche et de tablier, les cheveux enserrés dans un filet de protection, servaient les affamés.

— Veuillez attendre ici, s'il vous plaît, dit le Père Andrus.

Nous restâmes à la porte de la salle tandis qu'il allait jusqu'au comptoir et conversait brièvement avec le serveur du milieu. Sans cesser d'emplir les assiettes qui se tendaient, l'homme acquiesça. Puis il tendit sa louche au prêtre et recula d'un pas. Le Père Andrus se mit à distribuer la nourriture tandis que l'homme essuyait ses mains sur son tablier, contournait le comptoir métallique et se dirigeait vers nous.

Il pouvait mesurer un mètre soixante-cinq, mais son dos voûté le rapetissait encore. Le tablier taché descendait plus bas que ses genoux. Il avançait d'un pas chaloupé, sans presque décoller les pieds du linoléum, les bras collés le long de son corps, comme paralysés. Quelques mèches blanches s'étaient échappées du filet à cheveux et collaient à un front moite et pâle. En dessous le visage était long, émacié bien que mou. Le nez aquilin n'avait rien de conquérant, et la mâchoire faible tremblotait au-dessus de replis de peau flasques à la place d'un double menton. Sous les sourcils blancs, les yeux profondément enfoncés étaient sombres, emplis d'une terne lassitude.

Il vint jusqu'à nous sans marquer la moindre expression et dit « Bonjour » d'une voix monocorde.

— Monsieur McCloskey?

Hochement de tête.

— Oui, c'est moi. Joel.

Le ton restait apathique. De près je distinguai la peau abîmée, les crevasses nettes abaissant les commissures de la bouche. Sous les paupières lourdes les yeux étaient presque fermés et jaunâtres. J'aurais aimé lui demander à quand remontait son dernier examen du foie.

— Nous sommes ici pour parler de Gina Ramp, Joel.

— Elle n'a pas été retrouvée.

Il avait parlé sur le ton de la constatation, sans émoi apparent.

— Non, elle n'a pas été retrouvée. Une idée sur ce qui aurait pu lui arriver ?

Le regard de McCloskey glissa vers une des tables. Plusieurs hommes y avaient cessé de manger, et les autres couvaient leur assiette de regards envieux.

— Pourrions-nous parler dans ma chambre ?

— Bien sûr, Joel.

De sa démarche traînante il nous précéda hors du réfectoire et tourna à droite dans le couloir. Nous longeâmes des dortoirs encombrés de lits de camp et de matelas, certains occupés, et passâmes devant une porte close marquée INFIRMERIE. Des gémissements de souffrance filtraient à travers le panneau de bois et se répercutaient dans le couloir. Un instant McCloskey tourna la tête vers la source du bruit, mais il ne ralentit pas son allure. Il nous entraîna dans un escalier marron au fond du couloir. Les degrés en étaient recouverts de plastique dur, et la rambarde me parut graisseuse sous la paume.

Nous suivîmes son ascension lente mais régulière sur trois étages. Ici l'odeur de désinfectant régnait en maître.

Arrivés sur le palier, nous nous trouvâmes devant une porte où un rectangle de carton indiquait JOEL en majuscules tracées au feutre.

La porte n'était pas fermée et McCloskey l'ouvrit, s'effaça et nous laissa entrer.

La chambre ne mesurait pas plus de trois mètres sur deux, et était meublée d'une couchette à couverture grise, d'une table de chevet en bois peinte en blanc et d'une commode basse à trois tiroirs. Sur celle-ci étaient posés une Bible, une plaque chauffante, un ouvre-boîte, un paquet de biscuits au beurre de cacahuète, un bocal de betteraves assaisonnées à demi vide et une boîte de saucisses en conserve. Un calendrier peint représentant Jésus en croix posait un regard bienveillant sur la couche. L'unique petite fenêtre de la pièce était défendue de barreaux et à moitié cachée par un store jauni et constellé de chiures de mouches. Au-dehors, on n'avait vue que sur un pan de mur gris. La lumière provenait d'une ampoule nue pendant du plafond taché de moisissures.

A peine assez de place pour rester debout. J'eus envie de m'appuyer sur quelque chose, mais je ne voulais rien toucher.

— Asseyez-vous, si vous voulez, dit McCloskey.

Milo n'accorda qu'un coup d'œil au lit.

— Ça ira, fit-il.

Nous restâmes donc tous trois debout, assez proches pour nous toucher mutuellement, mais en esprit séparés par des kilomètres. Un peu comme des utilisateurs du métro qui se côtoient en se murant dans leur isolement.

— Alors, Joel, une théorie? dit Milo après quelques secondes.

McCloskey eut un mouvement de tête négatif.

— J'y ai beaucoup pensé, dit-il. Beaucoup. Depuis la venue des autres policiers. J'espère qu'elle allait assez bien pour sortir seule et que...

— Et que?

— Et qu'elle a apprécié cette sortie.

— Tu ne lui souhaites que du bien, hein?

— Oui.

— Maintenant que tu es un homme libre et que l'État ne peut plus te dire ce que tu dois faire...

Un sourire évanescent passa sur ses lèvres pâles. Les commissures en étaient marquées d'une substance blanche et morcelée.

— Quelque chose de drôle, Joel?

— La liberté. C'est du passé.

— Pour Gina aussi.

McCloskey ferma les yeux, les rouvrit, s'assit au bord de la couchette, ôta son filet à cheveux et appuya son front contre une main. Le sommet de son crâne était chauve, la couronne de cheveux blanche et raide, coupée court.

Un vieil homme.

Je calculai son âge d'après des articles de journaux remontant à deux décennies. Il avait cinquante-quatre ans.

Il en paraissait soixante-dix.

— Ce que je désire n'a pas d'importance, dit-il.

— A moins que tu ne sois toujours après elle, Joel...

Les yeux chassieux se fermèrent une nouvelle fois, et le repli de peau sous le menton tremblota.

— Je n'étais pas... Non. Je ne suis pas...

— Pas quoi ?

McCloskey serrait le filet à cheveux dans ses deux mains crispées, et ses doigts s'emmêlaient dans les mailles

— Je ne suis pas... après elle, lâcha-t-il dans un murmure.

— Tu n'allais pas dire que tu n'as *jamais été* après elle, Joel ?

— Non. Je... — McCloskey se gratta la tête, puis la secoua. — C'était il y a très longtemps.

— Sûr, grogna Milo. Mais l'histoire a le don de se répéter, il paraît...

— Non, dit McCloskey très calmement et avec détermination. Non, jamais. Ma vie est...

— Quoi ?

— Finie. Tout est fini.

— Qu'est-ce qui est fini, Joel ?

McCloskey plaqua une main sur son cou.

— Le feu. Les sentiments. — La main retomba. — Maintenant, je n'ai plus qu'à attendre.

— Attendre quoi, Joel ?

— La paix. Le vide...

Il jeta un regard apeuré à Milo, puis contempla une seconde l'image du Christ.

— Tu es devenu très croyant, comme gars, hein ?

— Ça... aide.

— Ça aide à quoi ?

— A attendre.

Milo ploya les genoux, posa ses mains dessus et pencha le buste jusqu'à ce que son visage soit à hauteur de celui de McCloskey.

— Pourquoi l'as-tu défigurée, Joel ?

Les mains de McCloskey se mirent à trembler.

— Non, gémit-il en se signant.

— Pourquoi, Joel ? Que t'avait-elle fait pour que tu la haïsses à ce point ?

— Non...

— Allons, Joel. Quelle importance de le dire, après toutes ces années ?

— Je... Ce n'est pas...

— Ce n'est pas quoi ?

— Non. J'ai... j'ai péché.

— Alors confesse-toi, Joel.

— Non... S'il vous plaît.

Des larmes. Le tremblement s'accentua.

— La confession n'est-elle pas partie intégrante du salut, Joel ? Une *entière* confession ?

McCloskey humecta ses lèvres de la langue, joignit ses mains et commença à marmonner quelque chose.

Milo se rapprocha un peu plus.

— Qu'est-ce que tu fais, Joel ?

— Ma confession.

— Vraiment ?

McCloskey acquiesça.

Brusquement il fit passer ses jambes sur le lit et se laissa tomber sur le dos, bras serrés contre la poitrine. Il regardait fixement le plafond, et gardait la bouche entrouverte. Sous le tablier son pantalon en vieux tweed était taillé pour un homme pesant vingt kilos et mesurant dix centimètres de plus. La crasse rigidifiait l'ourlet effrangé. Les semelles de ses chaussures étaient trouées en plusieurs endroits et maculées de débris de nourriture écrasée.

Je décidai de prendre la parole :

— Pour vous tout cela est peut-être du passé. Mais comprendre ce qui s'est passé pourrait l'aider, elle. Et sa fille. Après toutes ces années, toute la famille cherche encore à comprendre...

McCloskey posa sur moi un regard ahuri. Ses yeux bougeaient très vite de droite et de gauche, comme s'il suivait le passage de voitures imaginaires. Ses lèvres frémirent, sans émettre aucun son.

Pendant un instant je crus qu'il allait se livrer à nous.

Puis il eut un mouvement violent de la tête, s'assit, délaça son tablier et le fit passer par-dessus sa tête. Sa chemise pendait sur son torse trop maigre. Il défit les trois boutons supérieurs et écarta largement les pans pour exposer une poitrine sans poil.

Sans poil, mais pas sans marque.

Sa peau avait la couleur du lait tourné, mais une tache de chair rosie, à l'aspect écœurant et large de deux mains couvrait son pectoral gauche. Le mamelon avait disparu, remplacé par une dépression luisante. Des cicatrices plus petites éclaboussaient les alentours de la tache principale jusque sur la cage thoracique.

Il écarta un peu plus les pans de sa chemise, et je vis le cœur qui soulevait les chairs torturées. Sur un rythme très rapide. Son visage était livide, luisant de sueur.

— Quelqu'un t'a fait ça à San Quentin ? demanda Milo.

McCloskey sourit et regarda de nouveau l'image du Christ.

Un sourire de fierté.

— J'ai pris sa souffrance et je l'ai mangée, dit-il. Je l'ai avalée pour qu'elle reste en moi. Toute la douleur. Tout.

Il plaça une main sur sa poitrine dévastée, puis l'autre, en croix.

— Doux Jésus, dit-il. Le sacrement de la souffrance.

Puis il se mit à psalmodier en latin.

Milo se contentait de l'observer, impassible.

McCloskey continuait de prier.

— Très bien, Joel, fit Milo après quelques secondes. Nous te souhaitons une bonne journée — et comme McCloskey ne réagissait pas — et une bonne attente.

Aucune interruption dans la litanie débitée par l'épave humaine.

— S'il y a quelque chose que tu pourrais faire pour nous aider à la retrouver, Joel, et que tu ne fais pas cette chose, toute cette autoflagellation est inutile. Et ton salut ne vaut rien.

Une fraction de seconde McCloskey releva la tête, et je vis que ses yeux jaunâtres étaient emplis de terreur : la panique de quelqu'un qui a tout parié dans un marché devenu peu avantageux.

Puis il tomba à genoux sur le sol, avec une telle brusquerie qu'il dut se faire mal, et reprit ses supplications.

Dans la voiture, alors que nous repartions, Milo me demanda :

— Alors, quel est le diagnostic ?

— Pathétique. Si ce que nous avons vu est vrai.

— C'était le sens de ma question. Était-ce vrai ?

— Je ne peux pas en être certain, fis-je. J'aurais tendance à penser que quelqu'un qui a payé un homme de main ne rechignerait pas devant un petit peu de mise en scène. Mais il y avait en lui quelque chose de crédible.

— Ouais, c'est ce que j'ai pensé aussi, approuva Milo. Tu dirais qu'il est schizophrène ?

— Je n'ai constaté aucun propos révélateur de tendances schizophrènes, mais il est vrai qu'il n'a pas dit grand-chose, alors peut-être... Mais *pathétique* le définit mieux que n'importe quel terme technique.

— Qu'est-ce qui a pu le mettre aussi bas, d'après toi ?

— Les drogues, l'alcool, la prison, les remords. Séparément ou combinés. Ou même l'ensemble.

— Bon sang, fit Milo en souriant, tu parles comme un vrai dur.

Par la vitre, je jetai un coup d'œil aux sans-abri et aux drogués. Des zombies urbains qui cherchaient un peu d'air dans un monde devenu pour eux irrespirable. Sur un trottoir dormait un vieillard. Mais il n'était peut-être pas vieux du tout...

— Ça doit être l'environnement.

— Les vertes collines de San Labrador te manquent ?

— Non, répondis-je sans même m'en rendre compte. Il n'y aurait pas quelque chose entre les deux ?

— Pourquoi pas...

Il extériorisa sa tension en un rire acerbe. Mais cela ne suffisait pas. Il se passa la main sur le visage, tambourina des doigts sur le tableau de bord, ouvrit la vitre puis la remonta, étendit les jambes. Sans atteindre le réconfort voulu.

— Sa poitrine, dis-je. Tu crois qu'il s'est infligé ça tout seul ?

— Ses signes de croix et son attente de la mort ? C'est visiblement ce qu'il voulait qu'on pense. « Le sacrement de la souffrance. » Foutaises.

Il émit un grognement de mépris, mais il ne semblait pas très à l'aise.

J'essayai de deviner ses pensées :

— S'il souffre toujours il pourrait très bien continuer de faire souffrir autrui, c'est ça ?

Il acquiesça.

— Avec toutes ses conneries de culpabilité et de prières, ce type ne nous a strictement rien lâché. Il n'est peut-être donc pas la loque qu'il paraît. Mon instinct ne me hurle pas que c'est le suspect numéro un, mais j'aurais horreur de me retrouver dans une situation de merde, si nos intuitions se révélaient toutes fausses.

— Alors, que faisons-nous, maintenant ?

— D'abord il faut trouver une cabine téléphonique. Je veux appeler le château pour voir s'il y a du nouveau au sujet de la dame. Si c'est négatif, nous pouvons aller parler à Bayliss, l'officier de probation.

— Il est à la retraite.

— Je sais. J'ai pris son adresse avant de venir. C'est dans un quartier résidentiel habité par la classe moyenne. Tu devrais te sentir plus à l'aise.

20

Je trouvai une cabine téléphonique près du Children's Museum et, pendant que Milo l'utilisait, j'attendis dans une zone de stationnement interdit. Il resta au bout du fil assez longtemps pour que deux contractuelles passent auprès de la voiture et s'apprêtent à verbaliser avant de renoncer en voyant le carton de la LAPD. Je ne m'étais pas autant amusé depuis longtemps, et je savourai ce petit triomphe tout en observant les parents qui conduisaient leurs enfants au musée.

Milo revint en faisant sonner sa petite monnaie et en secouant la tête d'un air maussade.

— Rien, lâcha-t-il.

— A qui as-tu parlé ?

— A la patrouille autoroutière, encore une fois. Ensuite à un des laquais de Chickering, et à Melissa.

— Comment va-t-elle ? demandai-je en engageant la voiture dans la circulation.

— Toujours sous pression. Elle téléphone un peu partout. Elle m'a dit qu'un des Gabney venait d'appeler, le mari. Pour exprimer son inquiétude et son soutien. Elle lui a fait le numéro du « N'appelez-plus, nous-vous-contacterons ».

— La poule aux œufs d'or, commentai-je. Tu as l'intention de parler du Cassatt à Melissa ?

— Tu vois une bonne raison pour ?

Je réfléchis un moment.

— Non, aucune. Inutile de l'agacer un peu plus avec ça.

— Je lui ai parlé de McCloskey. Je lui ai dit que d'après ce que j'avais vu il s'agissait d'un zombie décérébré, mais que je garderai quand même un œil sur lui. Ça a eu l'air de la rassurer.

— Effet placebo?

— Tu as un remède plus fort à proposer?

Je pris la Harbor Freeway à hauteur de la Troisième, continuai sur la Dixième ouest pour sortir à Fairfax, en direction du nord. Milo me dirigea vers Crescent Heights, puis plus loin encore, au-delà d'Olympic, où je tournai à gauche dans Commodore Sloat. Après un bloc d'immeubles de bureaux, je pénétrai dans le district de Carthay Circle, une enclave ombragée d'arbres où s'alignaient de petites maisons de style anglais ou faux-Tudor fort bien entretenues.

Milo me récita l'adresse et je repérai le numéro, un cottage de brique et stuc sombre au coin d'un bloc. Le garage était une réplique miniature de la maison derrière une allée pavée bordée de haies. Une Mustang vieille de vingt ans y était garée, blanche et luisante de propreté. Près de la roue arrière était enroulé avec soin un tuyau d'arrosage dans une petite flaque d'eau.

Le jardinet était constitué d'une pelouse très verte entourée de fleurs, camélias, azalées, hortensias, impatientes, bégonias. Un chemin pavé lui aussi traversait la pelouse en son milieu. Sur la gauche s'élevait un bouquet de bouleaux devant lequel se tenait un homme aux cheveux gris de haute taille, vêtu d'une chemise kaki, d'un pantalon bleu et coiffé d'un casque colonial. Il inspectait les branches et en ôtait les feuilles mortes avec des gestes précis. Une peau de chamois pendait de la poche arrière de son pantalon.

Nous descendîmes de voiture. La circulation sur Olympic se réduisait à un murmure lointain auquel répondait le chant des oiseaux. Pas une saleté dans les rues. L'homme se retourna alors que nous remontions l'allée. Il avait la soixantaine, les épaules étroites et les bras longs, les mains larges, le visage orné d'une moustache et d'un bouc blancs, des lunettes à monture noire. Je ne remarquai ses traits négroïdes qu'en arrivant à quelques pas de lui. Sa peau était pourtant aussi claire que la mienne, et marquée de taches de rousseur. Un métis aux yeux bruns.

Il garda une main appuyée contre le tronc le plus proche en nous regardant approcher.

— Gilbert Bayliss ? s'enquit Milo.

— Qui le demande ?

— Je m'appelle Sturgis. Je suis détective et je travaille sur la disparition de Mrs. Gina Ramp. Il y a des années, elle a été victime d'une agression commanditée par quelqu'un dont vous vous êtes occupé, au Département des libérés sur parole : Joel McCloskey.

— Ce bon vieux Joel, dit Bayliss en ôtant son casque colonial et en découvrant une chevelure épaisse poivre et sel. Vous êtes un privé, alors ?

Milo acquiesça.

— Pour le moment, oui. En congé du LAPD.

— En congé volontaire ?

— Pas exactement.

Bayliss observa Milo avec intensité.

— Sturgis... Le nom ne m'est pas inconnu. Votre visage non plus, d'ailleurs.

Milo resta impassible.

— J'y suis, reprit Bayliss. Vous êtes celui qui a frappé un flic à la télévision. Quelque chose qui avait à voir avec une embrouille entre départements, mais la télé n'a jamais précisé la chose. Non pas que ça m'intéresse de savoir. Je suis hors de tout ça.

— Félicitations, dit Milo.

— J'ai bien gagné ma retraite. Alors, ils vous ont mis en congé pour combien de temps ?

— Six mois.

— Avec ou sans solde ?

— Sans.

Bayliss fit claquer sa langue.

— Et en attendant, il faut bien que vous payiez les factures. Jamais je ne pourrais faire cela. C'est une des choses qui m'ennuyaient dans le boulot : l'impossibilité de saisir les occasions. Comment ça se passe pour vous ?

— C'est un boulot qui en vaut un autre.

Bayliss se tourna vers moi.

320

— Qui est-ce ? Un autre méchant gars du LAPD ?

— Alex Delaware, me présentai-je.

— Le Dr Delaware, précisa Milo. Il est psychologue. Il s'occupe de la fille de Mrs. Ramp.

— Melissa Dickinson, dis-je. Vous lui avez parlé il y a un mois environ.

— Ça me dit quelque chose, oui. Vous êtes psychologue, alors ? C'est un métier qui m'avait tenté, dans le temps. Je m'étais dit que ce que je faisais n'était pas loin de la psychologie, en fait, et que je pourrais peut-être gagner mieux ma vie. J'ai même pris quelques cours à Cal State, assez pour obtenir un diplôme, mais je n'avais pas le temps de rédiger une thèse ou préparer des examens, et je ne suis pas allé plus loin... — Il me détailla du regard une fois encore. — Et qu'est-ce que vous faites à l'accompagner ? Vous psychanalysez tout le monde ?

— Nous venons de rendre visite à McCloskey, répondis-je. Le détective Sturgis a pensé qu'il ne serait pas inutile que je le voie de près.

— Aha..., fit Bayliss. Vous le soupçonnez vraiment d'être pour quelque chose dans cette disparition ?

— On vérifiait une piste, c'est tout, dit Milo.

— Vous êtes payé à l'heure et vous faites de grosses journées, c'est ça ? Ne vous mettez pas dans tous vos états, Soldat. Je ne suis pas forcé de vous répondre si je ne le veux pas.

— Je le sais, Monsieur...

— Vingt-trois ans à suivre la routine et à prendre des ordres de types bien plus stupides que moi. A travailler pour une pension de vingt-cinq ans, pour que ma femme et moi puissions voyager un peu. Mais il y a deux ans elle a eu le mauvais goût de m'abandonner. Crise cardiaque. J'ai un gamin dans l'armée, stationné en Allemagne, qui a épousé une fille là-bas et qui ne revient jamais au pays. Alors ces deux dernières années, je me suis fait mes règles personnelles. Et depuis six mois je les applique avec un certain succès. Vous saisissez ?

Milo acquiesça lentement, avec emphase.

Bayliss sourit et recoiffa son casque colonial.

— Ça va tant que nous sommes bien d'accord sur ce point.

— Nous sommes d'accord, dit Milo. Si vous savez quelque chose sur McCloskey qui pourrait nous aider à retrouver Mrs. Ramp, nous vous en serions très reconnaissants.

— Ce bon vieux Joel, répéta Bayliss en tiraillant son bouc entre le pouce et l'index, le regard fixé sur Milo. Vous savez, pendant ces vingt-cinq ans il y a eu plein de moments où j'aurais aimé mettre mon poing dans un visage ou un autre. Je ne l'ai jamais fait. A cause de la pension, et de ce voyage que nous avions prévu de faire, ma femme et moi. Quand je vous ai vu écraser le nez de ce gratte-papier, ça m'a fait sourire. Je n'avais pas le moral, je ressassais ce qui s'était passé et ce qui aurait pu se passer dans ma vie. Vous m'avez requinqué, et ça a duré toute la soirée. C'est pour ça que je me souviens de vous. — Il sourit. — C'est quand même drôle que vous veniez me voir. Ça doit être le destin. Entrez donc.

Son salon était sombre, propre, le mobilier solide et de bonne facture, mais sans grande valeur. Je remarquai les napperons, les figurines sur les étagères, d'autres touches typiquement féminines. Au-dessus de la cheminée des photos encadrées montraient de grands orchestres de jazz dont tous les musiciens étaient noirs, et un portrait de Bayliss jeune, cheveux gominés et sans bouc ni moustache, vêtu d'un smoking et tenant à la main un trombone à coulisse.

— Mon premier amour, dit-il. J'avais suivi une formation classique à Juilliard, mais à l'époque personne n'embauchait de trombonistes noirs, alors je me suis mis au swing et au be-bop. J'ai fait le circuit des boîtes de seconde zone avec Skootchie Bartholomew, pendant cinq ans. Déjà entendu parler de lui ?

— Non.

— Personne n'a entendu parler de lui, concéda-t-il avec un sourire. A dire vrai, l'orchestre n'était pas très bon. Ils se shootaient à l'héroïne avant chaque set et se croyaient bien meilleurs qu'ils n'étaient. Ça n'était pas vraiment ma conception des choses, alors j'ai laissé tomber et j'ai proposé mes services un peu partout. J'ai joué sur quelques disques. Si vous écoutez *Magic Love* des

Sheiks et ce genre de trucs, c'est moi qui joue derrière. Et finalement j'ai décroché un essai avec Lionel Hampton.

Il approcha de la cheminée et passa un doigt léger sur une des photos.

— C'est moi, là, au premier rang. Cet orchestre était une sacrée machine, avec un son énorme. Jouer avec eux, c'était comme chevaucher une tempête de cuivres, mais je ne me débrouillais pas trop mal, et Lionel m'a encouragé. Et puis le circuit pour les grands orchestres a périclité, et Lionel a emmené le sien en Europe et au Japon. Ça ne me disait rien, alors j'ai repris mes études et finalement je suis entré dans la fonction publique. Depuis je n'ai pas rejoué. Ma femme aimait bien ces photos... Il faudra que je les retire et que je mette une vraie œuvre d'art à la place. Vous voulez un café ?

Nous déclinâmes l'offre.

— Vous pouvez quand même vous asseoir, dit-il.

Ce que nous fîmes. Bayliss prit place dans un fauteuil tendu d'un tissu à motif floral et aux accoudoirs rembourrés.

— Ce bon vieux Joel... dit-il une fois encore. A votre place, je ne le soupçonnerais pas trop de crime grave.

— Pourquoi donc ? demanda Milo.

— C'est un moins que rien, fit Bayliss en se tapotant le front de l'index. Surtout là. Quand j'ai lu son dossier j'ai pensé que c'était peut-être un psychopathe grave. Et puis ce maigrichon est entré dans mon bureau, bien poli et tout cauteleux, sans une once de révolte en lui. Je ne parle pas des lèche-bottes. Rien à voir avec le cinéma habituel des vrais psychopathes. Vous savez comment ils jouent le rôle du bon gars repenti. En vingt-cinq ans, tous ceux que j'ai vus agir comme ça se croyaient assez bons pour décrocher un Oscar, et plus intelligents que n'importe qui. Ils pensent que personne ne peut voir qu'ils jouent un rôle.

— Tout à fait exact, approuva Milo. Et ça marche rarement.

— Mouais. Curieux qu'ils n'arrêtent jamais de penser aux raisons qui leur font passer la majeure partie de leur existence en cellule. Mais Joel était différent. Il ne simulait pas. Ce type n'avait plus aucun ressort. Si vous l'avez vu, vous savez ce que je veux dire.

— Il est venu souvent vous voir ? demandai-je.

— Quelquefois, quatre ou cinq. Mais quand il est arrivé à L.A., il n'était plus vraiment en conditionnelle. Le Département lui a enjoint de venir pointer jusqu'à ce qu'il soit installé. Histoire de couvrir ses arrières, au cas où. Ils sont très attachés à faire les choses dans les règles, comme ça, si ça se passe mal et que la famille de la victime vient pleurer à la télé, ils peuvent prouver avec leur paperasse qu'ils ont fait ce qu'il fallait. Mais pour être franc, avec McCloskey c'était plus une formalité qu'autre chose. Il aurait pu ne pas venir, mais il est venu. Une fois par semaine. Nous passions dix minutes ensemble et c'était tout. J'aurais aimé en avoir plus comme lui, je ne vous le cache pas. Vers la fin je m'occupais de soixante-trois types, et certains méritaient vraiment d'être surveillés.

— La liberté sur parole excède rarement trois ans, fit Milo. Comment s'est-il débrouillé pour obtenir six ans ?

— Ça faisait partie du marché. Après sa sortie de San Quentin, il a demandé à quitter l'État. Le Département a accepté à la condition qu'il trouve un placement solide et qu'il fasse le double de temps. Il a dégotté un poste dans une réserve indienne, en Arizona je crois. Il y a fait trois ans, et trois ans dans un autre État, je ne me souviens plus où.

— Pourquoi a-t-il changé ?

— Si ma mémoire est bonne, son premier poste a été annulé, et il a dû en trouver un autre. Le second poste était payé par l'Église catholique. A mon avis, il s'est dit qu'à moins d'une annulation du pape en personne, il ne risquait pas de perdre la place.

— Et pourquoi est-il revenu à L.A. ?

— Je lui ai posé la question, mais il n'avait pas vraiment de réponse, du moins pas une qui soit réellement valable. Il a parlé du péché originel et a débité tout un salmigondis sur le salut. En gros, je pense qu'il voulait dire qu'ayant péché ici — contre cette dame qui a disparu — il devait faire le bien ici pour éponger sa dette envers le Tout-Puissant. Je n'ai pas poussé sur le sujet. Comme je vous l'ai dit, il n'avait aucune obligation légale de venir toutes les semaines. Ce n'était qu'une formalité.

— Vous avez idée de ce qu'il faisait de son temps ?

— De ce que je sais, il travaillait à plein temps à cette mission, à faire le ménage, la vaisselle, et à nettoyer les toilettes.

— Eternal Hope ?

— Oui, c'est bien le nom de la mission. Il s'est trouvé une autre place dans le giron de l'Église catholique, quoi. Pour ce que j'en sais, il ne quittait jamais sa chambre, n'avait aucun contact avec des types connus des services de police, et il ne se droguait pas. Le prêtre me l'a confirmé au téléphone. Si les soixante-deux autres avaient été comme lui, mon boulot aurait été une véritable sinécure.

— A-t-il jamais parlé de son crime ? dis-je.

— C'est moi qui lui en ai parlé, dès sa première visite. Je lui ai lu la sentence du tribunal, avec le juge qui le traite de monstre, et le reste. Je faisais ça systématiquement, pour établir des règles dès le départ, et leur montrer que je savais à qui j'avais affaire. Ça permettait d'économiser pas mal de temps. La plupart de ces types sortent de taule en affirmant qu'ils sont aussi innocents que l'Enfant Jésus. C'est à vous de leur montrer que ça ne prend pas, pour vous éclairer sur les raisons qui les ont poussés, s'il y a un espoir. Un peu comme un psychanalyste, non ?

— Et McCloskey vous a éclairé sur ses raisons ?

— Ce n'était pas nécessaire. Quand il est arrivé, il respirait la culpabilité. Il m'a dit d'entrée qu'il ne valait rien et qu'il ne méritait pas de vivre. Je lui ai répondu qu'il avait sans doute raison, ensuite je lui ai lu la sentence du tribunal, pour le mettre dans l'ambiance, comme je viens de dire. Il est resté assis à m'écouter comme si je lui administrais un traitement qui l'aiderait à aller mieux. Avec un air de mort-vivant comme je n'en avais jamais vu. Après deux ou trois visites de sa part je me suis surpris à compatir pour lui, comme on peut compatir pour un chien qui a été heurté par une voiture. Et c'est quelque chose que je n'éprouve pas facilement. J'ai beaucoup travaillé à combattre ce genre de réaction.

— A-t-il jamais dit qu'il l'avait défigurée ? s'enquit Milo.

— Jamais. Je lui ai pourtant posé la question. Parce que son dossier précisait qu'il n'avait jamais fourni aucun mobile. Mais il n'a jamais dit grand-chose. Il se défilait en balbutiant.

Bayliss se gratta le bouc, ôta ses lunettes, en essuya les verres avec son mouchoir puis les remit sur son nez.

— J'ai essayé de le travailler sur ce point. J'ai pensé que si je posais le problème sous l'angle de ce qu'il devait à sa victime après ce qu'il lui avait fait, ça marcherait peut-être. Je voulais faire appel à son côté religieux, en quelque sorte. Quand ils jouaient le côté religieux, je l'utilisai pour le leur retourner. Mais avec lui, ça n'a rien donné. Il restait assis là et regardait ses pieds. Et il ne simulait pas, après vingt-cinq ans je l'aurais bien vu. Non, nous parlons d'un vrai mort-vivant.

— Vous avez une théorie sur ce qui a pu le mettre dans cet état ? demandai-je.

Bayliss haussa les épaules.

— C'est vous le psychologue...

— Bon, fit Milo. Eh bien, merci. Rien d'autre ?

— Non, rien. Que s'est-il passé, avec la femme ?

— Elle est sortie de chez elle, a pris sa voiture, et depuis plus de nouvelle.

— Quand est-elle partie ?

— Hier.

Bayliss fronça les sourcils.

— Elle a disparu depuis un seul jour et ils ont déjà embauché un détective privé ?

— Le cas est assez inhabituel, dit Milo. Elle est restée murée chez elle très longtemps. Elle n'a quasiment pas quitté sa maison.

— Longtemps, ça veut dire combien de temps ?

— Depuis l'agression.

— Elle a souffert d'agoraphobie extrême depuis ce jour-là, ajoutai-je.

— C'est moche, dit-il avec l'air de le penser. Je comprends maintenant que ses proches s'inquiètent autant.

Nous sortîmes de la maison, et Bayliss nous raccompagna jusqu'à la voiture. Il paraissait songeur.

— J'espère que vous la retrouverez bientôt, dit-il. Si je

pouvais vous dire quelque chose d'utile sur Joel, je le ferais. Mais je doute qu'il ait quoi que ce soit à voir dans cette disparition.

— Pourquoi donc ? dit Milo.

— L'inertie. Son côté mort-vivant. Il me faisait penser à un serpent qui se serait fait marcher dessus une fois de trop et qui aurait perdu tout son venin.

Au retour, je passai par Olympic. Bien que son siège ait été reculé au maximum, Milo opta pour l'inconfort en se positionnant jambes repliées devant lui. Il regardait obstinément par la vitre.

A Roxbury, je rompis le silence :

— Qu'y a-t-il ?

Sans détacher ses yeux du paysage, il répondit :

— Les types comme McCloskey. Qui diable peut dire ce qui est vrai et ce qui ne l'est pas ? Bayliss est tellement persuadé que ce salopard n'a plus de venin, alors qu'il a reconnu ne quasiment pas le connaître. Si je résume, il a cru McCloskey sur sa mauvaise mine parce que cette lope est venue volontairement et n'a pas fait de vague. L'attitude bureaucratique type. La merde coule dans les tuyaux du système, mais tant qu'elle ne remonte pas tout le monde s'en fout.

— Tu penses que McCloskey mérite qu'on le surveille un peu plus ?

— Si la dame Ramp ne réapparaît pas très prochainement et qu'il n'y a rien de nouveau, je retournerai faire un tour là-bas et j'essaierai de le prendre à l'improviste. Mais avant de faire ça, je vais me trouver un téléphone et appeler quelques indics pour savoir s'il n'a pas fricoté avec des chevaux de retour. Tu as quelque chose de prévu, toi ?

— Rien d'urgent.

— Si ça te dit, tu peux toujours faire une descente à la plage Histoire de vérifier leur deuxième maison, au cas où elle se serait calfeutrée là-bas sans le dire à personne. C'est assez loin, et je n'ai pas envie de perdre autant de temps. Note bien, je ne crois pas que ça donne grand-chose...

— D'accord.

— Voilà l'adresse.

Je pris le morceau de papier qu'il me tendait et l'empochai.

— Tu ferais aussi bien d'y aller rapidement, dit-il après avoir consulté sa montre. Pendant que le soleil est encore de sortie. Tu peux jouer au touriste et cultiver un peu ton bronzage. Bon sang, tu peux même prendre ta planche et te payer quelques vagues.

— « Watson se met au sport » ?

— Quelque chose comme ça.

21

A la maison, aucun message ne m'attendait. Je n'y restai que le temps de nourrir les poissons avec l'espoir qu'ils épargneraient les quelques grappes d'œufs survivants. Puis je repartis sur Sunset, direction l'ouest. Il était deux heures et demie.

Une journée à la plage.

J'essayai de me persuader qu'elle serait agréable.

Je pris par Pacific Coast Highway et vis bientôt le bleu de l'eau et le bronzage des corps.

Avec Robin, nous avions souvent emprunté cette route.

Avec Linda, une seule fois. Lors de notre deuxième sortie ensemble.

Seul, le trajet était très différent.

Je me tirai de ces réflexions et concentrai mon attention sur la bande côtière de Malibu. Jamais la même, toujours tentante. Le domaine du Kama Sutra.

Certainement la raison qui poussait des gens à s'endetter pour en acquérir une parcelle. Vivre avec les mouches, la corrosion et les risques routiers, être joyeusement amnésique sur l'inévitable cycle des glissements de terrains, des incendies et des tempêtes... Le nec plus ultra.

La parcelle d'Arthur Dickinson était une pièce de choix. A une dizaine de kilomètres au-dessus de Point Dume, après la longue étendue publique de la plage de Zuma, un virage à gauche sur Broad Beach Road.

L'ouest de Malibu, là où les motels de deuxième catégorie et les magasins de surf ont depuis longtemps disparu. Les ranchs et les pépinières bordent Pacific Coast Highway, et l'heure du repas est dominée par des couchers de soleil aux teintes impossibles.

L'adresse donnée par Milo m'amena à l'extrémité de la route, un petit kilomètre de silicone blanc entassé en dunes sinueuses. Des monticules de quinze mètres sur trente d'une géologie plus que douteuse mais très chère. A trois millions de dollars minimum la pièce, construire une résidence devenait un sport de compétition très élitiste.

Celle des Dickinson-Ramp était une maison de plain-pied à toit dissymétrique et aux murs en bois argenté. Le toit presque plat était de grès brun. Le terrain était délimité par une barrière basse qui n'assurait aucune intimité et donnait aux passants une vue dégagée de la plage. La maison était encadrée par deux constructions aux formes assez libres, la première en stuc vanille, encore en travaux, l'autre couleur pistache avec des touches framboise. Les deux étaient entourées de barrières électrifiées dignes de prisons. Un court de tennis vert s'étendait derrière Vanille. Une pancarte À VENDRE était accrochée à la façade de Pistache. Toutes deux étaient défendues par des systèmes d'alarme signalés par des panneaux.

Mais aucun système de sécurité pour la maison. Je soulevai le loquet de la barrière et entrai.

Le terrain avait été laissé à son état naturel, avec des bougainvillées qui poussaient çà et là et partaient à l'assaut d'une partie de la barrière. En guise de garage, une allée cimentée sur le sable, assez large pour accueillir deux véhicules. Une camionnette Volkswagen avec un porte-skis y était arrêtée en travers. Nulle part on n'aurait pu dissimuler une Rolls Royce.

J'approchai de la maison et la chaleur du sable transperça la semelle de mes chaussures. Je portai toujours veste et cravate, et ici je me faisais l'impression d'être un vendeur égaré. Je pouvais sentir le parfum de l'océan et voir les vagues de marée haute s'écraser contre les dunes. Une formation en V de pélicans bruns traversa le ciel. A une centaine de mètres au-delà des brisants, quelqu'un faisait de la planche à voile.

La porte d'entrée était en pin rongé par la salinité, et le

métal de la clenche avait verdi. Les vitres des fenêtres étaient voilées et poisseuses au toucher. Quelqu'un avait tracé sur l'une d'elles SALE. Un carillon en lamelles de verre pendait devant la porte et frissonnait dans la brise, mais le grondement de l'océan supplantait son chant.

Je tambourinai à la porte. Pas de réponse. Je recommençai, puis regardai par une des fenêtres.

Je découvris une seule pièce plongée dans la pénombre. Il était difficile de distinguer l'intérieur, mais avec un peu de patience je parvins à discerner un petit coin cuisine, une sorte d'alcôve servant de chambre et un salon qui occupait le reste de l'espace. Un futon était déroulé sur le plancher en pin terne. Quelques meubles en rotin avec des coussins à motifs hawaiiens, un canapé, une table basse. Du côté de la plage, des portes vitrées glissantes donnaient sur un petit patio ombragé. Au-delà j'aperçus deux fauteuils de jardins dépliants, la courbe d'une dune et plus loin encore le miroitement de l'eau.

Un homme se tenait sur le sable, juste en face du patio. Genoux ployés et dos droit, il soulevait une barre à disques.

Je contournai la maison pour le rejoindre.

Todd Nyquist. Vêtu d'un short noir, d'une ceinture de force en cuir et de gants d'haltérophilie sans doigt, le professeur de tennis se tenait pieds bien campés dans le sable. Il grimaçait et soufflait au rythme de ses tractions. Les disques chargeant la barre avaient la taille de plaques de bouche d'égout. Deux de chaque côté. Dans l'effort il gardait les yeux fermés et la bouche entrouverte, et sa longue chevelure coulait sur ses épaules en mèches raides et humides. Il transpirait et grognait sans cesser de soulever et d'abaisser la barre. Dos rigide, il concentrait toute sa force dans le mouvement de ses bras. Il travaillait au rythme d'un radio-cassette qui hurlait à ses pieds.

Du rock and roll. Thin Lizzy : *The Boys Are Back In Town*.

Le tempo était frénétique, et le suivre devait tenir de la torture. Les biceps de Nyquist ressemblaient à des sculptures de chair gorgées par l'effort.

Il fit encore six tractions parfaites, puis quelques-unes plus tremblantes avant la fin du morceau. Alors il laissa échapper un cri rauque qui pouvait être de douleur ou de triomphe, plia un peu plus les jambes et sans ouvrir les yeux déposa la barre sur le sable. Après avoir exhalé bruyamment, il se redressa doucement et secoua la tête, envoyant voler des gouttes de sueur alentour. La plage était presque déserte. Malgré le temps, seule une poignée de personnes marchaient ou couraient sur la plage, la plupart avec des chiens.

— Bonjour, Todd, lançai-je.

Il ne s'était pas totalement relevé et son sursaut de surprise faillit bien le déséquilibrer.

Il se stabilisa non sans une certaine élégance, ouvrit enfin les yeux et me décocha un grand sourire en me reconnaissant.

— Le Doc, c'est bien ça ? Nous nous sommes vus à San Lab.

— Alex Delaware, fis-je en approchant main tendue.

Mes chaussures s'emplirent instantanément de sable.

Il baissa les yeux sur ses mains gantées et les leva à mi-hauteur.

— A votre place, j'éviterais. Je suis trempé de sueur, Doc.

Je baissai la main.

— Je faisais un peu d'exercice, continua-t-il. Qu'est-ce qui vous amène ?

— Je cherche Mrs. Ramp.

— Ici ?

Sa surprise semblait sincère.

— On la cherche partout, Todd. On m'a demandé de venir ici pour vérifier.

— C'est vraiment bizarre, lâcha-t-il.

— Quoi donc ?

— Euh, eh bien tout ça, quoi : sa disparition. Je trouve ça un peu effrayant. Où peut-elle bien se trouver ?

— C'est ce que nous essayons de découvrir.

— Oui, bien sûr. Eh bien, ce n'est pas ici que vous la trouverez, ça, c'est sûr. Elle n'est jamais venue ici. Pas une seule fois. Enfin pas depuis que j'y habite. — Il se tourna vers l'océan, s'étira et inspira lentement. — Vous imaginez ça, posséder un endroit pareil et ne jamais en profiter ?

— C'est magnifique, dis-je aimablement. Depuis quand vivez-vous ici ?

— Un an et demi.

— Vous louez la maison ?

Son sourire s'agrandit, comme s'il était fier de détenir un secret aussi important. Il ôta ses gants, secoua ses cheveux.

— C'est un genre de marché, expliqua-t-il. J'apprends les finesses du tennis à Mr. Ramp et je l'entraîne, et en échange je peux loger ici. Mais ce n'est pas vraiment là que j'habite. Je vais dans d'autres endroits, je voyage pas mal. L'année dernière j'ai fait deux croisières, une jusqu'en Alaska, l'autre jusqu'à Cabo. J'ai donné des cours de remise en forme pour des dames âgées. Je donne aussi des cours au Brentwood Country Club, et j'ai beaucoup d'amis en ville. Je dors ici peut-être une ou deux fois par semaine, pas plus.

— Ça m'a tout l'air d'un arrangement très valable.

— Ça l'est. Vous savez combien ils pourraient louer, ici ? Même sans rien nettoyer ?

— Quatre mille dollars par mois ?

— Plutôt dix mille si vous prenez à l'année, dix-huit ou vingt mille durant l'été, et chauffage non compris. Mais Mr. et Mrs. Ramp m'ont vraiment fait un cadeau en me laissant profiter de la maison quand je veux, tant que je suis prêt à aller à Smogville pour faire faire une bonne séance de gym à Mr. Ramp. Quand il en a envie.

— Il ne vient jamais ici ?

Il marqua un léger temps d'arrêt, et son sourire faiblit.

— Pas vraiment, non. Pourquoi le ferait-il ?

— Aucune idée. Ça semble juste un endroit agréable pour faire du sport.

Nous entendîmes une conversation de voix féminines et nous tournâmes dans cette direction. Sur la plage deux jeunes filles de dix-huit ou dix-neuf ans, en bikinis, promenaient un chien de berger. L'animal ne cessait de tirer sur sa laisse pour s'éloigner de l'eau, et sa maîtresse devait lutter pour le retenir. Elle résista une seconde encore avant d'abandonner et de suivre le chien qui lui fit traverser la plage en diagonale. Le berger cessa de tirer en atteignant la limite de la propriété, à une vingtaine de mètres de nous.

Nyquist avait suivi la scène avec le plus grand intérêt. Les deux jeunes filles avaient de longs cheveux un peu décolorés par les bains de mer. L'une était blonde, l'autre rousse. Grandes, avec des jambes fuselées interminables et le visage souriant des California Girls, elles auraient pu sortir tout droit d'une publicité pour une marque de soda. Le bikini de la blonde était blanc, celui de la rousse d'un vert vif. Le chien s'arrêta, se mit à tousser et s'ébroua. La rousse se baissa pour le caresser, révélant des seins lourds et marqués de taches de rousseur.

— Waouh, murmura Nyquist avant de lancer d'une voix forte : eh ! Traci ! Maria !

Les deux filles regardèrent dans notre direction.

— La forme, les filles ?

— Ça va, Todd, dit la rousse.

— Salut, Todd, dit la blonde.

Nyquist bomba le torse, sourit et passa la main sur son abdomen plat.

— Ça a l'air, mesdemoiselles. S'qui se passe, ce vieux Bernie a toujours peur de l'eau ?

— Ouais, fit la rousse. Quel froussard ! — Au chien : — Pas vrai, chéri ? Pas vrai que Bernie n'est qu'un petit froussard de chien ?

Comme s'il comprenait l'insulte, le chien se détourna, fouetta le sable de ses pattes arrière et toussa de nouveau.

— Eh ! s'exclama Nyquist, on dirait qu'il a attrapé un rhume.

— Nan, c'est juste un froussard, dit la rousse.

— Un peu de vitamines C et B-12 pilées dans sa pâtée, et il retrouvera la forme.

— Qui est-ce, Todd ? demanda la blonde. Un nouvel ami ?

— Un ami du proprio.

— Oh ! dit la rousse avec un sourire entendu à l'adresse de son amie avant de se tourner vers moi. Vous allez augmenter le loyer de Todd, alors ?

Je lui accordai un sourire neutre.

— Une seconde, Doc, fit Nyquist.

En quelques enjambées athlétiques il rejoignit les deux jeunes femmes et passa un bras autour des épaules de chacune. Puis il les serra contre lui en se baissant, comme lors d'un conciliabule de football américain avant une action. Elles semblèrent surprises, mais ne firent pas mine de résister. Il leur murmura quelques paroles sans se départir de son sourire. En même temps il massait la nuque de la blonde et palpait d'une main de propriétaire la taille de la rousse. Le chien vint se frotter contre sa cheville, mais il l'ignora. Après quelques secondes les deux beautés californiennes me parurent être moins à l'aise, et elles se dégagèrent.

Nyquist les retint un instant par le poignet, puis les lâcha, sourit un peu plus et les gratifia d'une tape d'adieu sur le derrière comme elles s'élançaient sur la plage, suivies du chien.

Il revint vers moi.

— Excusez l'interlude. Il faut entretenir sa popularité comme son corps...

Il jouait au coureur de jupons mais en faisait trop et frisait la caricature. Je me remémorai son attitude envers Gina, deux jours plus tôt, et ces nuances de tension qui ne m'avaient pas beaucoup marqué sur le moment.

J'accepterais volontiers un Pepsi, Mrs. Ramp. Ou n'importe quoi de frais et de sucré.

Je vais demander à Madeleine de vous servir quelque chose.

La femme mûre et le jeune athlète ? Le tennis pour le patron, et une autre sorte de leçons pour la maîtresse de maison ?

L'hypothèse manquait d'originalité, mais les gens sont rarement originaux quand ils transgressent les règles supposées établies.

— Avez-vous une idée de l'endroit où pourrait se trouver Mrs. Ramp, Todd ? demandai-je.

— Non, répondit-il en prenant une expression concentrée. C'est vraiment un mystère. Je veux dire, où aurait-elle bien pu aller, elle qui a si peur de l'inconnu ?

— Vous a-t-elle déjà parlé de cette peur ?

— Non, nous... Non, pas du tout. Mais quand vous fréquentez le foyer de quelqu'un, vous finissez par vous rendre compte de certaines choses... — Il jeta un coup d'œil en direction de la maison. — Vous voulez une bière, ou quelque chose ?

— Non, merci. Il faut que je reparte.

— Dommage, fit-il, mais il paraissait plutôt soulagé. Vous avez l'air en excellente forme physique. Vous faites du sport ?

— Un peu de course à pied, oui.

— Souvent ?

— De dix à quinze kilomètres par semaine.

— Vous devriez faire attention. La course à pied provoque des vibrations désastreuses pour le corps. Vous savez que vous projetez quatre fois votre poids à chaque foulée ? C'est très mauvais pour les articulations. Pour la colonne vertébrale aussi.

— J'ai un tapis électrique de course, maintenant.

— Excellent. Le top pour l'aérobic. Si vous alternez avec des exercices musculaires d'élongation, vous vous ferez le maximum de bien.

— Merci du conseil.

— Pas de problème. Et si vous êtes intéressé par des cours privés de gym, passez-moi donc un coup de fil. Je n'ai pas de carte sur moi mais vous pourrez toujours me joindre par l'intermédiaire de Mr. et Mrs... De Mr. Ramp.

— Il secoua la tête et eut une moue désolée. — C'était bête de dire ça. J'espère vraiment qu'on va la retrouver. C'est une femme très gentille.

Je retournai jusqu'à la Seville d'un pas de promeneur, tout en contemplant l'océan. Le véliplanchiste avait disparu, mais les pélicans étaient revenus et plongeaient à tour de rôle. Des mouettes et des sternes voletaient à proximité pour profiter des restes. Deux longues formes basses étaient visibles sur la ligne d'horizon. Des pétroliers qui remontaient la côte. Je me demandai à quoi ressemblait la vie au bord de la mer, avec ce rappel constant de l'infini et de l'insignifiance humaine.

Avant de pouvoir creuser ce sujet de réflexion j'entendis un bruit de moteur et des cris joyeux qui allaient crescendo, jusqu'à ce que je perçoive « Eh, M'sieu Le Proprio ! ».

Une Golf blanche décapotée s'arrêta à hauteur de la Seville que je venais d'atteindre. La blonde de la plage était au volant, une cigarette allumée coincée entre ses doigts. La rousse était assise à côté d'elle et grignotait des amandes qu'elle pêchait dans une boîte d'une main, l'autre serrant une Coors décapsulée. Toutes deux avaient passé des chemises diaphanes sur leur maillot de bain, mais elles avaient oublié de les boutonner. Bernie le chien était installé à l'arrière, langue pendante et tête dodelinante, apparemment peu enchanté par cette balade motorisée.

— Salut, fit la rousse. Chouette vieille bagnole. Mon père en avait une exactement pareille. Très solide.

Je souris à l'idée de la Seville considérée comme une antiquité. Dix ans d'âge. Le jour où je l'avais achetée, ces deux beautés devaient être encore en primaire.

— Vous la rangez dans un garage, ou quelque chose comme ça? s'enquit la blonde.

— On peut dire ça, oui.

— Super.

— Merci.

— Vous êtes vraiment avec le proprio? Parce que Traci et moi, nous cherchons quelque chose qui soit plus près de la plage. Nous sommes plus loin sur Pacific Coast Highway, vers Las Flores, et par là-bas la plage n'est pas terrible. Il fait trop humide, et il y a trop de rochers. Nous aimerions travailler, du baby-sitting ou du travail léger au pair, en échange. Todd a dit qu'il en parlerait, mais nous on a pensé qu'on était capables de le faire nous-mêmes.

— Désolé, dis-je, je connais en effet le propriétaire de Todd mais je ne travaille pas dans l'immobilier.

La blonde réussit à prendre une expression de dégoût sans perdre totalement sa beauté.

— Pff! Je te l'avais bien dit, Mar, que ce n'était que du vent!

La rousse plissa le nez et prit un air blessé.

— Qu'y a-t-il? demandai-je.

— C'est Todd, répondit la rousse. Il s'est royalement foutu de nous.

— Comment ça?

— Il nous a dit que vous étiez agent immobilier et que si nous étions gentilles avec lui il vous demanderait de nous trouver une location ici, sur Broad. Nous avons habité ici l'été dernier, en travaillant au pair pour Dave Dumas et sa femme. Alors les gens croient que nous habitons toujours ici et ils ne nous ennuient pas quand nous venons sur la plage, mais ce que nous voudrions, c'est y vivre vraiment, en permanence.

— Dave Dumas, la star du basket?

— Ouais, Mr. Gratte-Ciel en personne.

Elles gloussèrent à l'unisson.

— Nous nous occupions de ses gosses, expliqua la blonde. Des gamins immenses comme leur père!

Elle rit encore un peu, puis devint subitement sérieuse.

— Nous aimerions vraiment revenir ici. La plage est superbe et les concerts au Trancas Café sont de vrais musts. La semaine dernière Eddie Van Halen est venu faire le bœuf!

— Nous cherchons du travail, ajouta la rousse. Et Todd nous a dit qu'il pourrait peut-être nous arranger quelque chose.

— Paroles de tante! grinça la blonde. C'est bien la dernière fois que nous lui faisons une fleur!

Elle fit rugir le moteur de la Golf, et sur le siège arrière le chien tressaillit.

— Que vous a-t-il demandé exactement, tout à l'heure? risquai-je.

— Eh bien, il a joué au vrai macho. Il voulait qu'on se laisse peloter devant vous. — Elle se tourna vers la rousse. — Je te l'avais bien dit, Mar. J'en étais sûre.

— Todd n'est donc pas un vrai macho?

Gloussements coordonnés. La rousse prit une poignée d'amandes et les donna au chien qui s'en régala.

— Il aime ça, dit-elle.

— Bon appétit, Bernie, fis-je en caressant la tête du chien.

Son poil était coagulé en paquets par le sel et la poussière. Il se mit à gémir de plaisir.

— Todd n'est donc pas un must...

Le regard de la blonde se fit méfiant. De près son visage était dur, un peu vieillissant, déjà marqué par trop de soleil et d'autres excès.

— Vous n'êtes pas un bon ami à lui, ni rien de ce genre? dit-elle.

— Pas du tout. Je connais les propriétaires de la maison, mais je n'avais rencontré Todd qu'une fois, avant aujourd'hui.

— Alors vous n'êtes pas, je veux dire le genre...

La blonde termina sa phrase par un sourire précieux et un geste mou du poignet.

— Tra-ace ! C'que tu peux être malpolie !

— Et alors ? rétorqua la blonde. C'est lui qui est comme ça, pas moi ! C'est lui qui devrait être gêné !

— Todd est homosexuel ?

— Bien sûr, dit la rousse.

— Mademoiselle Muscle en personne, renchérit la blonde.

— Un beau corps de perdu, soupira la rousse.

Le chien éternua.

— Ne t'énerve pas, Bernie, dit-elle.

— C'est pour ça que ça n'était pas cool, reprit la blonde. Se servir de nous pour faire croire qu'il s'intéresse aux filles... Je veux dire, pour sûr il est costaud, mais pas de la tête !

— Comment savez-vous qu'il est homosexuel ?

— Eh bien..., commença la blonde avant de rire nerveusement et de faire vrombir le moteur. On ne l'a jamais vu faire ses trucs, hein, mais...

— Il a des « amis » qui vont et qui viennent tout le temps, dit la rousse. Il prétend qu'il les entraîne, mais une fois je l'ai vu tenir la main à ce type...

— Beurk ! s'exclama la blonde en décochant un coup de coude à son amie. Dis donc, toi, tu ne me l'avais jamais dit !

— Bah, c'était il y a longtemps. Quand nous étions chez le Grand Dave.

— Le Très Grand Dave, appuya la blonde en gloussant.

— Il y a combien de temps ? dis-je.

Ahurissement des beautés. Elles s'entre-regardèrent comme si elles luttaient avec un problème d'expression très ardu.

Enfin la rousse répondit :

— Oh ! il y a longtemps. Peut-être cinq semaines. Todd et cet autre type marchaient ensemble derrière la maison. Ils venaient par ici. Moi, je promenais Bernie... Je les ai vus se prendre par la main, et puis l'autre est monté dans sa voiture, une Mercedes 560-SEC blanche, avec ces roues à rayons. Et j'ai vu Todd se pencher vers lui et l'embrasser sur la bouche. Un petit baiser d'adieu, quoi.

— Beurk, lâcha la blonde.

— C'était presque mignon, en fait...

La blonde avait parlé comme si elle pensait ce qu'elle disait, mais son masque céda et elle éclata d'un rire nerveux.

— Vous vous souvenez de cet autre homme? demandai-je.

Elle haussa les épaules.

— C'était un vieux.

— Vieux comment?

— Encore plus vieux que vous.

Très aimable de sa part.

— La quarantaine?

— Plus.

— C'était peut-être le papa de Todd, fit la blonde en grimaçant. On a le droit d'embrasser son papa, non, Mar?

— Peut-être, accepta mollement la rousse. Le petit Todd et son papa, qui s'embrassaient sur la bouche...

Elles se regardèrent de nouveau, secouèrent la tête et cédèrent encore un peu à l'hilarité.

— Non, impossible, dit la blonde. Ils s'aimaient vraiment, ça se voyait... — Elle fronça les sourcils en réfléchissant. — En fait le vieux était costaud lui aussi. Pour un vieux. Le genre Tom Selleck.

— Il avait une moustache? dis-je.

La rousse s'étira langoureusement.

— Je crois, oui. Peut-être. Je me souviens juste qu'il m'a fait penser à Tom Selleck, mais en plus vieux. Le genre bronzé, avec des épaules très larges.

— Comment ça se fait qu'il y en ait autant qui sont costauds comme ça? s'étonna la blonde. Quel gâchis...

— C'est parce qu'ils sont riches, Trace, lui expliqua l'autre. Ils peuvent se payer des soins spéciaux, liposuccion, tout ça.

— Ils retirent la graisse et ils referment, dit la blonde en se caressant l'abdomen qu'elle avait parfaitement plat. Si j'ai besoin de ça un jour, n'oublie pas de m'oublier.

Elle plongea sa main dans la boîte que tenait la rousse.

— Mais arrête de toucher à tout ! s'écria son amie en tentant d'écarter la boîte.

Mais la blonde avait été plus rapide.

— Ah ! des amandes, dit-elle avec un sourire de victoire. J'adore...

Elle plaça l'amande entre ses dents, me regarda et la fit tomber dans sa bouche avec la langue avant de la croquer lentement.

— C'est la dernière fois que vous avez vu le vieux type dans les parages, dis-je, il y a cinq semaines ?

— Ouais, dit la rousse d'un air rêveur. Ça fait longtemps qu'on n'était pas venues ici...

— Alors, enchaîna la blonde, vous pouvez faire quelque chose pour nous ?

— Comme je vous l'ai dit, je ne suis pas dans l'immobilier, mais j'y ai quelques contacts. Je vais voir. Pourquoi vous ne me donneriez pas vos coordonnées ?

— Bien sûr, répondit la rousse avec un sourire enthousiaste avant de prendre une expression très grave.

— Que se passe-t-il ?

— Pas de stylo.

— On va arranger ça, dis-je en résistant à l'envie d'un clin d'œil.

Je fouillai dans la Seville, trouvai un stylo et une vieille facture de garagiste dans la boîte à gants et les lui tendis.

— Vous n'avez qu'à écrire au dos, proposai-je.

Utilisant la boîte comme support, elle écrivit laborieusement, sous la surveillance de la blonde. Le chien colla sa truffe humide contre le dos de ma main et geignit de plaisir quand je lui caressai de nouveau le crâne.

— Et voilà, fit la rousse en me rendant le morceau de papier.

Maria et Traci. L'écriture était ronde, le point des i remplacé par de petits cœurs. Une adresse sur Flores Mesa Drive. Un téléphone commençant par 456.

Je remerciai d'un sourire.

— Parfait, je ferai ce que je peux, promis. En attendant, je vous souhaite bonne chance.

— Nous avons déjà, dit la blonde.

— Quoi ? s'étonna la rousse.

— La chance. Nous obtenons toujours ce que nous voulons, pas vrai, Mar ?

Un dernier duo de gloussements, suivi d'un nuage de poussière tandis que la Golf démarrait.

Je suivis du regard la voiture qui fonçait vers l'extrémité nord de Broad Beach Road, jusqu'à ce qu'elle disparaisse. Il me fallut une seconde pour me souvenir qu'elles avaient à peu près l'âge de Melissa.

Je fis demi-tour et me dirigeai vers l'autoroute.

Un homme âgé et le jeune athlète.

Un homme plus vieux, bronzé et moustachu.

Il y avait beaucoup d'homosexuels bronzés moustachus à L.A. Et beaucoup de Mercedes blanches.

Mais si Don Ramp conduisait une 560-SEC blanche avec des roues à rayons, je voulais bien prendre le risque.

Je rejoignis la circulation s'écoulant vers le sud sur Pacific Coast Highway et conduisis jusque chez moi en prenant le risque de l'hypothèse, même sans preuve. Je supposais que Ramp était l'amant de Nyquist, ce qui donnait une autre signification à la tension constatée entre Nyquist et Gina.

Un autre rôle de macho de son côté ?

De la colère de son côté à elle ?

Était-elle au courant ?

Cela avait-il un rapport avec les allusions de Gina concernant un changement de mode de vie ?

Chambres séparées.

Comptes en banque séparés.

Vies séparées.

A moins qu'elle ait su pour Ramp avant de l'épouser ?

Mais pourquoi Ramp l'avait-il épousée, elle, après être resté célibataire aussi longtemps ?

Le banquier et l'avocat de Gina semblaient persuadés que l'argent n'était pas le motif, et ils avaient le contrat prénuptial pour argument.

Mais les contrats prénuptiaux — et les testaments — pouvaient être dénoncés. Et les polices d'assurance-vie pouvaient être contractées sans que les banquiers et les avocats en soient informés.

Ou alors l'héritage n'avait rien à voir. Ramp avait

peut-être besoin d'une couverture pour tromper les habitants bien-pensants et très conservateurs de San Labrador. Un foyer et une enfant qui le détestait.

Que pouvait-il y avoir de plus américain ?

22

J'arrivai chez moi juste après cinq heures. Milo était absent. Il avait changé le message de son répondeur et abandonné la misanthropie affichée pour un ton plus civil : « *Merci* de laisser votre message après le signal sonore... » Je le *remerciai* donc de me rappeler quand il rentrerait.

Je téléphonai à San Labrador et c'est Madeleine, la domestique française, qui me répondit.

Mademoiselle Melissa ne se sentait pas très bien. Elle dormait.

Non, Monsieur n'était pas là non plus.

Je détectai une légère tension dans sa voix. Elle raccrocha assez brutalement.

Je rédigeai des chèques correspondant à quelques factures, fis un peu de rangement et nourris de nouveau les poissons, qui me parurent assez amorphes, en particulier les femelles. Ensuite je m'astreignis à trente minutes de course immobile sur le tapis roulant électrique, et je pris une douche.

Quand je consultai de nouveau ma montre, il était sept heures et demie.

Vendredi soir.

Le moment de la semaine pour les rendez-vous.

Sans trop réfléchir, j'appelai San Antonio. Un homme à la voix nasillarde répondit, et quand je demandai à parler à Linda il voulut connaître mon identité.

— Je suis un ami de Los Angeles.

— Oh. Elle est partie à Behar. A l'hôpital.

— Son père ?

— Oui. Ici, c'est Conroy, son oncle. Le frère de son père. Je suis arrivé de Houston aujourd'hui.

— Alex Delaware, monsieur Overstreet. Un ami de Los Angeles. J'espère qu'il n'y a rien de sérieux.

— Oui, eh bien, c'est que j'espère aussi, naturellement, mais je suis au regret de vous dire que ce n'est pas vraiment le cas. Mon frère a perdu connaissance ce matin. Ils ont réussi à le ranimer, mais ça n'a pas été facile. Apparemment c'est lié à un problème de circulation et à des troubles rénaux. Ils l'ont mis en soins intensifs. Toute la famille est là-bas. Vous m'avez eu parce que je revenais prendre quelques affaires.

— Je ne veux pas vous retarder.

— Merci de votre compréhension.

— Dites à Linda que j'ai appelé, voulez-vous ? Et si je peux faire quelque chose, n'hésitez pas à me contacter.

— Je n'y manquerai pas, monsieur. Merci de la proposition.

Click.

La raison était mauvaise, mais je téléphonai quand même.

— Allô ?

— Alex ! Comment vas-tu ?

— Tu es prise ce soir ?

Elle éclata de rire.

— *Prise ?* Avec un peu de chance, j'allais rester assise près du téléphone.

— Tu veux améliorer ta chance ?

Elle rit de nouveau. Pourquoi était-ce si agréable de l'entendre rire ?

— Mmh, je ne sais pas, dit-elle. Ma mère m'a toujours dit de ne pas sortir avec un garçon s'il ne m'a pas invité au moins deux jours à l'avance...

— Très sage, ta mère.

— D'un autre côté, elle s'est trompée sur un tas de sujets. A quelle heure ?

— Dans une demi-heure.

Elle sortit de son studio au moment où je me garais

devant l'immeuble. Elle portait un pull à col roulé en soie, un jean moulant et des bottes, le tout noir, et elle s'était maquillée. A sa vue j'éprouvai un désir violent. Avant que je puisse sortir elle ouvrit la portière côté passager et se glissa dans la Seville. Elle irradiait la chaleur animale et son parfum me chatouilla les narines. Elle posa une main sur ma nuque. Nos bouches se joignirent avant que j'aie eu le temps de prendre mon souffle.

Nous nous embrassâmes avec avidité. Elle me mordilla deux fois les lèvres et me parut presque rageuse. Alors que j'allais suffoquer, elle s'écarta et dit d'un ton posé :

— Que va-t-on manger ?

— J'avais pensé à un chinois... — Je me souvins de toutes les fois où nous avions soupé au lit, en nous faisant livrer le repas à domicile, et j'ajoutai : — Mais on peut aussi commander par téléphone et rester ici.

— Pas question, je veux *sortir*.

Nous festoyâmes dans un restaurant asiatique classique de Brentwood : menu habituel et lanternes en papier, mais la cuisine était soignée. Puis nous nous rendîmes dans un café-théâtre de Hollywood. Un endroit plaisant que nous avions assidûment fréquenté à une époque. Aucun de nous ne s'y était rendu sans l'autre.

L'ambiance avait bien changé. Les murs étaient maintenant tendus de feutre noir, des videurs au regard assassin montraient avec ostentation leurs muscles trop gonflés, la foule y était à peine supportable et l'atmosphère était chargée d'odeur de bière, de fumée et d'hostilité. Aux tables des créatures nocturnes des deux sexes mais aux regards uniformément blasés attendaient d'être distraites.

Pour un tel public, les premiers numéros n'étaient pas à la hauteur. Des amuseurs novices venaient bafouiller les blagues qui réjouissaient leurs proches mais qui ne feraient jamais recette sur Sunset Boulevard. Des clowns tristes tournoyaient follement tels des poivrots sur des patins à glace. Les regarder m'était plus douloureux que tout ce que j'avais pu voir en thérapie. Peu avant minuit le spectacle gagna en professionnalisme ce qu'il perdit en émotion ; de jeunes hommes et femmes minces et

bien vêtus, nourris au lait des talk-shows télévisés tar-
difs, vinrent cracher les traits d'esprit acides et souvent
grossiers qu'ils ne pouvaient placer sur le petit écran.
Plaisanteries teintées de dépit sur les relations humaines.
Blagues aux relents racistes omniprésents. Scatologie
navrante...

Cette ville était-elle donc devenue plus hargneuse, ou
était-ce moi qui avais déconnecté ?

Du regard, je consultai Robin. Elle répondit d'une
moue dépitée. Nous sortîmes. Cette fois elle me laissa lui
ouvrir sa portière. Elle se blottit contre la vitre et resta
ainsi.

Je me mis au volant et démarrai. Après une minute je
pris sa main dans la mienne. Elle donna deux pressions
légères puis se dégagea.

— Fatiguée ? demandai-je.

— Non, pas du tout.

— Tout va bien ?

— Mmh...

— Alors... On va où ?

— Ça ne te dérange pas de simplement rouler un peu ?

— Non, bien sûr.

J'étais sur Fontaine et j'allais vers l'ouest. Je tournai
sur la Cienega, traversai Sunset et commençai à gravir
lentement Hollywood Hills jusqu'à une série de rues
résidentielles sinueuses aux noms d'oiseaux.

Robin restait appuyée contre la portière, comme une
auto-stoppeuse méfiante, yeux clos, sans parler, visage
tourné. Elle croisa les jambes et plaça une main à plat sur
son abdomen, comme s'il la faisait souffrir.

Un peu plus tard elle rejeta la tête en arrière et tendit
les jambes devant elle. Bien qu'elle ait nié la moindre
fatigue, je commençai à me demander si elle ne s'était
pas assoupie. Mais quand j'allumai la radio et la posi-
tionnai sur un concert de jazz, elle réagit :

— Ça, c'est bien...

Je continuai de conduire sans trop savoir vers où, et je
finis par arriver sur Coldwater Canyon que je remontai
jusqu'à Mulholland Drive. Là, je pris sur la gauche.

Un morceau de forêt, puis des clairières qui dévoi-
laient l'à-pic surplombant la grille scintillante de la San
Fernando Valley.

Symphonie de lumières pour une pseudo-ville.

Je me sentais retombé en adolescence à me retrouver ici. Mulholland représentait la quintessence du décor pour premier baiser en voiture, selon l'imagerie hollywoodienne. Combien de scènes de ce genre avait-on tournées ici ?

Je ralentis pour profiter du panorama, sans pouvoir m'empêcher de rechercher une éventuelle course de voitures ou d'autres nuisances. Robin ouvrit enfin les yeux.

— Pourquoi tu ne t'arrêtes pas quelque part ?

Les premiers emplacements étaient déjà occupés par des véhicules. Il me fallut continuer sur plus d'un kilomètre avant de découvrir un espace libre près d'un bouquet d'eucalyptus. Je me garai et éteignis les phares. A vol d'oiseau, nous n'étions pas très loin de Beverly Glen. Un petit plongeon vers l'ouest et nous nous serions retrouvés à la maison. Enfin, chez moi.

Robin se redressa sur son siège et contempla la vallée par la vitre.

— Belle vue, fis-je en mettant le frein à main et en m'étirant.

— Une vraie carte postale, répondit-elle avec un bref sourire.

— Je suis content que tu sois là.

Je lui pris de nouveau la main, mais cette fois elle ne retourna pas la pression. Sa peau était tiède, mais inerte.

— Au fait, comment va ton amie du Texas ? dit-elle.

— Son père est au plus mal. Ils l'ont emmené à l'hôpital.

— Je suis désolée de l'apprendre.

Elle baissa la vitre et passa la tête à l'extérieur.

— Ça va ?

— Je crois, oui, fit-elle en se tournant vers moi. Dis-moi, Alex, pourquoi m'as-tu appelée ?

— Je me sentais seul.

J'avais répondu sans réfléchir, et je n'aimais pas ma réponse. Mais elle parut lui plaire. Elle prit ma main et joua avec mes doigts.

— J'aurais bien besoin de compagnie, moi aussi.

— Tu en as une.

— J'ai passé une période difficile, Alex. Je ne veux

pas me plaindre, mais... Je sais que j'aurais tendance à le faire, et je lutte contre ce penchant.

— Je ne t'ai jamais vue comme quelqu'un qui se plaint.

Elle me remercia d'un sourire.

— Qu'y a-t-il?

— Dennis. Il disait que je me plaignais tout le temps.

— Bah, qu'il aille au diable.

— Il n'est pas simplement parti. Je l'ai mis à la porte.

Je m'abstins de tout commentaire.

— Je suis tombée enceinte, et je me suis fait avorter, poursuivit-elle. Il m'a fallu une semaine pour décider de ce que j'allais faire. Quand je le lui ai dit, il a tout de suite été d'accord. Il m'a même proposé de payer. Ça m'a mise hors de moi, qu'il ne se pose aucune question. Ça avait l'air si simple pour lui. Alors je l'ai fichu dehors.

Soudain elle sortit de la voiture, la contourna et alla s'appuyer contre la calandre. Je sortis moi aussi et la rejoignis. Le sol était tapissé de feuilles d'eucalyptus, et l'air embaumait. Deux véhicules passèrent sur la route, suivis quelques secondes plus tard par un autre défilé de voitures.

Puis le silence s'installa. Et dura.

— Quand je m'en suis rendu compte, reprit-elle, je me suis sentie très bizarre. Je me dégoûtais d'avoir été aussi imprévoyante, et en même temps j'étais heureuse de pouvoir... biologiquement. Et j'avais peur, aussi.

Retranché dans mon mutisme, j'affrontai mes propres sentiments. La colère, à cause de toutes ces années passées ensemble, des précautions que nous avions toujours prises. La tristesse...

— Tu me détestes, dit-elle.

— Bien sûr que non.

— Je ne t'en voudrais pas, tu sais.

— Robin, ce sont des choses qui arrivent.

— Aux autres, oui.

Elle avança vers le bord de la falaise. J'entourai sa taille de mes bras, sentis sa résistance et lâchai prise.

— La procédure en elle-même, ce n'est rien. Ma gynéco l'a fait dans son cabinet. Elle m'a dit que c'était une chance parce que nous l'avions détecté très tôt, comme si elle parlait d'une maladie quelconque. Une aspiration, et puis j'ai rempli un formulaire pour l'assurance, comme si j'avais subi dilatation et curetage. Plus tard j'ai souffert de crampes, mais rien d'insupportable. Deux jours sous Tylenol, et voilà.

Elle s'était mise à parler de cette voix monocorde qui me démoralisait.

— L'essentiel, c'est que tu ailles bien, dis-je.

J'avais l'impression de lire un script sans parvenir à trouver l'intonation qui convenait au texte.

— Après, dit-elle, j'ai fait un peu de paranoïa. Et si l'aspiration avait créé des dommages et que je ne puisse plus jamais concevoir ? Et si Dieu me punissait pour avoir assassiné cette vie en moi ?

Elle s'écarta de moi de plusieurs pas.

— Tout le monde en parle de façon tellement abstraite, dit-elle en regardant la vallée. L'accès de paranoïa a duré un mois entier. J'ai fait une éruption cutanée, et j'ai cru que j'avais le cancer. Mon médecin m'a dit que j'allais bien, et j'ai fini par lui faire confiance. Pendant quelques jours, ça a été mieux. Et puis ça m'a repris. J'ai résisté, et j'ai gagné, je me suis persuadée que je survivrais. Après, j'ai eu des crises de larmes tous les jours, pendant un mois. Je n'arrêtais pas de me demander ce que j'aurais vécu si... Finalement ça m'a passé aussi. Mais il m'est resté un peu de cette tristesse, et elle est toujours là. Parfois, quand je souris, j'ai l'impression de pleurer. C'est comme si j'avais un vide, là... — Elle se toucha le ventre. — Juste là.

Je m'approchai, la saisis doucement par les épaules et réussis à la faire pivoter vers moi. Je la serrai contre moi, et elle cacha son visage contre ma veste.

— Avec *lui*, dit-elle, sa voix étouffée par le tissu. Puis elle s'écarta et se força à me regarder dans les yeux : lui, c'était une passade, pour combler un manque. C'est presque obscène, non, que ce soit arrivé avec lui ? Ça ressemble à une de ces horribles plaisanteries qu'ils débitaient ce soir, au café...

Elle avait les yeux secs. Un picotement très désagréable commençait à irriter les miens.

— Des fois, Alex, je reste éveillée dans le lit. Et je me demande, Comme si j'avais été condamnée à me demander...

Nous restâmes un moment à nous regarder sans parler, Une autre caravane de véhicules passa sur la route.

— Quelle *sortie*, non ? dit-elle. Je ne fais que me plaindre.

— Arrête. Je suis content que tu te sois confiée à moi,

— Vraiment ?

— Oui. Je... Oui, je le suis.

— Si tu me détestes, je peux comprendre.

— Pourquoi devrais-je te détester ? m'emportai-je subitement. Je n'avais aucun droit sur toi. Ça n'avait aucun rapport avec moi.

— C'est vrai.

Je lâchai ses épaules. Levai les mains et les laissai retomber, désemparé.

— J'aurais mieux fait de me taire, dit-elle.

— Non. Ça va... Non, c'est faux. Pour l'instant, ça ne va pas. Je me sens mal. En bonne partie pour ce que tu as enduré.

— En bonne partie ?

— D'accord : pour moi aussi. Pour ne pas avoir été dans ta vie quand c'est arrivé.

Elle acquiesça tristement.

— Toi tu aurais voulu que je le garde, n'est-ce pas ?

— Je ne sais pas ce que j'aurais voulu. C'est trop... théorique. Et ça ne sert à rien de te flageller comme ça, Tu n'as commis aucun crime.

— Ah bon ?

— Non, dis-je en reposant mes mains sur ses épaules, J'ai vu ce qu'est un crime. Je connais la différence. Quand des gens sont délibérément cruels, quand ils se comportent de façon bestiale l'un envers l'autre. Dieu sait combien de fois cela se passe en ce moment même, là, en bas...

Du doigt je désignai la vallée illuminée. Robin parut accepter mon explication.

— Le pire, c'est que ceux qui devraient se sentir coupables, ceux qui sont vraiment mauvais, ceux-là ne réagissent jamais ainsi. Ce sont les bonnes âmes qui se tor-

turent. Ne te laisse pas aller sur cette pente, Robin. Tu ne
te rends pas service en ne faisant pas la différence.

Elle me contempla fixement, l'air très attentive.

— Tu as commis une erreur, d'accord, mais pas une
erreur de première importance. Tu t'en remettras. Tu
continueras ta vie. Si tu veux des enfants, tu les auras. En
attendant, essaie de profiter un peu de la vie.

— Tu profites de la tienne, toi ?

— En tout cas j'essaie. C'est bien pour ça que je propose des sorties aux jolies filles.

Elle sourit. Une larme coula sur sa joue.

J'entourai sa taille de mes bras, par-derrière, et je sentis son ventre musclé sous une très légère couche de
graisse. Je le caressai.

Elle se mit à pleurer.

— J'ai été contente que tu appelles. Et anxieuse.

— Pour quelle raison ?

— Je craignais que ce soit comme il y a quelques
jours. Non que je n'aie pas apprécié... Mon Dieu, c'était
magnifique. Le premier vrai plaisir que j'aie ressenti
depuis une éternité. Mais après, j'ai... — Elle posa sa
main sur les miennes et appuya. — Je crois que je veux
dire que j'ai besoin d'un ami en ce moment, Alex. Plus
que d'un amant.

— Je suis cet ami, Robin.

— Je sais... Quand je t'entends et que je te vois
comme ça, je sais que tu es mon ami.

Elle se tourna et nous nous serrâmes l'un contre
l'autre.

Sur la route arrivait une voiture dont les phares nous
éclairèrent une seconde. Un visage d'adolescent apparut
à la portière.

— C'est dans la poche, mec ! hurla-t-il.

Nous nous entre-regardâmes. Et nous éclatâmes de
rire.

Je la ramenai chez moi et lui fis couler un bain chaud.
Elle y resta une demi-heure, en ressortit rosie et som-
nolente. Nous nous mîmes au lit et jouâmes aux cartes en
regardant de temps à autre un vieux western à la télévision. Vers deux heures du matin nous avions fait une

douzaine de parties, et nous étions à égalité. Le moment nous parut aussi bon qu'un autre pour dormir.

Pas d'appel de Milo le samedi, et pas de nouvelles de San Labrador. Je téléphonai, eus encore Madeleine qui m'annonça que Melissa dormait.

Je passai la majeure partie de la journée avec Robin. Petit déjeuner tardif et copieux, suivi de quelques courses au Farmer's Market. Ensuite un coup de voiture jusqu'à Pacific Palisades, pour admirer les cygnes et le lac. Un repas léger dans un restaurant de fruits de mer près de Sunset Beach, puis retour chez elle vers sept heures. J'appelai mon service de répondeur, mais je n'avais aucun message. Robin écouta ceux qu'elle avait reçus.

Un chanteur connu l'avait appelée trois fois par heure durant les trois dernières heures. Sa célèbre voix éraillée était tendue par la panique :

« C'est une urgence, Rob. J'ai un concert dimanche à Long Beach. Je reviens juste d'un bœuf à Miami, et l'humidité a descellé le chevalet de Patty. Rappelle-moi au Sunset Marquis, Rob. S'il te plaît, Rob, je ne bouge pas. »

Elle coupa le répondeur.

— Génial, soupira-t-elle.

— Ça a l'air plutôt sérieux.

— Oh oui. Quand il appelle lui-même au lieu de le faire faire par un grouillot, c'est qu'il est au bord de la dépression nerveuse.

— Qui est Patty ?

— Une de ses guitares. Une Martin D-28 de 1952. Il en possède deux autres, Laverne et... Je ne me souviens plus pour la troisième. Il les a baptisées d'après les prénoms des Andrews Sisters. Comment s'appelle la troisième, déjà ?

— Maxene.

— C'est ça : Maxene. Patty, Laverne et Maxene. Toutes de 52, avec des numéros de série qui se suivent. Je n'ai jamais entendu trois instruments qui aient un son aussi semblable. Mais bien évidemment, c'est sur Patty qu'il veut jouer demain.

Elle secoua la tête et alla dans le coin-cuisine.

— Tu veux boire quelque chose?

— Rien pour l'instant, merci.

— Tu es bien sûr?

Elle paraissait contrariée et jeta un coup d'œil assassin au téléphone.

— Certain, répondis-je. Tu ne le rappelles pas?

— Ça ne te dérange pas?

— Mais non. A dire vrai, je me sens un peu fatigué. Tu as épuisé le vieillard que je suis.

Elle allait répondre mais la sonnerie du téléphone l'en empêcha. Elle décrocha.

— Oui, je viens de rentrer... Non, il vaut mieux que tu l'apportes ici. Je travaillerai mieux... D'accord, à tout à l'heure.

Elle raccrocha, me sourit et haussa les épaules.

Elle m'accompagna jusqu'à la voiture sans parler, et je la laissai à son travail. Et moi je retournai profiter de la vie.

Mais j'étais dans une période plus propice à donner des conseils qu'à les appliquer moi-même, et après avoir conduit cinq minutes je m'arrêtai dans une station-service pour appeler Milo.

C'est Rick qui répondit :

— Il vient juste de rentrer, Alex, et il est reparti aussitôt. Il m'a dit qu'il allait être pris un bout de temps mais qu'il fallait que vous le rappeliez. Il a pris ma voiture avec le téléphone cellulaire. Voici le numéro...

Je le notai, le remerciai, raccrochai et téléphonai immédiatement. Milo décrocha à la première sonnerie.

— Sturgis à l'appareil.

— C'est moi. Que se passe-t-il?

— La bagnole, dit-il. On l'a retrouvée il y a deux heures, près de San Gabriel Canyon. Dans Morris Dam. Le réservoir.

— Et pour...

— Pas trace d'elle. Seulement la Rolls.

— Melissa est au courant?

— Elle est là-bas. Je l'ai amenée moi-même.

— Comment prend-elle la chose?

— Elle a l'air assez commotionnée. Les auxiliaires

médicaux l'ont examinée. D'après eux, physiquement elle va bien, mais ils ont recommandé de la surveiller. Un conseil particulier sur l'attitude à avoir avec elle ?

— Reste près d'elle. Et indique-moi le chemin.

23

Je rejoignis la voie rapide à Lincoln. La circulation
était dense et nerveuse jusqu'à la 134 Est, à cause des
conducteurs du week-end et des chauffards divers. Mais à
Glendale elle devint plus fluide, et quand j'atteignis
l'embranchement avec la 210 l'asphalte était à moi.

Je roulai plus vite qu'à l'accoutumée en prenant au
nord de Pasadena, le même trajet qu'avait sans aucun
doute emprunté Gina, deux jours auparavant.

Une route solitaire, rendue plus solitaire encore par
l'obscurité, qui séparait la ville du désert crayeux bordant
le pied des monts San Gabriel. La lumière du jour aurait
révélé des terrains en plein aménagement, des bâtiments
industriels en construction, quelques carrières, des collines rabougries. Par bonheur, la nuit cachait l'ensemble.
Une mauvaise nuit pour rechercher quelqu'un.

Deux kilomètres avant d'arriver à la sortie de la Highway 39 je ralentis pour jeter un coup d'œil à l'endroit où
le motard avait vu la Rolls Royce. L'autoroute était divi-
sée par une barrière anti-bruit en béton qui montait à hauteur de capot, et la seule chose visible — même pour
l'œil d'un fanatique des automobiles de luxe — aurait été
la calandre inimitable de la Rolls suivie d'un éclair de
couleur.

Étonnant qu'il l'ait même remarquée.

Mais il ne s'était pas trompé.

Je sortis sur Azuza Boulevard et pris par les faubourgs
de la ville qui avaient conservé leur aspect années cin-

quante : stations-service à l'ancienne, petits pavillons et petites boutiques noyés dans l'obscurité. De temps à autre un lampadaire illuminait une enseigne éteinte : *Tack & Saddle, Christian Books, Tax Preparation*. Au bout d'un bloc, une preuve du présent s'était glissée dans ce paysage passéiste : un petit supermarché ouvert nuit et jour. Aucun client à l'intérieur, et à la caisse l'employé semblait somnoler.

Je passai les lignes de chemin de fer, et la Route 39 fut remplacée par la San Gabriel Canyon Road. La Seville cahotait sur le revêtement trop vieux et fonçait dans un paysage de petites maisons tristes en stuc et de camps de caravaning isolés de la rue par des murets en ciment.

Aucun graffiti. C'était sans doute ce qui signalait la campagne. Les voitures et les camionnettes étaient garées dans des jardins minuscules. De vieux modèles qui n'avaient aucune chance de devenir classiques un jour. Par ici, la Rolls aurait été aussi remarquée qu'une déclaration honnête en période électorale.

La route se mit à grimper et les maisons cédèrent la place à des propriétés plus grandes, haras et ranchs derrière des barrières en bois. Une enseigne perchée à une vingtaine de mètres de hauteur et signalant un parking était allumée, annonçant l'Angeles Crest National Forest. En approchant je vis une pancarte surmontée d'un feu de camp stylisé sur laquelle était affiché le règlement pour les campeurs. Un petit poste de renseignement flanquait la route, son guichet masqué de planches.

Je me mis pleins phares, me fiai à la signalisation de la route et accélérai encore. Trois kilomètres plus loin, je perçus un grondement mécanique bas. Il prit rapidement de l'ampleur, jusqu'à devenir assourdissant.

Des séries de lumières rouges apparurent en haut de mon pare-brise, puis descendirent jusqu'à occuper le centre de mon champ de vision, avant de remonter brusquement et de se déplacer vers le nord. Deux projecteurs jumeaux venus du ciel percèrent la nuit et illuminèrent le sommet des arbres et le flanc de la montagne. Brièvement, ils se réfléchirent sur la surface d'un plan d'eau.

Puis une crête en béton, un quai gris, un déversoir en contrebas.

Je tentai de me repérer aux coups de projecteurs des hélicoptères, aperçus le barrage qui s'élevait de deux cents mètres au-dessus du plan d'eau.

Une pancarte sur le côté de la route : MORRIS DAM AND RESERVOIR. L.A. FLOOD MAINTENANCE DISTRICT.

Cela faisait longtemps qu'une inondation n'avait pas due être jugulée en basse Californie, et la sécheresse actuelle durait depuis quatre ans. Néanmoins la profondeur du réservoir devait être toujours assez conséquente. Une masse de centaines de millions de litres, sombre et secrète.

Milo m'avait précisé de chercher un chemin longeant le bord du réservoir. Les deux premiers que je passai étaient interdits par des grilles métalliques cadenassées. Dix kilomètres plus loin environ, alors que la route amorçait un ample virage pour suivre l'angle nord du réservoir, je le vis : des balises éclairantes et, plus loin, l'éclat intermittent de gyrophares sur des tréteaux orange et blanc. Un groupe de véhicules, dont certains au pot d'échappement panaché de fumée blanche.

Le noir et blanc de la police d'Azuza. Des shérifs de L.A. Trois jeeps des services forestiers. Une camionnette du service de réanimation des pompiers.

Derrière une des Jeeps, je distinguai l'arrière de la Porsche blanche de Rick, à côté d'une autre automobile blanche : une Mercedes 560-SEC. Avec les roues à rayons.

Un shérif adjoint se campa au milieu du chemin et leva une main pour m'ordonner de stopper. C'était une jeune femme blonde, aux cheveux sagement coiffés en queue de cheval et dont la silhouette donnait plus de style qu'il n'en méritait à son uniforme.

Je passai la tête par la portière.

— Désolée, monsieur, mais cet accès est fermé.

— Je suis médecin. La fille de Mrs. Ramp est ma patiente. On m'a dit de venir.

Elle me demanda mon nom et une pièce d'identité. Après avoir examiné mon permis de conduire, elle parut convaincue.

— Un moment. Vous pouvez arrêter votre moteur.

Elle s'écarta de deux pas et parla un moment dans sa radio portative. Puis elle revint vers moi.

— Très bien, monsieur, vous pouvez laisser votre véhicule ici avec les clefs sur le contact, si vous ne voyez pas d'inconvénient à ce que je le déplace en cas de nécessité.

— Pas de problème.

— Ils sont tous là-bas, dit-elle en désignant les lumières. Faites attention, la pente est assez raide.

Le chemin était un simple tracé entre des mesquites et de jeunes conifères. Pavé, mais récemment, comme me l'indiquait la mollesse sous mes chaussures. Je descendis prudemment sur quatre cents mètres avant d'arriver en bas, dans un espace plat menant à un petit dock en bois qui longeait le bord du réservoir. Des lampes de secours avaient été accrochées en haut de longues perches dressées, et la scène était baignée de leur lumière fade. Des gens en uniforme étaient rassemblés et regardaient quelque chose sur la gauche du dock. Ils parlaient fort pour couvrir le vrombissement des hélicoptères, mais je ne pus rien comprendre de ce qu'ils disaient.

Je continuai à m'approcher et vis enfin l'objet de leur attention : une Rolls Royce qu'on treuillait hors de l'eau. L'arrière de l'automobile était encore submergé, les roues avant à deux mètres du sol. La portière côté conducteur était ouverte.

Du regard je fouillai l'attroupement, vis Don Ramp en bras de chemise près de Chickering, qui contemplait la voiture d'un air choqué.

Pas de signe immédiat de Milo. Je finis par le repérer un peu à l'écart, hors du champ éclairé. Il portait une chemise de coton et un jean, et son bras gauche était passé autour des épaules de Melissa, épaules couvertes d'une couverture sombre. Ils tournaient le dos à la Rolls. Les lèvres de Milo bougeaient, mais je n'aurais pu dire si Melissa l'écoutait.

Je m'avançai vers eux.

Milo me vit et fronça les sourcils.

Melissa releva les yeux mais ne chercha pas à se dégager du bras de Milo. Son visage était très pâle, aussi figé qu'un masque kabuki.

Je prononçai son nom.

Elle ne répondit pas.

Je pris ses deux mains et leur imprimai une pression de mes pouces.

— Ils sont encore sous la surface, dit-elle d'une voix blanche.

— Les plongeurs, expliqua Milo du ton neutre d'un interprète.

Un des hélicoptères décrivait des cercles bas et son projecteur creusait un cône de lumière dans la masse obscure de l'eau. Quelqu'un poussa un cri. Melissa dégagea ses mains des miennes et se tourna vers l'attroupement.

Un des gardes forestiers braquait une lampe-torche sur le bord de l'eau. Un plongeur en combinaison faisait surface et ôtait son masque en secouant la tête. Il venait de sortir complètement de l'eau quand un second plongeur apparut. Tous deux se débarrassèrent de leurs bouteilles et de leur ceinture de lest.

Melissa émit un geignement étouffé avant de s'écrier :

— Non !

Elle se précipita vers eux, et Milo la suivit.

— Non ! Vous ne pouvez pas arrêter maintenant ! s'écria-t-elle en atteignant les deux plongeurs qui reculèrent avec gêne.

Ils se tournèrent vers Chickering qui approchait, accompagné d'un adjoint. Quelques-uns des autres hommes regardèrent dans notre direction. Ramp restait immobile, comme hypnotisé par la vue de la voiture.

— Alors ? demanda Chickering.

Il était vêtu d'un costume sombre, d'une chemise blanche et d'une cravate noire. Ses chaussures basses étaient tachées de boue. D'autres silhouettes en uniforme se massèrent derrière lui, attentives.

— Noir comme l'enfer, fit un des plongeurs en jetant un regard embarrassé à Melissa avant de se tourner vers le chef de la police de San Labrador. Très très sombre.

— Alors utilisez des lumières ! s'emporta Melissa. Des gens font de la plongée de nuit avec des lumières, non ?

— Miss, dit le plongeur, nous...

Il se tut, à court de mots. C'était un homme jeune, à peine plus âgé qu'elle, le visage constellé de taches de rousseur, avec une petite moustache tombante sous un nez qui pelait. Un lambeau d'algue restait accroché à son menton. Il se mit à claquer des dents et dut crisper la mâchoire pour se contenir.

L'autre plongeur, tout aussi jeune, déclara d'un ton calme :

— Nous avons utilisé des lumières, Miss.

Il se baissa et ramassa par la lanière une lampe-torche de forte puissance dans son étui caoutchouté. Il la balança quelques secondes avant de la reposer sur le sol.

— Le meilleur matériel, Miss. Nous avons utilisé les lampes jaunes, elles sont excellentes pour ce genre de... Le problème ici, c'est que même de jour l'eau est très trouble. Alors la nuit...

Il se frictionna les bras et regarda ses pieds.

Le plongeur blond en avait profité pour s'éloigner de plusieurs mètres. En équilibre sur une jambe, il ôta la palme à l'autre pied puis fit l'inverse. On lui apporta une couverture identique à celle qui était sur les épaules de Melissa. L'autre plongeur le regarda avec envie.

— C'est un réservoir, bon sang ! dit Melissa. Un réservoir d'eau *potable*. Comment pourrait-elle être boueuse ?

— Pas boueuse, Miss, dit le plongeur brun. Trouble. Opaque, si vous préférez. C'est la couleur naturelle de l'eau, à cause des minéraux en suspension. Venez durant la journée et vous verrez que sa couleur est vert sombre...

Il se tut, chercha un support dans le groupe qui l'écoutait.

L'adjoint de Chickering avança d'un pas. Une petite plaque métallique à l'une de ses poches indiquait GAUTIER. Il avait dépassé la cinquantaine, et ses yeux gris exprimaient une grande lassitude.

— Nous allons faire tout ce qui est en notre pouvoir pour retrouver votre mère, Miss Dickinson, déclara-t-il en dévoilant des dents jaunies par le tabac. Les hélicoptères vont continuer à décrire des cercles sur un rayon de quinze kilomètres au-dessus de l'autoroute, ce qui les amènera plus loin que la Crest Highway. Pour ce qui est du réservoir, les bateaux du service forestier ont passé la surface au peigne fin. Les hélicos recommencent, par mesure de sécurité. Mais pour ce qui est de sous la surface, pour le moment nous ne pouvons vraiment rien faire de plus.

Il parlait lentement, d'un ton posé, pour essayer de transcrire l'horreur sans la rendre horrible. Si Gina se trouvait dans le réservoir, il n'y avait aucune nécessité de se presser.

Melissa se tordit les mains, le fusilla du regard et se mordit la lèvre inférieure.

Chickering se rembrunit et avança d'un pas.

Melissa ferma les yeux, leva les mains en l'air avant de les plaquer sur son visage et poussa un cri étranglé. Elle se plia en deux, comme en proie à des crampes terribles.

— Non, non, non !

Milo fit mine d'aller vers elle mais je le pris de vitesse et il s'immobilisa. La saisissant par les épaules, j'attirai Melissa à moi.

Elle résista en répétant « Non ».

Je ne lâchai pas prise, et peu à peu elle se détendit. Elle se détendit à un point tel que je m'en inquiétai. Je plaçai l'index sous son menton et relevai son visage. Sa peau était froide comme du plastique. J'avais l'impression de donner la pause à un mannequin.

Elle était consciente et sa respiration restait normale. Mais son regard était vague, et je savais qu'elle se serait effondrée sur le sol si je l'avais laissée.

Le groupe d'hommes en uniforme nous observait. J'emmenai Melissa à l'écart.

Elle gémit et quelques policiers grimacèrent. Un d'eux se détourna, bientôt imité par les autres. Ils reportèrent leur attention sur la Rolls.

Chickering et Gautier étaient encore indécis. Chickering me considérait avec un mélange d'incompréhension et d'irritation. Il finit par rejoindre ses hommes. Gautier le regarda s'éloigner d'un air étonné. Il se tourna vers moi, baissa les yeux sur Melissa et son visage prit une expression inquiète.

— Ça va aller, lui dis-je. Nous allons partir, si vous n'y voyez pas d'inconvénient.

Gautier acquiesça. Chickering observait la surface de l'eau.

Don Ramp se tenait isolé à quelques mètres, talons enfoncés dans la boue. Soudain il apparaissait frêle, brisé.

Je tentai d'attirer son attention et crus avoir réussi quand il se tourna vers moi.

Mais il regardait au-delà, dans le vide, et ses yeux étaient aussi troubles que l'eau du réservoir.

Les hélicoptères s'étaient éloignés vers le nord, et le vrombissement des rotors avait décru notablement. Soudain je pris conscience de mes sens. Je perçus le clapotis de l'eau, sentis l'odeur de chlorophylle émanant de la végétation alentour, la puanteur des gaz d'échappement.

Melissa parut elle aussi s'éveiller. S'ouvrir.

Comme une plaie. Elle pleurait doucement, rythmiquement. Sa peine monta dans sa gorge en un gémissement aigu qui fusa sur l'eau et les discussions des hommes sur la berge.

Milo se dandinait d'un pied sur l'autre. Il se tenait derrière moi, et je ne l'avais pas entendu approcher.

Ramp parut sortir de sa transe. Il avança d'une dizaine de pas dans notre direction, sembla changer d'avis et fit demi-tour.

24

Avec Milo, je raccompagnai Melissa jusqu'à la voiture, en la soutenant. Il retourna voir la Rolls et je ramenai Melissa chez elle. Elle se laissa aller sur son siège et ferma les yeux. Quand j'atteignis le bas de la route, elle ronflait doucement.

Le portail de la maison de Sussex Knoll était ouvert. Je portai Melissa jusqu'à la porte d'entrée et sonnai. Après ce qui me parut un temps très long, Madeleine vint ouvrir. Elle portait une chemise de nuit en coton blanc épais boutonnée jusqu'au cou. Je ne lus aucune surprise sur son large visage, seulement l'expression philosophe de quelqu'un qui s'est habitué à digérer seul ses peines. Je passai devant elle et allai déposer Melissa sur un des canapés dans le grand salon.

Madeleine s'éclipsa en hâte et revint avec une couverture et un oreiller. S'agenouillant, elle releva la tête de Melissa, glissa l'oreiller dessous, lui retira ses baskets, étala la couverture sur elle et en coinça l'extrémité sous ses pieds.

Melissa se tourna sur le côté, visage dirigé vers le dossier du canapé. Il y eut quelques mouvements sous la couverture, puis une main apparut, pouce dressé, et glissa jusqu'à la bouche.

Toujours agenouillée, Madeleine repoussa les cheveux tombés devant le visage de la jeune fille. Alors seulement elle se redressa, réajusta sa chemise de nuit et me lança un regard affamé qui exigeait des confidences.

Je lui fis signe de me suivre et nous allâmes de l'autre côté de la pièce.

Je m'arrêtai et elle s'approcha très près de moi. Sa respiration saccadée soulevait sa lourde poitrine. Je remarquai ses cheveux ramenés en un chignon strict et son parfum, une eau de Cologne.

— Seulement la voiture, monsieur ?

— Malheureusement oui, répondis-je avant de lui expliquer les recherches par hélicoptère.

Ses yeux demeurèrent secs, mais elle les essuya d'un revers de main rapide.

— Elle se trouve peut-être toujours dans le parc, ajoutai-je. Si c'est le cas, ils la localiseront.

Sans répondre, Madeleine tira sur un doigt jusqu'à faire craquer l'articulation.

Melissa suçotait bruyamment son pouce.

Madeleine la couva du regard, puis me jaugea de nouveau.

— Vous restez, monsieur ?

— Encore un peu.

— Je suis là, monsieur.

— Parfait. Nous pourrons nous relayer.

Elle ne répondit pas. Je crus qu'elle n'avait pas compris.

— Nous la veillerons à tour de rôle, précisai-je. Pour être sûrs qu'elle n'est pas seule.

Elle garda le même mutisme indéchiffrable, sans bouger d'un pouce.

— Y a-t-il quelque chose que vous voulez me dire, Madeleine ?

— *Non*, monsieur.

— Alors vous pouvez aller vous reposer, si vous voulez.

— Je ne suis pas fatiguée, monsieur.

Nous nous installâmes chacun à une extrémité du canapé sur lequel dormait Melissa. Madeleine se leva plusieurs fois pour arranger la couverture, bien que Melissa ne bougeât presque pas. Nous n'échangions pas une parole. De temps en temps, Madeleine faisait craquer une de ses articulations. Elle en était au dixième doigt quand le carillon d'entrée résonna. Avec autant de grâce que le lui permettait sa corpulence, elle alla ouvrir et fit entrer Milo.

— Monsieur Sturgis, le salua-t-elle avec ce même air d'exiger des informations.

— Bonsoir, Madeleine.

Il eut à son adresse un petit mouvement négatif de la tête, puis lui tapota gentiment l'épaule. Enfin il jeta un coup d'œil dans le salon.

— Comment va notre jeune fille ?

— Elle dort.

Il pénétra dans la pièce et se pencha sur Melissa. Elle suçait toujours son pouce. Quelques mèches de cheveux étaient retombées sur son visage, et Milo approcha la main pour les ôter. Mais il suspendit son geste au dernier moment.

— Depuis quand s'est-elle endormie ?

— Depuis que je l'ai mise dans la Seville, dis-je.

— Tout va bien ?

Madeleine s'avança vers le canapé.

— Étant donné les circonstances, on peut dire ça, répondis-je.

— Je vais rester avec elle, monsieur Sturgis, annonça Madeleine.

— Sûr, fit Milo. Le Dr Delaware et moi serons dans le bureau.

Elle enregistra la déclaration d'un simple hochement de tête.

J'accompagnai Milo jusqu'à la pièce sans fenêtre.

— On dirait que tu t'es fait une amie, dis-je.

— Cette excellente Maddy ? Pas exactement une comique, mais elle est loyale et elle fait un café délicieux. Elle est originaire de Marseille. Je suis passé là-bas, il y a vingt ans. Une escale lors de mon retour de Saigon.

Des papiers couverts de l'écriture de Milo cachaient le sous-main du bureau blanc. D'autres notes et un téléphone cellulaire occupaient un petit secrétaire en bois précieux. L'antenne du téléphone était dépliée. Milo la rétracta d'un geste.

— Le poste de travail de Melissa, expliqua-t-il. Nous

avons installé notre PC ici. C'est une gosse intelligente, et bosseuse. Nous avons passé des coups de fil toute la journée, sans aucun résultat, mais elle n'a pas laissé tomber. Au département, j'ai vu des bleus qui supportaient plus mal leur frustration.

— Elle est... motivée.

— Uh-huh, fit-il en contournant le bureau pour s'asseoir dans le fauteuil.

— Comment as-tu su, pour la voiture ? demandai-je.

— Vers sept heures nous avons fait une pause et grignoté un sandwich. En plaisantant elle m'a annoncé qu'elle allait laisser tomber Harvard et devenir détective privé. C'était la première fois que je la voyais sourire. Je me suis dit qu'au moins elle ne pensait pas à autre chose. Alors que nous mangions j'ai passé quelques appels de routine, dont un au poste de Baldwin Park. Je fais ça une fois par huit heures, histoire de ne pas les emmerder trop. Je ne m'attendais pas à grand-chose, et puis le type de permanence me dit que oui, ils ont du neuf, et il m'explique le topo. Melissa a dû voir mon visage changer d'expression parce qu'elle en a laissé tomber son sandwich. Il a bien fallu que je lui répète ce que je savais. Elle a insisté pour m'accompagner.

— C'était mieux que d'attendre ici.

— Sûrement...

Il se leva et marcha jusqu'au secrétaire. De la pointe du pied, il désigna une tache sombre sur la bordure crème du tapis d'Aubusson.

— C'est tombé là. Une jolie petite tache bien grasse, fit-il avant de jeter un coup d'œil au tableau de Goya. Avant ça, elle m'a raconté un peu ce qu'elle avait enduré, et comment tu l'as aidée. La gamine en a vu pas mal, en dix-huit ans. J'ai été un peu trop dur avec elle, hein ? J'ai jugé un peu vite.

— Les risques du métier, éludai-je. Mais il est évident qu'elle a une bonne opinion de toi. Elle te fait confiance.

— Je ne pensais pas que ça tournerait aussi mal. Quel foutu gâchis...

Il me regarda, et pour la première fois je vis qu'il aurait eu besoin de se raser. Et un bon shampooing n'aurait pas fait de mal à ses cheveux.

— Qui a retrouvé la voiture ?

— Un des gardes forestiers lors d'une patrouille de routine. Il a remarqué la grille de service ouverte, est allé la refermer et a décidé de jeter un œil plus bas. Les types du barrage viennent faire des prélèvements là. Ils aiment bien fermer les lieux au public, peut-être pour que M. Tout-le-Monde ne vienne pas pisser dans la flotte, ça fausserait les analyses d'eau... La grille n'était pas cadenassée, mais ce n'est pas exceptionnel, ces types du barrage oublient parfois de refermer derrière eux. C'est une sorte de blague entre eux et les gardes forestiers, à tel point que le type en patrouille a bien failli ne pas descendre vérifier que tout était OK.

— Personne n'avait vu la Rolls du barrage ?

— Non, le barrage est à trois bons kilomètres de cette partie du réservoir, et l'équipe du barrage garde les yeux collés à ses cadrans et à ses jauges.

Milo se rassit, considéra un instant les feuilles éparpillées sur le bureau, les rassembla d'une main distraite.

— Que crois-tu qu'il se soit passé ? demanda-t-il.

— Pourquoi est-elle venue par ici, et surtout jusqu'en bas de ce chemin ? Qui sait ? Chickering a fait tout un plat de sa phobie, il est convaincu qu'elle s'est égarée, qu'elle a paniqué et qu'elle a cherché un endroit isolé pour se ressaisir. Les autres ont accepté cette théorie. Elle te paraît plausible, à toi ?

— Peut-être. Si elle a eu besoin de pratiquer ses exercices de respiration et de prendre son remède, elle a peut-être voulu le faire à l'abri des regards. Mais comment la bagnole s'est-elle retrouvée dans le réservoir ?

Ça ressemble à un accident, dit-il. Elle s'est arrêtée au bord de l'eau, à une cinquantaine de centimètres d'après les traces de pneus. La voiture était au point mort. Pour ce modèle, la marche arrière est à la place du point mort une fois que le moteur est coupé. Elle n'est pas une conductrice très expérimentée, et une hypothèse plausible est qu'elle aurait perdu le contrôle et envoyé la Rolls à la baille. Apparemment ces vieux modèles sont équipés d'un système de freins à tambour qui met quelques secondes à s'enclencher. Si le frein à main n'a pas été mis, la voiture peut rouler encore un peu après extinction du moteur, et il faut vraiment écraser la pédale de frein pour arrêter une telle masse.

— Pourquoi n'est-elle pas allée plus loin dans l'eau ?

— De ce que j'ai compris, il y a des gradins tout le long du bord du bassin, pour la maintenance. Les roues arrière se sont coincées dans une de ces marches. Les portes ont pu s'ouvrir d'elles-mêmes. Elles sont attachées au montant central, et la gravité peut les avoir poussées en arrière. Ou bien elle a essayé de sortir.

— D'après l'avis général, elle aurait pu parvenir à sortir de la voiture ?

Il regarda fixement les papiers, en ramassa quelques-uns qu'il froissa en une boule avant de lâcher celle-ci sur le bureau.

— L'avis général, c'est qu'elle s'est cogné la tête en cherchant à sortir, ou qu'elle s'est évanouie à cause de l'anxiété. Dans les deux cas, elle serait tombée à l'extérieur de la voiture. Or le réservoir est très profond, même en période de sécheresse : au moins une quarantaine de mètres, et en à-pic après les gradins de sécurité. Elle aurait coulé en quelques secondes. Melissa a dit qu'elle n'était pas très bonne nageuse, et ça fait des années qu'elle n'a pas mis un doigt de pied dans la piscine.

— Melissa a précisé qu'elle n'aimait pas spécialement l'eau, remarquai-je. Alors pourquoi s'est-elle rendue là ?

— Qui peut savoir ? Peut-être cela faisait-il partie de son autothérapie. Affronter ses peurs. Ça te semble possible ?

— Ce n'est pas impossible, concédai-je, mais ça ne me paraît pas vraiment coller. Tu te souviens de ce que tu as dit, après qu'on a repéré la Rolls ? Nous regardions la carte et le tracé de la 2-10, et tu as dit que tu ne pensais pas qu'elle soit allée vers le nord parce que le nord signifie Los Angeles Crest et que ce n'est pas son style.

— Que veux-tu dire ?

— Je ne sais pas. Mais toute cette théorie d'accident est basée sur le fait qu'elle aurait été seule. Et si quelqu'un l'avait conduite jusque-là et noyée ? En lestant son corps pour être sûr qu'il coule, et ensuite en poussant la Rolls pour faire croire à un accident, mais sans imaginer que les degrés bloqueraient la voiture ?

— Et où serait passé le meurtrier ?

— N'importe où dans la forêt, c'est assez immense. Tu m'as dit une fois que c'était un lieu parfait pour enterrer discrètement les corps.

— Je ne savais pas que tu faisais autant attention à mes propos.

— Tout le temps, voyons.

Il froissa deux feuilles de plus, puis se passa la main ouverte sur le visage.

— Alex, après toutes ces années dans le boulot, inutile de me dire qu'il faut imaginer le pire. Mais jusqu'ici rien ne permet de soupçonner une mise en scène. Donne-moi une piste...

— Qui soupçonnes-tu a priori quand une femme riche meurt ?

— Le mari. Mais celui-là n'en tirerait aucun profit, alors quel serait son mobile ?

— Peut-être tire-t-il des profits que nous ignorons encore. Malgré ce qu'ont dit Anger et l'avocat, un contrat prénuptial peut être dénoncé. Avec une propriété de cette taille, même s'il n'hérite que d'un ou deux pour cent de la valeur totale, ça reste assez important. Et les polices d'assurance peuvent être contractées sans que les avocats ou les bénéficiaires le sachent. Et puis, il a un autre secret...

Je lui résumai ce que j'avais appris à Malibu. Il repoussa le fauteuil jusqu'à ce que le dossier touche les rayonnages et s'étira sans paraître plus détendu.

— Ce vieux macho de Don...

— Ce qui pourrait expliquer pourquoi il était aussi hostile lors de votre première rencontre, dis-je. Par la télé il savait qui tu étais, et il a peut-être craint que tu ne découvres la vérité sur lui.

— Comment l'aurais-je pu ?

— Des contacts communs dans la communauté gay, par exemple ?

— Ouais, c'est tout à fait moi, ça, M. Activiste. Branché en ligne directe avec la communauté gay.

— Il n'avait aucun moyen de savoir si tu étais en contact avec la communauté gay. Et sachant qu'il tient un restaurant où viennent des gens de San Labrador, je pense que ça n'a rien d'impossible. Ou peut-être sa réaction n'avait-elle rien de rationnel, juste une réaction viscérale à ta présence qu'il prenait pour une menace. Ça a pu lui rappeler son secret.

— Une menace ? Tu sais que j'y ai pensé aussi, et que je me suis demandé s'il ne savait pas quelque chose à mon sujet. Au début, j'ai cru que ce n'était qu'un beauf anti-homo, et j'ai bien failli refuser son offre et lui conseiller d'aller se faire foutre. Et puis il a eu l'air de faire l'impasse, et j'ai suivi le mouvement.

— Une fois qu'il a vu que tu te souciais de Gina et non de lui, il a pensé que son secret n'était pas menacé.

Milo eut un sourire amer.

— Son secret n'a pourtant pas mis longtemps à être percé.

— A la réflexion, il le craignait sans doute depuis le début. C'est lui qui a mentionné la maison sur la plage, lui qui a téléphoné là-bas, par deux fois. Il a dû supposer que cela suffirait. Et il ne pouvait deviner que j'irais sur place, et encore moins que je découvrirais la vérité. Si Nyquist n'en avait pas fait des tonnes avec les deux filles et si je ne les avais pas revues un peu plus tard, jamais je n'aurais rien soupçonné.

— A quoi ressemble Nyquist, en dehors de son côté mauvais acteur ?

— Le beau gosse blond bodybuildé, qui fait du surf. Les filles m'ont dit qu'il recevait des hommes tout le temps. Sous prétexte de les entraîner.

— L'amant du gratin, grogna Milo. Quel cliché...

— C'est exactement ce que j'ai pensé, quand je soupçonnais Gina d'avoir une liaison avec lui.

Milo parut surpris.

— Quand cela ?

— Tout au début de cette affaire, mais ça ne m'est apparu qu'hier. C'était lors de ma première visite ici. Gina et moi étions au rez-de-chaussée, à chercher Melissa, juste après leur dispute. Ramp et Nyquist sont arrivés ensemble après un match de tennis. Ramp est allé prendre une douche, et Nyquist a traîné un peu, sans raison apparente. Le genre morveux. Il a demandé quelque chose à boire à Gina, d'une façon assez ambiguë. Rien d'explicite, juste sa façon de faire. Elle a dû le déceler très bien car elle l'a tout de suite remis à sa place. Il n'a pas apprécié, mais sans se permettre de réagir. L'échange n'a pas pris plus d'une minute en tout et pour tout. Je l'avais oublié jusqu'à ce que je voie Nyquist jouer au tombeur avec les deux filles. Et ensuite elles m'ont expliqué pour lui et Ramp, et j'ai compris que tout ça n'était qu'une façade.

— Peut-être pas.

— Que veux-tu dire ?

— Todd est peut-être un type polyvalent.

— Bisexuel ?

— Il paraît que ça existe, dit Milo avec un sourire amusé.

Je m'aperçus que j'étais resté debout depuis notre entrée dans la pièce et m'assis sur le bras rembourré d'un fauteuil.

— L'argent, la jalousie et la passion, dis-je. Un lot complet de motifs classiques pour le prix d'un seul. Te souviens-tu de ce qu'a dit Melissa, sur l'importance que Gina portait à la tolérance et la gentillesse chez quelqu'un ? Peut-être appréciait-elle chez Ramp le fait qu'il tolérait plus que ses phobies ? Elle faisait peut-être allusion à la compréhension de Ramp pour son aventure avec Nyquist et/ou d'autres explorations sexuelles... Mais si cette tolérance n'était pas réciproque ? L'infidélité est une chose, mais franchir les préférences sexuelles du partenaire en est une autre. Si Gina a découvert qu'elle partageait Todd avec Ramp, elle a peut-être disjoncté.

— Et même si elle et Nyquist n'avaient aucune liaison, apprendre que Ramp est homo a pu suffire à la faire disjoncter, ajouta Milo.

— Quels que soient les détails, elle a dû apprendre quelque chose qui l'a poussée à décider qu'elle en avait assez. Le moment était venu de fuir, psychologiquement et physiquement. De passer la porte et de faire un pas de géant...

— Gros bouleversement pour Ramp si elle le met dehors...

— Oui. Plus de résidence luxueuse, ici ou sur la

plage, plus de cours de tennis privé... Il a de l'argent, mais c'est une misère comparé à la fortune de Gina. Les gens s'habituent très vite à vivre selon un certain standing. Et si la raison pour laquelle elle voulait divorcer était connue, il aurait perdu plus qu'un peu de luxe. Il aurait été fini à San Labrador.

— Elle l'aurait éjecté, dit Milo d'une voix douce.

— Quoi ?

— Elle l'aurait traîné en place publique, qu'il le veuille ou non. C'est quelque chose que font les gens quand ils sont furieux...

— Exact, le problème, c'est que je n'ai remarqué aucune hostilité particulière entre Gina et Ramp. Melissa non plus, et tu peux être sûr qu'elle n'aurait pas laissé passer le moindre signe.

— Ouais, mais tous deux ont un passé d'acteur, pas vrai ? Ils seraient donc capables de feindre le bonheur conjugal. Et ce n'est pas dans le style San Labrador ? Les apparences avant tout ?

— Vrai. Mais tout ça nous mène où ?

— Si tu veux dire, est-ce que je pourrais convaincre Chickering d'enquêter sur Ramp à cause de sa vie sexuelle secrète, tu connais déjà la réponse. Maintenant, est-ce que ça vaudrait le coup que je fasse moi-même une petite enquête sur lui et Golden Boy ? Ça ne pourrait pas faire de mal, d'après moi.

— Une autre journée à la plage ?

— Rappelle-moi d'apporter ma propre planche de surf.

— Es-tu retourné voir McCloskey ?

— Oui, cet après-midi. Il dormait quand je suis arrivé. Le prêtre n'a pas voulu que je le dérange, mais je me suis faufilé par l'arrière et je suis monté dans sa chambre. Il n'a même pas eu l'air surpris de me voir, plutôt résigné, comme les anciens taulards.

— Tu as appris quelque chose ?

— Il m'a débité les mêmes foutaises de cul béni. J'ai bien essayé mes trucs de flic, mais ça n'a rien donné. Je commence à croire que ce type est un cas psychiatrique authentique. — Il se tapota le crâne de l'index. — *Nada aquí.*

— Ce qui ne prouve pas qu'il n'ait pas engagé quelqu'un pour la supprimer.

Il resta silencieux, et songeur.

— Qu'y a-t-il ?

— Ce que tu as dit, à propos de Ramp... Il serait intéressant de savoir ce que connaissait exactement Gina de la sexualité de son mari. Tu crois qu'elle en a parlé à ses thérapeutes ?

— C'est très possible, mais je ne les vois pas enfreindre la loi de confidentialité.

— Cette règle de confidentialité s'applique aussi aux morts ?

— D'un point de vue éthique, oui. Légalement, je ne sais pas. Si le mensonge est fortement suspecté, ils peuvent être contraints à ouvrir leurs dossiers pour l'enquête. Mais sans une demande légale pressante, j'ai du mal à les imaginer prêts à ce genre de confidence. De plus, c'est le genre de publicité qu'ils n'ont aucun intérêt à rechercher.

— Ouais, un patient dans le lac, ça n'aide pas à obtenir le prix Nobel...

Mon esprit revint à cette surface d'eau très sombre. Plus de quarante mètres d'eaux troubles...

— Si elle est vraiment au fond de ce réservoir, quelles sont les chances de la retrouver ?

— Pas terribles. Comme l'a dit le plongeur, la visibilité est des plus restreintes, la surface à fouiller est trop grande, et quarante mètres, ça avoisine la limite de ce qu'un plongeur peut se permettre sans équipement spécial. Pour faire plus, ça suppose un investissement beaucoup plus important sur le plan des moyens, avec une chance de résultat qui reste minime. Les services du shérif n'avaient pas l'air très désireux de tenter ce genre de truc...

— Le shérif a l'intégralité de la juridiction ?

— Uh-huh. Chickering n'était pas mécontent de lui refiler le bébé. L'opinion générale était de laisser la nature suivre son cours.

— Ça veut dire, en clair ?

— Attendre que le corps remonte à la surface.

J'imaginai un cadavre gonflé flottant à la surface du

réservoir, et je me demandai comment je pourrais réconforter Melissa si une telle horreur se produisait.

Je me demandai aussi ce que je lui dirais quand elle s'éveillerait...

— En dehors de l'opinion générale, tu crois qu'il y a des chances qu'elle soit sortie de la voiture et ait regagné la rive ?

Il me lança un regard interloqué.

— Tu laisses tomber ton scénario de meurtre crapuleux ?

— J'étudie toutes les possibilités.

— Admettons. Alors pourquoi n'aurait-elle pas attendu que quelqu'un vienne ? Le coin n'est pas très fréquenté, mais elle aurait bien fini par être retrouvée.

— Elle peut avoir été choquée, désorientée... Elle a peut-être même souffert d'une commotion cérébrale, et elle a pu s'éloigner au hasard, puis perdre connaissance.

— On n'a retrouvé aucune trace de sang.

— Une commotion interne. Pas besoin de sang versé.

— Et elle se serait éloignée au hasard... Si tu cherches une fin heureuse, tu as mal choisi. A moins que les hélicos ne la repèrent très vite. N'oublie pas, nous parlons d'une disparition de plus de quarante-huit heures. Si j'avais le choix pour mourir, j'opterais pour le lac.

Il se releva, arpenta la pièce en réfléchissant.

— Tu peux en supporter un peu plus ? s'enquit-il.

J'écartai les bras et bombai le torse.

— Vas-y, frappe.

— Il y a au moins deux autres possibilités que nous n'avons pas encore envisagées. La première : elle a regagné la rive, est retournée jusqu'à la route, et là quelqu'un l'a embarquée. Quelqu'un de peu recommandable...

— Le psychopathe de grand chemin ?

— Ça reste une possibilité, Alex. Une femme plutôt jolie, dans une robe mouillée, sans défense... ça peut déclencher certains... appétits. Dieu sait qu'on voit ça trop souvent : une femme perdue sur l'autoroute, le Bon Samaritain qui s'arrête et se révèle être moins bon que prévu...

— C'est moche, fis-je. Personne ne mérite de souffrir autant.

— Depuis quand ce qu'on mérite a-t-il un rapport avec la vie?

— Bon. Deuxième possibilité?

— Le suicide. Gautier, le shérif, a lancé l'hypothèse. Juste après que toi et Melissa êtes partis, Chickering a commencé à expliquer à tout le monde que tu étais son psy, et il s'est embringué dans un grand discours sur les problèmes de Gina qui étaient peut-être dus à l'hérédité, sur le fait que beaucoup de gens excentriques habitaient San Labrador, etc. Il assure peut-être la surveillance des richards et de leurs palais, mais il n'a pas beaucoup d'affection pour eux. Bref, comme l'a dit Gautier, pourquoi ne s'agirait-il pas d'un simple suicide? Apparemment il y a eu des précédents de gens qui se sont noyés dans le réservoir. Chickering adore visiblement cette théorie.

— Et comment a réagi Ramp?

— Il n'était pas là. Devant lui, Chickering ne l'aurait pas ouverte. Il ne s'est même pas rendu compte que je l'entendais.

— Où se trouvait Ramp?

— Dans l'ambulance. Il a commencé à se sentir mal, et l'unité d'urgence l'a emmené à l'ambulance pour lui faire un électro-encéphalo.

— Et il va bien?

— D'après l'électro-encéphalo, oui. Mais il avait un air de chiotte. Quand je suis parti il était encore en train de boire du thé et d'entendre les paroles réconfortantes des infirmiers.

— Tu penses qu'il jouait un personnage?

Milo haussa les épaules.

— Laissons tomber les hypothèses de Chickering, dis-je. Je ne vois pas le suicide, moi. Quand j'ai discuté avec elle, je n'ai noté aucun signe de dépression, aucun indice. Au contraire, elle m'a parue très optimiste. Elle avait vingt ans de misère et de douleur à effacer. Pourquoi aurait-elle fait ça alors qu'elle était sur le point d'atteindre une certaine liberté?

— La liberté peut faire peur.

— Il y a seulement deux jours, tu pensais qu'elle

s'était peut-être enivrée de liberté, et qu'elle était allée fêter ça à Las Vegas.

— Tout change, dit-il. Tu as le chic pour me compliquer la vie, tu sais ?

— Tu connais un meilleur ciment à l'amitié, toi ?

25

Nous retournâmes voir comment allait Melissa. Elle était allongée sur le flanc, visage tourné vers le dossier du canapé, la couverture enroulée autour d'elle.

Madeleine était assise tellement au bord que seule une petite portion de ses fesses touchait le coussin. Elle tricotait au crochet une chose indéfinissable mais rose et paraissait totalement absorbée par sa tâche. Quand nous approchâmes, elle releva la tête.

— S'est-elle réveillée ? demandai-je.

— *Non*, monsieur.

— Et Mr. Ramp n'est pas encore rentré ? interrogea Milo.

— *Non*, monsieur, répondit-elle encore, mais cette fois ses doigts s'immobilisèrent.

— Pourquoi ne pas la mettre au lit ? proposai-je.

— *Oui*, monsieur.

Je soulevai Melissa dans mes bras et la portai à l'étage, jusque dans sa chambre, Madeleine et Milo derrière moi. La Française alluma le plafonnier, en baissa l'intensité avec le variateur puis ouvrit le lit à baldaquin. Elle passa un temps considérable à arranger Melissa sur sa couche, puis apporta une chaise à bascule près du lit et s'y assit avec mille précautions. Elle sortit de la poche de sa chemise de nuit son tricot, le posa sur ses genoux joints et resta parfaitement immobile.

Sous les couvertures, Melissa changea de position et se

mit sur le dos. Sa bouche restait entrouverte, sa respiration lente et régulière.

Milo l'observa un moment avant de se décider.

— Je vais continuer, annonça-t-il. Et toi ?

— Je vais rester encore un peu, dis-je en me souvenant des terreurs nocturnes d'une certaine enfant.

— Moi aussi, je reste, dit Madeleine avant de commencer à tricoter.

— Très bien, dis-je. Je serai en bas. Appelez-moi si elle se réveille.

— *Oui*, monsieur.

Je m'installai dans un des fauteuils trop moelleux et m'efforçai de réfléchir à des sujets qui me tiendraient éveillé. La dernière fois que je consultai ma montre, il était une heure du matin. Ensuite je m'assoupis, et quand je repris conscience j'étais ankylosé, courbaturé, et j'avais la gorge sèche. Mes bras étaient tatoués de couleurs.

Un peu ahuri, je sursautai et le tatouage coloré glissa comme un kaléidoscope.

Des taches lumineuses, bleues, rouges, émeraude et ambre.

La lumière du soleil filtrant à travers les rideaux de satin et les vitres teintées.

Dimanche.

Je me sentis presque en état de sacrilège. Un peu comme si je m'étais endormi dans une église.

Sept heures vingt.

La maison était silencieuse.

Pendant la nuit, une odeur de renfermé s'était installée dans la demeure. A moins qu'elle n'ait été là depuis toujours.

Je me frottai les yeux et tentai de m'éclaircir les idées. Après m'être mis debout avec quelque difficulté, je défroissai sommairement mes vêtements et fis des mouvements d'assouplissement jusqu'à ce qu'il soit évident que la raideur de mes muscles ne disparaîtrait pas aussi aisément.

Dans une salle de bains pour hôtes près de l'entrée, je m'aspergeai le visage d'eau froide et me massai le cuir chevelu. Ensuite j'allai à l'étage.

Melissa dormait encore, sa chevelure en corolle sur l'oreiller, dans un désordre trop parfait pour être naturel.

Sa vue me fit songer à une photographie de funérailles victoriennes, celle d'enfants angéliques dans des cercueils bordés de dentelle...

Je chassai cette image et adressai un sourire poli à Madeleine.

La chose rose restait un mystère, mais elle avait grandi d'une cinquantaine de centimètres depuis la veille. Je me demandai si la Française avait seulement fermé l'œil. Ses pieds étaient nus et, je le remarquai, plus grands que les miens. Une paire de savates en toile était rangée sur le sol, à côté du rocking-chair et du téléphone qu'elle avait pris sur la table de chevet de Melissa.

— *Bonjour*, dis-je à mi-voix.

Elle leva les yeux de son ouvrage. Son regard était clair, et sévère. Le mouvement des aiguilles s'accéléra.

— Monsieur, répondit-elle.

Elle se baissa, ramassa le téléphone et le replaça sur la table de nuit.

— Mr. Ramp est-il rentré ? m'enquis-je.

Un coup d'œil à Melissa, puis un mouvement de tête négatif. Le rocking-chair grinça légèrement.

Melissa ouvrit les yeux.

Madeleine me lança un regard accusateur.

J'approchai du lit.

Madeleine se mit à se balancer. Son siège protesta en maints grincements.

Melissa fixa son attention sur moi.

Je lui souris, en espérant que je n'avais pas une expression trop démoniaque.

Ses yeux s'ouvrirent un peu plus, et ses lèvres bougèrent, comme si elle luttait pour parler.

— Hello, dis-je.

— Je... Qu'est-ce que...

Ses yeux volèrent à droite et à gauche, comme incapables de se fixer, et une expression de panique passa sur son visage. Elle releva la tête, se laissa retomber sur l'oreiller, ferma les paupières, les rouvrit avec effort.

Je m'assis au bord du lit et lui pris la main, qui était douce et chaude. Je posai la paume sur son front. Tiède, mais pas fiévreux.

Madeleine se balançait de plus en plus fort.

Melissa serra mes doigts de sa main.

— Je... Qu'est-ce... Maman...

— Ils la recherchent toujours, Melissa.

— Maman...

Des larmes. Elle ferma les yeux.

Madeleine se précipita, un mouchoir pour Melissa et un regard désapprobateur pour moi.

Un moment plus tard Melissa était retombée dans le sommeil.

J'attendis qu'elle soit profondément endormie, obtins de Madeleine les renseignements que je désirais et descendis au rez-de-chaussée. Lupe et Rebecca étaient en train de passer l'aspirateur et de frotter le sol. A mon passage elles évitèrent de me regarder.

Je sortis de la maison, dans la lumière fade qui teintait de gris les bois environnants. Alors que j'ouvrais la portière de la Seville, une Saab Turbo blanche remonta l'allée dans un grondement de moteur. Elle s'arrêta brusquement, et les époux Gabney en descendirent, Ursula par le côté passager.

Elle avait revêtu un costume en peau d'ange gris fort seyant sur un chemisier blanc, et portait moins de maquillage qu'à la clinique. Cela la rajeunissait mais lui donnait l'air fatigué. Sa chevelure était impeccablement coiffée.

Son mari avait troqué la tenue de cow-boy pour un veston pied-de-poule marron et beige, un pantalon beige, des mocassins noirs, une chemise blanche et une cravate verte.

Elle attendit qu'il vienne lui prendre le bras. La différence de taille aurait pu paraître comique, mais leur expression niait tout humour. Ils marchèrent vers moi avec l'air aussi réjoui que s'ils portaient un cercueil.

— Docteur Delaware, dit Leo Gabney. Nous avons appelé le département de police à intervalles réguliers, et nous venons d'apprendre la terrible nouvelle de la bouche du chef Chickering. — De sa main libre, il s'essuya le front. — C'est terrible.

Sa femme se mordit la lèvre. Il lui tapota l'avant-bras.

— Comment va Melissa ? demanda-t-elle d'une voix très douce.

— Elle dort, répondis-je, un peu surpris par la question.

— Oh ?

— Cela semble sa meilleure défense pour l'instant.

— Ce n'est pas rare, commenta Leo. Retrait de protection. Je suis sûr que vous savez combien il est important de rester vigilant dans ce genre de circonstances, car c'est souvent le prélude à une dépression prolongée.

— Je garderai un œil sur elle.

— Lui a-t-on administré quelque chose ? demanda Ursula. Pour l'aider à dormir ?

— Pas que je sache.

— Bien. Il vaut mieux qu'elle n'ait pas eu recours à des tranquillisants. Afin de... — Elle se mordit de nouveau la lèvre. — Dieu, je suis désolée. Vraiment. C'est juste que...

Elle serra les lèvres et leva les yeux vers le ciel, visiblement gênée.

— Que peut-on dire dans de pareils moments ?

— Horrible, lâcha son mari. On peut dire que c'est horrible et ressentir la peine en se résignant à l'inadéquation du langage.

Il lui tapota un peu plus le bras. Elle regarda derrière lui, en direction de la grande façade claire de la demeure. Ses yeux restaient vagues.

— Horrible, répéta Leo du ton d'un professeur tentant de susciter un débat. Qui peut dire comment ces choses arrivent ?

Comme je ne répondais pas plus que sa femme, il poursuivit :

— Chickering a suggéré qu'il pourrait s'agir d'un suicide. Il a voulu jouer à l'apprenti psychologue. Ridicule, et je le lui ai dit. Elle n'a jamais montré la moindre tendance dépressive, rentrée ou affichée. Au contraire, si l'on considère ce qu'elle a vécu, c'était une femme robuste.

Il s'interrompit pour donner du poids à ses propos. Quelque part dans les arbres, un oiseau moqueur imita le cri d'un geai. Gabney décocha un regard exaspéré dans la direction du son puis se tourna vers sa femme. Elle paraissait ailleurs.

— Durant la thérapie, a-t-elle jamais mentionné quelque chose qui pourrait expliquer pourquoi elle a conduit la Rolls jusqu'au réservoir?

— Rien, répondit Leo. Pas le moindre indice. Qu'elle ait conduit seule est déjà une preuve d'improvisation totale. C'est bien le pire... Si elle avait suivi le plan thérapeutique, rien de tout cela ne serait arrivé. Elle avait toujours été très docile jusqu'alors.

Ursula gardait le silence. Elle avait dégagé son bras de celui de son mari sans que je m'en aperçoive.

— Était-elle sujette à un stress inhabituel, en dehors de celui causé par son agoraphobie?

— Non, aucun, dit Gabney. Son niveau de stress était même plus bas qu'auparavant. Elle faisait des progrès très encourageants.

Je me tournai vers Ursula. Sans quitter la maison des yeux, elle répondit à ma question muette :

— Non. Rien.

— Pourquoi ce genre de questions, docteur Delaware? fit Gabney. Certainement, vous ne pouvez croire à la théorie du suicide?

D'un mouvement de cou il avait avancé le visage vers moi. Un de ses yeux était d'un bleu plus clair, mais tous deux restaient d'une fixité assurée, qui trahissait moins la combativité que la curiosité.

— J'essaie simplement de comprendre.

Il posa une main sur mon épaule.

— Je vois. C'est bien naturel. Mais je crains fort qu'il n'y ait qu'une chose à *comprendre :* elle a surestimé ses progrès et a dévié du plan thérapeutique. Il faut sans doute *comprendre* que jamais nous ne comprendrons...

Il soupira, s'essuya de nouveau le front pourtant sec de la main.

— Mieux que quiconque, nous autres thérapeutes savons que les êtres humains persistent à se montrer imprévisibles. Ceux d'entre nous qui ne peuvent affronter cette vérité devraient étudier la physique, à mon avis.

Sa femme tourna vivement la tête vers lui.

— Non que je l'accuse, bien entendu, ajouta-t-il. C'était une femme très gentille, et elle a souffert plus que quiconque ne le mérite. C'est simplement... malheureux.

— Haussement d'épaules. — Après suffisamment d'années de pratique, on apprend à s'accommoder de la tragédie. On apprend de façon définitive.

Il voulut reprendre le bras de sa femme. Celle-ci le laissa l'effleurer, puis elle s'écarta et remonta rapidement jusqu'au perron. Ses talons aiguilles claquaient sur le sol et ses longues jambes semblaient trop esthétiques pour un pas aussi vif. Elle paraissait sexy et malhabile à la fois. Arrivée devant la porte elle plaça ses mains à plat sur les panneaux sculptés et resta immobile, comme si le bois avait des vertus curatives.

— Elle est trop sensible, dit Gabney d'un ton très calme.

— Je ne savais pas que c'était un défaut.

Il eut un sourire automatique.

— Attendez quelques années... Alors, vous allez vous occuper du bien-être émotionnel de la maisonnée ?

— De Melissa uniquement.

Il acquiesça.

— Elle est très vulnérable, c'est un fait. N'hésitez pas à nous contacter s'il y a quoi que ce soit que nous pouvons faire.

— Serait-il possible de consulter le dossier de Mrs. Ramp ?

— Son dossier ? Oui, sans doute. Mais pourquoi ?

— Même réponse que tout à l'heure : pour tenter de comprendre.

Un autre sourire, tout aussi professionnel que le premier.

— Son dossier ne vous y aidera pas beaucoup. Il ne contient rien de... croustillant. Je veux dire par là que nous évitons de verser dans le côté anecdotique. Pas de descriptions détaillées de chaque grimace de nos patients, pas de jolie collection œdipienne, pas de résumé de rêves comme les scénaristes de cinéma en sont friands. Mes travaux m'ont prouvé que ce genre de choses a bien peu à voir avec les résultats thérapeutiques. Le praticien gribouille des pages et des pages de notes pour se sentir utile, il ne les relit jamais et s'il le faisait il verrait que tout cela est inutile. C'est pourquoi nous avons mis au point une méthode beaucoup plus objective. Symptomatologie basée sur le comportement. Buts définis avec objectivité.

— Et les dossiers des séances de groupe ?

— Nous n'en rédigeons pas. Parce que les séances de groupe ne véhiculent pour nous aucun concept thérapeutique en elles-mêmes. Leur valeur thérapeutique directe est minime. Deux patients présentant des symptômes identiques peuvent avoir acquis cette pathologie en suivant des parcours totalement différents. Chacun a développé un schéma personnel d'apprentissage erroné. Une fois que le patient a commencé à changer, il peut en effet s'avérer positif qu'il communique avec d'autres qui ont déjà expérimenté des progrès. Ne serait-ce que pour renforcer l'aspect social de la thérapie.

— L'établissement de contacts sociaux comme une récompense pour ses efforts.

— Exactement. Mais nous gardons les discussions sur des lignes positives. Et nous ne prenons aucune note afin d'amoindrir l'aspect clinique de ces séances.

Je me souvins alors de ce qu'avait dit Ursula sur le projet de Gina de parler en séance de groupe de Melissa.

— Les dissuadez-vous de parler de leurs problèmes ?

— Je préfère y voir une attitude positive.

— Je crois que vous allez devoir faire face à un problème. Aider les autres à accepter ce qui est arrivé à Gina.

Sans me lâcher du regard, il plongea une main dans sa poche et en ressortit un paquet de chewing-gums. Il en déballa deux tablettes, les fourra dans sa bouche et se mit à mastiquer.

— Si vous voulez lire son dossier, dit-il, je serai heureux de vous en faire une copie.

— Je vous en serais reconnaissant.

— Où devrai-je l'adresser ?

— Votre épouse a mes coordonnées.

— Ah..., fit-il en jetant un coup d'œil perçant à Ursula.

Elle s'était écartée de la porte et redescendait lentement vers nous.

— Alors, la fille dort ? reprit-il.

— Oui.

— Comment se comporte le mari ?

— Il n'est pas encore rentré. Un avis de psychologue sur lui ?

Il pencha la tête de côté pour la mettre dans le soleil, et sa chevelure blanche se transforma en nimbus.

— Il a l'air d'un type assez agréable. Un tempérament plutôt passif, peut-être. Mais ils n'étaient pas mariés depuis longtemps, et du point de vue pathologique il tient un peu le rôle du nouveau venu.

— A-t-il participé au traitement ?

— Autant qu'il lui était possible. Il a parfaitement assumé le peu que nous lui demandions. Veuillez m'excuser...

Il me tourna le dos et rejoignit d'un pas sec le perron, pour saisir la main de sa femme qui en descendait. Il voulut la prendre par l'épaule, se ravisa, lui entoura la taille d'un bras et la guida jusqu'à la Saab. Il ouvrit la porte avant droite et l'aida à s'installer sur le siège. Puis il revint vers moi, main brandie.

Je la serrai.

— Nous étions venus proposer notre aide, mais apparemment nous ne pouvons pas faire grand-chose pour l'instant. Prévenez-nous de la moindre évolution, je vous prie. Et bonne chance pour la fille. Elle en aura certainement besoin.

Les indications de Madeleine étaient précises, et je trouvai le Tankard sans aucune difficulté.

L'extrémité sud-ouest de Cathcart Boulevard, juste après les limites de la ville de San Labrador. Le même patchwork de boutiques de luxe et de sociétés de service, le tout dans une architecture passéiste assez prétentieuse. Les pistachiers n'allaient pas plus loin que la limite de Pasadena, et étaient remplacés ici par des jacarandas en fleurs. Le talus central de la route était très joliment décoré d'une floraison pourpre.

Je me garai et repérai plusieurs indices étrangers aux règles d'or de San Labrador : un bar à cocktails à l'extrémité du bloc, une boutique vendant du vin et une autre proposant des « alcools fins ». Dans la première, des pancartes en vitrine claironnaient des arrivages de crus français et californiens.

Le Tankard & Blade était un établissement d'apparence modeste. Deux niveaux, d'environ soixante mètres carrés chacun, sur un terrain assez petit occupé en grande partie par le parking. Stuc blanc appliqué à la truelle, traverses de bois sombre, fenêtres à petits carreaux, toit en faux chaume. Une chaîne interdisait l'entrée du parking. La Mercedes de Ramp était garée à l'intérieur, vers le fond, confirmant mon pouvoir de déduction (où diable avais-je mis ma casquette de Sherlock Holmes ?). Deux autres véhicules se trouvaient un peu plus loin, une Chevrolet Monte Carlo marron d'une vingtaine d'années dont la capote blanche s'effrangeait sur les bords, et une Toyota Celica rouge.

La porte d'entrée était composée de panneaux colorés de verre cathédrale bulbeux sertis dans des montants de chêne. Une pancarte écrite à la main et accrochée à la poignée disait : DÉJEUNER DU DIMANCHE ANNULÉ. MERCI.

Je tambourinai à la porte, mais sans obtenir de réponse. M'arrogeant le droit d'insister, je frappai plus fort, jusqu'à avoir mal aux articulations des doigts.

Enfin la porte s'ouvrit, et une femme à l'air irrité bloqua le passage. Elle tenait un trousseau de clefs à la main.

La quarantaine passée, elle mesurait un mètre soixante-cinq pour une bonne cinquantaine de kilos. Sa silhouette avait une taille de guêpe qu'accentuait encore sa tenue : une robe à taille Empire au chemisier bordé de dentelles et à longues manches bouffantes, avec un décolleté carré dévoilant un peu plus que la naissance de ses seins. Au-dessus de la taille, la robe était blanche, à motifs cachemire lie-de-vin et brun en dessous. Sa chevelure platine était coiffée en arrière et retenue par un ruban rouge sombre. A son collier de velours noir pendait un camée en faux corail.

L'image que certains pouvaient se faire de la servante accorte du bon vieux temps.

Son visage était plutôt agréable, avec ses pommettes hautes, son menton bien dessiné, sa bouche pulpeuse et son nez menu. Ses grands yeux marron étaient magnifiés par des cils trop longs, trop épais et trop noirs. Des anneaux de la taille de dessous de verre oscillaient à ses oreilles.

A la lumière tamisée d'un comptoir ou à travers les

brumes de l'alcool, elle pouvait passer pour une beauté fatale. Mais la lumière matinale révélait une peau fatiguée, de petites rides de souci, une certaine mollesse dans la mâchoire, de petites poches de désespoir qui abaissaient les commissures de ses lèvres.

Elle me considérait avec le regard accueillant qu'elle aurait eu pour un huissier.

— J'aimerais voir Mr. Ramp, déclarai-je.

De ses ongles cramoisis, elle tambourina sur la pancarte.

— Vous ne savez pas lire ? rétorqua-t-elle avec une moue.

— Je suis le Dr Delaware. Le médecin de Melissa.

— Oh... — Les lignes de souci s'accentuèrent. — Attendez une seconde. Restez là.

Elle referma la porte et la verrouilla, pour la rouvrir quelques minutes plus tard.

— Désolée... Vous auriez dû... Je suis Bethel, dit-elle en me tendant la main avant d'ajouter : la mère de Noel.

— Content de vous connaître, madame Drucker.

Son expression m'indiqua qu'elle n'était pas habituée à être appelée aussi poliment. Elle rompit la poignée de main et regarda le boulevard dans les deux sens.

— Entrez.

Elle referma la porte derrière moi et la verrouilla aussitôt.

L'éclairage du restaurant était éteint. Les fenêtres à petits carreaux semblaient couvertes de givre et ne laissaient filtrer qu'une lueur fade. Mes yeux eurent quelque mal à s'adapter au changement de luminosité. Quand enfin j'y vis assez clairement, je découvris une longue pièce occupée par des boxes aux banquettes de cuir rouge clouté, au sol couvert d'une moquette ocre à motifs géométriques. Les tables étaient dressées de nappes de toile blanche, de plats en étain, de verres massifs teintés en vert et de vaisselle rustique. Les murs étaient couverts de frisette en pin qui avait pris la couleur de la viande cuite. Une étagère située à trente centimètres sous le plafond supportait une collection de chopes et de verres. Il y en avait une bonne centaine et certaines représentaient des trognes anglo-saxonnes aux joues rouges et aux yeux de porcelaine. Des armures complètes étaient disposées aux endroits stratégiques dans la salle. Glaives et masses d'armes étaient accrochés aux murs, à côté d'animaux empaillés, lièvres, renards et oiseaux.

Au fond de la pièce, une porte ouverte laissait voir l'aluminium luisant d'une cuisine. A sa gauche s'étirait un comptoir en fer à cheval, et derrière la desserte se trouvait un grand miroir peint d'une pin-up souriante. Un chariot de service en acier était rangé à l'épicentre de l'espace dégagé, occupé seulement par des broches à rôtir et un nécessaire à découper suffisant pour dépecer un bison.

Ramp était assis au comptoir, face à la glace, la tête appuyée sur un coude, l'autre bras pendant. Près de lui étaient posés un verre et une bouteille de Wild Turkey.

Un bruit de vaisselle s'échappa de la cuisine, puis plus rien.

Un silence malsain. Comme la plupart des endroits destinés aux échanges sociaux, le restaurant sans clientèle était lugubre.

Je m'approchai du comptoir, accompagné de Bethel Drucker.

— Vous désirez quelque chose, sir ? me demandat-elle, comme si le déjeuner n'était pas annulé.

— Non, merci.

Elle se plaça à la droite de Ramp, se courba pour attirer son regard, mais il ne bougea pas. Dans son verre un glaçon flottait sur trois centimètres de bourbon. Le comptoir sentait le détergent et l'alcool.

— Un peu d'eau, peut-être ? lui proposa Bethel.

— D'accord, marmonna-t-il.

Elle prit son verre, passa derrière le bar et l'emplit avec une bouteille d'Évian. Puis elle le replaça devant lui.

— Merci, fit-il, mais sans toucher à l'eau.

Elle le considéra un moment, puis se rendit dans la cuisine.

Dès que nous fûmes seuls il prit la parole, mais si bas que je dus me rapprocher pour comprendre ce qu'il disait :

— Pas difficile de me retrouver, hein ?

— Comme vous n'êtes pas rentré chez vous, je me

suis demandé où vous pouviez être. Une simple supposition.

— Je ne suis pas rentré chez moi parce que je n'ai plus de « chez moi ». Plus maintenant.

Je ne répondis pas. La fille du miroir nous assenait toujours son sourire trop net.

— Je ne suis plus qu'un invité, maintenant, poursuivit-il. Un invité indésirable... Comment va Melissa ?

— Elle dort.

— Ah oui, elle dort beaucoup. Quand elle va mal. Chaque fois que j'ai essayé de lui parler, elle s'est endormie.

Aucun ressentiment dans sa voix, seulement une constatation résignée.

— Elle a beaucoup de raisons d'aller mal. Je ne voudrais pas vivre ce qu'elle a vécu, même pour vingt millions de dollars. Elle n'a pas reçu de très bonnes cartes pour la partie... Si elle m'avait laissé...

Il s'interrompit, caressa son verre de l'index mais ne chercha pas à le prendre.

— Eh bien, ça lui fait toujours une raison de moins d'aller mal, dit-il.

— Comment cela ?

— Plus d'affreux beau-père. Une fois, elle a loué une cassette dans un magasin de vidéos. Le *Beau-Père*. Elle l'a vu et revu, dans le salon. Elle n'a jamais rien regardé d'autre, en bas, elle n'aime même pas les films. Alors je me suis assis pour le regarder avec elle. Je voulais établir le contact. J'ai fait du pop-corn pour nous deux. Elle s'est endormie...

Il soupira.

— Je pars. Il faut que je bouge.

— Vous partez de San Labrador ou seulement de la maison ?

Haussement d'épaules.

— Quand avez-vous pris la décision de partir ?

— Doit y avoir dix minutes. Ou peut-être depuis le début, je ne sais pas. Quelle différence ça fait, d'ailleurs ?

Pendant une pleine minute, nous gardâmes tous deux le silence. Le miroir nous renvoyait notre reflet affadi par l'éclairage trop faible. Il était difficile de distinguer nos visages à cause des imperfections du tain de la glace et du visage peint de la Fräulein. Je pus tout juste constater qu'il avait un air assez horrible. Et moi aussi.

— Je n'arrive pas à comprendre pourquoi elle a fait ça, dit-il enfin.

— Fait quoi ?

— Pourquoi elle a conduit jusque là-bas. Pourquoi elle n'a pas respecté son rendez-vous à la clinique. Elle n'enfreint jamais les règles.

— Jamais ?

Il se tourna vers moi. Son visage gonflé aurait eu besoin d'un bon coup de rasoir. Un homme vieilli instantanément. Finalement, le miroir avait été assez flatteur.

— Une fois elle m'a dit qu'à l'école, quand elle était gosse, elle n'avait que des A. Pas parce qu'elle aimait particulièrement les études, mais parce qu'elle avait peur d'être mal vue par ses professeurs. Elle avait peur de *ne pas bien faire*. Elle était très à cheval sur les principes. Même aux studios, quand tout s'est un peu relâché, elle n'a pas dévié de ses principes.

Quelle sorte de moralité conviendrait après un conflit avec Todd Nyquist ? La question me vint à l'esprit, et je la gardai là.

— Chickering privilégie la thèse du suicide, dis-je.

— Chickering n'est qu'un foutu connard. La seule chose qu'il sache bien faire, c'est éviter les vagues. Et c'est pour ça qu'ils le paient tous ici.

— Quelle sorte de vagues ?

Il ferma les paupières, secoua la tête lentement, rouvrit les yeux et se repositionna face au miroir.

— Qu'est-ce que vous croyez ? Des gens qui se conduisent comme des connards. Ils viennent ici et se bourrent la gueule. Ensuite ils s'énervent et sortent le grand jeu quand je dis à Noel de ne pas leur donner leurs clefs. J'appelle Chickering. Bien qu'on soit à Pasadena, il vient tout de suite pour les escorter jusque chez eux, lui ou un de ses gars. Mais ils le font avec leur propre voiture, pour que personne ne remarque rien. Pas de constat ou de procès-verbal, et la voiture du client bourré lui est ramenée devant chez lui. Si c'est un type de San Labrador, bien sûr. Pareil pour les petites grand-mères qui volent à l'étalage ou les gamins qui fument un joint.

— Et les étrangers à San Labrador ?

— Ils vont direct en taule, fit-il avec un rictus amer. Nous avons des statistiques épatantes concernant les crimes et délits. C'est aussi pour ça qu'il n'y a pas de journal local. Et maintenant je pense que c'est une bénédiction. Avant, je trouvais que c'était vraiment dommage, pour la pub, mais maintenant je suis bien content...

Il se cacha le visage dans les mains.

Bethel sortit de la cuisine avec une assiette contenant un steak et des œufs au plat. Elle la posa sur le comptoir, devant son patron, et repartit aussitôt dans la cuisine.

Après un long moment, il releva la tête.

— Alors, ça vous a plu, votre petite virée à la plage ? Comme je ne répondais pas, il insista :

— Je vous avais bien dit qu'elle n'était pas là-bas. Pourquoi diable y êtes-vous allé quand même ?

— Le détective Sturgis m'a demandé de vérifier.

— Ah, le détective Sturgis... On a perdu notre temps tous les deux, pas vrai ? Vous faites toujours ce qu'il vous demande ? Quoique ça n'ait pas été vraiment le sale boulot, hein ? Un petit tour à la plage, vous profitez du soleil et vous vérifiez que la cliente n'est pas là...

— C'est un très joli coin, dis-je. Vous vous y rendez souvent ?

Je vis la crispation de sa mâchoire. Il fit glisser son index sur le verre de bourbon devant lui, puis répondit :

— Avant, oui. Plusieurs fois par mois. Jamais pu décider Gina à venir.

Il se tourna de nouveau vers moi et me contempla fixement, d'un air de défi.

Je soutins son regard.

— Rien de tel que le soleil en bord de mer, dit-il. Il faut bien garder son bronzage. L'hôte parfait et tout ça... On doit conserver certains standards, pas vrai ?

Il prit le verre, but une gorgée.

— Les deux derniers jours n'ont pas été de tout repos.

— Ça, oui... — Il eut un rire dénué de toute joie. — Au début, j'ai cru que ce n'était rien, que Gina s'était égarée et qu'elle reviendrait bientôt. Et puis jeudi soir, comme elle n'était pas revenue, j'ai commencé à penser qu'elle avait peut-être décidé de prendre un peu de liberté, comme l'a dit Sturgis. Une fois que je me suis mis ça dans le crâne, je n'ai pas pu m'empêcher de me demander si tout ça n'était pas à cause de quelque chose que moi j'aurais fait. J'y ai pensé et repensé, à en devenir dingue. Et finalement, qu'est-ce qu'on apprend ? Ce n'était qu'un foutu *accident*, bon Dieu !... J'aurais dû me douter que ça ne venait pas de nous. Nous nous entendions très bien, même si... c'était tellement...

Il poussa un gémissement de bête sauvage, prit le verre et le lança dans le miroir. Le visage de la Fräulein se craquela et des éclats de verre cascadèrent sur la desserte, découvrant le support de plastique blanc au dos de la glace.

Personne ne sortit de la cuisine.

— *Skoal*, dit-il, à notre *putain de santé*... — Il me dévisagea brusquement d'un air soupçonneux. — Au fait, pourquoi êtes-vous là ? Pour voir à quoi ressemble un pédé honteux ?

— Je voulais revenir au point de départ. Essayer de comprendre ce qui s'était passé. Pour être mieux en mesure d'aider Melissa.

— Et vous avez compris quelque chose ?

— Pas encore.

— Vous l'êtes aussi ?

— Quoi ?

— Homo. Pédé. Quel que soit le nom qu'ils donnent aujourd'hui. Comme lui. Sturgis. Et comme moi, et...

— Non.

— Vous êtes un chef, alors... A quoi ressemblait Melissa quand elle était gamine ?

Je le lui dis en insistant sur les côtés positifs et en prenant soin de ne pas trahir mon devoir de confidentialité.

— Ouais, c'est bien ce que je pensais, dit-il. J'aurais bien aimé... Ah, et puis merde...

Il se leva de son tabouret avec une agilité surprenante et alla jusqu'à la porte de la cuisine.

— Noel !

Le jeune Drucker apparut presque aussitôt, vêtu de sa veste rouge sur un tee-shirt, et de son jean. A la main, il tenait un torchon.

— Tu peux partir, lui annonça Ramp. Le médecin ici

dit qu'elle dort. Si tu veux attendre qu'elle se réveille, pas de problème. Je n'ai rien à te donner à faire ici. Juste une chose, avant que tu partes ; prends la grande valise bleue dans mon placard, et mets des affaires dedans : des vêtements, mon nécessaire de toilette, etc. Ensuite descends-la ici. Peu importe à quelle heure, je serai là.

— Oui, sir, dit Noel, visiblement embarrassé.

— *Sir*, répéta Ramp en me regardant. Vous avez entendu ça ? Ce garçon est bien poli. Il ira loin. Harvard n'a qu'à bien se tenir !

Noel grimaça, très gêné.

— Dis à ta mère qu'elle peut sortir de la cuisine sans crainte. Je ne vais pas manger ce qu'elle m'a préparé, finalement. Je vais plutôt aller faire un somme.

Le garçon disparut dans la cuisine. Ramp le suivit des yeux.

— Tout va changer, marmonna-t-il. Tout.

26

Alors que je démarrais, Noel sortit du restaurant, me vit et se mit à courir jusqu'à la Seville. Il avait ôté sa veste rouge et passé un petit sac à dos à ses épaules, sur son tee-shirt où était inscrit GREENPEACE.

Je baissai la vitre de la portière côté passager.

— Excusez-moi, monsieur, dit-il.

— Qu'y a-t-il, Noel?

— Je me demandais juste comment allait Melissa...

— Elle semble réagir en dormant beaucoup. Mais l'intégralité du choc ne l'a pas encore frappée.

— Elle est très...

Il s'interrompit et fronça les sourcils, incertain.

J'attendis.

— C'est difficile à formuler, avoua-t-il.

— Montez donc, dis-je en ouvrant la portière.

Il hésita une seconde, puis retira son sac à dos qu'il posa sur le plancher de la Seville, et s'assit à côté de moi. Il reprit son sac et le plaça sur ses genoux. Son visage était tendu, tous les muscles crispés.

— Chouette voiture, dit-il. Soixante-dix-huit?

— Neuf.

— Les dernières ne sont pas aussi bien. Il y a trop de plastique.

— J'aime bien celle-là.

Il joua un instant avec les lanières du sac à dos.

— Vous parliez de Melissa, dis-je. Quelque chose de difficile à formuler...

Il se rembrunit un peu plus, et gratta la toile de son sac d'un ongle, l'air concentré.

— Ce que je voulais dire, c'est que Melissa est quelqu'un de très spécial. Quelqu'un d'unique. A la voir, on pourrait croire que c'est quelqu'un de complètement différent de ce qu'elle est en réalité... Je veux dire, je sais que ça a l'air très sexiste, mais la plupart des filles vraiment jolies ont tendance à ne s'intéresser qu'à des choses superficielles. Enfin, c'est comme ça ici.

— Ici, à San Labrador?

Il acquiesça.

— Au moins de ce que j'ai pu constater. Je ne sais pas, c'est peut-être pareil dans toute la Californie. Ou dans le monde entier. Depuis mon enfance j'habite ici, alors je ne peux pas dire. C'est un peu pour ça que je voulais partir, pour connaître un environnement différent. Pas un endroit à mondanités.

— Harvard?

— Oui. J'ai fait ma demande auprès de beaucoup d'établissements supérieurs, et je ne m'attendais pas réellement à être accepté à Harvard. Mais en fait, quand j'ai envoyé ma candidature je le voulais, si bien sûr je pouvais suivre sur le plan financier.

— Et c'était possible?

— Pratiquement. Entre ce que j'ai économisé, une année de plus pour économiser encore et d'autres trucs, j'aurais pu m'en sortir.

— Vous *auriez pu?*

— Je ne sais pas, fit-il en tortillant une lanière autour de son doigt. Vraiment, je ne sais pas si partir serait la meilleure décision, maintenant.

— Pourquoi donc?

— Eh bien, est-ce que je peux partir alors qu'elle passe par une telle épreuve? Elle est... profonde. Elle ressent plus fortement les choses que les autres personnes. C'est la seule fille que j'aie jamais rencontrée qui soit véritablement concernée par les choses importantes. La première fois que nous nous sommes rencontrés, ça a été incroyablement facile de parler avec elle.

Je lus la douleur dans son regard.

— Désolé, fit-il en posant la main sur la clenche.

Désolé de vous ennuyer comme ça. En fait, je crois que c'est plutôt malhonnête de ma part de venir vous parler.

— Pourquoi ?

Il se massa la nuque d'une main.

— Quand Melissa vous a appelé la première fois, pour demander si elle pouvait venir vous voir, vous vous souvenez ? J'étais avec elle, dans la même pièce.

Je me remémorai la conversation, et les interruptions de Melissa, quand elle avait mis la main sur le microphone pour parler à quelqu'un.

— Et alors ? le pressai-je.

— J'étais contre. Qu'elle vous voie. Je lui ai dit qu'elle n'avait pas besoin d'un... qu'elle pouvait se débrouiller seule. Que nous pouvions résoudre ses problèmes sans aide extérieure. Elle m'a répondu de m'occuper de mes affaires et que vous étiez quelqu'un de très bien. Et maintenant je suis là, à vous parler moi-même...

— Tout ça n'a pas grande importance, Noel. Revenons-en à ce que vous disiez : Melissa est quelqu'un d'unique. Je suis d'accord avec vous. Ce que vous dites, c'est que vous avez avec elle un contact unique. Et vous vous inquiétez de l'abandonner dans une période où elle pourrait avoir besoin de vous.

— Oui...

— Quand devez-vous partir pour Boston ?

— Début août. Les cours commencent en septembre, mais ils veulent que vous veniez plus tôt, pour l'orientation.

— Vous avez une spécialisation en vue ?

— Les relations internationales, peut-être.

— La diplomatie ?

— Probablement pas. Je crois que je préférerais quelque chose qui soit en rapport avec la définition de la politique. Une position dans une équipe administrative au Département d'État ou à la Défense, par exemple. Ou aide au Congrès. Si vous étudiez bien le fonctionnement du gouvernement, vous vous rendez compte qu'en fait ce sont les gens derrière la scène publique qui font les choses. Parfois les diplomates professionnels ont un certain poids, bien sûr, mais la plupart du temps ce ne sont que des porte-parole de gens qu'on ne voit jamais... Et puis, je pense avoir plus de chance d'obtenir un poste discret.

— Pour quelle raison ?

— D'après tout ce que j'ai pu lire sur le service diplomatique, vos origines — votre famille, qui vous connaissez, etc. — sont plus importantes que vos capacités réelles. Ça ressemble un peu à ces clubs élitistes, dans les universités. Et moi je n'ai pas une famille très imposante socialement. Juste ma mère et moi.

Il avait parlé du ton calme de la constatation, sans aucun apitoiement sur son sort.

— A une époque, ça me gênait. Ici, les gens portent beaucoup d'importance à vos antécédents familiaux. En gros, il faut avoir une fortune vieille de deux générations. Mais maintenant je me rends compte qu'en fait j'ai eu beaucoup de chance. Ma mère m'a toujours soutenu et j'ai eu tout ce dont j'avais besoin. Quand on y réfléchit bien, on n'a pas besoin de plus, n'est-ce pas ? Et puis, je vois ce qui se produit pour beaucoup d'enfants de familles riches, les situations à problèmes dans lesquelles ils se retrouvent... C'est pour ça que je respecte autant Melissa. C'est probablement une des filles les plus fortunées de San Lab, mais elle n'agit pas en fonction de ça. La première fois que je l'ai vue, elle était venue dîner avec des amis à elle au Tankard. J'aidais ma mère au service, et tous les autres se sont comportés comme si j'étais invisible. Melissa, elle, s'est montrée très polie, et à la fin du repas, quand les autres sont sortis sur le parking, elle est restée un peu et m'a parlé. Elle m'a dit qu'elle m'avait déjà vu aux réunions sportives sur piste, dans les rencontres Pasadena-San Labrador. J'ai fait pas mal d'athlétisme à une époque, avant de réduire parce que cela prenait du temps sur mes études. Il n'y avait aucun flirt de sa part, ce n'est pas son genre. Nous avons bavardé un peu et il y a eu ce rapport immédiat, comme si nous étions de vieux amis. Ensuite elle est souvent revenue au restaurant et nous sommes devenus amis. Elle m'a aidé pour beaucoup de choses, et maintenant j'aimerais juste pouvoir l'aider moi aussi. Est-ce que c'est certain, à propos de sa mère ?

— Non, répondis-je, Rien de certain. Mais tout ça n'a pas l'air très bon.

— C'est vraiment... horrible, fit-il en grattant son sac de l'ongle. Dieu, c'est horrible, oui... Et ça va être très dur pour elle.

— Vous connaissiez bien Mrs. Ramp ?

— Pas vraiment. Tous les quinze jours, je venais laver les automobiles, et il lui arrivait de venir jeter un œil. Mais à dire vrai, les voitures ne l'intéressaient pas. Une fois je lui ai dit combien ces modèles étaient extra-ordinaires, et elle m'a juste répondu qu'elle n'en doutait pas mais que pour elle ce n'était que du métal et du caoutchouc. Et elle s'est aussitôt excusée, parce qu'elle ne voulait pas me laisser penser qu'elle dévalorisait mon travail. J'ai trouvé ça très classe de sa part. C'est l'opinion que j'ai d'elle, d'ailleurs : c'est une femme de classe. Peut-être un peu... distante. Je trouvais sa façon de vivre un peu... Melissa et moi, nous pensions... Enfin, je suppose que je devrais manifester plus de sympathie. Si Melissa s'en souvient, elle va probablement me détester.

— Melissa se souviendra de votre amitié.

Il ne dit rien pendant un long moment, puis :

— A vrai dire, c'est peut-être allé au-delà de l'amitié... Au moins de mon côté. Pour elle, je ne sais pas...

Il posa sur moi un regard qui implorait une réponse rassurante.

Je ne pus rien lui offrir de plus qu'un sourire compréhensif.

Il se mordilla le bord d'un ongle.

— Super. Voilà que je me mets à parler de moi alors que je devrais penser à Melissa. Je ferais bien d'y aller. Il faut d'abord que je fasse la valise de Mr. Ramp. Vous croyez qu'il est sérieux quand il parle de partir ?

— Vous le savez probablement mieux que moi.

— Je ne sais rien, dit-il aussitôt.

— Lui et Melissa ne semblent pas entretenir les meilleurs rapports.

Il ignora ma remarque, ramassa son sac et posa la main sur la clenche de la portière.

— Bon, il faut que j'y aille, répéta-t-il.

— Vous voulez que je vous dépose ?

— Non, merci, j'ai ma propre voiture. La Celica, là-bas...

Il ouvrit la portière, posa un pied à l'extérieur, s'interrompit et se retourna vers moi.

— Je voulais vous demander... Est-ce qu'il y a quelque chose que je devrais faire, pour l'aider ?

— Vous pouvez être là quand elle aura besoin de compagnie. Écouter quand elle parlera mais ne pas vous vexer ni vous inquiéter si elle ne veut pas parler. Vous montrer patient quand elle sera de mauvaise humeur, ne pas la couper ou essayer de lui dire que tout va bien quand tout ne va pas bien. Il s'est passé quelque chose de grave, et vous ne pouvez pas le changer.

Il m'avait écouté sans me quitter du regard, et il acquiesça à la fin de ma petite tirade. Excellente capacité de concentration, presque étrange. Je m'attendais à moitié à ce qu'il sorte un papier et un crayon pour noter mes recommandations.

— Et puis, ajoutai-je, à votre place je n'envisagerais pas de modification radicale dans vos projets. Une fois que Melissa aura passé le choc initial, elle aura besoin de mettre de l'ordre dans sa vie. Si vous suspendez la vôtre pour elle, vous courez le risque qu'elle vous en veuille. Même si cela n'est pas votre but, vous la rendriez redevable de ce que vous faites. Vous créeriez une dette, si vous préférez. Et à cette étape de sa vie, l'indépendance est cruciale pour Melissa. Même avec les derniers événements. Elle n'a vraiment pas besoin d'un fardeau supplémentaire. Elle pourrait vous le reprocher.

— Je n'ai jamais...

Il faisait tourner entre ses mains le sac à dos qui semblait bien rempli, en le regardant fixement.

— Des livres ?

— Oui, de cours. Une partie de ceux que je pensais emmener cet automne. Je voulais potasser dès maintenant, parce qu'il y a une sacrée compétition entre les postulants. Je les emporte tout le temps avec moi, mais je n'en ai pas encore ouvert un... — Il eut un sourire embarrassé. — C'était une idée un peu puérile, sûrement...

— A moi elle paraît plutôt solide.

— Enfin bref, dit-il, c'est juste que je me sens obligé de ne pas décevoir, si j'y vais.

— Ne pas décevoir qui ?

— Ma mère. Don, enfin Mr. Ramp. Il paie tous les frais de scolarité pour les deux premières années. Ce sont ces autres fonds dont j'ai parlé. Si je réussis mes deux premières années, je pourrai sans doute obtenir une bourse.

— A l'évidence, il pense beaucoup de bien de vous.

— Eh bien, fit-il d'un air vague, je crois qu'il est content que nous nous en sortions, ma mère et moi. Il lui a trouvé un travail quand elle... quand les choses étaient difficiles. — Un bref éclair de chagrin dans ses yeux, puis un sourire forcé pour compenser. — Il nous a donné un logement : nous habitons à l'étage au-dessus du Tankard. Non que ce soit de la charité, parce que ma mère l'a bien mérité. C'est la meilleure serveuse qu'on puisse trouver. Et lorsqu'il est absent c'est elle qui dirige l'établissement, en fait. Parfois même elle prend la place du chef en cuisine. Mais Mr. Ramp est aussi le meilleur patron dont on puisse rêver. Il m'a acheté la Celica, en plus de mon bonus. Et il m'a eu le travail chez Melissa.

— Melissa ne semble pas partager votre avis sur lui.

Il fit mine de sortir de la voiture, prit un air résigné et abaissa le bras.

— Avant, elle l'aimait bien. Quand elle était simple cliente, ils bavardaient souvent ensemble. C'est elle qui l'a présenté à sa mère. Les problèmes ont commencé quand c'est devenu sérieux entre eux. Moi, je voulais lui dire qu'il n'avait pas changé, et que c'était toujours le même, mais elle le voyait différemment, et...

Un faible sourire.

— Et quoi ?

— On ne peut pas dire ce genre de choses à Melissa. Quand elle a une idée dans le crâne, elle n'en démord pas. Remarquez, je ne crois pas que ce soit forcément un défaut. Trop de gens de notre âge sont indécis et n'ont pas d'idéaux. Elle tient à ses principes, et peu lui importe de se conformer à l'attitude générale ou aux modes. C'est comme pour les drogues. Moi j'ai toujours su le danger qu'elles représentaient parce que... parce que je l'ai lu. Mais quelqu'un comme Melissa, on pourrait croire qu'elle y soit... susceptible. Parce qu'elle est appréciée de tous, jolie et qu'elle a beaucoup d'argent. Mais elle n'y a jamais touché. Elle a gardé sa position.

— Appréciée de tous ? Elle n'a jamais parlé d'amis, à part vous. Et je n'en ai vu aucun venir lui rendre visite...

— Elle est difficile. Mais tout le monde l'apprécie. Elle aurait pu être une meneuse et diriger n'importe quel groupe, mais elle avait d'autres choses en tête.

— Par exemple ?

— Ses études, surtout.

— Et puis ?

Il hésita une seconde avant de répondre :

— Sa mère... On aurait dit qu'être sa fille constituait la principale tâche de sa vie. Une fois, elle m'a dit qu'elle pensait devoir toujours prendre soin de sa mère. J'ai tenté de la convaincre que ce n'était pas très bon, mais elle s'est mise en colère, elle m'a répondu que je ne savais pas de quoi je parlais. J'ai préféré ne pas insister. Elle se serait encore plus énervée, et je n'aime pas la voir énervée.

Il sortit de la Seville avant que j'aie pu dire quelque chose. Je le regardai soulever la chaîne défendant l'entrée du parking, monter dans la Toyota et partir.

Les deux mains sagement posées sur le volant.

Ce garçon ira loin.

Poli, travailleur, posé, presque trop sérieux.

Par certains côtés, le double de Melissa en masculin. Leurs bons rapports ne m'étonnaient pas.

Un garçon bien. Trop bien peut-être... ?

Ma discussion avec lui avait déployé mes antennes de thérapeute, éveillé mon sixième sens, mais je n'aurais pu dire pourquoi.

A moins que je ne me laisse aller à des suppositions dans le seul but inconscient d'éviter la réalité. Le sujet que nous avions à peine effleuré.

Un ciel bleu, des eaux troubles.

Une forme blanche, flottant à la surface...

Je fis démarrer la Seville et franchis la limite de San Labrador.

Melissa était éveillée, mais silencieuse. Assise dans son lit, le dos appuyé contre trois oreillers empilés. Ses cheveux étaient ramenés sur son crâne en un chignon, ses yeux gonflés. Noel était assis près d'elle, dans le rocking-chair occupé par Madeleine une heure plus tôt. Il tenait la main de Melissa et semblait à la fois heureux et inquiet.

Madeleine avait endossé de nouveau son uniforme et vaquait dans la pièce comme une barge portuaire, accostant aux différents meubles pour les épousseter, ranger les bibelots, ouvrir et fermer les tiroirs. Sur la table de chevet je vis un bol rempli de flocons d'avoine au lait qui s'étaient figés. Les rideaux étaient fermés pour masquer la dureté du soleil.

Je me penchai sous le ciel de lit pour saluer Melissa qui me répondit d'un faible sourire. Je serrai la main que Noel avait laissée libre, et demandai si je pouvais faire quelque chose pour elle.

Un mouvement de tête négatif, qui appartenait à une fillette de neuf ans.

Malgré ce refus, je restai encore un peu dans la chambre. Madeleine essuya des surfaces impeccables de son chiffon, puis s'adressa à la jeune fille :

— Je vais descendre. Elle veut manger quelque chose, *ma petite choute ?*

Nouveau signe négatif de la tête.

Madeleine prit le bol de flocons d'avoine et se dirigea vers la porte.

— Vous désirez manger quelque chose, monsieur le Docteur ?

La proposition et le terme « Docteur » semblaient indiquer que j'avais eu la bonne attitude.

Je me rendis compte que j'étais affamé. Mais même si je ne l'avais pas été, je n'aurais pas décliné l'offre.

— Merci, dis-je. Si vous avez quelque chose d'assez léger, ce serait parfait.

— Un steak ? Ou des côtelettes d'agneau ?

— Oui, ce sera très bien.

Elle opina du chef, fourra son chiffon dans une poche et sortit de la chambre.

Resté seul avec Noel et Melissa, je ne tardai pas à avoir l'impression d'être un chaperon assez déplacé. Ils semblaient si bien ensemble que j'étais définitivement de trop.

Elle ferma bientôt les yeux, et je sortis sans bruit dans le couloir. Je passai devant des portes closes et me dirigeai vers l'arrière de la demeure et cet escalier qu'avait descendu Gina Ramp ce premier jour, quand elle cherchait Melissa. Je le gravis sans hâte.

J'arrivai sur un palier d'une trentaine de mètres carrés nus, avec pour seule issue une double porte de cèdre massif.

Une clef à l'ancienne était insérée dans la serrure. Je la tournai et ouvris la porte sur les ténèbres. Je tatonnai contre le mur, trouvai l'interrupteur et allumai pour éclairer une pièce immense, de plus de trente mètres de long sur au moins la moitié de large. Le sol était couvert d'un plancher en pin, les murs lambrissés de cèdre, et sur le plafond à poutres apparentes couraient les fils alimentant les ampoules électriques. A chaque extrémité de la pièce s'ouvraient des lucarnes masquées par des toiles cirées.

La portion droite de ce grenier de luxe était encombrée de meubles, de lampes, de malles de voyage et de valises en cuir qui évoquaient l'époque des grands voyages en train. Il y avait également des groupes d'objets rassemblés avec un souci évident d'organisation : ici une collection de statues en pierre, là des bronzes. Des encriers, des pendules, des oiseaux empaillés, des pièces d'ivoire gravées, des boîtes marquetées ; des bois de cerf, certains montés sur un support en bois, d'autres liés par paires avec des lanières de cuir. Des tapis roulés, des peaux d'animaux, des abat-jour qui étaient peut-être des Tiffany. Un ours polaire naturalisé debout sur ses pattes arrière, les yeux en verre jaune, gueule ouverte sur des crocs mortels, une patte avant menaçant le visiteur, l'autre transperçant de ses griffes un saumon empaillé.

En comparaison, le côté gauche de la pièce était presque vide. Sur deux niveaux le long du mur couraient des supports verticaux en bois, pour toiles et dessins. Un chevalet et une grande table à dessin occupaient le centre de cette partie. Des toiles tendues sur leur bâti et des tableaux encadrés occupaient les supports. Une toile vierge était posée sur le chevalet. Non, pas tout à fait vierge : en m'approchant je distinguai de légers traits au crayon. Avec le temps, le bâti en bois avait joué, et la toile était curieusement incurvée.

Une boîte de peinture en pin était posée sur la table à

dessin. La serrure en était rouillée, mais je réussis à l'ouvrir en forçant un peu avec mes ongles. A l'intérieur se trouvaient une dizaine de pinceaux aux manches tachés de peinture et aux poils raidis par le temps, un couteau à palette rouillé, de nombreux tubes de peinture solidifiée. Je soulevai la séparation en bois et découvris les papiers qui tapissaient le fond de la boîte. Je les sortis et les feuilletai. Des pages découpées dans des magazines, *Life, National Geographic, American Heritage*, datant des années cinquante et soixante. Des paysages ou des vues marines, pour la plupart. Je supposai qu'il s'agissait là de clichés sélectionnés par l'artiste pour stimuler son inspiration. Une photographie était glissée entre deux pages. J'en vis d'abord le verso, sur lequel était inscrit à l'encre noire, d'une calligraphie très esthétique :

5 mars 1971 — Restauration ?

La photographie était en couleur, de bonne qualité, avec un fini satiné.

Elle représentait un couple immobile devant une double porte aux panneaux de bois sculptés. La porte d'entrée.

La femme avait la taille, la silhouette de Gina Dickinson : le corps d'un mannequin, à l'exception d'un ventre très rebondi. Elle était vêtue d'une robe de satin blanc et de chaussures de même couleur qui ressortaient joliment sur l'arrière-plan sombre des portes. Elle était coiffée d'un large chapeau de paille clair duquel s'échappaient des mèches bouclées de cheveux blonds. Le visage sous le chapeau était masqué par des bandages dignes d'une momie, et les yeux n'étaient que deux taches aussi noires que des raisins dans le visage d'un bonhomme de neige.

Une de ses mains serrait un bouquet de roses blanches. L'autre était posée sur l'épaule de l'homme.

Celui-ci était de petite taille, un mètre cinquante-cinq au maximum, et sa tête arrivait à hauteur d'épaule de sa compagne. Il était frêle et devait avoir une soixantaine d'années, avec une tête trop grosse pour le corps, des bras d'une longueur disproportionnée et des jambes courtes.

Des traits ingrats apparaissaient sous une chevelure grise en broussaille.

Un homme dont la laideur dépassait les limites de la chirurgie esthétique à un point tel qu'il en tirait une certaine noblesse.

Il portait un costume trois-pièces noir qui était sans doute très bien coupé mais qui ne pouvait compenser le peu de générosité de la nature.

Une phrase de Anger, le banquier, me revint en mémoire : ... *la collection d'œuvres d'art constituait sa seule excentricité. Il aurait acheté ses vêtements en prêt-à-porter s'il avait pu.*

Aucun portrait de lui dans la demeure...

Un esthète...

Il posait de façon un peu raide, une main entourant la taille de sa femme, l'autre à plat au niveau de la taille. Mais ses yeux regardaient de côté, et lui conféraient une attitude gênée. Il savait que l'objectif serait cruel, même lors d'occasions spéciales, mais les occasions spéciales méritaient d'être immortalisées.

Il avait conservé la photographie.

Au fond de sa boîte à peinture.

Dans le même but que ces pages découpées dans des magazines, pour l'inspiration?

Je regardai la toile posée sur le chevalet avec plus d'attention. Les traits de crayon s'assemblaient dans une forme cohérente : deux ovales. Deux visages au même niveau, joue contre joue, sous lesquels était tracée l'ébauche très succincte de deux torses. De taille normale tous deux, celui de droite avec le ventre plat.

De l'art considéré comme une forme de révisionnisme. La tentative d'Arthur Dickinson de maîtriser une nouvelle réalité.

5 mars 1971.

Melissa était née en juin de la même année. Arthur Dickinson avait raté de quelques semaines l'exposition publique de son œuvre la plus chère.

Une autre chose me frappa, en regardant ce dessin : l'homme plus âgé, plus petit et moins prétentieux. La femme plus grande, plus jeune, plus élégante...

Les Gabney. La façon dont Leo avait tenté sans succès de prendre son épouse par les épaules.

Il était d'une taille moyenne, et la différence était moins flagrante, mais le parallèle restait valable.

Peut-être parce que les Gabney s'étaient tenus au même endroit ce matin.

Et peut-être n'étais-je pas le seul à l'avoir remarqué.

Identification entre le thérapeute et le patient.

Type d'homme identique.

Goût similaire dans la décoration intérieure.

Qui avait influencé l'autre ?

L'impression ressentie dans le bureau d'Ursula me revint, décuplée.

J'approchai du meuble de rangement vertical. Sur chaque support, des étiquettes remplies à la main répertoriaient l'artiste, le titre de l'œuvre, une description sommaire, la date d'exécution et d'achat.

Des centaines d'étiquettes étaient ainsi rangées, mais Arthur Dickinson était un homme organisé : il avait procédé selon l'ordre alphabétique.

Cassatt, entre Casale et Corot.

Huit fentes.

Dont deux vides.

Je lus les étiquettes correspondantes :

CASSATT, M. Le baiser de la mère — *1891. Pointe sèche sur eau-forte. Catalogue : Breeskin 149. 13 5/8 X 10 9/18 pouces.*

CASSATT, M. Caresse maternelle — *1891. Pointe sèche sur eau-forte. Catalogue : Breeskin 150. 14 1/2 X 10 9/16 pouces.*

Les six autres correspondaient aux œuvres rangées. Je les sortis une à une, en faisant très attention. Toutes en noir et blanc, sans aucun sujet de Mère à l'enfant.

Les deux meilleures manquaient.

Une pour la pièce grise de la patiente, l'autre pour celle du médecin.

Je me rappelai la façon dont s'étaient comportés les Gabney ce matin.

Leo qui s'efforçait de paraître éprouver de la sympathie, tout en me précisant bien qu'il considérait la théorie du suicide défendue par Chickering comme une absurdité.

Contrôle des dommages.

Ursula avait agi à un tout autre niveau.

Elle avait touché les portes sculptées comme si elles ouvraient sur un sanctuaire.

Ou un trésor.

Je songeai à la « menue monnaie » dont avait disposé Gina. Deux millions de dollars...

Ses cadeaux avaient-ils dépassé une œuvre d'art ?

Le transfert thérapeutique envisagé comme une passerelle de la richesse ?

La dépendance et l'angoisse créaient parfois un véritable cancer de l'esprit. Ceux qui étaient en mesure de le soigner pouvaient imposer leur prix.

Je songeai aux cadeaux que j'avais reçus de patients, en majorité des créations d'enfants, cache-pots, cadres pour photos en bâtons d'esquimaux, dessins, poteries. Chez moi, le bureau en était plein.

Dans le cas de cadeaux venant d'adultes, j'avais pour politique de n'accepter que ceux périssables : fleurs, bonbons, un panier de fruits. Je refusais tout ce qui me paraissait d'une valeur durable et disproportionnée, et y parvenir sans vexer constituait parfois un tour de force.

Il était indispensable de maintenir des limites nettes.

Personne ne m'avait jamais offert une œuvre d'art. Néanmoins je me plaisais à penser que je l'aurais refusée.

Non pas qu'accepter des cadeaux soit répréhensible, mais du point de vue éthique c'était frôler cette zone imprécise entre la trahison et l'erreur de jugement. Et je ne me prenais certainement pas pour un saint immunisé contre les plaisirs d'une bonne affaire.

Mais durant mes études j'avais appris comment faire un certain travail, et la plupart des thérapeutes les plus responsables s'accordaient à penser que tout cadeau important fait dans un sens ou dans un autre réduisait sérieusement les chances d'accomplir correctement ce travail. Cela revenait à ébranler la balance thérapeutique à sa base, en altérant définitivement le rapport qui forme le noyau du changement.

Apparemment, les Gabney ne partageaient pas cet avis.

Mais peut-être un traitement incluant des visites à domicile et des séances non limitées dans le temps poussait-il à une certaine souplesse dans l'application des règles. Je pensai à tout le temps que j'avais moi-même passé à San Labrador.

A fourrager au grenier, entre autres choses...

Mais *mes* intentions étaient nobles.

Par opposition à ?

Melissa avait réagi par une suspicion grandissante au lien existant entre sa mère et Ursula.

Elle est très... froide... J'ai l'impression qu'elle veut m'exclure.

Une réaction qui ne surprenait personne, pas même moi, parce que Melissa était une enfant soumise à une pression extrême, qui devait affronter des problèmes de dépendance et de séparation. Une fille qui se sentait menacée par quiconque approchait sa mère, comme me l'avait prouvé sa crise de colère quand j'avais discuté avec Gina Ramp.

Alors ? Une petite fille qui criait au loup ?

Cela avait-il le moindre rapport avec ce qui était arrivé à Gina ?

Une autre visite à la clinique semblait s'imposer, mais je ne savais pas trop comment approcher les Gabney...

Je pouvais venir prendre le dossier de Gina, ce qui leur économiserait les frais postaux...

J'étais dans le coin, alors j'ai décidé de passer vous voir...

Et puis ?

Dieu seul savait.

Nous étions dimanche. Il me faudrait attendre, de toute façon.

Et dans l'intervalle, je devais triompher de l'épreuve des côtes d'agneau. Un repas qui serait de premier choix, je n'en doutais pas. Quel dommage que mon appétit se soit envolé...

Je remis le sanctuaire d'Arthur Dickinson en état et redescendis au rez-de-chaussée.

27

Je dînai seul dans la grande salle à manger, avec l'impression d'être plus un employé que le maître du manoir. Quand je quittai la demeure à deux heures moins dix, Melissa et Noel étaient toujours dans la chambre de la jeune fille, à parler d'une voix basse aux inflexions chargées de sincérité.

J'avais eu l'intention de rentrer chez moi, mais je me retrouvai à passer devant la Clinique Gabney. Une Lincoln gris métallisé et une Mercury break à flancs plaqués de bois étaient garées devant la bâtisse. La Saab d'Ursula se trouvait au début de l'allée.

Le groupe de thérapie de Gina, en avance d'une journée ? Une séance d'urgence pour désamorcer l'annonce de sa mort, ou un autre groupe dirigé par le dévoué médecin ?

Deux heures. Si l'horaire de une à trois était respecté, la séance prendrait fin dans une heure. Je décidai de contacter Milo en attendant.

Je cherchai donc un téléphone. En face de la clinique s'alignaient des maisons particulières. Plus loin vers le sud s'étendait un quartier complètement résidentiel. Mais à un bloc au nord, en diagonale, une rue abritait un ensemble de commerces ; une bâtisse en brique datant d'avant la guerre avec des bannes marron au-dessus de chaque boutique. Je passai lentement devant. Le premier établissement était un restaurant, ensuite venaient une agence immobilière, une confiserie puis une galerie d'antiquaires avec des arbustes de décoration et des tables originales le long de l'allée. Au-delà, deux autres blocs de commerces, puis des immeubles d'appartements.

Le restaurant était ma meilleure chance. Je fis demi-tour et me garai devant.

Un petit établissement plutôt avenant. LA MYSTIQUE inscrit en lettres de givre sur la devanture. *Art Nouveau* surmonté d'une guirlande. Des pétunias blancs et bleus dans des bacs sous la vitrine. Une bannière annonçait *Brunch* au-dessus des fleurs.

A l'intérieur se trouvaient huit tables couvertes de nappes à carreaux bleus et blancs, des brins de lavande et des marguerites dans des vases en verre bleuté, des chaises et des murs blancs, des posters vantant les charmes de l'Europe, une cuisine ouverte derrière une séparation basse en Plexiglas, où travaillait un homme de type hispanique portant une toque de chef. Deux tables étaient occupées, toutes deux par des femmes d'âge mur à la tenue stricte. Ce qui se trouvait dans leur assiette était vert, et feuillu. Elles s'interrompirent une seconde à mon entrée avant de reprendre leur repas.

Une femme blonde d'une trentaine d'années à la poitrine avantageuse vint à ma rencontre, un menu à la main. Son sourire un peu trop nerveux n'éclairait pas très bien un visage plein et ouvert. Sa chevelure était coiffée en un chignon et décorée d'un ruban noir. Sa robe en laine s'arrêtait au genou et ne mettait en valeur que sa poitrine. A son approche, je vis la crispation qui marquait son sourire.

Anxiété d'un travail nouveau ?

Ou anxiété d'un chiffre d'affaires insuffisant ?

— Bonjour, dit-elle. Choisissez la table qu'il vous plaira, je vous en prie.

Je jetai un regard circulaire, remarquai que les deux tables proches de la devanture offraient une vue en oblique sur la clinique.

— Je vais me mettre là, répondis-je. Avez-vous un téléphone à pièces ?

— A l'arrière, par là, dit-elle en désignant la porte à double vantail à gauche de la cuisine.

L'appareil était rivé au mur, entre les portes des toilettes. Après deux sonneries, j'entendis le nouveau message plein d'amabilité commerciale de Milo. J'expliquai à la machine que j'aurais quelques petites choses à débattre avec son propriétaire et que je serais probablement de retour chez Melissa vers quatre heures. Puis j'appelai une galerie d'art de Beverly Hills que je connaissais.

— Eugene De Long à l'appareil.

— Bonjour, Eugene. Ici Alex Delaware.

— Oh! bonjour, Alex. Pour l'instant, rien pour le Marsh. Nous en cherchons toujours un qui soit dans un état correct.

— Merci. En fait je téléphone pour savoir si vous pourriez me donner une évaluation de deux pièces du même artiste. Je ne demande rien de définitif, seulement une approximation.

— Certainement, si c'est un artiste que je connais.

— Des pointes sèches sur eau-forte, de Cassatt.

Un moment de silence, puis :

— Je ne savais pas que vous recherchiez ce genre d'œuvres.

— J'aimerais que ce soit le cas, mais c'est juste pour un ami.

— Votre ami veut acheter ou vendre ?

— Vendre, peut-être.

— Je vois... Vous pouvez me décrire les œuvres ?

Je le fis.

— Une seconde, répondit-il, et j'attendis plusieurs minutes avant qu'il ne reprenne l'appareil : j'ai ici les derniers prix pour des œuvres comparables. Comme vous le savez, pour ces travaux la condition est primordiale, et sans un examen approfondi je ne peux me prononcer avec beaucoup d'exactitude. Néanmoins je peux vous dire que le nombre de Cassatt n'est pas très élevé. C'était une perfectionniste, et elle n'hésitait pas à détruire toutes les œuvres qui ne la satisfaisaient pas. C'est pourquoi une pièce d'elle est toujours intéressante, en particulier si elle est en couleurs. Si l'ensemble est en excellent état, avec les marges complètes, et sans tache, votre ami détient deux petits joyaux, Alex. Je pourrais en tirer un quart de million de dollars auprès du bon client. Peut-être plus.

— Pour les deux, ou pour chacun ?

— Oh ! pour chacun. Surtout en ce moment : les Japonais sont fous d'impressionnisme et Cassatt est en première position sur leur liste d'artistes américains. Je pense que ses œuvres majeures atteindront bientôt des sommes à sept zéros. Cassatt a été très influencée par la sensibilité orientale, spécialement la gravure japonaise. Ça attire beaucoup les acheteurs asiatiques.

— Je vous remercie, Eugene.

— C'est un plaisir. Dites à votre ami qu'il ou elle tient là un investissement de qualité, mais en toute honnêteté une appréciation juste n'a pas été faite. Toutefois si il ou elle veut vendre, inutile d'aller à New York...

— Je ne manquerai pas de le lui dire.

— Bonsoir, Alex.

Je fermai les yeux et vis danser une farandole de zéros en esprit. Puis j'appelai mon service de répondeur et appris que Robin avait téléphoné.

Je la joignis à son studio.

— Salut, c'est moi, dis-je quand elle décrocha.

— Salut. Je voulais juste savoir comment ça allait.

— Ça va plutôt bien. Je suis toujours en vadrouille sur cette affaire.

— Et c'est où, la vadrouille ?

— Pasadena. San Labrador.

— Ah ! fit-elle, vieil argent, vieux secrets...

— Si tu savais comme tu dis juste !

— Perception extra-sensorielle. Si un jour le monde cesse de gratter des cordes, je pourrai me mettre à lire dans l'avenir.

— Ou à boursicoter.

— Non, pas ça ! La prison ne m'attire pas.

J'éclatai de rire.

— Enfin bref, dit-elle.

— Et toi, comment vas-tu ?

— Bien.

— Et la guitare de Mr. Panique ?

— Une éraflure, rien de plus. Ça n'avait vraiment rien d'une urgence. Il se met facilement dans tous ses états, dans ses périodes de trop grande sobriété.

Je ris de nouveau.

— J'aimerais te revoir, quand tout ira mieux.

— Bien sûr, répondit-elle. Quand tout ira mieux.

Un silence.

— Bientôt, dis-je, bien que rien ne me permît une telle affirmation.

— C'est encore mieux.

Je retournai dans la salle de restaurant. On avait déposé une carafe d'eau glacée et une corbeille de pain sur ma table. Deux des clientes étaient parties, et les deux autres vérifiaient leur addition avec une calculatrice de poche et maints froncements de sourcils.

Les tranches de pain complet et les morceaux de baguette à l'anis étaient visiblement très frais, mais le repas « léger » de Madeleine m'avait gavé, et je repoussai la corbeille. La femme qui m'avait accueilli remarqua mon geste et il me sembla qu'elle grimaçait de déplaisir. Je me plongeai dans l'étude du menu. Les deux clientes se levèrent et sortirent. La serveuse prit leur addition, y jeta un coup d'œil et eut une moue mécontente. Après avoir essuyé la table, elle vint vers moi, stylo prêt. Je commandai le café le plus cher de la carte, un triple expresso avec un trait de fine Napoléon, ainsi que des fraises géantes.

Elle apporta d'abord les fruits, qui ne démentaient pas leur description puisque chaque fraise avait la taille d'un bel abricot, et le café fumant quelques minutes plus tard.

Je la remerciai d'un sourire. Elle me parut ennuyée.

— Tout va bien, monsieur ?

— Très bien. Ces fraises sont délicieuses.

— Elles viennent de Carpenteria. Désirez-vous un peu de crème fraîche ?

— Non, merci.

Je lui souris encore puis laissai mon regard errer sur la rue. Je me demandai ce qui pouvait bien se passer derrière la façade de la clinique, et combien de séances de thérapie correspondaient à une œuvre d'un quart de million de dollars. Et j'essayai de trouver la bonne attitude à avoir face aux Gabney.

Quand la serveuse revint quelques minutes plus tard, je n'avais bu qu'un tiers de mon café et mangé deux fraises.

— Quelque chose ne va pas, monsieur?

— Pas du tout, tout est très bien...

Pour le lui prouver je bus une gorgée de café avant de harponner de ma fourchette la fraise la plus énorme.

— Nous importons tous nos cafés, dit-elle. Simpson et Veroni l'achètent à la même source, mais ils le vendent deux fois plus cher.

Je n'avais aucune idée de qui pouvaient être Simpson et Veroni, mais je hochai la tête d'un air entendu.

— Le bénéfice...

Ma tentative d'empathie ne parut pas la dérider outre mesure. Si c'était là son comportement habituel, je comprenais mieux pourquoi la clientèle ne se battait pas pour entrer chez elle.

Je bus encore un peu de café et m'attaquai à la fraise.

Elle s'attarda encore quelques secondes, puis alla dans la cuisine discuter avec le chef.

Ma montre indiquait trois heures moins vingt-cinq. Je repris ma surveillance de la clinique. Encore une petite demi-heure avant le lever de rideau. Qu'allais-je dire à Ursula Gabney?

La serveuse ressortit de la cuisine avec le journal du dimanche sous le bras. Elle s'assit à une table et se mit à lire. Alors qu'elle feuilletait le quotidien, nos regards se croisèrent. Elle détourna les yeux aussitôt. J'avalai le reste de café.

— Autre chose? demanda-t-elle sans se lever.

— Non, merci.

Elle m'apporta la note et je lui tendis ma carte bancaire. Elle la prit, l'examina, puis alla valider la somme et me ramena le ticket avec la carte.

— Vous êtes médecin? s'enquit-elle.

Je me rendis compte de l'impression que j'avais pu donner, avec ces vêtements dans lesquels j'avais dormi et ma barbe de la veille.

— Psychologue, répondis-je. Il y a une clinique de l'autre côté de la rue. Je dois y aller pour parler à un des médecins.

— Ah! fit-elle, l'air dubitatif.

— Ne vous inquiétez pas, dis-je avec mon sourire le plus rassurant, je ne suis pas un de leurs patients. Mais j'ai travaillé une bonne partie de la nuit dernière. Une urgence.

Cela parut la choquer. Je lui présentai ma carte universitaire médicale.

— Comme les scouts, toujours prêt, dis-je d'un ton plaisant.

Elle se détendit un peu.

— Que font-ils dans cette clinique ? demanda-t-elle.

— Je ne sais pas exactement, concédai-je. Vous ont-ils créé des problèmes ?

— Oh ! non. C'est seulement qu'on ne voit pas grand monde entrer et sortir. Et il n'y a rien qui signale que c'est une clinique. Si une de mes clientes ne me l'avait pas dit, je ne l'aurais jamais su. C'est pour ça, je me demandais ce qu'ils faisaient.

— Je n'en sais pas grand-chose moi-même. Ma spécialisation est la psychologie enfantine. Une de mes patientes est une femme qui a été traitée ici. Vous l'avez peut-être remarquée, elle venait ici dans une vieille Rolls Royce noire et grise.

— Oui, j'ai vu une voiture comme ça deux ou trois fois, mais je n'ai jamais remarqué qui la conduisait.

— La femme qui possède cette Rolls Royce a disparu il y a quelques jours. Ça a été très dur pour sa fille. Je suis venu pour apprendre tout ce qui pourrait me servir à mieux l'aider.

— Elle a disparu ? C'est-à-dire ?

— Elle a pris sa voiture pour se rendre à la clinique, mais elle n'y est pas venue et depuis personne ne l'a revue.

— Oh !...

Une nouvelle sorte d'anxiété se lut sur son visage, qui n'avait rien à voir avec les comptes du restaurant. Je levai les yeux vers elle.

— Vous savez..., commença-t-elle avant de secouer la tête, irrésolue.

— Oui ?

— Rien... C'est sûrement sans importance. Je ne devrais pas me mêler de ce qui ne me regarde pas...

— Si vous savez quoi que ce soit...

— Non, affirma-t-elle avec emphase. Ce n'est pas à

propos de la mère de votre patiente. Une autre de leurs patientes, celle dont j'ai parlé, qui m'a dit que c'était une clinique. Elle venait régulièrement ici, et elle avait l'air très comme il faut. Elle m'a dit qu'elle avait peur de sortir, que c'était une phobie, et que c'est pour ça qu'elle suivait un traitement, mais que maintenant elle se sentait beaucoup mieux. Vous auriez pu penser qu'elle aimait bien la clinique, et qu'elle était reconnaissante aux médecins qui l'ont traitée. Mais ce n'est pas du tout l'impression qu'elle me donnait. Enfin, ce n'est que mon avis...

Elle toucha le récépissé.

— Il faut encore que vous fassiez le total et que vous signiez.

Je m'exécutai et ajoutai vingt-cinq pour cent de pourboire au total.

— Merci, dit-elle.

— Pas de quoi. Qu'est-ce qui vous a fait penser que cette femme n'aimait pas la clinique ?

— Sa façon d'en parler, c'est tout. Elle posait beaucoup de questions. Sur eux. — Elle accompagna ce dernier mot d'un regard vers la bâtisse. — Pas tout de suite. Après être venue ici plusieurs fois.

— Quel genre de questions ?

— Depuis combien de temps ils tenaient cette clinique, par exemple. Je n'en savais rien, puisque je venais juste de m'installer, et qu'ils étaient déjà là. Et elle m'a demandé si les médecins ou leurs patients venaient ici. Je n'en ai jamais vu un seul, à part Kathy. C'était son prénom. Elle n'avait pas l'air d'avoir peur, en fait, elle était plutôt un peu agressive. Mais je l'aimais bien. Elle était sympathique, et elle appréciait mes plats. Et elle venait tout le temps. Ça me plaisait bien d'avoir une habituée, évidemment. Et puis un jour, elle n'est plus revenue. — Elle claqua des doigts. — Comme ça, sans que je sache pourquoi. J'ai trouvé ça bizarre, surtout qu'elle n'avait pas dit que son traitement allait se terminer bientôt. Alors quand vous avez parlé de cette autre femme qui a disparu, ça m'a fait penser à Kathy. Enfin, Kathy n'a pas réellement *disparu*. Elle a juste cessé de venir.

— C'était il y a longtemps ?

— Ça remonte à un mois, à peu près, dit-elle après un

temps de réflexion. Au début j'ai cru que c'était à cause de ma cuisine, mais j'ai vu qu'elle ne venait plus à la clinique non plus. Je connaissais sa voiture, vous comprenez. Et ses visites étaient régulières : le lundi et le jeudi après-midi, toujours à la même heure. A quatre heures moins le quart elle entrait ici pour manger une assiette de pâtes cheveux d'ange ou une escalope, avec un croissant fourré aux raisins en dessert et un cappucino. J'aimais bien la voir parce que, pour être franche, les affaires ne sont pas vraiment fameuses. Il faut encore que nous fassions notre clientèle. Depuis trois mois mon mari me répète qu'il m'avait prévenue. J'ai commencé à faire le brunch du dimanche la semaine dernière, mais ça n'est pas encore un très grand succès...

Mon visage disait toute la sympathie que j'éprouvais pour elle devant de telles difficultés, et elle me répondit d'un sourire.

— J'ai appelé le restaurant La Mystique, pour le côté mystérieux. Mon mari me dit que le seul mystère c'est la date du dépôt de bilan. Et je veux lui démontrer qu'il se trompe. C'est pour ça que j'appréciais beaucoup les visites de Kathy. Je me demande bien ce qui a pu lui arriver.

— Vous souvenez-vous de son nom de famille ?

— Pourquoi ?

— J'essaie d'entrer en contact avec toutes les personnes qui ont pu connaître la mère de ma patiente. On ne sait jamais, parfois un petit détail peut vous mettre sur une piste.

Elle hésita une seconde avant de dire :

— Attendez.

Elle empocha le récépissé et retourna dans la cuisine. Tout en patientant j'observai la clinique. Personne n'y entra, personne n'en sortit. Pas une trace de vie derrière les fenêtres.

La serveuse revint avec un carré de papier jaune.

— C'est l'adresse de la sœur de Kathy. Elle me l'avait donnée au début, comme garantie, parce qu'elle payait par chèque et qu'ils étaient émis en dehors de l'État. J'ai pensé lui téléphoner, mais je ne me suis jamais décidée. Si vous la voyez, envoyez-lui mon meilleur... Dites-lui bonjour de la part de Joyce.

— D'accord Joyce. Je suis le Dr Delaware. Alex.

Je pris le papier et le lus. C'était écrit en lettres bâtons tracées au feutre rouge :

KATHY MORIARTY
C/O ROBBINS
2012 ASHBOURNE DR.
S. PAS.

Un numéro de téléphone commençant par 795. Je glissai le carré de papier dans mon portefeuille et me levai.

— Merci. Tout était parfait.

— Et vous n'avez pris que des fraises et un café. Revenez un jour où vous êtes affamé. Nous faisons de la bonne cuisine. Vraiment.

Elle retourna à sa table et à son journal.

Je jetai un coup d'œil à la clinique et vis un mouvement.

Une femme aux cheveux gris et à l'allure digne montait dans la Lincoln. L'autre voiture démarrait déjà.

Le moment était venu d'un brin de causette avec le Dr Ursula.

Mais je compris que je serais privé de ce plaisir dès que je mis le pied sur le trottoir. La Saab sortit dans la rue en marche arrière, puis fonça vers le nord. Le tout avait été si rapide que je n'eus que le temps d'apercevoir le beau visage tendu de la conductrice.

La maison était de taille généreuse et de style Tudor, en brique, et elle trônait sur un grand terrain non clos orné d'érables et de sapins. Dans l'allée, un van Plymouth projetait son ombre sur une collection de bicyclettes d'enfants et de voitures à pédales. Trois marches menaient à un perron. La porte d'entrée possédait à hauteur d'œil un judas en forme de reproduction miniature d'elle-même.

Après mon coup de sonnette, le judas s'entrouvrit et une paire d'yeux noirs me jaugea. De l'intérieur s'élevait la bande sonore d'un dessin animé. Les yeux s'étrécirent.

— Le Dr Delaware pour Mrs. Robbins, s'il vous plaît.

— Minute.

J'attendis donc, et j'en profitai pour coiffer mes cheveux de la main et défroisser sommairement mes vêtements. En espérant que ma chemise de soirée et ma cravate donneraient à mon début de barbe un côté chic.

Le chic ouest. Mauvais quartier.

La petite porte du judas s'ouvrit de nouveau, et cette fois des yeux bleus m'examinèrent.

— Oui ?

La voix était jeune, un peu nasillarde.

— Mrs. Robbins ?

— Que puis-je pour vous ?

— Je suis le Dr Alex Delaware, et j'essaie de retrouver votre sœur Kathy.

— Vous êtes un ami de Kathy ?

— Non, pas exactement. Mais nous avons une connaissance commune.

— Quel genre de docteur êtes-vous ?

— Psychologue. Je suis désolé de vous importuner de la sorte. Je peux vous montrer une pièce d'identité et un document professionnel, si vous voulez.

— Oui, pourquoi pas.

Je pris les pièces promises dans mon portefeuille et les lui présentai une à une.

— Quelle est la personne que vous connaissez, vous et Kathy ?

— C'est un sujet dont j'aimerais vraiment discuter avec elle personnellement, Mrs. Robbins. Si vous ne voulez pas me donner ses coordonnées, je peux vous laisser les miennes.

Les prunelles bleues regardèrent à gauche, puis à droite. Le judas se referma, et la porte s'ouvrit. Une femme approchant la quarantaine sortit sur le perron. Un mètre soixante-cinq, mince, la chevelure blonde coupée en casque. Les yeux étaient enfoncés dans un visage long constellé de taches de rousseur. Les lèvres pleines, le nez retroussé, le menton pointu, des oreilles légèrement décollées que la coupe de cheveux faisait ressortir. Elle portait un chemisier à manches courtes et rayures horizontales rouges et blanches, un pantalon en toile, des tennis sans chaussettes. De petits diamants brillaient au lobe de ses oreilles. Elle n'aurait pas détonné parmi Las

Labradoras. Je remarquai néanmoins que ses ongles longs n'étaient pas vernis.

— Jan Robbins, se présenta-t-elle en me détaillant du regard. Il vaut mieux que nous parlions ici.

— Bien sûr, répondis-je d'un ton accommodant, conscient du moindre pli de mon costume.

Elle attendit que je recule un peu pour refermer la porte derrière elle.

— Alors, pourquoi voulez-vous voir Kathy ?

Je réfléchis à ce que je pouvais lui dire. Kathy Moriarty avait-elle tu à sa sœur ses séances à la clinique ? Elle en avait parlé sans beaucoup de gêne à Joyce, au restaurant, mais les inconnus sont souvent les dépositaires de confidences les plus sûrs.

— C'est compliqué, dis-je. Il serait vraiment préférable que je puisse parler directement à votre sœur, Mrs. Robbins.

— Je n'en doute pas, Docteur. Moi aussi j'aimerais lui parler directement, mais je n'ai pas de nouvelles d'elle depuis plus d'un mois.

Avant que je puisse répondre, elle poursuivit :

— Non que ce soit la première fois que cela lui arrive, avec sa façon de vivre. Et sa carrière.

— De quelle carrière s'agit-il ?

— Sa carrière de journaliste. Elle écrit. Elle a travaillé pour le *Boston Globe* et le *Manchester Union Leader*, mais maintenant elle est indépendante. Elle essaie de faire publier ses livres. Elle en a fait un, il y a quelques années. Sur les pesticides : *La Terre empoisonnée*...

Je ne dis rien.

Elle sourit, avec une certaine satisfaction, me sembla-t-il.

— Non, ça n'a pas vraiment été un best-seller, commenta-t-elle.

— Elle est originaire de Nouvelle-Angleterre ?

— Non, d'ici. De Californie. Nous avons toutes deux grandi à Fresno. Mais elle est retournée dans l'Est après ses études, parce qu'elle disait que la Côte Ouest est un désert culturel.

Elle jeta un coup d'œil aux vélos et aux voitures à pédales, et eut une moue fugitive de désapprobation.

— Avait-elle un nouveau projet de livre ? demandai-je.

— Je suppose. Elle ne m'en a jamais parlé. Elle ne parle jamais de ses livres, de toute façon. Sources confidentielles, évidemment.

— Vous n'avez aucune idée de ce qu'elle faisait ?

— Non, pas la moindre. Nous ne sommes pas... Nous sommes assez différentes, voyez-vous. Elle n'a jamais passé beaucoup de temps ici.

Elle se tut et croisa les bras sur sa poitrine.

— Mais j'y pense, comment avez-vous su que je suis sa sœur ?

— Elle vous a citée comme garantie dans un restaurant, pour payer avec un chéquier émis hors de l'État. Le propriétaire de l'établissement m'a donné votre adresse.

— Magnifique, fit-elle avec humeur. Encore heureux que le chèque n'ait pas été refusé...

— Elle a des problèmes d'argent ?

— Pas pour le dépenser, en tout cas. Écoutez, il faut vraiment que je rentre. Je suis désolée de ne pouvoir vous aider.

Elle commença à se retourner vers la porte.

— Alors son absence de plus d'un mois ne vous concerne pas ? lançai-je.

Elle fit brusquement demi-tour.

— Pour son livre sur les pesticides, elle a voyagé dans tout le pays durant plus d'un an. Nous n'avons eu aucune nouvelle d'elle jusqu'à ce qu'elle se retrouve sans argent. Et au lieu de rembourser ce qu'elle devait, elle nous a envoyé un exemplaire de son livre dédicacé. Mon mari est avocat d'affaires, et il a pour clients des sociétés d'industrie chimique. Vous pouvez imaginer combien il a apprécié. Quelques années avant ça, elle s'est rendue au Salvador pour faire une enquête, quelque chose d'assez dangereux, d'après ce que j'ai compris. Elle a disparu six mois, pas un coup de fil, pas une carte postale. Ma mère était morte d'inquiétude, et nous n'avons jamais vu un article ou un livre sur ce qu'elle avait fait là-bas. Alors non, je ne me sens pas concernée. Elle est encore partie chasser un scoop.

— Quel genre de scoops l'intéresse ?

— Tout ce qui peut contenir une dose de scandale. Elle aime se dire journaliste d'investigation, et elle pense toujours que l'assassinat de Kennedy est la conversation la plus passionnante qu'on puisse avoir à table.

Une pause. Je perçus les bruitages du dessin animé, à l'intérieur.

— C'est ridicule, reprit-elle. Je ne vous connais même pas. Je ne devrais pas vous parler... Bon, dans le cas très improbable où j'aurais de ses nouvelles, je lui dirai que vous voulez lui parler. Où se trouve votre cabinet ?

— Côté ouest, dis-je. Auriez-vous une de ses adresses récentes ?

Elle réfléchit quelques secondes.

— Bien sûr, pourquoi pas ? Si elle donne mon adresse, je ne vois pas pourquoi je me gênerais pour donner la sienne.

Je sortis un stylo et, en me servant de mon genou comme support, inscrivis sur une carte de visite l'adresse sur Hilldale Avenue qu'elle me donna.

— C'est dans West Hollywood, dit-elle. Plus près de votre coin.

Elle restait là, comme si elle attendait que je réponde à quelque défi.

— Merci. Désolé de vous avoir dérangée.

— Bien sûr, fit-elle. Je sais que j'ai l'air très froide à son égard, mais c'est parce que j'ai essayé trop longtemps de... l'aider. Mais elle n'en fait qu'à sa tête, quelle que soit la... — De l'index elle effleura ses lèvres, comme pour retenir ses mots. — Nous sommes très différentes, c'est tout. *Vive la différence*, vous autres psychologues croyez à cette formule, non ?

28

Je revins à Sussex Knoll vers quatre heures et quart. La Celica de Noel était garée devant la maison, près d'un coupé Mercedes marron portant un autocollant DODGER BLUE sur le pare-chocs arrière et avec une antenne cellulaire jaillissant du coffre.

C'est Madeleine qui m'ouvrit.

— Comment va-t-elle?

— Elle est à l'étage, Docteur. Elle mange un peu de soupe.

— Mr. Sturgis a téléphoné?

— *Non*. Mais d'autres...

Elle eut un mouvement de tête pour désigner le grand salon derrière elle, et ses lèvres se tordirent en un sourire narquois. Une expression de conspirateur. J'étais devenu un étranger.

— *Ils* attendent, dit-elle.

— Qui donc?

Elle éluda d'un haussement d'épaules.

Nous traversâmes l'entrée et en arrivant à la porte ouverte du grand salon Madeleine changea de direction et continua vers l'arrière de la demeure.

Glenn Anger et un homme chauve et corpulent étaient assis dans les fauteuils profonds, jambes croisées et l'air mondain. Tous deux étaient en costume sombre, chemise blanche et foulard plié en place de cravate.

Quand j'arrivai à deux mètres d'eux ils se levèrent et fermèrent chacun un bouton de leur veston. Le chauve mesurait un bon mètre quatre-vingts, avec le physique d'un athlète légèrement enrobé. Son visage carré était un peu empâté et aussi bronzé que celui de Anger ou de Don Ramp avant que les épreuves ne l'aient fait pâlir. Le peu de cheveux qu'il avait encore était très fin et d'un brun-gris insipide, plus fourni sur les côtés, avec une petite touffe au sommet du crâne.

— Eh bien, dit Anger avec une satisfaction acide, je suppose que votre travail ici touche à sa fin ? — Se tournant vers son compagnon, il expliqua : c'est un des détectives engagés pour retrouver Gina, Jim.

— Pas exactement, répondis-je aimablement. Je m'appelle Alex Delaware, et je suis le psychologue de Melissa.

La surprise et l'irritation se disputèrent la suprématie de l'expression de Anger.

— Mr. Sturgis, le détective, est un de mes amis, poursuivis-je. C'est moi qui l'ai présenté à la famille. J'étais simplement avec lui quand nous sommes allés à votre bureau.

— Je vois. Eh bien, quelle est...

— Désolé de ne pas avoir précisé plus tôt, mais dans l'urgence du moment ça ne m'avait pas semblé très important.

— Eh bien, je suppose que ça ne l'était pas, en effet...

Le chauve se racla bruyamment la gorge.

— Docteur, dit Anger. C'est bien le Dr Delaware, n'est-ce pas ?

— Oui.

— Docteur, je vous présente Jim Douse, l'avocat de Gina.

Un seul côté de la bouche de Douse s'étira en un sourire. Il me serra la main et révéla dans son geste une manchette à monogramme. Sa main était grande, charnue, étonnamment dure — souvenir sans doute de week-ends passés loin des bureaux — et il plia les doigts de façon à limiter le contact entre nos paumes. Ou bien il réservait son jugement sur l'attitude à avoir avec moi, ou bien c'était la précaution d'un homme particulièrement fort qui ne veut pas faire mal.

— Docteur, me salua-t-il d'une voix éraillée de

fumeur intensif, et je remarquai les deux cigares dont le bout dépassait de sa poche de veston. Psychologue ? Il m'arrive d'avoir recours à leurs services au tribunal.

J'acquiesçai sans trop savoir si c'était une formule polie ou une menace.

— Comment va notre demoiselle ? demanda-t-il.

— Lors de ma dernière visite elle se reposait. Je venais justement prendre des nouvelles.

— Cliff Chickering m'a annoncé la terrible nouvelle, dit Anger. Ce matin, à l'église. Jim et moi sommes venus voir si nous pouvions faire quelque chose. Quelle horreur. Je n'aurais jamais cru que cela en arriverait à ce point...

Douse le contempla comme si ce genre de réflexion relevait de la trahison caractérisée, puis il eut une moue qui pouvait signifier une sympathie quelque peu tardive.

— Les recherches ont été arrêtées ? demandai-je.

— Oui, répondit Anger. Cliff m'a dit qu'ils avaient cessé il y a quelques heures. Il est convaincu que le corps se trouve au fond du réservoir.

— Comme il est convaincu qu'elle s'est elle-même noyée.

Anger ne put cacher son embarras. Douse releva le menton et passa un doigt entre son col de chemise et son cou.

— J'ai suggéré à Mr. Chickering de ne plus formuler de théorie qui ne soit étayée par des faits probants.

— Un accident est un accident, aussi regrettable qu'il soit, intervint Anger. C'est évident, elle n'aurait pas dû se trouver là, tout comme elle n'aurait pas dû être au volant.

Je décidai d'écourter l'entretien :

— Messieurs, si vous voulez bien m'excuser : je dois aller voir Melissa.

— Transmettez-lui nos condoléances, Docteur, dit Anger. Et si elle désire que nous montions, nous sommes à sa disposition. Sinon, nous resterons disponibles pour elle quand elle désirera faire la transition. Si vous voulez bien le lui dire...

— De quelle transition s'agit-il ?

— Transfert de statut, expliqua Douse. Le moment n'est jamais bien choisi pour ce genre d'opération, mais elle doit être effectuée au plus tôt. Procédures de routine,

426

papiers à signer. Les services gouvernementaux sont très pointilleux. Tout doit être fait dans les règles, si l'on ne veut pas de tracasseries de la part de l'Oncle Sam.

— Elle est trop jeune pour régler seule ce genre de problème, ajouta Anger. Plus vite nous aurons régularisé la situation, mieux cela sera.

— Trop jeune pour régler des problèmes administratifs ?

— Trop jeune pour régler les détails, dit Anger. La charge de la direction...

— Elle a d'autres choses à faire de sa vie, surenchérit Douse. Ce n'est pas votre avis, d'un point de vue psychologique ?

Soudain j'avais la vague impression de me retrouver devant une sous-commission sénatoriale.

— Vous voulez dire qu'elle ne devrait pas gérer elle-même ses avoirs ?

Le silence tomba comme un rideau de théâtre.

— C'est compliqué, dit enfin Douse. Il y a beaucoup de lois et de règlements qui peuvent paraître assez insensés...

— A cause de la taille de la propriété ?

Anger eut une moue d'ennui distingué et se plongea dans l'étude des tableaux accrochés aux murs.

— A moins de me démontrer que vous aurez un rôle conséquent en ce domaine, Docteur, je ne puis entrer dans les détails avec vous, déclara Anger. Mais pour résumer, permettez-moi de vous dire ceci : sans preuve concrète du décès, il faudra un délai notable pour établir la validité des droits d'héritage et accomplir le transfert de propriété.

Il se tut et m'observa. Comme je ne réagissais pas, il reprit :

— Quand je parle d'un délai notable, c'est exactement ce que je pense. Dans le cas qui nous occupe, nous allons devoir batailler avec des juridictions multiples, locales mais aussi fédérales. C'est la législation en vigueur qui veut cela. Et je ne parle là que d'un transfert de base. Je n'aborde même pas le problème du tutorat de ses droits. Il y a tous les problèmes de gestion par procuration et divers autres points légaux très subtils à définir. Et, bien sûr, le Service des impôts se manifeste toujours pour tenter de prélever tout ce qu'il peut, bien qu'avec les arrangements déjà établis nous ne devrions pas avoir trop de problèmes avec eux.

— Un tutorat ? m'étonnai-je. Mais Melissa est légalement majeure. Pourquoi aurait-elle besoin d'un tuteur ?

Anger consulta Douse du regard, qui lui répondit de même.

Tennis oculaire. La balle finit dans le camp du banquier.

— La majorité légale est une chose, dit-il. La compétence en est une autre.

— Sous-entendriez-vous que Melissa est incompétente en ce qui concerne ses intérêts ?

Anger se replongea dans l'admiration des œuvres aux murs.

— Ses intérêts, dit Douse, voilà un terme qui ne décrit que très imparfaitement sa situation. — D'un geste large de la main, il engloba la pièce. — Combien de personnes de dix-huit ans seraient capables d'assumer des intérêts d'une telle ampleur ? Je n'en connais pas.

— Moi non plus, enchaîna Anger... Ajoutez à cela le stress émotionnel, le passé familial... Mais nous touchons là à un domaine qui est vôtre, Docteur...

La phrase sonnait comme une invitation. Je m'abstins de tout avis de réception.

Douse se caressa le crâne.

— D'après moi, en qualité d'avocat de la famille et en tant que père, ses intérêts seront optimisés si on les fait fructifier comme il faut. Et Dieu sait que ce ne sera pas tâche facile, étant donné la situation.

— C'est tout à fait vrai, dit Anger. J'ai quatre enfants, Docteur. Adolescents ou jeunes adultes. Et je peux vous dire que ce n'est pas facile. Donnez une fortune à un adolescent, et vous pourriez aussi bien lui offrir une arme chargée.

— Avez-vous des enfants, Docteur ? demanda Douse.

— Non.

Ils échangèrent un bref sourire satisfait.

— Eh bien, fit Douse en jouant avec un des boutons de son veston, comme je vous l'ai dit, c'est à peu près tout ce que je peux divulguer, à moins d'étendre votre rôle.

— Quel genre d'extension ?

— Si vous décidiez de vous livrer à une consultation psychologique approfondie, afin de traiter la gestion des affaires émotionnelles de Melissa en synchronisation avec le guide financier que nous pouvons, Glenn et moi, lui offrir, je suis certain que vos opinions seraient prises en considération. Et vos services indemnisés comme il convient.

— Laissez-moi résumer, dis-je. Vous voudriez que je certifie Melissa incapable de gérer ses affaires pour raisons psychologiques, ce qui faciliterait la nomination d'un tuteur financier. C'est bien ça ?

Anger eut une grimace de dépit.

— Non, dit Douse. Nous ne *voulons* rien. *Notre* bien-être n'est pas en jeu ici : nous ne pensons qu'à *elle*. En tant qu'amis de longue date de la famille, en tant que parents et en tant que professionnels. Et nous n'essayons en aucune manière d'influencer votre jugement. Cette conversation qui — je vous le rappelle — s'est déclenchée de façon fortuite, ne reflète qu'un éventail de possibilités qui ont acquis une certaine urgence de par des événements imprévisibles. Pour parler simplement, Docteur, nous pensons qu'il faut clarifier la situation au plus vite.

— Un point qu'il vous faut garder en mémoire, Docteur, est que l'argent n'appartient pas encore à Melissa, ajouta Anger. Pas légalement. Et elle perdrait beaucoup de temps à le récupérer. Comme l'a dit Jim, les rouages de l'administration tournent lentement. Le processus prendra des mois, ou plus longtemps. Et en attendant, il lui faudra subvenir à certaines dépenses : pour la maison, les salaires, les réparations. Sans parler des investissements à gérer selon une réglementation plus que complexe. Les choses doivent se faire en douceur. De mon point de vue, la nomination d'un tuteur serait la meilleure solution.

— Et qui aurait ce rôle de tuteur ? m'enquis-je. Don Ramp ?

Douse s'éclaircit la gorge avant de répondre :

— Non, ce serait contrevenir à l'esprit sinon à la lettre du testament d'Arthur Dickinson.

— Qui, alors ?

Un petit silence. Quelque part dans l'immense demeure, des pas résonnèrent. Je perçus le gémissement assourdi d'un aspirateur, et une sonnerie de téléphone.

— Ma firme, déclara Douse, est au service de cette famille depuis longtemps. La logique voudrait que cette entente se poursuive.

Je ne répondis pas. Il déboutonna son veston, sortit de la poche intérieure un porte-cartes en crocodile et me tendit un petit bristol blanc avec solennité, comme s'il s'agissait d'un objet de grande valeur.

J. MADISON DOUSE, JR.
Avocat

WRESTING, DOUSE & COSNER
820 S. FLOWER STREET
LOS ANGELES, CA. 90017

— Le partenaire fondateur était le Président Douse, de la Cour suprême de Californie, précisa Douse.

Il avait soigneusement évité de dire « mon oncle », comme s'il confondait une discrétion excessive et le bon goût.

Anger torpilla ses efforts d'une petite phrase :

— C'était l'oncle de Jim.

Douse s'éclaircit la gorge sans ouvrir la bouche, avec pour résultat une sorte de grognement de taureau.

Anger sentit qu'il était urgent de rattraper la chose.

— Les Douse et les Dickinson sont liés par de nombreuses années de confiance mutuelle. Arthur a confié la gestion de ses affaires au père de Jim, à l'époque où ces affaires étaient beaucoup plus complexes. Il est dans l'intérêt de votre patiente qu'elle soit aidée par les gens les plus capables, Docteur.

— Pour l'instant, il est dans l'intérêt de ma patiente de se construire des défenses émotionnelles pour supporter la perte de sa mère.

— En effet, reconnut Anger. Et c'est précisément pour cette raison que Jim et moi souhaiterions voir la situation stabilisée au plus tôt.

— Le problème, fit Douse, tient à la procédure de transfert, afin d'assurer une continuité. Chaque étape du processus actuel est subordonnée à l'accord de Mrs. Ramp. Même si elle a peu à faire dans la gestion quotidienne, nous sommes tenus de lui rendre compte. Et maintenant qu'elle n'est plus... joignable, nous nous voyons obligés de...

— De vous tourner vers son héritière ? Cela doit constituer un ennui sérieux...

Douse boutonna son veston et se pencha en avant. Son front se plissa et il renifla avec l'air d'un boxeur prêt à entrer sur le ring.

— Je crois déceler là comme une certaine... réticence, docteur Delaware. Une réticence qui me paraît totalement injustifiée au vu des faits actuels.

— C'est possible, répondis-je. A moins que tout simplement je n'apprécie guère qu'on me demande de mentir professionnellement. Même si vos intentions sont bonnes. Melissa n'est pas incompétente, il s'en faut de beaucoup. Elle ne présente aucun signe de désordre mental qui pourrait fausser son jugement. Quant à savoir si elle est assez mature pour gérer quarante millions de dollars, qui peut le dire ? Howard Hughes et Leland Belding n'étaient pas beaucoup plus âgés quand ils ont pris possession des avoirs de leurs parents, et aucun des deux ne s'est trop mal débrouillé par la suite. En ce qui concerne les banques et les établissements financiers, ils sont connus pour s'adapter quand il s'agit de sommes semblables, non ? Quels sont les derniers taux de placement.

— Cela n'a rien à voir, fit Anger en rosissant notablement.

— N'importe, dis-je. Le fond de l'affaire revient à la formule suivante : toute gestion des avoirs de Melissa devra être décidée par Melissa elle-même. Et sa décision devra être un acte volontaire.

Douse joignit ses mains par le bout des doigts, les écarta, recommença la manœuvre plusieurs fois. On aurait pu croire à une parodie d'applaudissement, mais ses yeux restaient très fixes, et durs.

— Eh bien, il n'y a visiblement aucune raison que vous assumiez le poids d'une telle expertise, Docteur. Étant donné votre répugnance à le faire.

— Qu'est-ce que cela signifie ? Vous allez trouver un expert consentant ?

Son visage resta sans expression. Il consulta sa montre, une Cartier en or qui semblait bien petite à son poignet.

— Ce fut un plaisir de faire votre connaissance, me dit-il avant de se tourner vers Anger : le moment est à l'évidence mal choisi pour notre visite, Glenn. Nous reviendrons quand elle sera plus en forme.

Anger acquiesça, mais il semblait déstabilisé. Il n'était pas accoutumé aux conflits ouverts.

Douse effleura son coude et ils passèrent devant moi pour se diriger vers l'entrée. Ils durent s'arrêter quand Melissa leur barra le passage en sortant de derrière une bibliothèque. Elle avait ramené ses cheveux en une queue de cheval, portait un chemisier noir sur une jupe kaki s'arrêtant aux genoux, et elle avait chaussé des sandales noires sans mettre de bas. Elle serrait dans son poing quelque chose de rose : un mouchoir en papier.

— Melissa, dit aussitôt Anger en adoptant une mine grave et un ton attristé. Je suis vraiment désolé, pour votre mère. Vous connaissez Mr. Douse.

Celui-ci tendit sa main.

Melissa ouvrit la sienne et montra le mouchoir. Douse laissa retomber son bras le long de son corps.

— Monsieur Douse, dit-elle, je sais qui vous êtes, mais nous ne nous étions jamais rencontrés, n'est-ce pas ?

— Et je suis désolé que ce soit dans de telles circonstances, croyez-le bien, répondit l'avocat.

— Oui. C'est très aimable à vous d'être venus. Et un dimanche, qui plus est.

— Le jour a peu d'importance quand il s'agit d'une situation aussi triste, dit Anger. Nous étions venus voir comment vous allez, mais le Dr. Delaware nous ayant dit que vous vous reposiez, nous partions.

— Monsieur Douse, dit-elle en l'ignorant et en approchant de l'avocat. Monsieur Douse, je vous serais reconnaissante d'abandonner tout espoir de m'escroquer. D'accord, monsieur Douse ? Non, ne dites *rien*. *Partez. Maintenant.* Et tous les deux. *Dehors.* Mes nouveaux avocat et banquier vous contacteront sous peu.

432

Après leur départ, Melissa pleura de rage et s'écroula contre ma poitrine en sanglotant.

Noel descendit l'escalier en hâte. Il avait l'air un peu déboussolé, apeuré aussi, et désireux de la réconforter. Il la vit qui se pressait contre moi et s'arrêta à mi-hauteur.

D'un petit signe de tête, je l'invitai à nous rejoindre.

Il vint très près de Melissa et murmura son prénom.

Elle continua de pleurer et appuya un peu plus son visage contre ma poitrine. Je lui tapotai gentiment le dos, avec l'impression que le geste était très inadéquat.

Enfin elle s'écarta de moi. Ses yeux étaient rougis, et ils lançaient des éclairs.

— Oh! les salauds! s'exclama-t-elle. Comment ont-ils osé! Comment peuvent-ils... Elle n'est même pas... Oh!

Les mots se bousculaient sur ses lèvres. Elle tourna les talons, courut jusqu'au mur qu'elle frappa durement de ses poings.

Noel m'interrogea du regard, et j'opinai du chef. Il la rejoignit et elle le laissa la guider dans le grand salon. Nous nous assîmes tous trois.

Madeleine entra dans la pièce. Elle paraissait elle aussi en colère, mais avec une certaine satisfaction amère, comme si ses pires jugements sur l'humanité venaient de se trouver confirmés. Une fois de plus je me demandai ce qu'elle avait entendu.

D'autres pas.

Les deux domestiques apparurent derrière Madeleine qui leur chuchota un ordre bref. Elles repartirent immédiatement.

La Française approcha et caressa la tête de Melissa. Celle-ci leva les yeux et força un sourire sur ses lèvres, malgré ses larmes.

— J'apporte quelque chose à boire? proposa Madeleine.

Melissa ne répondit pas.

— Oui, s'il vous plaît, dis-je. Du thé. Pour nous tous.

Madeleine repartit vers la cuisine. Melissa restait assise, un peu voûtée sous le bras protecteur de Noel, mâchoires crispées. Elle déchira le mouchoir en papier avec application, laissa tomber les morceaux sur le sol.

Madeleine réapparut avec le thé, du miel et du lait sur

un plateau en argent. Elle servit, tendit une tasse à Noel qui l'approcha des lèvres de Melissa.

La jeune fille but une gorgée, s'étrangla, toussa.

Nous nous précipitâmes tous trois pour l'aider. Le résultat de notre empressement n'aurait pas déparé dans un film comique muet. Dans d'autres circonstances, la scène aurait pu prêter à rire.

Après un instant de confusion, nous nous écartâmes un peu. Noel représenta la tasse aux lèvres de Melissa. Elle but un peu de thé, commença à tousser mais parvint à se maîtriser. Quand elle eut avalé un tiers de la tasse, Madeleine approuva d'un hochement de tête et quitta la pièce, rassurée.

— Assez, merci, dit Melissa en touchant la main de Noel.

Il reposa la tasse.

— Les salopards, dit-elle à mi-voix. C'est incroyable...

— Qui ? interrogea Noel.

— Mon banquier et mon avocat, expliqua-t-elle. Ils essayaient de me dépouiller... — Elle se tourna vers moi : merci du fond du cœur pour m'avoir défendue, docteur Delaware. Je sais quels sont mes vrais amis.

Noel restait déconcerté, et je lui résumai ma conversation avec Douse et Anger. Chacune de mes phrases semblait accroître sa propre colère.

— Les fumiers, grinça-t-il. Tu ferais bien d'en trouver d'autres rapidement.

— Oh oui, dit-elle. Je leur ai déjà fait croire que j'avais engagé quelqu'un d'autre. J'aurais voulu que tu voies la tête qu'ils ont faite !

Un sourire fugace. Noel gardait le visage très sérieux.

— Connaissez-vous de bons avocats, docteur Delaware ? me demanda Melissa.

— La plupart de ceux que je connais s'occupent des affaires de famille. Mais je devrais pouvoir vous adresser à un avocat spécialisé dans la gestion de biens.

— Je vous en serais très reconnaissante. Et un banquier, aussi.

— L'avocat pourra certainement vous indiquer un banquier sérieux.

— Bien, dit-elle. Le plus tôt sera le mieux, avant que ces deux rats ne tentent quoi que ce soit. Ils ont peut-être déjà rempli quelques papiers contre moi... Je vais demander à Milo de s'occuper d'eux. Lui sera capable de découvrir ce qu'ils manigancent. Ils m'ont probablement déjà dépouillée, vous ne croyez pas ?

— Qui peut dire ?

— Eh bien, ils ne se sont pas montrés très honorables. Ils ont dû dépouiller Mère pendant toutes ces années...

Elle ferma les yeux et serra les dents.

Noel l'étreignit un peu plus. Elle se laissa faire, mais ne se détendit pas pour autant.

Soudain elle rouvrit les yeux.

— Peut-être que Don est de mèche avec eux. S'ils ont tous conspiré contre moi...

— Non, coupa Noel. Don ne ferait pas...

Elle l'interrompit d'un geste en couperet de son bras.

— Tu ne vois qu'un aspect de lui. J'en connais un autre.

Noel ne répondit pas.

— Oh ! mon Dieu..., balbutia Melissa, et ses yeux s'écarquillèrent.

— Qu'y a-t-il ? demandai-je.

— Ils ont peut-être même quelque chose à voir avec... avec ce qui s'est passé. S'ils voulaient sa fortune, ils ont pu...

Elle bondit sur ses pieds et faillit déséquilibrer Noel. Les yeux secs, elle leva un poing et l'agita lentement.

— Je les aurai, dit-elle. Les salauds. Quiconque lui a fait du mal *paiera*.

Noel se mit debout, mais elle le tint à distance en étendant le bras.

— Non. Ça va. Je vais bien. Maintenant, je sais où j'en suis.

Elle se mit à marcher dans la pièce. A grands pas elle décrivit des cercles qui l'amenaient près des murs, tout en frappant sa main ouverte de son autre poing. Elle marmonnait des propos incompréhensibles, mâchoires crispées.

La Belle au bois dormant réveillée par le baiser empoisonné de la suspicion.

En elle, la colère remplaçait la peur. Une colère qui était incompatible avec la peur.

J'avais traité toute une école de cette façon l'automne précédent. Et je lui avais appris la même leçon, des années plus tôt.

Sa colère l'embrasait, et l'expression de son visage devenait presque sauvage.

A l'observer, je ne pus la comparer qu'à un animal affamé tournant dans sa cage.

Je m'efforçai de penser qu'il s'agissait d'un progrès psychologique.

29

Milo arriva peu après. Il portait un costume marron et tenait à la main un attaché-case d'un noir brillant. Melissa se précipita vers lui et lui apprit ce qui s'était passé.

— Je veux que vous ayez leur peau, conclut-elle.

— Je vais me renseigner, dit-il. Mais ça prendra un peu de temps. En attendant, trouvez-vous un avocat.

— D'accord. Faites ce qu'il faut. Qui sait ce qu'ils préparent...

— Au moins, fit Milo, ils sont bloqués. S'ils préparaient quelque chose, ils vont abandonner pour le moment.

— Exact, approuva Noel.

— Et sinon, comment vous sentez-vous ? dit Milo à Melissa.

— Mieux... Ça va aller. Il faut que je... s'il y a quelque chose que je peux faire, pas de problème.

— Pour l'instant, vous pouvez prendre soin de vous.

Elle voulut objecter, mais Milo savait ce qu'elle allait dire et la devança :

— Non, je ne vous mets pas à l'écart. Je suis sérieux. Au cas où ils décideraient de ne pas abandonner la partie.

— Que voulez-vous dire ?

— Ces types sont visiblement habitués à tirer les ficelles. S'ils parviennent à convaincre un juge que vous êtes trop fragile, ils auront réussi. Je peux découvrir des faits incriminants sur eux, mais rien n'est certain. Pendant que je fouine, eux amasseront les munitions. Mieux vous paraîtrez, aussi bien physiquement que psychologiquement, et moins de munitions ils auront. C'est pourquoi je vous dis de prendre soin de vous.

Du pouce, il me désigna.

— Et si vous voulez hurler après quelqu'un, hurlez après lui. Ça fait partie de son boulot.

Elle se laissa mener à l'étage par Noel. Quand ils eurent disparu, Milo se tourna vers moi :

— Ça s'est passé comme elle l'a dit ?

— Oui. Deux vrais amours. Ils sont arrivés avec l'air grave de circonstance, et puis ils ont exposé leur Grand Plan. C'était un peu stupide de leur part quand même, d'abaisser ainsi leurs cartes.

— Pas obligatoirement, répliqua Milo. Leur stratégie avait des chances de réussir. Parce que dans la plupart des cas, une gamine de dix-huit ans aurait été intimidée par la situation et aurait accepté de leur donner pleins pouvoirs. Et un tas de psys auraient accepté ce qu'ils t'ont proposé. Contre une certaine compensation, évidemment. Il serait intéressant de savoir ce qu'ils cherchent, exactement.

— Je dirais que l'appât du gain est une probabilité sérieuse.

— La question, c'est quelle est la taille des gains qu'ils espéraient. Est-ce qu'ils voulaient s'approprier le pactole ou simplement conserver le contrôle de l'ensemble pour multiplier par deux leurs bénéfices ? Les gens qui vivent avec des riches pensent souvent que ce qui est sera toujours. Et qu'ils ont un droit à en profiter.

— A moins qu'ils aient fait quelques investissements ratés et qu'ils veuillent le cacher.

— Ce ne serait pas la première fois. Mais en dehors des hypothèses, nous devons nous concentrer sur une question : ont-ils encore un atout de poids qui pourrait apparaître valable à un juge ? Et peut-elle supporter une telle épreuve ? Quel est son état émotionnel exact, Alex ?

— Je n'en suis pas sûr. Elle est passée de la léthargie à la colère sacrément vite. Mais rien de pathologique, à la lumière de la situation.

— Dis ça de cette façon dans un tribunal, et elle a perdu.

— Quarante millions de dollars, Milo, ça représenterait une charge énorme pour n'importe qui. Si j'étais maître du monde, je ne donnerais jamais une telle somme à une enfant. Mais non, je ne vois aucune justification psychologique pour la déclarer incompétente. Je pourrais la soutenir sur ce point.

— Bon, et quelle est la pire chose qui pourrait se produire ? Qu'elle flambe toute sa fortune, et qu'elle doive recommencer à zéro ? Elle est assez intelligente, elle devrait être capable de bâtir elle-même sa vie. Et si c'était la meilleure chose qui pouvait lui arriver ?

— L'effondrement financier comme technique thérapeutique ? Une bonne excuse pour que les médecins augmentent leurs tarifs...

Il eut un sourire fugace.

— En attendant, je vais faire mon possible pour me renseigner sur Anger et l'autre type. Mais ça risque d'être foutrement difficile de percer l'armure de ces gars-là rapidement. Elle a vraiment besoin d'un soutien légal.

— J'ai pensé aussi appeler quelqu'un pour ça.

— Bien, fit-il en prenant son attaché-case.

— C'est nouveau ?

— Depuis aujourd'hui. J'ai une image à entretenir. Le boulot de privé, c'est grisant...

— As-tu reçu le message que j'ai laissé sur ton répondeur il y a quelques heures ?

— « De nombreuses choses à discuter » ? Mais j'ai été occupé comme une petite abeille besogneuse, à butiner les infos. Si on partageait ce qu'on a découvert ?

Je désignai les fauteuils.

— Non, dit-il, tirons-nous plutôt d'ici, pour respirer un peu l'air normal. Si tu peux partir.

— Je vais jeter un coup d'œil en haut.

Je gravis l'escalier et m'arrêtai devant la chambre de Melissa, dont la porte était entrebâillée. J'allais frapper pour m'annoncer, mais par l'entrebâillement je vis Melissa et Noel allongés sur le lit, habillés tous deux et dans les bras l'un de l'autre. Elle caressait les cheveux du jeune homme avec lenteur, et lui serrait sa taille avec une affection évidente.

Avant qu'ils aient remarqué ma présence, je m'éloignai sur la pointe des pieds.

Milo attendait dans l'entrée, et il refusait avec diplomatie le plat que lui proposait Madeleine.

— Merci, mais je suis gavé, dit-il en se tapotant l'estomac.

Elle posa sur lui le regard d'une mère pour son fils qui n'en fait qu'à sa tête.

Nous la saluâmes et sortîmes.

Une fois à l'extérieur, Milo renifla.

— J'ai menti sur toute la ligne, dit-il. En fait je suis affamé, et ce qu'elle avait préparé est sans doute meilleur que tout ce que nous pourrons trouver en ville. Mais cet endroit finit par me taper sur le système. Après un bout de temps, je sature de toutes ces attentions.

— Moi aussi, avouai-je en montant dans la voiture. Imagine comment Melissa peut réagir...

— Ouais, fit-il en démarrant. Et maintenant elle va être seule. Tu as une suggestion culinaire ?

— Tu as de la chance, je connais l'endroit qu'il nous faut.

L'heure du déjeuner commençait, mais La Mystique était vide. Je garai la voiture devant le restaurant.

— Woah, fit Milo. Tu crois qu'il va falloir attendre au bar qu'une table se libère ?

— Là-bas, c'est la Clinique Gabney, fis-je en désignant la grande maison dont les fenêtres restaient sombres et l'allée déserte.

— Ah ! dit-il en scrutant la façade. Ça n'a pas l'air trop accueillant. Et le restau, c'est ton poste de surveillance ?

— Juste un endroit chaleureux et accueillant pour le voyageur fatigué.

D'abord ébahie de me revoir aussi vite, Joyce me reçut comme si j'étais un vieil ami et nous proposa la table que j'avais déjà occupée. Mais à une telle heure, cette place nous aurait beaucoup trop exposés, et je demandai une table plus discrète.

Nous commandâmes deux bières qu'elle nous apporta aussitôt. Alors qu'elle versait les Grolsch dans nos verres, elle fit l'article :

— Aujourd'hui nous avons du veau au vin comme plat du jour.

— Je vais prendre ça, dis-je.

Milo consulta la carte.

— Comment est l'entrecôte ?

— Excellente, monsieur.

— Alors je vais en prendre une. Saignante, avec double portion de frites.

Elle passa derrière la cloison basse et s'affaira dans la cuisine.

Nous trinquâmes et bûmes un peu de bière.

— D'après Anger, commençai-je, Chickering a avoué que les recherches pour retrouver Gina ont été arrêtées.

— Rien d'étonnant. La dernière fois que j'ai contacté les shérifs il était une heure et demie, cet après-midi. Ils avaient l'air de laisser tomber. Pas la moindre trace d'elle dans le parc.

— La Dame du lac ?

— Ça ressemble, oui. Bon, il est temps de faire le point. Qui commence ?

— Vas-y.

— En gros, j'ai passé la plus grande partie de la journée à parler à des gens du milieu cinématographique, des gens qui y ont été et n'y sont plus, et des gens qui tournaient autour.

— Crotty ?

— Non, Crotty est mort. Il y a deux mois.

Je revis l'ancien flic des mœurs vieilli qui était devenu activiste de la cause homosexuelle.

— J'avais cru que l'AZT était efficace.

— Nous l'avons tous cru. Le traitement avait l'air de fonctionner, malheureusement c'est Crotty qui s'est mis à ne plus fonctionner. Il s'est assis sur le seuil de sa bicoque et s'est tiré une bastos dans la bouche.

— C'est triste

— Mouais. Il aura fini comme un flic, malgré tout... Bref, revenons à ce que j'ai appris dans Cinéma-City : apparemment Gina, Ramp et McCloskey étaient bien potes à la bonne vieille époque. Aux Studios Premier, il y avait ce groupe d'acteurs sous contrat dans la deuxième partie des années soixante. McCloskey n'en faisait pas vraiment partie, mais il les fréquentait beaucoup, et il a lancé son agence de modèles en offrant aux autres des séances de pose. Homme ou femme, tous étaient évidemment plutôt mignons. De ce qu'on dit, ils formaient un groupe assez remuant, avec alcool, drogue et le reste, bien que personne n'ait rien trouvé de mauvais à dire sur le compte de Gina en particulier. Donc, si elle a péché, elle l'a fait discrètement. Pour la plupart, les membres du groupe n'ont pas fait carrière. Gina était la plus susceptible de réussir à l'écran, mais l'agression à l'acide a ruiné toutes ses chances. Le studio savait bien que le marché appartenait aux acheteurs : la chair fraîche débarquait tous les jours à Hollywood, de tous les États-Unis. Ils engageaient ces gosses avec des contrats d'esclaves, leur faisaient faire un peu de figuration pour les appâter, puis s'en servaient pour leur propre service avant de les jeter la première ride venue.

— Ramp n'a jamais dit qu'il connaissait McCloskey plus que de vue.

— Il le connaissait pourtant bien, même s'ils n'étaient pas très copains, d'après ce qu'on m'a dit.

Milo ramassa son attaché-case, le posa sur ses genoux et l'ouvrit. Il fourragea une seconde dans les papiers et en sortit une chemise mince. A l'intérieur se trouvait une photographie en noir et blanc estampillée dans le coin inférieur droit du logo des Studios Premier. Le cliché avait été pris dans un night-club, à moins qu'il ne s'agisse d'un décor de cinéma. Banquettes de cuir luisant, mur en miroirs, table tendue d'une nappe de toile blanche, vaisselle d'argent, cendriers en cristal et paquets de cigarettes. Une demi-douzaine de jeunes gens agréables à regarder, frisant la trentaine et vêtus de tenues de soirée élégantes. Tous affichaient le même sourire photogénique pour l'objectif et levaient leur verre en un toast. Certains fumaient.

Gina Prince — née Paddock — était assise au centre, blonde et très séduisante dans une robe échancrée qui apparaissait grise sur la photo. Elle portait un rang de perles qui mettait en valeur son cou gracile. La ressemblance avec Melissa était extraordinaire.

Don Ramp était assis à côté d'elle, déjà athlétique et

bronzé, mais sans moustache. Joel McCloskey était de l'autre côté, les cheveux gominés et le physique agréable, presque séduisant. Son sourire différait quelque peu de celui des autres, et trahissait l'étranger qui cherche à dissimuler une certaine gêne. Entre ses doigts était fichée une cigarette consumée jusqu'au filtre.

Des trois autres personnes, deux, un homme et une femme, m'étaient inconnues.

— Elle, dis-je en désignant la troisième personne, une brune au visage bien dessiné et au décolleté vertigineux, c'est Bethel Drucker. La mère de Noel. Elle est blonde maintenant, mais c'est bien elle, je l'ai rencontrée aujourd'hui. Elle travaille pour Ramp comme serveuse dans son restaurant. Elle et Noel vivent au-dessus du Tankard.

— Eh bien, fit Milo, que voilà une jolie famille rayonnante de bonheur... — Il sortit une feuille de papier de son attaché-case. — Voyons... ce doit être Becky Dupont, son pseudo de cinéma. — Il se pencha sur la table pour mieux examiner le cliché. — Jolie femme. Voluptueuse.

— Elle l'est toujours.

— Belle femme ou voluptueuse ?

— Les deux. Même si elle porte son âge.

Il coula un regard rapide vers la cuisine où Joyce travaillait avec le chef.

— Ce doit être la Saint-Voluptueuse. Je peux te dire un truc, cette bonne Becky-Bethel aimait avoir sa dose. Tranquillisants et Quaaludes, d'après mes sources. Note qu'il n'y a même pas besoin de sources, il suffit de regarder ses yeux.

Je pris la photo pour examiner de plus près le visage, et je compris ce que voulait dire Milo. Ses grands yeux sombres étaient à demi clos sous des paupières lourdes, et la partie d'iris visible donnait une impression rêveuse et trouble à son regard. Au contraire de McCloskey, son sourire traduisait un réel contentement. Mais sa béatitude n'avait aucun rapport avec la soirée en cours.

— Ça conforte quelque chose que m'a dit Noel aujourd'hui : il m'a affirmé qu'il avait toujours su que les drogues étaient nocives. Il a failli expliquer comment il savait cela, et puis il a changé d'avis et a prétendu l'avoir lu. C'est un garçon très intelligent, qui sait où il va et qui a ses principes. Presque trop pour être vrai. S'il a grandi en voyant dans quel univers nébuleux évoluait sa mère, tout s'explique. Quelque chose en lui a déclenché mon sixième sens. C'était peut-être ça...

Je lui rendis le cliché. Avant de le ranger, il le contempla une dernière fois.

— Mouais. Donc on dirait que tout le monde connaît tout le monde, et que Hollywood a planté ses crocs dans le gras de San Labrador.

— Et les deux autres personnes sur la photo ?

— Le gars est une de mes sources, donc je préfère le laisser dans l'anonymat. La fille est une apprentie starlette nommée Stacey Brooks. Décédée dans un accident de la route en 1971. Probablement camée à mort. Comme j'ai dit, la Horde sauvage.

— Ces « services » qu'elles assuraient pour les studios, ça comprend la station horizontale pour être engagée sur un tournage ?

— Ça et le reste : scènes de groupe lors de parties fines, drague de clients potentiels des studios, etc. Ça consistait à être disponible pour satisfaire divers appétits, en gros. Ramp était un élément spécialement polyvalent : un beau gosse pour escorter les dames, et un macho pour les amusements avec les hommes. Il se montrait très coopératif, on le commandait et il obéissait. Les studios l'ont récompensé par quelques seconds rôles, dans des westerns et des policiers.

— Et McCloskey ?

— Le souvenir qu'en ont gardé mes sources est celui d'un type qui jouait au dur. Le genre Brando en soldes, le cure-dents au coin de la bouche, qui parlait tout le temps de ses potes du New Jersey. Mais il n'a jamais trompé personne. Il détestait les homos et ne ratait pas une occasion de le dire, même quand on ne le lui demandait pas. Peut-être disait-il vrai, peut-être que ce n'était qu'un homo refoulé qui niait un peu fort sa vraie nature. Ou bien c'était une simple couverture. A part Gina, personne ne semble savoir précisément avec qui il pouvait coucher. Mais on se rappelle sa personnalité assez odieuse, et sa consommation effrénée de drogues — speed, coke, herbe, cachets, la totale. Pendant quelque temps, quand ses affaires périclitaient, il a même joué au revendeur. Il fournissait les gens des studios. Ensuite il a payé avec de la dope les modèles qui posaient pour lui, et c'est ce qui a porté le coup de grâce à son agence. Les modèles voulaient de l'argent et il n'en avait pas.

— Il s'est fait prendre pour vente de drogue ?

— Non. Pourquoi cette question ?

— Je me demandais si Gina aurait pu avoir les moyens de lui créer des ennuis légaux. Ou si elle pouvait être en situation de le penser. Ça pourrait expliquer l'agression à l'acide.

— Ouais, sûr, mais il n'a pas de dossier aux Stups, et aucune arrestation enregistrée avant l'agression.

Joyce apporta une corbeille de pain. J'attendis qu'elle soit repartie.

— Alors une autre hypothèse : l'homophobie de McCloskey est bien une couverture pour dissimuler son homosexualité. Gina découvre la vérité et ils ont une dispute à ce propos. Peut-être même le menace-t-elle de ruiner son image de dur. McCloskey panique et paie Finlay pour la faire taire. Ce qui pourrait expliquer pourquoi il n'a jamais voulu avouer les motifs de l'agression : par peur de l'humiliation.

— Possible, reconnut Milo. Mais dans ce cas, pourquoi aurait-elle tu ce secret ?

— Bonne question.

— L'affaire est peut-être beaucoup plus simple : McCloskey, Gina et Ramp ont des relations triangulaires, et McCloskey finit par péter un boulon, jalousie ou autre. Tu te souviens de leur position sur la photo ? Gina joue le jambon entre les deux tranches de pain, si tu me passes l'image... De toute façon, c'est de l'histoire ancienne. Tout ça n'a très probablement aucun rapport avec sa disparition, sinon pour ce qu'on peut en déduire sur Mr. Ramp.

— Un homme d'affaires prospère qui essaie d'oublier qu'il a rendu certains « services » aux studios.

— Ouais. Même quand nous recherchions sa femme et que McCloskey était encore un suspect potentiel, il n'a pas du tout parlé de la mauvaise époque. C'est lui qui chargeait McCloskey, on aurait donc pu penser qu'il nous dirait tout ce qui pouvait aider à la retrouver, non ?

— A moins qu'il n'ait rien eu à dire, contrai-je. Si Gina n'a jamais connu les motifs de McCloskey, pourquoi Ramp serait-il mieux informé ?

— Ouais, peut-être... ce qui me semble clair, c'est que Gina devait être au parfum de la sexualité de Ramp quand elle l'a épousé. Les types bi ne sont pas vraiment la catégorie la plus recherchée, de nos jours, avec le risque physique qui s'ajoute au risque social. Mais cela ne l'a pas arrêtée.

— Chambres séparées, rappelai-je. Aucun risque.

— Ouais. Mais alors quel attrait pouvait-il représenter pour elle ?

— C'est un type tolérant, qui a respecté le mode de vie qu'elle suivait, si bien qu'elle a fait de même pour le sien. Et il a bien l'air d'un tendre : il embauche une vieille amie comme Bethel, il paie les études de Noel. Après toutes les épreuves endurées, peut-être que Gina recherchait plus la compassion et la gentillesse que le sexe.

— Une vieille amie... J'aimerais savoir ce que pense Bethel de nettoyer des tables pendant que ses « vieux amis » se pavanent dans le luxe au château.

— Noel m'a laissé entendre que lui et sa mère étaient passés par des périodes très dures. Nettoyer des tables pourrait constituer pour elle un grand progrès.

— Mouais, on peut le supposer, admit-il en prenant un morceau de pain.

— Tu en reviens toujours à Ramp, remarquai-je.

— Aujourd'hui je suis descendu à la plage pour parler à Nyquist, et la maison était déserte. Un voisin m'a appris que Nyquist avait plié bagages la nuit dernière et qu'il était parti pour une destination inconnue. Le Brentwood Country Club m'a dit qu'il n'était pas venu assurer ses leçons de tennis aujourd'hui, sans prendre la peine de prévenir.

— Ramp est sur le départ, lui aussi. Il a demandé à Noel de lui préparer sa valise. Peut-être le choc d'avoir perdu Gina... Il a l'air d'avoir abandonné toute prétention. Mais il sera intéressant de voir s'il accomplit les démarches pour contester le testament ou s'il touche une quelconque assurance-vie ignorée de tous. Sans parler des deux millions de dollars envolés. Qui serait en meilleure position que le mari pour ponctionner une telle somme ?

— Les soupçons de Melissa seraient fondés...

— La vérité sort de la bouche des enfants, paraît-il... La présence de Ramp est attestée pour toute la journée où Gina a disparu. Mais celle de Todd ? Peut-être l'a-t-il séduite pour se rapprocher des deux millions ? De toute façon, c'est quelqu'un qu'elle aurait pris en stop sans hésiter, ou vers qui elle serait allée si sa voiture était tombée en panne et qu'il s'était trouvé dans les parages. Et maintenant lui et Ramp mettent les voiles...

— Ramp est encore là. Je suis passé au restaurant avant de venir à San Labrador. Sa Mercedes était toujours dans le parking. J'ai jeté un coup d'œil par la vitrine. Il était raide bourré, et Bethel s'occupait de lui comme d'un gros bébé. Alors je me suis garé de l'autre côté de la rue et j'ai surveillé pendant un moment. Aucun signe de Nyquist.

— Une question, Milo : si Ramp prépare sa fuite, pourquoi me le dirait-il ?

— Pour se couvrir. Il se donne une raison de disparaître : le mari écrasé par le chagrin, abandonné. Comme ça personne ne soupçonnera sa fuite pour Tahiti avec Todd. Note, personne ne le soupçonne... Officiellement, aucun crime n'a été commis. Et en ma qualité de privé isolé, je ne peux pas enquêter sur lui tout en cherchant Nyquist et en assumant le rôle que Melissa m'a donné face à Anger et Douse. Je ne peux pas lui dire que Ramp est prioritaire puisque je n'ai aucune preuve pour étayer cette opinion, alors que les deux pingouins se sont déjà placés en adversaires de Melissa. D'ailleurs ça la déstabiliserait un peu plus, et je ne crois pas que ce soit une démarche très constructive en ce moment, non ?

— Non.

Il réfléchit un moment.

— Je sais ce que je vais faire : contacter quelqu'un de mes connaissances qui possède une vraie licence de détective privé mais qui ne s'en sert pas beaucoup. Pas trop intelligent ou trop doué pour les initiatives, mais vraiment très patient. Il pourra garder un œil sur Ramp pendant que je suivrai la piste financière.

— Et pour Nyquist ?

— Peu probable que Nyquist bouge sans Ramp.

Nos plats arrivèrent, et nous leur fîmes honneur.

— Ils savent y faire, dit Milo en mâchant avec entrain sa viande.

Pendant deux minutes, nous nous concentrâmes sur nos assiettes.

— A mon tour, dis-je enfin.

— Une seconde, j'ai encore deux-trois renseignements concernant le premier mari de Gina, Dickinson. Tu te souviens de la blague de Anger sur les costumes en prêt-à-porter ? En fait, si Dickinson ne pouvait pas en porter, c'est parce qu'il était nain.

— Je sais. J'ai trouvé une photo de lui.

La surprise fit briller ses yeux verts.

— Où ça ?

— A la maison. Dans le grenier.

— On a fait un peu d'archéologie en free-lance, huh ? Un bon point pour toi... Moi, je n'ai pu trouver aucune photo de lui. A quoi ressemblait-il ?

Je décrivis Arthur Dickinson, et Gina posant comme une mariée embaumée.

— Bizarre, commenta-t-il. Premier mec un vieux gnome, deuxième un athlète qui ne s'intéresse qu'aux garçons et qui se satisfait pleinement de faire chambre à part. Pour résumer, je dirai que la dame n'était pas très portée sur l'aspect physique de ses liaisons.

— Agoraphobie. D'après l'explication freudienne classique, il s'agit là d'un symptôme de répression sexuelle.

— Et tu achètes ça, toi ?

— Pas dans tous les cas, mais dans celui-là ce n'est pas impossible. Ça renforcerait ma théorie selon laquelle Gina a épousé Ramp parce qu'elle avait besoin d'amitié. Le fait qu'ils se soient connus auparavant a aidé à la stabilité de leurs rapports, une fois que Melissa les avait remis en contact. De vieux amis qui renouent, chacun avec ses besoins... ça arrive tout le temps.

— J'ai mieux, dit-il. A propos d'Arthur. Apparemment, en plus d'avoir fait fortune avec le brevet de son fameux étai, il a aussi barboté dans le cinéma. Du côté financier. Et certains contrats qu'il a signés l'étaient avec les Studios Premier. Pour l'instant je n'ai pas pu établir de relation entre lui et aucun film dans lequel Gina, Ramp ou un autre de ces jolis cœurs ont tourné, ni même trouvé de preuve qu'il les connaissait avant le procès de McCloskey. Mais je dirais que c'est là une possibilité très envisageable.

— Le vieux juge Justice Rag, lâchai-je.

— Que veux-tu dire ?

— L'oncle de Jim Douse n'était autre que le président Douse.

— Hammerin' Harmon ? Le type des flics à Sacramento ? Et alors ?

— Ne siégeait-il pas lors du procès de McCloskey ?

Milo réfléchit un instant.

— C'était en... 69 ? Non, Harmon était déjà parti à cette époque-là. Les mous avaient déjà pris la relève. Quand Harmon était aux commandes, la chaise électrique bourdonnait souvent.

— Même ainsi, en temps qu'ancien juge, il devait avoir gardé beaucoup d'influence. Et Arthur Dickinson était client de sa firme. Alors, et si le choix de Jacob Dutchy comme juré dans le procès de McCloskey n'avait pas été une pure coïncidence ?

— Et si, et si... Tu aimes chercher les coups tordus, mon gars.

— La vie m'a volé mon peu d'innocence naturelle.

Il sourit et coupa un morceau de steak.

— Bon, mais qu'est-ce que tout cela aurait à voir avec notre dame du lac, huh ?

— Peut-être rien. Mais pourquoi ne pas le demander à McCloskey ? Avec ce que nous savons, tu pourrais peut-être le pousser à la confidence. D'ailleurs, il a peut-être besoin de se confier. Malgré la piste de mobiles financiers complexes, ce qui est arrivé à Gina s'explique peut-être par un simple désir de vengeance. McCloskey a laissé son ressentiment mariner pendant dix-neuf ans, il a fini par craquer et a payé un type pour régler son compte à Gina.

— Je ne sais pas, dit-il. Je crois que ce type n'est pas loin du zéro absolu, point de vue mental. Et de ce que j'ai pu découvrir, il n'a pas d'associé connu. Il reste à la mission et y joue son personnage de pénitent.

— Supposons que tout soit dans le terme « jouer ». Même les mauvais acteurs peuvent s'améliorer, avec le temps.

— D'accord. Ouais, admettons. Je lui donnerai une autre chance de se confesser. Ce soir. De toute façon je ne peux pas m'occuper du côté financier de l'affaire tant que la banque n'est pas ouverte.

Joyce vint voir où nous en étions. Nos compliments la firent rosir de plaisir. Au moins quelqu'un avait gagné sa journée. Elle nous offrit le dessert et le café. Milo s'attaqua avec entrain à une double part de gâteau au chocolat.

— Super. Fabuleux... Le meilleur gâteau que j'aie jamais goûté...

Joyce vira au rouge pivoine.

Quand elle repartit enfin, il me relança :

— Bon, à ton tour, maintenant.

Je lui révélai la valeur du Cassatt.

— Deux cent cinquante mille... Sacré transfert, oui... C'est ce que t'a dit ton type ?

— Oui. Ça sent mauvais. Et je ne suis sans doute pas le seul qui soupçonne les Gabney d'agissements pour le moins discutables.

Je lui narrai ce que j'avais appris sur le compte de Kathy Moriarty.

— Une journaliste, huh ?

— Une journaliste d'investigation. D'après sa sœur, elle adorait vraiment les histoires troubles, et elle passait son temps à les rechercher. Et elle vient de Nouvelle-Angleterre, de Boston où les Gabney ont séjourné un temps. Ce qui laisse à penser qu'elle a peut-être découvert quelque chose sur eux là-bas, et qu'elle est venue à L. A. pour continuer son enquête. Elle s'est fait passer pour une agoraphobe et elle a rejoint le groupe de thérapie, afin de pouvoir espionner et récolter des détails.

— Ça se tient, estima Milo. Mais ils ont des tarifs prohibitifs. Qui aurait payé la thérapie de Moriarty ?

— Sa sœur dit que Kathy venait toujours lui emprunter de l'argent.

— Quelles sommes ?

— Je ne sais pas. Peut-être avait-elle quelqu'un derrière elle, un journal ou un éditeur. Elle a déjà écrit un livre. Mais en attendant, elle n'a pas donné de nouvelles depuis plus d'un mois. Ce qui fait deux membres d'un groupe de quatre qui ont disparu, même si dans le cas de Kathy sa sœur prétend que ce genre de disparition n'a rien d'inhabituel. Une chose est certaine : elle n'était pas agoraphobe. Donc elle devait espionner les Gabney.

— Ce qui nous amène tout droit à une deuxième embrouille financière : les Gabney extorquent Gina, plus Anger et l'avocat.

— Trois, si tu comptes Ramp et Nyquist.

— Il suffit de plonger une aiguille dans les veines de la riche dame...

— Quarante millions de dollars, ça fait des veines très faciles à piquer. Les deux seuls millions suffiraient à expliquer le tout. Je m'intéresse particulièrement aux Gabney, à cause de Kathy Moriarty. Leur déménagement de Boston à L. A... C'était peut-être une nécessité, pour éviter un scandale par exemple.

— Ou *Harvard* qui aurait voulu éviter un scandale, non ?

— Oui, ce serait une raison encore plus forte d'étouffer l'affaire. Mais d'une façon ou d'une autre Kathy Moriarty a flairé la chose et elle a décidé de suivre la piste.

Milo avala un énorme morceau de gâteau.

— D'après ce que tu m'as dit, les Gabney étaient professionnellement bien vus.

— Très bien vus, même. Leo Gabney pourrait probablement figurer dans les dix premiers noms de la liste des plus grands experts du comportement vivants. Et avec sa double formation, Ursula n'est pas n'importe qui non plus. Mais la fortune possible pour un thérapeute est limitée, si renommé soit-il. Ce boulot prend du temps, et on ne peut pas multiplier les heures payées, quel que soit le tarif. Même avec leur facturation horaire, il faudrait beaucoup de temps pour amasser de quoi acheter un Cassatt. La première fois que j'ai rencontré Leo Gabney, il m'a dit avoir perdu son fils dans un incendie. Visiblement, la douleur n'était pas éteinte. Il en voulait au juge qui avait confié la garde de leur fils à son ex-femme. Il en voulait au système légal dans son ensemble. Peut-être s'arrange-t-il de son ressentiment en défiant le système ?

— Le crime comme vengeance personnelle, soliloqua Milo. Quel pied... Et Ursula ? Elle a des motifs d'en vouloir à la terre entière ou à quelqu'un ?

— Ursula est sa protégée. D'après ce que j'ai pu constater, elle fait ce qu'il lui dit de faire. Pourtant la mort de Gina semble l'avoir beaucoup ébranlée. Il n'est pas impossible qu'elle constitue le maillon faible de la chaîne. Je voulais lui parler aujourd'hui, mais elle est partie avant que je puisse le faire.

— Sa protégée, huh ? Mais le Cassatt se trouve bien dans son bureau *à elle*, non ?

— Et si le Cassatt n'était que la partie visible de l'iceberg ?

— Une œuvre d'art pour elle, et des gros billets pour eux deux ? Mais à ces prix, deux millions de dollars ne permettent pas d'acheter beaucoup d'œuvres d'art...

— Nous nous basons exclusivement sur les dires de Glenn Anger en ce qui concerne l'argent prélevé par Gina chaque mois. Il peut avoir programmé son ordinateur pour faire apparaître les chiffres qu'il veut.

— Mais pourquoi Gina aurait-elle donné du blé aux Gabney ?

— Par gratitude, ou par dépendance. Pour les mêmes raisons qui poussent les membres d'un culte à donner tout ce qu'ils ont à leur gourou.

— Ou bien c'était un prêt...

— Possible, mais elle n'est plus là pour encaisser le remboursement...

Il se rembrunit et repoussa ce qui restait du gâteau.

— Ramp et Nyquist, les enflures en costard-cravate, et maintenant ces foutus thérapeutes. Le hit-parade des suspects... La pauvre était une victime universelle.

— Les victimes deviennent souvent universelles.

Milo posa sa serviette sur la table.

— Que sais-tu d'autre sur cette Moriarty ?

— Seulement son adresse. West Hollywood.

Je sortis de ma poche le papier que m'avait donné Jan Robbins et le lui tendis.

— Eh, nous sommes voisins... C'est à cinq ou six blocs de chez moi. Je me suis peut-être trouvé derrière elle à la caisse du supermarché.

— Je ne savais pas que tu fréquentais les supermarchés.

— C'était une image.

Il posa son attaché-case sur ses genoux, le fouilla un moment avant de brandir son carnet, sur lequel il entreprit de recopier l'adresse.

— Je peux m'y arrêter en passant, dit-il, pour voir si elle habite toujours là. Sinon, tout le reste devra attendre en ce qui la concerne, parce que j'ai déjà du pain sur la planche. Si tu veux t'en occuper, pas de problème.

— Tu m'offriras un bel attaché-case tout neuf de détective privé?

— Achète le tien, Champion. Tu entres dans l'univers de la libre entreprise.

30

Je réglai l'addition pendant que Milo bavardait avec
Joyce et la complimentait encore sur la qualité de sa cuisine, tout en compatissant aux difficultés des petits commerces et en passant avec art au sujet de Kathy Moriarty,
comme si c'était d'une grande logique. Joyce n'avait rien
de nouveau à nous apprendre, mais elle put nous donner
une description de la journaliste : un peu plus de la trentaine, taille et poids moyens, cheveux bruns coupés court,
le teint rose (« Tout à fait le genre de teint d'une Irlan-
daise »), les yeux clairs, bleus ou verts. Puis elle parut
penser en avoir trop dit et croisa les bras devant sa poitrine en adoptant un air soupçonneux :

— Pourquoi voulez-vous savoir tout ça ?

Milo l'emmena au fond de la salle, ce qui était une précaution assez inutile puisque nous étions les seuls clients,
et lui montra son badge de la police de Los Angeles, qui
pour l'instant n'avait aucune valeur. Très impressionnée,
Kathy ouvrit la bouche de surprise, mais ne fit aucun
commentaire.

— Il est très important que vous ne parliez à personne
de tout cela, dit gravement Milo. S'il vous plaît.

— Bien sûr. Est-ce qu'il y a...

— Ni vous ni personne ne court le moindre danger, la
rassura-t-il. Nous faisons simplement une enquête de routine.

— Sur cet endroit, je veux dire : la clinique ?

— Quelque chose de particulier sur cette clinique ?

— Eh bien, comme je l'ai dit à ce monsieur, c'est bizarre qu'il y ait aussi peu de gens à entrer ou sortir de là. On finit par se demander ce qu'ils font vraiment à l'intérieur. A notre époque, on peut imaginer n'importe quoi.

— Oui, sans doute.

Elle frissonna et sembla beaucoup apprécier d'être dans la confidence. Milo obtint un autre serment de silence de sa part. Nous quittâmes le restaurant et reprîmes la direction de Sussex Knoll.

— Tu penses qu'elle est capable de garder un secret? demandai-je.

— Bah, que peut-il arriver, au pire? Elle parle de ces gens qui posent des questions sur la clinique, et ça revient aux oreilles des Gabney. S'ils ne trament rien de louche, aucune réaction. Sinon, ils prendront peut-être peur et feront quelque chose de révélateur.

— Comme?

— Vendre le Cassatt, et peut-être monnayer d'autres petites choses, ce qui pourrait nous révéler qu'ils possèdent d'autres biens de Gina.

Gina. Il avait prononcé son prénom avec une familiarité implicite alors même qu'ils ne s'étaient jamais rencontrés. L'intimité d'un flic habitué aux homicides. Je pensai à toutes ces autres personnes qu'il n'avait jamais rencontrées et qu'il connaissait si bien...

— ... à mon avis, disait-il. Qu'en penses-tu?

— Ce que je pense de *quoi*?

Il eut un rire bref.

— Tu prouves que j'ai raison, Champion.

— Sur quel sujet?

— Rentrer chez toi et te reposer un peu. Tu en as besoin.

— Je vais très bien. Que disais-tu, exactement?

— Que tu devrais dormir quelques heures et te rendre à l'adresse de Moriarty demain matin. Si c'est un appartement dans un immeuble, parle au concierge ou au propriétaire si tu peux les trouver. Et aux autres locataires.

— Quelle sera ma couverture?

— Ta *quoi*?

— Ma justification pour poser des questions sur elle. Moi, je n'ai pas de badge...

— Achètes-en un, plaisanta-t-il. Sur Hollywood Boulevard, dans une de ces boutiques de costumes. Il sera aussi légal que le mien en ce moment.

— Ah ! on pourrait presque croire à de l'amertume...

Il me gratifia d'un rictus de gargouille.

— D'accord, tu veux une couverture ? Tu n'as qu'à dire que tu es un vieil ami de la Côte Est et que tu fais la tournée des anciennes connaissances. Ou que tu es un cousin, que la grande réunion annuelle du clan Moriarty approche et que personne ne semble capable de joindre cette chère Kathy. Trouve quelque chose dans ce goût-là ; tu as rencontré sa sœur, tu devrais pouvoir rendre ton mensonge plausible.

— Rien de tel qu'un petit mensonge pour donner du piment à la journée, hein ?

— Bah, c'est ça qui fait tourner le monde.

Alors que nous nous garions devant la maison, Noel Drucker sortit par la porte principale, une grosse valise à la main.

— Elle est là-haut, dans sa chambre, nous dit-il. Elle écrit.

— Quel genre de prose ?

— Quelque chose en rapport avec les deux types, le banquier et l'avocat, je crois. Elle est vraiment remontée, elle veut les poursuivre en justice.

Milo désigna la valise.

— Pour le patron ?

Noel acquiesça.

— Une idée de l'endroit où il va aller vivre ?

— A mon avis, il va rester avec nous jusqu'à ce qu'il se soit trouvé quelque part où s'installer. Avec ma mère et moi, au-dessus du Tankard. C'est à lui, de toute façon.

— Vous le lui louez ?

— Non, il nous prête l'appartement gratuitement.

— C'est plutôt sympa de sa part, commenta Milo.

— Oui, c'est vraiment quelqu'un de bien. Dommage que... — Il eut un geste fataliste de sa main libre. — Enfin bref.

— Ça doit être dur pour vous de vous trouver au milieu, dis-je.

— J'essaie de prendre ça comme un entraînement.

— Aux relations internationales ?

— Au monde réel.

Il se mit au volant de la Celica rouge et s'éloigna.

Milo observa ses feux arrière jusqu'à ce qu'ils disparaissent.

— Gentil gosse, dit-il comme s'il venait de cataloguer un spécimen en voie de disparition.

Il claqua son attaché-case contre sa cuisse et consulta sa Timex.

— Neuf heures et demie. Je vais passer quelques coups de fil. Ensuite j'irai faire un tour à la mission pour essayer de faire réagir M. Décérébré.

— Si Melissa n'a pas besoin de moi, je t'accompagne.

Il ne montra pas un enthousiasme excessif pour cette proposition.

— Et le repos ?

— Je suis trop tendu.

— D'accord, fit-il après un court silence. C'est un branque, et peut-être que ton savoir sera utile. Mais ensuite fais-moi une faveur : rentre et gare-toi au lit. A force de rouler à plein régime, tu vas te griller le moteur.

— Promis, Maman.

Melissa se trouvait dans la pièce aveugle, assise derrière le bureau et un monceau de papiers.

Elle parut presque apeurée quand nous entrâmes et se leva si brusquement qu'elle fit tomber quelques feuilles.

— Je prépare ma stratégie, annonça-t-elle. J'essaie de définir le meilleur moyen de me débarrasser de ces deux escrocs.

Milo ramassa les feuilles et les reposa sur le bureau. Elles étaient vierges.

— Et vous arrivez à quelque chose ?

— D'une certaine manière. Je crois que le meilleur moyen est de reprendre tout ce qu'ils ont fait depuis... depuis le tout début. Je veux dire les forcer à vraiment ouvrir tous leurs livres et vérifier chaque ligne, chaque chiffre. Si ça ne donne rien d'autre, ça les fera assez réfléchir pour qu'ils ne tentent plus de me dépouiller, et ainsi je pourrai me consacrer à avoir leur peau.

— L'attaque est la meilleure des défenses.

— Exactement !

Une roseur marquait ses pommettes, et ses yeux brillaient d'un éclat qui n'était pas celui de la colère. Milo l'observait avec une attention qu'elle ne remarqua pas.

— Avez-vous pu entrer en contact avec un avocat, docteur Delaware ?

— Pas encore.

— Bon, mais le plus tôt possible, d'accord ? S'il vous plaît.

— Je pourrais essayer tout de suite, répondis-je.

— Ce serait bien, oui. Merci.

Elle prit le téléphone et me le tendit.

— Je boirais bien quelque chose de rafraîchissant, annonça Milo d'un ton détaché.

Elle le regarda, puis se tourna vers moi.

— Bien sûr. Allons chercher quelque chose dans la cuisine.

Une fois seul je composai le numéro personnel de Mal Worthy, dans Brentwood. J'eus droit au message d'un répondeur récité par sa troisième épouse. Je commençais à laisser un message quand Mal décrocha.

— Alex ? J'allais justement t'appeler ! J'ai une affaire juteuse qui pointe son nez : deux psychologues qui se séparent, avec trois gosses vraiment paumés... Mon client est la femme, et le tout se présente comme une bagarre à couteaux tirés pour la garde des petits.

— Ça a l'air appétissant.

— Tu parles ! Dans cinq semaines à peu près, ça collerait avec ton emploi du temps ?

— Je ne l'ai pas sous les yeux, mais pour une date aussi éloignée je ne vois pas de problème, a priori.

— Parfait. Tu vas adorer ça. Ces deux-là sont les gens les plus dingues que j'aie rencontrés. Et quand on imagine qu'ils s'occupent de ce qui se passe dans la tête des autres... Euh, tu fais quoi comme profession, au fait ?

— Parlons plutôt de *ta* profession, dis-je. J'ai besoin que tu me recommandes quelqu'un.

— Pour ?

— Une propriété, des droits de succession...

— Litige entre personnes ou traitement de texte ?

— Peut-être les deux.

Je lui résumai la situation de Melissa et lui communiquai ses coordonnées.

— Suzy LaFamiglia, dit-il aussitôt. Si ta cliente ne voit pas d'inconvénient à ce que ce soit une femme.

— Ça devrait lui convenir.

— Je dis ça parce que tu serais étonné de savoir le nombre de gens qui ont toujours ce genre d'idées : pas de femme, pas de gens issus des « minorités », comme ils disent. Ils y perdent, parce que Suzy est la meilleure. Expert comptable et diplômée en droit, elle a travaillé pour une des plus grosses agences comptables et elle y a amené plus d'affaires que tout autre associé jusqu'à ce qu'ils retardent un peu trop son partenariat parce qu'elle n'est pas née blanche. Elle les a attaqués en justice, a eu gain de cause et a utilisé l'argent gagné pour suivre une formation juridique complémentaire. C'est une spécialiste des litiges. Elle s'est fait une réputation en travaillant pour les gens du cinéma et en parvenant à soutirer de l'argent aux studios. Dans les situations où les sommes en jeu sont vraiment importantes, c'est votre homme.

Il rit de son propre trait d'esprit.

— Elle a l'air d'être parfaite pour ma cliente, dis-je.

Il me donna un numéro de téléphone.

— C'est à Century City East. Elle occupe tout un étage dans une des tours. Je te rappellerai pour notre petite affaire. Tu vas adorer nos deux petits thérapeutes, ils sont toutes griffes dehors. Je les ai surnommés les Paradocs. Très approprié, non ?

Il rit un peu plus, avec une évidente satisfaction.

J'omis de lui dire que j'avais déjà entendu cette blague.

Milo réapparut sans Melissa, une boîte de Diet Coke à la main.

— Elle est dans la salle de bains, m'annonça-t-il. Elle vomit.

— Que s'est-il passé ?

— Elle a craqué. Elle a recommencé son speech guerrier, qu'il fallait avoir la peau de ces salopards, etc. Je lui ai dit un truc, et paf, elle s'est mise à pleurer et à avoir des haut-le-cœur.

— Je t'ai vu l'observer comme un inspecteur. Ensuite tu l'as fait sortir pendant que je téléphonais. Pourquoi ?

Il parut un peu embarrassé.

— Alors ?

— D'accord. J'ai l'esprit mal tourné. C'est pour ça qu'on me paie aussi... — Après une hésitation, il se lança : je ne voulais pas qu'elle sorte, je voulais la voir seule. Pouvoir l'observer de plus près, sans les interférences que peut créer pour elle ta présence. Parce que son attitude m'ennuyait, à ce moment. Et je me suis mis à penser qu'on avait négligé une possibilité, dans notre petite discussion à table. Une possibilité plutôt moche, mais il arrive que ce soient les plus importantes...

— Melissa ? dis-je en sentant ma gorge se serrer à cette idée.

Il fit mine de se détourner mais arrêta son mouvement et me regarda droit dans les yeux.

— C'est la seule héritière, Alex. Quarante millions de dollars. Et elle a prouvé qu'elle est prête à se battre pour ses quarante millions avant même que le corps ne soit froid.

— Il n'y a pas de corps, rappelai-je un peu sèchement.

— Façon de parler, tu m'as très bien compris.

— Et ça vient de te traverser l'esprit comme ça, maintenant ?

L'air maussade, il secoua la tête.

— J'avais plus ou moins ça en tête depuis le début. Déformation professionnelle : quand il y a de l'argent en jeu, cherchez qui en profiterait. Mais j'ai écarté cette hypothèse, peut-être même que je ne voulais pas y penser du tout.

— Milo, *elle se bat* parce qu'elle canalise sa douleur dans la colère. Elle prend l'offensive pour ne pas se laisser broyer par la situation. Je lui ai appris à agir de cette façon, durant sa thérapie. Et en théorie, c'est toujours une bonne manière de supporter une épreuve.

— Possible, maugréa-t-il. Tout ce que je veux dire, c'est que dans une situation normale je me serais intéressé à elle plus tôt.

— Tu n'es pas sérieux ?

— Eh ! je n'ai pas dit que je pensais la chose *probable*,

seulement que c'était une piste que nous avions omise. Non, pas *nous : moi*. C'est moi qui ai l'habitude de penser au pire. Mais pas dans ce cas. Ça ne se serait pas passé de la même manière si j'avais bossé pour la ville.

— Eh bien, tu ne bosses pas pour la ville, dis-je avec une pointe d'humeur. Alors pourquoi tu ne t'offrirais pas une petite vacance pour ce genre de réflexions ?

— Eh ! range ton flingue.

— De toute façon, c'est impossible. Elle était là quand sa mère a disparu.

— Mais le jeune Drucker en a peut-être eu. Où était-il ?

— Je ne sais pas.

Il approuva d'un hochement de tête, mais sans satisfaction. — De ce que j'ai pu constater, il est tellement accro qu'il lui mangerait dans la main. Et c'est lui qui est chargé de l'entretien des automobiles. Il sait parfaitement bien comment fonctionne la Rolls. Gina aurait pu le prendre en chemin, ça ne fait aucun doute. Et toi-même, tu m'as dit qu'il avait déclenché ton sixième sens de psy, non ?

— Je n'ai pas dit que j'avais décelé des tendances psychopathes chez lui.

— Okay.

— Oh ! non, Milo, pas ça...

— Ce n'est pas quelque chose que je veux croire, Alex. J'aime bien ce garçon, et je travaille toujours pour Melissa, n'oublie pas. Elle m'a juste semblé un peu trop... dure à cuire, tout à l'heure. Elle répétait sans arrêt qu'elle aurait la peau de ces salopards. Dans la cuisine, je lui ai dit un truc comme : « On dirait que vous êtes impatiente de commencer », tu vois le genre, et elle a craqué. Je m'en suis voulu de l'avoir mise dans cet état, mais d'un autre côté je ne le regrette pas vraiment. Parce qu'elle recommençait à se conduire comme une gamine. Si j'ai fait quelque chose d'anti-thérapeutique, toutes mes excuses.

— Non, répondis-je, si sa réaction était aussi rapide, elle se serait produite tôt ou tard.

— Ouais...

Aucun de nous n'osait formuler ses pensées : et si c'était vrai ?

Brusquement je me sentis épuisé et je m'assis dans un fauteuil près de la table du téléphone. J'avais encore en main le papier portant le numéro de téléphone de Suzy LaFamiglia.

— Je viens de lui trouver un avocat. Une femme. Solide. Combative. Qui aime affronter le système.

— Elle m'a l'air du modèle adéquat.

— Elle m'a l'air d'être ce que Melissa pourrait bien devenir.

31

Quand Melissa revint dans la pièce hexagonale, elle ne ressemblait que de très loin à une adulte. Les épaules voûtées et la démarche ralentie, elle entra dans la bibliothèque en se tapotant le coin des lèvres avec un mouchoir en papier. Je lui donnai le numéro de l'avocat, et elle me remercia d'une voix très douce.

— Vous voulez que je l'appelle pour vous? proposai-je.

— Non, merci. Je le ferai. Demain.

Je la fis asseoir derrière le bureau. Elle posa un regard vague sur Milo, lui adressa un faible sourire.

Milo lui répondit d'un autre sourire puis contempla fixement sa boîte de soda. Je ne savais pas pour lequel des deux je compatissais le plus.

Melissa soupira et posa son menton sur sa main.

— Comment vous sentez-vous? lui demandai-je.

— Je ne sais pas... Tout est tellement... J'ai l'impression d'être... Je ne sais pas.

J'effleurai son épaule dans un geste de sympathie.

— Qui suis-je en train de tromper en prétendant les combattre? dit-elle. Je ne suis rien. Qui m'écouterait?

— Les combattre, c'est le travail de votre avocat, répondis-je. Pour l'instant, vous devriez vous concentrer sur vous-même et votre bien-être.

Après un long moment, elle dit simplement :

— Vous devez avoir raison.

Un autre silence, puis elle ajouta :

— Je suis vraiment seule.

— Il y a beaucoup de gens autour de vous, Melissa.

Milo regardait le sol devant lui.

— Non, je suis vraiment seule, répéta-t-elle d'un ton d'étonnement étrange, comme si elle avait traversé un labyrinthe pour déboucher sur un gouffre infranchissable.

— Je suis fatiguée, dit-elle. Je crois que je vais aller dormir un peu.

— Voulez-vous que je reste avec vous ?

— Je veux dormir *avec* quelqu'un. Je ne veux pas être seule.

Milo posa sa boîte de soda et quitta la pièce.

Je restai avec Melissa et lui prodiguai quelques paroles réconfortantes qui ne semblèrent pas avoir beaucoup d'effet.

Milo revint bientôt, accompagné de Madeleine. La respiration de l'employée était heurtée, et elle paraissait inquiète, mais le temps de traverser la pièce jusqu'à Melissa et elle était devenue toute tendresse. Elle se campa devant la jeune fille et lui caressa les cheveux. Melissa se laissa faire et Madeleine se baissa un peu pour la presser contre elle.

— Nous dormirons ensemble. Allons-y.

Dans la voiture, alors que nous nous éloignions, Milo prit enfin la parole :

— D'accord, je suis un salaud sadique avec les gosses.

— Alors tu ne penses pas qu'elle simulait quand elle a craqué ?

Il freina brutalement alors que nous arrivions au bas de l'allée, et se tourna vers moi.

— Bordel, qu'est-ce que ça veut dire, Alex ? Tu remues ce putain de surin dans la plaie ?

Il montrait les dents et le projecteur accroché dans les pins les colorait en jaune. Pour la première fois depuis toutes ces années, il me faisait *peur*. J'avais l'impression d'être un suspect.

— Non, dis-je. Non, je suis sérieux. Elle n'aurait pas pu feindre ?

— Ouais, maintenant tu veux dire qu'elle serait *psychopathe* ?

Il criait à présent, et frappait le volant du plat de la main.

— Je ne sais pas ce que je dois penser ! rétorquai-je sur le même ton. Tu me balances tes théories sans prévenir !

— Je croyais que c'était l'idée !

— L'idée, c'était d'aider !

Il avança le visage vers moi comme s'il s'agissait d'une arme. Ses yeux lancèrent des éclairs un instant, et soudain il se détendit et se laissa mollement aller contre son siège. Il se passa une main ouverte sur le visage en soupirant.

— Et merde, mais on se fait une vraie scène...

— Le manque de sommeil, sûrement, dis-je encore ébranlé par la violence de l'échange.

— Mouais, sûrement... Alors, tu as enfin décidé d'aller te reposer ?

— Non.

— Moi non plus, fit-il avec un petit rire satisfait. Désolé de t'avoir sauté dessus comme ça.

— Aussi désolé que toi. Bon, si on passait l'éponge ?

Il reposa ses mains sur le volant et se remit à conduire. Lentement, avec des trésors de prudence. Il ralentissait à chaque croisement, même s'il n'y avait pas de stop, et il regardait à droite et à gauche, jetait un œil dans le rétroviseur. Pourtant les rues étaient désertes.

— Alex, dit-il alors que nous avions atteint Cathcart, je crois que je ne suis pas taillé pour ce boulot de privé. Ça manque trop de structure, et les limites sont trop floues. J'ai essayé de me persuader que j'étais différent, mais c'est de la foutaise. Je suis le-bon-soldat-qui-fonce, comme n'importe qui d'autre dans le Département. Il me faut un monde eux-contre-nous.

— Qui est ce « nous » ?

— Les méchants en bleu. J'adore être le méchant.

Je songeai à l'univers qu'il avait affronté durant des années, celui auquel il se mesurerait de nouveau dans quelques semaines : et d'autres policiers l'avaient mis temporairement dans le camp des « eux », malgré tous les « eux » qu'il avait mis hors d'état de nuire...

— Tu n'as rien fait de critiquable, dis-je. J'ai réagi

sans réfléchir, comme son protecteur. Tu aurais fait preuve de négligence si tu n'avais pas considéré la possibilité qu'elle soit suspecte. Et ce serait faire preuve de négligence de ne pas continuer à retenir cette hypothèse, si les indices tendent dans cette direction.

— Les indices... Nous n'en avons pas trop, pour l'instant...

Il me parut prêt à en dire plus, mais la bretelle d'accès à la voie rapide apparut et il se concentra sur la conduite de la Porsche, qu'il fit accélérer. La circulation était assez fluide mais restait suffisamment bruyante pour se substituer à toute conversation.

Nous atteignîmes la mission peu après dix heures, et Milo gara la voiture à une cinquantaine de mètres. L'air sentait l'asphalte, les ordures et le vin, avec d'étonnantes effluves florales qui semblaient apportées par la brise, comme si les quartiers chics avaient envoyé sur les ailes du vent un échantillon de foyers et de jardins plus agréables.

La façade de la mission était baignée par un éclairage cru. Ajoutée au clair de lune, cette lumière teintait d'un blanc blafard l'ensemble. Cinq ou six hommes en haillons étaient attroupés devant l'entrée. Ils écoutaient ou faisaient semblant d'écouter deux hommes en costume de ville.

Alors que nous nous rapprochions je vis que les deux hommes avaient une trentaine d'années. L'un était grand et mince, les cheveux blonds coupés court, et arborait une moustache curieusement noire dont les pointes tombantes encadraient la bouche. Il portait des lunettes à montures argentées, un costume d'été gris et des bottines noires. Je notai que les manches de son veston étaient un peu trop courtes, découvrant des poignets épais. Il tenait en main un paquet de Winston et un calepin identique à celui de Milo.

L'autre homme était petit, trapu, avec un visage imberbe de poupon, une bouche et des yeux étroits. Coiffé à la Richie Valens, il était vêtu d'un blouson bleu et d'un pantalon gris. C'est surtout lui qui parlait.

Les deux hommes se tenaient de profil, et ne nous avaient pas vus arriver.

Milo s'adressa au plus grand :

— Tiens, Brad...

L'homme se retourna et dévisagea Milo sans rien dire. Quelques-uns des sans-abri l'imitèrent. L'homme d'apparence hispanique se tut, regarda son collègue, puis Milo. Comme s'ils venaient d'être relâchés, les sans-abri s'éloignèrent peu à peu.

— Minute, les gars, dit le blond.

Les autres se figèrent en marmonnant. Le blond jeta un coup d'œil interrogateur à son acolyte.

L'homme que Milo avait appelé Brad creusa les joues, puis acquiesça.

— Par là, les gars, fit le grand en repoussant les sans-abri d'un geste.

Le blond les suivit du regard jusqu'à ce qu'ils se soient assez éloignés, puis il se retourna vers Milo.

— Sturgis. Ça tombe bien...

— Ah ouais ?

— J'ai appris que tu étais déjà passé ici. Ce qui fait de toi quelqu'un à qui j'ai envie de parler.

— Pas possible ?

L'inspecteur fit passer son paquet de cigarettes d'une main dans l'autre.

— Deux visites en une seule journée. Quelle attention... Tu es payé à l'heure ?

— On va où, là ? rétorqua Milo.

— Pourquoi un tel intérêt pour McCloskey ?

— Ce que je t'ai dit il y a deux jours.

— Refais-moi donc ton numéro.

— La femme qu'il a défigurée a disparu. Définitivement. Sa famille aimerait savoir s'il n'existe pas un rapport avec certains épisodes du passé.

— Que veux-tu dire, « disparue définitivement » ?

Milo lui raconta l'épisode de Morris Dam.

Le blond resta impassible mais sa main se crispa sur le paquet de cigarettes. S'en apercevant il eut une moue irritée et défroissa le cellophane du bout des doigts.

— Dommage, dit-il. La famille doit être secouée.

— Ils ne prévoient pas de faire la fête dans l'immédiat, c'est vrai.

Le blond s'autorisa un sourire crispé.

— Tu l'as déjà bousculé deux fois. Pourquoi vouloir recommencer ?

— Les deux premières fois, il n'avait pas grand-chose à dire.

— Et tu t'es dit que tu pourrais peut-être le convaincre d'être plus bavard.

— Quelque chose comme ça.

— Quelque chose comme ça...

Le blond jeta un coup d'œil à son acolyte qui parlait à voix basse aux sans-abri.

— Alors, Brad ? fit Milo.

— Alors..., répéta le blond en effleurant d'un doigt la monture de ses lunettes. Alors peut-être que la situation se complique un peu...

Il se tut et contempla Milo. Comme ce dernier ne disait rien, il pêcha une cigarette dans le paquet et la coinça entre ses lèvres.

— Et il semblerait qu'on doive bavarder un peu...

Une autre pause pour voir la réaction de l'intéressé.

Au loin s'élevait le grondement de la voie rapide. Plus loin dans la rue monta un bruit de bris de glace. Le collègue de Brad le blond continuait de sermonner les sans-abri qui écoutaient sans grand enthousiasme.

— On dirait bien que McCloskey s'est retrouvé dans une situation très désagréable, dit enfin le blond.

Et il regarda fixement Milo.

— Quand ça ?

Brad fouilla une des poches de son pantalon comme si la réponse s'y trouvait. Il en sortit un briquet et alluma sa cigarette. Le halo de la flamme fit de son visage un masque étrange.

— Il y a deux heures, à peu près.

Il m'observa à travers la fumée, comme si sa dernière phrase entérinait ma présence.

— Un ami de la famille, indiqua Milo.

Le blond continuait de me fixer d'un regard impénétrable, tout en inhalant et exhalant la fumée sans ôter la cigarette de sa bouche. Il avait eu son diplôme de stoïcisme avec mention.

Milo décida de faire les présentations :

— Dr Delaware, inspecteur Bradley Lewis, de la Division centrale des homicides.

Lewis fit deux ronds de fumée, sans hâte.

— Un médecin, tiens donc...

— Médecin de famille, pour être précis.

— Ah.

Je m'efforçai de prendre un air doctoral.

— Comment est-ce arrivé, Brad ? dit Milo.

— Quoi ? Tu es payé pour rapporter les bonnes nouvelles à la famille ?

— Ça ne la ramènera pas, mais ouais, je doute qu'ils prennent le deuil pour McCloskey. Alors, comment est-ce arrivé ?

Lewis parut hésiter un instant avant de répondre :

— Une petite rue à quelques blocs au sud-est d'ici, dans la zone industrielle entre San Pedro et Alameda. Auto contre piéton, victoire de l'auto au premier round, par K.O. total.

— Si c'est un accident avec délit de fuite, pourquoi êtes-vous sur l'affaire ?

— Quel fin limier tu fais, ironisa froidement Lewis. Tu n'as jamais fait ton boulot de policier ?

Il ponctua le sarcasme d'un sourire glacé.

Milo ne répondit pas.

Lewis tira une bouffée sur sa cigarette.

— D'après les premières constatations, dit-il, le chauffeur n'a pris aucun risque. Les gars du labo sont formels : la voiture a renversé McCloskey, lui est passée dessus puis a fait marche arrière pour un petit bonus. Jusqu'à en faire de la pizza.

Il se tourna vers moi, ôta la cigarette de sa bouche et me décocha un rictus carnassier.

— Médecin de famille, hein ? Vous donnez l'air de quelqu'un de civilisé, mais parfois les apparences sont trompeuses, n'est-ce pas ?

Je lui répondis d'un sourire et son rictus s'agrandit, comme si nous venions de partager une plaisanterie irrésistible.

— Docteur, dit-il en allumant une autre cigarette à la première qu'il jeta dans la rue d'une pichenette, vous n'auriez pas utilisé votre BMW ou votre Mercedes pour mettre un terme aux souffrances du pauvre Mr. McCloskey, par hasard ? Cinq minutes de confession et nous pouvons tous rentrer chez nous.

— Désolé de vous décevoir, dis-je sans me départir de mon sourire.

— Bon sang, maugréa Lewis, je hais les énigmes.

— La voiture était une allemande ? fit Milo.

Lewis regarda ses pieds d'un air concentré, en soufflant la fumée par le nez.

— Tu joues à quoi, là ? A l'enquête télévisée ?

— Il y a une raison pour que tu ne me répondes pas, Brad ?

— Plusieurs, même. Un, tu es un civil...

Milo attendit, imperturbable.

— Et deux, tu pourrais même être suspect...

— Bon, à moi de te poser la question : à quoi tu joues ? Tu te crois dans un roman d'Agatha Christie ?

Il riva son regard à celui de Lewis. Ils étaient à peu près de la même taille, mais Lewis rendait une bonne vingtaine de kilos à Milo. L'inspecteur tira sur sa cigarette sans répondre.

Milo murmura un seul mot, quelque chose comme « Gonzales ».

Lewis cilla. Entre ses lèvres, la cigarette baissa dans une pose molle avant de remonter quand il crispa les mâchoires.

— Écoute, Sturgis, je n'ai pas l'intention de m'emmerder avec cette affaire. Au minimum, il y a conflit d'intérêts, et nous pourrions très bien faire une petite descente à Pasadena pour parler de tout ça à la *famille*.

— La *famille*, comme tu dis, se résume à une fille de dix-huit ans qui vient d'apprendre la mort de sa mère et qui n'a même pas de corps à enterrer parce que ce corps se trouve au fond d'un putain de réservoir. Le shérif attend qu'il remonte à la surface pour...

— Raison de plus...

— Quand ça se produira, le cadavre sera gonflé comme un ballon. Très marrant pour elle d'identifier sa mère dans cet état, huh, Brad ? En attendant, elle est restée chez elle ces derniers jours. Il y a des tonnes de témoins, donc ce n'est pas elle qui a pu écraser l'autre loque, et elle n'a pas mis de contrat sur lui non plus. Mais si tu crois utile d'aller jouer le Grand Méchant Inspecteur là-bas, ne te gêne surtout pas. Tu t'arrangeras avec son avocat, c'est le neveu du président Douse, si le nom te dit quelque chose. La hiérarchie adore qu'on prenne des initiatives.

Lewis tira sur sa cigarette, l'ôta de sa bouche et la contempla comme s'il s'agissait d'une curiosité.

— Si l'enquête prend cette direction, tu peux parier tes bijoux de famille que j'irai là-bas, dit-il, mais le ton manquait de conviction.

— Ne te gêne pas, Brad.

L'autre inspecteur avait terminé de parler aux sans-abri. Il fit un geste pour les congédier et le groupe se dispersa, certains entrant dans la mission, les autres s'éloignant dans la rue. Il nous rejoignit.

— Je te présente le célèbre Milo Sturgis, dit Lewis entre deux bouffées.

L'autre garda une expression fermée.

— Le champion poids lourd de L.A. Ouest, ajouta Lewis. Celui qui a tenu un round devant Frisk...

Après une seconde de perplexité, le visage de l'autre s'illumina, et une moue de dégoût déforma aussitôt ses traits. Ses petits yeux sombres se posèrent sur moi.

— Et voici le médecin de famille, poursuivit Lewis. Une famille qui s'intéressait à notre cadavre. Peut-être pourrait-il examiner ton genou, Sandy.

L'autre ne parut pas entendre la plaisanterie. Il boutonna son blouson et quand il se tourna vers Milo il aurait aussi bien pu contempler un cadavre.

— Esposito, huh ? fit Milo. Tu as bossé à Devonshire, non ?

— Tu es déjà venu ici pour parler au défunt, rétorqua Esposito. De quoi ?

— De rien. Il n'a pas voulu parler.

— Ce n'est pas ce que je te demande, dit Esposito d'un ton sec. De quoi voulais-tu qu'il te parle ?

Milo marqua un temps avant de répondre, pour se calmer ou choisir ses termes.

— De son éventuelle implication dans le décès de la mère de ma cliente.

Esposito ne parut pas avoir entendu.

— Qu'est-ce que tu as à nous dire ? cracha-t-il.

— A dix contre un, je parierais que tout ça se résume à un truc idiot. Interroge les habitués de la mission et essaie de trouver le dernier que McCloskey a escroqué sur sa commande d'herbe.

— Garde tes conseils, siffla Esposito. Je veux des renseignements.

— Comme dans une énigme ?

— C'est ça.

— Je crains de ne pas pouvoir t'aider, conclut placidement Milo.

— La théorie de trafic d'herbe ne tient pas, Sturgis, intervint Lewis. Les résidents de la mission n'ont pas de véhicule.

— Mais ils trouvent de petits boulots de temps à autre, répliqua Milo. Comme chauffeur-livreur, par exemple. Ou bien McCloskey a croisé quelqu'un qui n'a pas aimé sa tête. Il faut reconnaître qu'il n'était pas très beau.

Lewis fuma sa cigarette sans faire de commentaire.

— Très amusant, lâcha Esposito avant de se tourner vers moi. Vous avez quelque chose à ajouter ?

— Non.

— Que pourrait-on dire ? fit Milo. Vous vous retrouvez avec une énigme, pour changer.

— Et tu n'as aucun élément qui nous permettrait de la résoudre, cette énigme ?

— Vos hypothèses sont aussi bonnes que les miennes. Enfin, peut-être pas *aussi* bonnes, mais je suis sûr que vous allez tout faire pour les améliorer.

Sur ces mots, Milo marcha en direction de l'entrée de la mission. Je voulus le suivre, mais Lewis se plaça devant moi pour me couper la route.

— Une minute, Sturgis, dit-il.

Milo se retourna et fronça les sourcils.

— Qu'est-ce que tu viens faire ici, maintenant ? interrogea Lewis.

— Je pensais voir le prêtre, dit Milo. Le moment est venu d'une petite confession.

— Sûrement, railla Esposito, et la barbe du prêtre aura le temps de pousser avant que tu aies fini.

Lewis laissa échapper un petit rire forcé.

— Ce n'est peut-être pas le meilleur moment, dit-il à Milo.

— Je ne vois pas de cordon de police, Brad.

— Ce n'est peut-être pas le meilleur moment quand même...

Milo mit les mains sur ses hanches.

— Tu veux dire que l'accès à la mission est restreint parce que le décédé a campé là, mais que les sans-abri peuvent y entrer et en sortir sans problème ? Harmon Junior va adorer ça, Brad. La prochaine fois qu'il rencontrera le Grand Chef, ils vont bien rire de cette blague.

— Ça fait combien, trois mois ? Et tu te comportes déjà comme un foutu civil...

— Foutaises, Brad. C'est toi qui deviens brusquement *prudent*.

— Nous n'avons pas à écouter ces conneries, pesta Esposito en déboutonnant son blouson.

Lewis le retint d'un geste, jeta sa cigarette sur le trottoir et la regarda brasiller une seconde.

— Laisse tomber, ordonna-t-il avec assez de mauvaise humeur pour qu'Esposito ne réponde pas. Allez.

J'avançai et Milo posa la main sur la porte.

— Ne foutez pas la merde, grinça Lewis, et ne vous mettez pas dans nos pattes. Je suis sérieux, Milo. Je me fous de savoir combien d'avocaillons tu as dans la poche, compris ?

Milo ouvrit la porte. Avant qu'elle ne se referme, j'entendis Esposito murmurer un mot :

— *Maricón.*

Puis il eut un rire très agressif, et très forcé.

Un poste de télévision était allumé dans la grande salle commune. Les héros d'une série policière quelconque s'agitaient sur l'écran devant une quarantaine de paires d'yeux éteints.

— Thorazine-Ville, dit Milo d'une voix glaciale.

La colère comme thérapie...

Nous avions traversé la moitié de la salle quand le Père Tim Andrus apparut, poussant devant lui une énorme Thermos à bec posée sur une table roulante. Des gobelets en plastique étaient entassés sur l'étagère inférieure de la table, dans leur emballage transparent. Le prêtre portait une chemise olive terne et un jean délavé.

En nous voyant il se renfrogna. Les roues de la table ne cessaient de tourner et il progressait en louvoyant entre les rangées de sans-abri. Il s'arrêta près du poste de télévision et se pencha pour parler à l'un des hommes. C'était un gamin d'à peine vingt ans au regard fou et aux vêtements trop étroits. Son visage avait gardé les rondeurs de la jeunesse, mais ses cheveux gras et sa peau abîmée niaient toute innocence.

Le prêtre lui parla lentement, avec une infinie patience. Le jeune homme se leva et entreprit d'ôter le film plastique entourant un paquet de gobelets. Ses doigts tremblaient. Il emplit un gobelet au bec verseur de la Thermos et le porta à ses lèvres. Posant une main sur son bras, Andrus arrêta son geste avec douceur.

Le prêtre sourit au jeune homme et se remit à lui parler en guidant son bras pour présenter le gobelet à un homme assis près de là. Celui-ci le prit. Le jeune homme hésita, puis laissa le gobelet à l'autre. Tout en lui expliquant paisiblement ce qu'il attendait de lui, Andrus lui donna un autre gobelet à remplir. Quelques sans-abri avaient quitté leur siège et convergeaient vers le duo. Une file d'attente se forma naturellement.

Le jeune homme commença la distribution, et le prêtre vint vers nous.

— S'il vous plaît, partez. Je ne peux rien pour vous.

— Juste quelques questions, mon Père...

— Je regrette, monsieur... Je ne me rappelle plus votre nom, mais il n'y a absolument rien que je puisse faire pour vous, et je vous serais très reconnaissant de partir.

— Mon nom est Sturgis, mon Père, et vous ne l'avez pas oublié : je ne vous l'ai jamais donné.

— Non, vous ne me l'avez pas donné, mais la police l'a fait il y a peu. Et ils m'ont également révélé que vous n'étiez pas de la police...

— Jamais dit que j'étais de la police, mon Père.

Les oreilles d'Andrus rosirent. Il se tripota la moustache avec une certaine nervosité.

— Non, je suppose que vous ne l'avez pas dit, mais vous l'avez laissé sous-entendre. Je suis confronté à la déception toute la journée, monsieur Sturgis, cela fait partie de ma tâche. Mais cela ne signifie pas que j'apprécie la déception.

— Désolé, dit Milo. Je voulais...

— Les excuses ne sont pas nécessaires, monsieur Sturgis. Vous pouvez montrer vos remords en quittant ce lieu et en me laissant m'occuper de ces pauvres gens.

— Cela aurait-il fait une différence, mon Père ? Si je vous avais avoué que j'étais flic en congé ?

La surprise marqua une seconde les traits du prêtre.

— Qu'est-ce qu'ils vous ont raconté, mon Père ? dit aussitôt Milo. Que j'avais été viré de la maison ? Que j'étais un pécheur invétéré ?

La colère fit rougir Andrus.

— Je... Ça ne servirait à rien de rentrer dans des considérations... extérieures au sujet, monsieur Sturgis. Ce qui importe, c'est que je ne peux plus rien pour vous. Joel est mort.

— Ça, je le sais, mon Père.

— Il est mort comme est mort tout intérêt que vous pourriez porter à cette mission.

— Vous n'auriez pas une petite idée sur le responsable de sa mort ?

— Cela vous importe vraiment ?

— Pas du tout, mais cela pourrait m'aider à comprendre pourquoi Mrs. Ramp est morte.

— Pourquoi elle... Oh !...

Andrus ferma les yeux puis les rouvrit, très vite. Avec un soupir douloureux, il porta la main à son front.

— Je... Je ne savais pas. Je suis désolé.

Milo lui rapporta ce qui s'était passé au réservoir de Morris Dam, dans une version plus longue et moins crue que celle donnée à Lewis.

La mine peinée, Andrus se signa.

— Mon Père, dit Milo, Joel vous a-t-il dit quoi que ce soit qui pourrait laisser penser qu'il avait repris contact avec Mrs. Ramp ou un membre de son entourage ?

— Non, absolument pas. — Il observa un moment la distribution de café. — Je suis désolé, monsieur Sturgis, mais je ne puis poursuivre cette conversation. Tout ce qu'a pu me dire Joel est couvert par le secret de la confession. Le fait qu'il ne soit plus n'y change rien.

— Bien sûr, mon Père. Je ne revenais le voir que pour une seule raison : la fille de Mrs. Ramp se débat avec la perte de sa mère. Ce n'est qu'une gosse, mon Père. Et une orpheline totale, à présent. Et elle se voit confrontée à la solitude. Rien de ce que vous pourrez dire ou faire n'y changera rien, j'en suis bien conscient, mais toute lumière que vous pourriez jeter sur ce qui est arrivé à sa mère pourrait sans doute l'aider à affronter la vie qu'elle va maintenant mener. Du moins c'est ce qu'affirme son thérapeute.

— Oui, sans doute, dit Andrus. Pauvre enfant... Mais non, je ne peux l'aider.

— C'est-à-dire, mon Père?

— Je ne sais rien, monsieur Sturgis. Joel ne m'a jamais rien dit qui pourrait soulager le chagrin de cette pauvre enfant. Et même s'il m'avait dit quelque chose, je ne serais pas en droit de vous le répéter. Donc c'est sans doute mieux qu'il ne m'ait rien confié. Je suis désolé, mais c'est comme ça.

— Uh-huh... fit Milo.

Andrus secoua la tête et se tapota le front de son poing fermé.

— Ce n'était pas très clair, n'est-ce pas? La journée a été dure et je perds un peu de ma cohérence quand je suis fatigué... — Il regarda de nouveau dans la direction de la Thermos de café. — Je crois que j'aurais besoin d'un peu de ce poison qu'on distribue. On y met beaucoup de chicorée, mais on n'a pas lésiné sur la caféine non plus. Ça aide les gens à supporter la désintoxication. Si cela vous dit, servez-vous.

— Non, merci, mon Père. Je ne vous retiendrai qu'une minute encore. D'après vous, qui aurait pu faire ça?

— La police semble penser que c'est un de ces « incidents » qui se produisent parfois dans les quartiers défavorisés.

— Et vous êtes d'accord avec cette explication?

— Il n'y a pas de raison pour que ce ne soit pas vrai, je suppose. J'ai vu tant de choses qui n'ont pas de sens...

— Y a-t-il quelque chose dans la mort de McCloskey qui n'a pas de sens, d'après vous?

— Non, pas vraiment, répondit Andrus en surveillant la distribution de café.

— McCloskey avait-il un motif de se trouver dans la zone où il s'est fait écraser, mon Père?

— Non, pas que je sache. Il n'était pas sorti faire une course pour la mission. Je l'ai dit à la police. Certains ici parcourent à pied des distances étonnantes, quand on connaît leur condition physique. On dirait presque que le fait de bouger leur permet de se prouver qu'ils sont toujours en vie. L'illusion d'un but, peut-être, alors même qu'ils n'ont nulle part où aller...

— La première fois que nous sommes venus ici, j'ai eu l'impression que Joel quittait rarement la mission.

— En effet.

— Donc ce n'était pas un de ces étonnants promeneurs dont vous venez de parler.

— Non, pas vraiment.

— A-t-il fait d'autres sorties dont vous êtes au courant?

— Non, pas vraiment...

Andrus se tut. Ses oreilles rougeoyaient.

— Qu'y a-t-il, mon Père?

— Ça va sans doute vous paraître très laid, mais quand j'ai appris ce qui s'était passé j'ai d'abord pensé qu'un membre de la famille — de la famille de Mrs. Ramp — avait décidé de la venger, après toutes ces années, et qu'il l'avait attiré à l'extérieur d'une façon ou d'une autre pour lui tendre une embuscade mortelle.

— Pourquoi donc, mon Père?

— Ils avaient des raisons de lui en vouloir. Et l'utilisation d'un véhicule m'a semblé une façon très... particulière de faire. Parce qu'il n'y a pas besoin d'approcher la victime, de la sentir ou de la toucher.

Le prêtre détourna encore le regard, mais cette fois en hauteur, vers le crucifix.

— Honteuses pensées, monsieur Sturgis, et je n'en suis pas fier. J'étais tellement en colère... Tous les espoirs que j'avais mis en lui et maintenant... Et puis je me suis rendu compte que c'était une réaction irréfléchie, très cruelle, et pour tout dire assez égoïste. Soupçonner des gens innocents qui ont eu plus que leur lot de souffrances... Je n'avais pas le droit de faire ça. Et maintenant que vous m'avez dit, pour Mrs. Ramp, je me sens encore plus...

Il secoua la tête, l'air accablé.

— Avez-vous fait part de vos soupçons aux inspecteurs ?

— Ce n'étaient pas vraiment des soupçons, en fait, seulement une... pensée momentanée, une réaction peu charitable sous le choc de la nouvelle. Non, je ne leur en ai rien dit. Mais eux m'ont demandé si un membre de la famille de Mrs. Ramp était venu ici. Je leur ai dit que vous seuls étiez venus.

— Comment ont-ils réagi quand vous leur avez annoncé mon passage ?

— Je n'ai pas eu l'impression qu'ils l'aient pris très au sérieux. D'ailleurs je n'ai pas l'impression qu'ils aient pris toute cette affaire au sérieux. Ils semblaient seulement lancer des questions au hasard. J'ai eu le sentiment qu'ils n'allaient pas passer beaucoup de leur temps sur ce cas.

— Pourquoi ce sentiment ?

— A cause de leur attitude. J'en ai l'habitude. La mort est un visiteur fréquent ici, mais qui ne donne pas beaucoup d'interviews au journal télévisé de six heures... — Il eut une moue mécontente. — Voilà que je me remets à juger. Et il y a tant à faire ici. Veuillez m'excuser, monsieur Sturgis.

— Bien sûr, mon Père. Merci de nous avoir consacré tout ce temps. Si vous pensez à quelque chose, n'importe quel détail qui pourrait aider l'enfant, n'hésitez pas à me contacter.

Une carte de visite apparut dans la paume de Milo. Il la tendit au prêtre, et avant que celui-ci l'empoche je l'entrevis. Vélin blanc, avec le nom de Milo en caractères gras, souligné du simple mot « ENQUÊTES ». Son numéro de téléphone personnel et le code d'appel de son bip étaient inscrits dans le coin inférieur droit de la carte.

Milo remercia Andrus encore une fois. Le prêtre semblait embarrassé.

— J'en suis désolé mais ne comptez pas trop sur moi, monsieur Sturgis. Je vous ai dit tout ce que je pouvais.

— « Je vous ai dit tout ce que je *pouvais*, » et pas « tout ce que je *savais*, » répétai-je alors que nous marchions vers la voiture. A mon avis, McCloskey s'est confié à lui, en confession ou pour demander conseil. De toute façon, tu ne tireras plus rien de lui.

— Ouais... Moi aussi, ça m'est arrivé de me confier à un prêtre...

Alors que nous roulions vers San Labrador, je posai la question qui me tournait dans la tête depuis un certain temps déjà :

— Qui est Gonzales ?

— Huh ?

— Ce que tu as dit à Lewis. Ça a eu l'air de faire son petit effet...

— Ah oui... Bah, de l'histoire ancienne. Et c'est Gonzal-*ves*. Lewis travaillait à L.A. Ouest quand il était encore en uniforme. Le genre universitaire qui a tendance à se croire plus malin que les autres. Gonzalves est une affaire qu'il a bousillée. Violence domestique qu'il a traitée par-dessus la jambe. La femme voulait que son mari soit bouclé, mais Lewis a cru pouvoir tout régler grâce à ses connaissances : il a suivi une formation en psychologie. Il est allé voir le mari, a joué au psy et est reparti persuadé que son petit laïus avait tout arrangé. Une heure plus tard, le mari a découpé sa femme au rasoir. Lewis n'était qu'un bleu à l'époque, il ne jouait pas au dur. J'aurais pu ruiner sa carrière, mais j'ai préféré édulcorer le rapport pour ne pas le couler, et je le lui ai dit. Après ça il s'est endurci, et il est devenu plus prudent. Il n'a pas fait de grosse connerie depuis, du moins je ne lui en connais pas. Il est passé inspecteur après quelques années, et a été transféré à la Division centrale.

— Il n'a pas l'air trop reconnaissant.

— Ouais, c'est souvent comme ça... La première fois que je l'ai contacté, pour situer McCloskey et la mission, il était froid, mais correct. Après mon petit show télé avec Frisk, je n'en espérais pas tant. Ce soir il faisait son petit cinéma. Il jouait au dur de série Z pour impressionner ce petit trou-du-cul de macho avec qui il bosse.

— « Nous » contre « eux », dis-je.

Il ne répondit pas, et je regrettai d'avoir abordé le sujet. Pour alléger l'ambiance, je passai à autre chose :

— Jolie carte de visite, j'ai vu. Quand les as-tu fait faire ?

— Il y a deux jours. Impression instantanée dans un centre commercial sur La Cienega, avant de prendre la voie rapide. Une boîte de cinq cents cartes pour une misère. Ça, c'est de l'investissement.

— Montre.

— Pour ?

— En souvenir. Ça pourrait bien devenir un objet de collection.

Il eut une grimace goguenarde, fouilla dans sa poche et me donna une carte de visite.

Je l'étudiai et fis claquer un ongle sur le bord du petit rectangle.

— Très classe.

— J'aime bien le vélin, dit-il. On peut toujours s'en servir comme cure-dents.

— Ou comme marque-page dans un livre.

— Il y a encore mieux, comme utilisation. On peut construire des petits châteaux avec ces cartes. Ensuite on les détruit en soufflant. Le pied.

32

De retour dans Sussex Knoll, il se gara derrière la Seville.

— Et maintenant, que vas-tu faire ? lui demandai-je.

— Un bon somme, un petit déj'comack, et ensuite je m'occupe des filous de la finance.

Il fit gronder le moteur de la Porsche.

— Et pour McCloskey ?

— Je n'avais pas l'intention d'aller aux funérailles.

Il continuait de faire rugir le moteur, tout en pianotant sur le volant.

— Une idée de qui a pu le tuer, et pour quelle raison ?

— Tu as tout entendu à la mission.

— Okay.

— Okay.

Trente secondes plus tard, la Porsche avait disparu.

Mon foyer me parut petit, et accueillant. Le minuteur avait éteint l'éclairage du bassin et il faisait trop sombre pour voir dans quel état se trouvaient les œufs. J'allai m'écrouler dans la chambre et dormis dix heures d'affilée. Je m'éveillai le lundi matin avec à l'esprit Gina Ramp et Joel McCloskey qui de nouveau étaient liés par la souffrance et la terreur.

Existait-il un lien entre le réservoir de Morris Dam et ce qui s'était passé dans l'allée, ou McCloskey n'avait-il été qu'une victime supplémentaire de la misère et de la bêtise humaines ?

Assassinat par voiture. Je me pris à penser à Noel Drucker. Il avait accès à beaucoup d'automobiles, et tout le temps libre nécessaire. Ses sentiments pour Melissa étaient-ils assez forts pour l'écarter aussi radicalement du droit chemin ? Et en l'admettant, avait-il agi de son propre chef, ou sous l'influence de la jeune fille ?

Et qu'en était-il de Melissa ? L'imaginer autrement qu'en orpheline désemparée telle que Milo l'avait dépeinte aux deux inspecteurs me rendait malade. Mais j'avais vu sa colère, et comment elle l'avait canalisée dans sa volonté de vengeance contre Anger et Douse.

Je la revis dans les bras de Noel, sur le lit. Le plan signant l'arrêt de mort de McCloskey avait-il été défini dans une semblable étreinte ?

Je changeai de sujet.

Ramp. S'il n'avait pas causé la mort de Gina, il avait très bien pu la venger...

Ses raisons de haïr McCloskey ne manquaient pas. Il avait pu conduire lui-même la voiture tueuse, ou payer quelqu'un pour le faire.

Todd Nyquist aurait été parfait pour ce petit travail. Personne n'aurait pu établir de connection entre un surfeur bodybuildé de la partie ouest de L.A. et la mort d'un clochard à demi débile dans un quartier industriel.

Autre possibilité : Noel avait servi de tueur motorisé à Ramp, et non à Melissa.

Et toutes ces hypothèses étaient peut-être fausses.

Je m'assis sur le bord du lit.

Une image passa devant mes yeux.

Les cicatrices sur le visage de Gina.

Je pensai à la prison sans barreau où McCloskey l'avait précipitée pour le restant de sa vie.

Pourquoi perdre du temps à découvrir la raison de sa mort ? Son existence avait constitué un cas d'école de déchéance sociale, physique et mentale. A part le Père Andrus, qui le regretterait ? Et les sentiments du prêtre tenaient probablement plus de l'abstraction théologique que de l'attachement humain.

Milo avait eu raison de classer la chose.

Je me torturais le cerveau au lieu de réfléchir à la meilleure façon de me rendre utile.

Je me levai, m'étirai et lançai « Bon débarras » au mur pour me convaincre.

Ensuite je mis pantalon, chemise et cravate, choisis une veste en tweed léger et pris la voiture jusqu'à West Hollywood.

L'adresse dans Hilldale que m'avait donnée la sœur de Kathy Moriarty m'amena entre Santa Monica Boulevard et Sunset. La maison était une boîte en stuc sans grâce, jaune comme un vieux journal et abritée derrière une haie non taillée. Le toit plat était bordé de tuiles espagnoles peintes en noir. Le travail semblait celui d'un amateur, car la couleur originale perçait çà et là sous la peinture mal appliquée.

La haie s'interrompait à l'accès d'une allée dont l'asphalte luttait contre les mauvaises herbes et qui était occupée par une Oldsmobile jaune vieille d'une vingtaine d'années. Je me garai de l'autre côté de la rue, traversai la chaussée puis une pelouse dure et sèche. Quatre pas me suffirent pour atteindre les trois marches en ciment menant à un porche. Trois adresses en lettres de métal noires étaient clouées à la droite de la porte en planches grises. Un morceau de ruban adhésif jauni comme les murs couvrait le bouton de la sonnette, et un bristol portant FRAPPER écrit au stylo rouge était coincé entre la cloison et le support de la sonnette. Je suivis l'instruction et fus récompensé quelques secondes plus tard par une voix masculine qui me grogna d'attendre une seconde.

— Ouais ? fit-elle derrière la porte.

— Je m'appelle Alex Delaware et je cherche Kathy Moriarty.

— Ah ouais ?

Je songeai au subterfuge suggéré par Milo, décidai que je n'étais pas doué pour ce genre d'artifice et optai pour une vérité partielle :

— Sa famille ne l'a pas revue depuis un certain temps.

— Sa famille ?

— Sa sœur et son beau-frère, Mr. et Mrs. Robbins, à Pasadena.

La porte s'ouvrit. Un jeune homme tenant plusieurs pinceaux dans une main me détailla de la tête aux pieds, sans montrer de surprise ou de méfiance. L'œil de l'artiste jaugeant les lignes du modèle.

Agé d'environ trente ans, il était grand, solidement bâti, avec des cheveux bruns coiffés en arrière en queue de cheval. Les traits de son visage lourd étaient pourtant très doux sous un front bas et des sourcils proéminents. L'ensemble était quelque peu simiesque — plus gorille que chimpanzé —, impression renforcée par des sourcils fournis et charbonneux qui se rejoignaient à la racine du nez et une pilosité qui semblait relier son début de barbe aux poils de sa poitrine. Il portait un débardeur noir estampillé du logo rouge d'un célèbre producteur de skate-boards, un ample short orange et vert à fleurs, et des sandales de plage en plastique. Ses bras étaient couverts d'une toison sombre qui s'arrêtait au coude. Au-dessus la peau était imberbe, blanche et frémissait sur des muscles qui auraient aisément retrouvé un tonus de sportif mais qui pour l'instant semblaient détendus. Une tache de peinture bleu ciel marquait son biceps gauche.

— Désolé de vous déranger, dis-je.

Il considéra un moment ses pinceaux, puis m'étudia de nouveau.

Je sortis mon portefeuille et lui tendis la carte de visite que m'avait donnée Milo la nuit dernière.

Il la lut avec attention, sourit, me contempla un instant avant de me la rendre.

— Je croyais vous avoir entendu dire que vous vous appeliez Del-quelque chose?

— C'est Sturgis qui dirige l'enquête. Je travaille avec lui.

— Un privé? fit-il avec un rictus amusé. On ne dirait pas, enfin vous ne ressemblez pas à ceux qu'on voit à la télé. Mais je suppose que c'est le but de la manœuvre, non? Passer inaperçu.

Je répondis d'un sourire.

Il m'examina encore quelques secondes.

— Un avocat, dit-il enfin. Mais un avocat de la défense, pas de l'accusation. Ou alors un prof. C'est le rôle que je vous attribuerais, moi, Marlowe.

— Vous travaillez dans le cinéma?

— Non, fit-il en riant et en se caressant la lèvre inférieure d'un des pinceaux. Quoique, d'une certaine façon, c'est un peu ça. En fait, j'écris. — Un autre éclat de rire. — Comme tout le monde dans cette ville, pas vrai ? Mais pas des scénarios, heureusement !

Son rire éclata de nouveau, monta dans les aigus jusqu'à la limite de la manifestation d'hystérie, puis s'éteignit d'un coup.

— Vous avez déjà écrit un scénar ? demanda-t-il.

— Non.

— Vous gagnez du temps. Ici tout le monde a une propriété flashante. Sauf moi. Pour vivre, je fais du graphisme. Du photoréalisme à l'aérographe, pour des produits commerciaux. Pour m'amuser, je fais de l'art-*art*. Ma petite liberté. — Il agita les pinceaux. — Et pour rester *sain d'esprit*, j'écris. Des nouvelles, des essais postmodernes. J'en ai eu deux ou trois de publiés dans le *Reader* et dans *Weekly*. Des fictions basées sur l'ambiance urbaine, comment la musique et l'argent et tout ce qui passe à L.A. font réagir les gens. Les différents traits de caractère que L.A. façonne chez ses habitants.

— Intéressant, dis-je sans parvenir à y mettre beaucoup de conviction.

— Ouais, fit-il joyeusement, comme si vous en aviez quelque chose à foutre, hein ? Vous voulez juste faire votre boulot et rentrer vous glisser dans votre lit, pas vrai ?

— Il faut bien s'occuper.

— Oh ouais ! dit-il.

Il transféra les pinceaux de sa main droite à la gauche et me tendit la première.

— Richard Skidmore.

Nous échangeâmes une poignée de main franche, puis il recula d'un pas.

— Entrez.

L'intérieur de la petite maison résumait les constructions d'avant-guerre : des pièces exiguës sentant le café instantané et les plats préparés, la marijuana et l'essence de térébenthine. Murs en placo, passages au sommet arrondi, appliques assez laides et sans ampoule. La tablette en brique d'une cheminée était encombrée de bûches synthétiques encore dans leur emballage transparent. Le mobilier provenait à l'évidence de magasin d'occasions et comprenait quelques meubles de jardin en tubulures chromées ou en plastique moulé. L'art et ses ustensiles — toiles à différents stades, pots et tubes de peinture, pinceaux trempant dans des cruches — étaient visibles partout, sauf aux murs. Un chevalet dans une gangue de peinture multicolore trônait au centre du salon, entouré de feuilles froissées, de crayons brisés et de bouts de fusains. Une table à dessin et une chaise réglable occupaient ce qui aurait pu être le coin repas, avec un aérographe et son compresseur.

Les murs étaient nus à l'exception d'une feuille de papier fort épinglée au-dessus de la cheminée. Au centre, trois lignes tracées d'une calligraphie soignée :

Le Jour du fléau,
Le Crépuscule du ver géant,
La Nuit des morts-vivants.

— Mon roman, expliqua Skidmore. C'est à la fois le titre et le début. Le reste viendra quand ça viendra. Ça a toujours été comme ça pour moi, mais après tout, ça n'a pas non plus gêné les deux derniers présidents, pas vrai ?

— Avez-vous rencontré Kathy Moriarty par votre travail ? demandai-je.

— Boulot-boulot, pas vrai, Marlowe ? Combien vous paie Boss Sturgis pour que vous soyez aussi consciencieux ?

— C'est variable.

— Excellent ! dit-il en souriant. *Évasif.* Vous savez, c'est vraiment super que vous vous pointiez comme ça. C'est pour ça que j'aime tant L.A. : vous ne savez jamais à quel moment un *archétype* va venir frapper à la porte...

Un autre regard d'artiste jaugeant les proportions du modèle. Je commençai à me sentir aussi humain qu'une nature morte.

— Je crois bien que je vais vous mettre dans mon prochain truc, dit-il en dessinant une ligne imaginaire dans l'air. « Le Privé : Les choses qu'Il voit et les Choses qui *Le* voient. »

Il souleva d'une chaise plusieurs toiles tendues sur leur

bâti et couvertes de taches abstraites, les laissa tomber sur le sol sans cérémonie.

— Asseyez-vous.

Pendant que je m'exécutais, lui-même se percha en face de moi sur un tabouret en bois.

— C'est super, répéta-t-il. Merci d'être passé me voir.

— Kathy Moriarty vit-elle ici ?

— Son appart est derrière, le garage aménagé.

— Qui est le propriétaire ?

— Moi, fit-il non sans quelque orgueil. J'ai hérité de mon grand-père. Un vieil homo, Papy, et pour ça il a fait de la résidence surveillée. Pas de descendant direct. Il a réapparu vingt ans après la mort de Grand-Mère, et je suis le seul de la famille qui ne l'aie pas rejeté. Alors, quand il est mort, il m'a tout légué : la maison, la bagnole, une centaine d'actions d'IBM. Un bon deal, pas vrai ?

— Mrs. Robbins dit ne pas avoir vu Kathy depuis plus d'un mois. Quand l'avez-vous vue pour la dernière fois ?

— Marrant, lâcha-t-il.

— Quoi donc ?

— Que sa sœur engage quelqu'un pour la rechercher. Elles ne s'entendaient pas très bien, du moins à ce qu'en disait Kathy.

— Et vous savez pour quelle raison ?

— Modes de vie différents, choc des cultures, c'est sûr. Kathy disait que sa sœur était une Madame Propre de Pasadena. Le genre à dire « uriner » et « déféquer »...

— Alors que Kathy...

— Exactement.

Je lui demandai à nouveau quand il avait vu Kathy pour la dernière fois.

— A la même époque que Madame Propre. Il y a un mois à peu près.

— Et quand a-t-elle payé son loyer pour la dernière fois ?

— Le loyer, c'est cent dollars par mois. Un vrai gag, pas vrai ? Jamais pu me mettre dans la peau d'un proprio.

— Et elle vous a réglé cent dollars quand ?

— Au début.

— Au début de quoi ?

— De notre association. Elle était tellement contente de trouver quelque chose aussi bon marché — parce qu'en plus elle peut utiliser toutes les commodités ici, vu que je n'ai pas voulu me prendre la tête à séparer les installations —, elle m'a donné dix mois de loyers d'avance dès le premier jour. Elle a donc payé jusqu'à décembre.

— Dix mois... Elle a donc emménagé ici en février ?

— Je crois... Oui, c'est bien ça. Juste après le jour de l'An, j'ai fait une soirée dans le garage, avec un tas d'artistes, d'écrivains et de pique-assiette. C'est après, en nettoyant, que j'ai décidé de louer un garage et de garder l'autre comme débarras, pour ne pas être tenté de refaire une soirée où j'entendrais autant de débilités.

— Kathy était une des invitées de cette soirée ?

— Pourquoi l'aurait-elle été ?

— Elle est écrivain.

— Non, je ne l'ai rencontrée qu'*après* la soirée.

— Comment cela s'est-il passé ?

— J'avais passé une annonce dans le *Reader*. C'est elle qui a répondu la première, et j'ai bien aimé comment elle était : directe, pas de chichi, un vrai non-sens pour une saphite.

— Une saphite ?

— Comme à Lesbos.

— Elle est homosexuelle ?

— Bien sûr, répondit-il avec un grand sourire. Tss-tss, on dirait que Sœur Madame Propre ne vous a pas tout dit...

— Il semblerait, en effet.

— Comme j'ai dit, le choc des cultures... Ne soyez pas choqué, Marlowe, nous sommes à West Hollywood. Ici, tout le monde est homo, ou vieux, ou les deux. Ou comme moi. Je suis chaste jusqu'à ce qu'une créature hétérosexuelle, monogame et intéressante se pointe. — Il tiraillait un instant sur sa queue de cheval. — Ne vous méprenez pas, je suis très conservateur. Il y a encore deux ans je possédais vingt-six chemises et quatre paires de mocassins. Et ça — nouveau tiraillement sur sa queue de cheval — c'est juste pour être mieux accepté par les voisins. J'ai déjà fait tomber les prix aux alentours, parce que je ne leur permets pas de tout raser pour construire une série d'apparts avec jacuzzi et tout le bataclan.

— Kathy avait une liaison ?

— Je n'ai rien remarqué, et à mon avis la réponse est « non ».

— Pourquoi donc ?

— Elle affiche une personnalité de mal-aimée. Comme quelqu'un qui vient de sortir d'une liaison pénible et qui ne veut plus courir de risques. Je ne dis pas ça à cause de ce qu'elle a dit, vu que nous nous sommes peu rencontrés, et peu parlé. J'aime dormir autant que je peux, et elle est absente presque tout le temps.

— Absente aussi longtemps ?

— C'est la première fois, dit-il après un instant de réflexion, mais d'habitude elle est souvent partie à droite ou à gauche. Je veux dire, il n'est pas rare qu'elle soit absente pendant une semaine. Alors vous pouvez dire à sa sœur qu'elle va probablement bien. Elle doit faire quelque chose que Miss Pasadena n'aimerait pas entendre.

— Comment savez-vous qu'elle est homosexuelle ?

— Ah ! où sont les indices, hein... Eh bien, pour commencer, à cause de ce qu'elle lit. Des magazines pour lesbiennes. Elle les achète régulièrement, j'en ai retrouvé plusieurs dans la poubelle. Et le courrier qu'elle reçoit.

— Quelle sorte de courrier ?

Un sourire tranquille fleurit sur son visage.

— Eh ! allez pas croire que je l'ai lu, hein, ce serait illégal, pas vrai ? Mais il arrive que le facteur mette le courrier pour le garage dans ma boîte aux lettres, parce qu'il ne sait pas qu'il y a un appartement de l'autre côté ; ou alors il ne fait pas le tour simplement parce qu'il ne veut pas se fatiguer. Bref, beaucoup des enveloppes que j'ai vues ont le sigle d'organisations homosexuelles. Alors, qu'est-ce que vous pensez de mon don de déduction ?

— Après un mois, vous devez en avoir ramassé pas mal...

Il se leva, alla dans la cuisine et revint quelques secondes plus tard avec un paquet d'enveloppes de diverses tailles que réunissait un gros élastique. Il l'ôta, passa en revue chaque lettre avant de me tendre le tout.

Je les regardai brièvement et les comptai. Onze.

— Pas un très gros courrier, en un mois, dis-je.

— Je vous l'ai dit : une mal-aimée.

J'inspectai le courrier. Huit des enveloppes étaient visiblement des mailings. Pour les trois autres, deux émanaient d'associations pour l'aide aux malades du sida ; sans doute des demandes de don. La troisième enveloppe était blanche, de format commercial, et d'après l'oblitération elle avait été postée trois semaines plus tôt à Cambridge, dans le Massachusetts. L'adresse était dactylographiée, et dans le coin supérieur gauche figuraient les coordonnées de l'expéditeur : *Mouvement homosexuel contre la discrimination, Massachusetts Street, Cambridge.*

Je sortis un stylo, me rendis compte que je n'avais rien où noter l'adresse et finis par la recopier au verso d'un ticket de caisse de station-service.

L'air amusé, Skidmore m'observait.

Plus pour lui faire plaisir que pour toute autre raison, je tournai plusieurs fois l'enveloppe entre mes doigts. Enfin je la lui rendis.

— Alors, qu'avez-vous découvert ? s'enquit-il.

— Pas grand-chose. Que pouvez-vous me dire d'autre sur elle ?

— Elle est brune, avec une coiffure hommasse. Les yeux verts, un visage en forme de patate. Elle s'habille assez large.

— A-t-elle un emploi ?

— Pas que je sache, mais ce n'est pas impossible.

— Elle n'en a jamais parlé ?

— Non.

Il bâilla, se massa un genou, puis l'autre.

— En dehors d'être écrivain, précisai-je.

— Ce n'est pas un emploi, Marlowe : c'est une vocation.

— Avez-vous jamais lu ce qu'elle écrit ?

— Bien sûr. Les deux premiers mois, nous n'avons pas discuté du tout, mais quand nous avons découvert que nous avions la même muse, nous avons bavardé et nous nous sommes montré nos « œuvres » réciproques.

— Que vous a-t-elle montré ?

— Son album de coupures de presse.

— Vous vous souvenez de son contenu ?

Il croisa les jambes puis se gratta une cheville avec beaucoup d'application.

— C'est quoi, ce que vous êtes en train de faire ? Vous essayez d'avoir une image du sujet ?

— Exactement. Quel genre d'articles avait-elle collectés dans son album ?

— Vous ne faites pas donnant-donnant, hein ? dit-il, mais sans ressentiment.

— Je ne sais rien sur elle, Richard. C'est pourquoi je vous pose toutes ces questions.

— Est-ce que ça fait de moi un mouchard ?

— Pas un mouchard, une source.

— Aha !

— Alors, cet album ?

— Je n'ai fait que le feuilleter, dit-il avant de bâiller de nouveau. Il n'y a que des articles, des trucs qu'elle a écrits.

— Des articles sur quels sujets ?

— Je n'ai pas lu très attentivement. Ça m'a eu l'air trop pragmatique, sans invention.

— Et je pourrais voir cet album ?

— Vous voulez savoir si c'est possible ?

— Je voudrais savoir si vous avez la clef de l'appartement.

Il fit mine de s'offusquer.

— Ce ne serait pas une violation de la vie privée, ça, Marlowe ?

— Que diriez-vous de rester juste derrière moi pendant que je lis l'album ?

— Ça ne résout pas le côté illégal de l'intrusion...

— Écoutez, fis-je en m'efforçant de paraître grave, c'est sérieux. Elle est peut-être en danger.

Il ouvrit la bouche et je sus qu'il allait se défiler par un trait d'humour quelconque. Je le pris de vitesse :

— Je ne plaisante pas, Richard.

Il ferma la bouche et resta immobile quelques secondes. Je le regardai fixement pendant qu'il se grattait un coude, puis les genoux.

— Vous êtes sérieux, pas vrai ?

— Très sérieux, oui.

— Ça n'a rien à voir avec le remboursement, hein ?

— Le remboursement de quoi ?

— De l'argent qu'elle doit. Elle m'a dit avoir beaucoup emprunté à sa sœur et ne rien avoir remboursé, et que le mari de sa sœur le prenait très mal. Il bosse dans la finance, je crois.

— Mr. Robbins est avocat, dis-je. Lui et sa femme sont ennuyés que Kathy ne les ait pas remboursés, c'est exact. Mais ce n'est plus ce qui les préoccupe. Kathy n'a pas donné de nouvelles depuis trop longtemps, Richard.

Il se gratta encore un peu avant de répondre.

— Quand vous m'avez dit que vous travailliez pour sa sœur, j'ai cru que ça avait à voir avec ses dettes.

— Eh bien, ce n'est pas le cas, Richard. Quel que soit leur différend, sa sœur se fait du souci pour Kathy, et moi aussi. Je ne peux pas vous en dire plus, mais Mr. Sturgis considère que cette disparition est prioritaire.

Il défit sa queue de cheval et secoua la tête. Ses cheveux s'étalèrent sur sa nuque et les côtés de son visage. Ils étaient épais et brillants, très bien entretenus. J'entendis ses vertèbres cervicales craquer pendant le mouvement. Une mèche se colla sur sa bouche et il se mit à en mâcher l'extrémité en m'observant d'un air songeur.

— Vous voulez juste y jeter un coup d'œil, pas vrai ? dit-il.

— C'est ça, Richard. Vous pourrez me surveiller tout le temps.

— Bon, ça marche, fit-il. Pourquoi pas, hein ? Au pire ça me fera une expérience pour un de mes écrits, et si elle s'en rend compte et qu'elle fait du foin, je lui dirai d'aller crécher ailleurs.

Il se leva et secoua une fois encore sa chevelure dont il semblait très fier.

— Restez ici, Marlowe, me dit-il comme je me mettais debout moi aussi.

Il passa dans la cuisine et revint presque aussitôt avec un classeur à couverture orange contenant peu de feuilles.

— Elle vous l'a laissé ? dis-je.

— Mouais, elle a oublié de le reprendre quand elle me l'a passé pour que j'y jette un coup d'œil. Quand je m'en suis souvenu, elle était déjà partie, alors je l'ai mis dans un coin. Elle ne me l'a jamais réclamé. Nous avions oublié tous les deux. A mon avis, ça veut dire que ce truc n'est pas si important pour elle, pas vrai ? En tout cas c'est l'argument que je lui sortirai si jamais elle me fait un scandale.

Il retourna s'asseoir sur le tabouret, ouvrit le classeur et se mit à tourner les pages. Il profitait un peu de son trésor, comme il l'avait fait pour le courrier.

— Tenez, fit-il enfin en me donnant le classeur. Ça n'a pas l'air très passionnant...

J'ouvris le classeur. Il contenait une quarantaine de feuilles noires doublées de plastique transparent. Des articles de journaux proprement découpés étaient glissés de chaque côté des feuilles, et tous semblaient porter le nom de Kathleen Moriarty. Le classeur possédait une poche à l'intérieur de la couverture. J'y glissai deux doigts. Vide.

Les articles étaient rangés par ordre chronologique. Les premiers remontaient à une quinzaine d'années et étaient extraits du *Daily Collegian* de Cal State Fresno. Puis venait une collection de coupures issues du *Fresno Bee* et couvrant une période de sept ans. Ensuite les articles étaient extraits du *Manchester Union Leader* et du *Boston Globe*. Les dates indiquaient que Kathy Moriarty n'avait collaboré à chacune de ces publications de Nouvelle-Angleterre que pendant une année environ.

Je revins aux premiers articles et les lus en diagonale. Pour la plupart, ils traitaient de sujets d'intérêt général et très souvent local : portraits de célébrités, relations de débats municipaux. Des articles d'été sur les animaux familiers. Aucune trace de journalisme d'investigation jusqu'à ce que Moriarty travaille au *Globe* : une série d'articles sur la pollution dans le port de Boston et un exposé détaillé des cruautés infligées aux animaux dans un laboratoire de recherches pharmaceutiques à Worcester, mais le tout ne semblait pas être allé très loin.

Le dernier article était une critique de son ouvrage *La Terre empoisonnée* parue dans le *Hartford Courant*. Petite publication. Le critique appréciait son enthousiasme mais relevait une documentation insuffisante.

Je fouillai le rabat au dos du classeur et en tirai plusieurs articles pliés. Skidmore contemplait ses pieds et n'avait rien remarqué. Je dépliai les articles et les lus.

Cinq coupures datées de l'année dernière et toutes issues d'une publication nommée *The GALA Banner* et sous-titrée : « La lettre mensuelle du Mouvement homosexuel contre la discrimination, Cambridge, Mass. »

La signature était devenue *Kate* Moriarty, avec le titre de collaboratrice rédactionnelle.

Ces textes étaient emplis de rage ; contre la domination des mâles, le sida, le pénis utilisé comme une arme, la misogynie. A ce dernier article était épinglé un entrefilet de presse.

— Bientôt fini ? bâilla Skidmore.

— Encore un instant.

Je lus le petit article de presse. Découpé dans le *Globe*, une fois de plus, et vieux de trois ans. Non signé. Ce n'était en fait qu'une de ces relations de fait divers que les journaux utilisent comme bouche-trous en page intérieure :

« MORT D'UN MÉDECIN PAR SURDOSE.

(CAMBRIDGE). La mort d'un médecin-psychiatre de Harvard semble être due à l'ingestion accidentelle ou voulue d'une dose massive de barbituriques. Le corps d'Eileen Wagner, 37 ans, a été découvert ce matin dans son cabinet du département de psychiatrie du Beth Israel Hospital, sur Brooklyn Avenue. Selon les premières constatations, la mort se serait produite pendant la nuit. La police n'a fait aucune déclaration sur les circonstances du décès, sinon que le Dr Wagner souffrait de "problèmes personnels". Diplômée de Yale et de l'université de médecine de Yale, le Dr Wagner a suivi une formation au Western Pediatric Medical Center de Los Angeles et a travaillé à l'étranger avec la World Health Organisation avant de venir à Harvard l'année dernière pour y étudier la psychiatrie de l'enfant et de l'adolescent. »

Je coulai un regard en direction de Skidmore. Il avait fermé les yeux. Je glissai l'article dans ma poche.

— Merci, Richard, dis-je en refermant le classeur. Et maintenant, si nous allions visiter cet appartement ?

Il rouvrit les yeux, et ses sourcils formèrent un V inversé.

— Juste pour être sûr, ajoutai-je.

— Sûr de quoi ?

— Qu'elle ne se trouve pas à l'intérieur. Blessée, ou pire.

— Impossible, déclara-t-il en dissimulant mal son anxiété. Impossible, Marlowe.

— Comment pouvez-vous être aussi affirmatif ?

— Je l'ai vue partir en voiture, il y a un mois. Avec sa Datsun blanche. Vous devez pouvoir retrouver l'immatriculation, faire des recherches, non ?

— Et si elle est revenue sans sa voiture ? Vous pourriez ne pas avoir remarqué son passage. Vous avez dit vous-même que vous ne vous voyiez pas souvent.

— Non, dit-il. Ce serait trop bizarre.

— Pourquoi ne pas nous en assurer, Richard ? Vous pouvez me regarder faire, comme pour le classeur.

Le V inversé des sourcils se fit plus prononcé, puis la barrière pileuse revint à l'horizontale. Il me dévisagea une seconde, puis se leva.

Je le suivis dans une cuisine minuscule et sombre. Il prit un trousseau de clefs dans un fouillis indéfini et poussa la porte arrière. Celle-ci donnait sur une cour exiguë terminée par un double garage. Les portes étaient du vieux modèle, à charnières verticales. Des portes individuelles avaient été découpées au centre de chacune.

— Celui-ci, dit Skidmore en indiquant celle de gauche.

La porte-dans-la-porte était verrouillée.

— C'est illégal de convertir un garage en local d'habitation, mais vous n'allez pas me dénoncer, Marlowe, hein ?

— Juré-craché.

Avec un petit sourire satisfait, il chercha les bonnes clefs dans le trousseau. Soudain il devint grave et se figea.

— Que se passe-t-il, Richard ?

— Ça ne sentirait pas ? Si elle était...

— Ça dépend, Richard. On ne peut jamais dire.

Un autre sourire, beaucoup moins détendu.

— Il y a une chose qui m'étonne, dis-je. Si vous pensiez que j'étais venu pour relancer Kathy à propos de ses dettes, pourquoi m'avoir laissé entrer ?

— C'est simple, dit-il. Ça me fait une expérience à utiliser dans mes écrits.

L'appartement de Kathy Moriarty mesurait six mètres sur six et sentait toujours le garage. Le sol avait été recouvert de carrés ocre de linoléum, les murs de Placoplâtre blanc. Un matelas deux places était posé directement sur le sol, sa couverture repoussée au pied révélant un drap taché par la sueur. Le reste du mobilier se résumait à une table de chevet en bois, une table ronde à dessus en Formica et trois chaises métalliques aux siège et dossier décorés de motifs hawaiiens jaunes. Dans un des coins de la pièce se trouvait une plaque de cuisson sur un support de métal, dans un autre, des toilettes en fibres de verre guère plus grandes que celles d'un avion. Audessus de la plaque, une étagère sur équerres supportait quelques assiettes et des ustensiles de cuisine. De l'autre côté de la pièce, contre le mur, se dressait le squelette en aluminium d'une penderie. Quelques jeans et des chemises pendaient aux tubulures horizontales.

Une chose était sûre : Kathy Moriarty n'avait pas dépensé l'argent prêté par sa sœur en décoration d'intérieur. Et j'avais une petite idée de la destination de ces sommes.

— Oh ! merde, murmura Skidmore.

Il avait pâli et se grattait le crâne avec frénésie.

— Qu'y a-t-il ?

— Ou bien quelqu'un s'est introduit ici, ou bien elle a déménagé sans me prévenir.

— Qu'est-ce qui vous le fait penser ?

Il écarta les bras avec une soudaine agitation. Le gamin qui a du mal à se concentrer et qui s'efforce de parler clairement.

— Ça n'était pas comme ça quand elle était là. Elle avait des bagages, plusieurs valises, un sac à dos... et ce grand coffre qui lui servait de table basse... — Il regarda autour de lui. — Là. Et il y avait des piles de bouquins dessus, près du matelas.

— Quel genre de livres ?

— Je ne sais pas, je n'ai jamais regardé les titres... Mais je suis sûr que ce n'était pas comme ça.

496

— Quand avez-vous vu cet endroit inchangé pour la dernière fois ?

Ses doigts s'étaient emmêlés dans ses cheveux, et il se grattait mécaniquement.

— Juste avant que je ne la voie partir dans sa Datsun. Ça doit faire cinq ou six semaines. C'était le soir. Je lui ai amené son courrier, et elle était assise là, avec les pieds sur la malle. La malle était là, c'est sûr. Il y a cinq semaines. Ou six.

— Vous savez ce que contenait cette malle ?

— Non. Je croyais qu'elle était vide, mais pourquoi quelqu'un emporterait-il une malle vide, pas vrai ? Donc la malle n'était certainement pas vide. Et si elle a déménagé, pourquoi a-t-elle laissé ses vêtements et sa vaisselle ?

— Bien raisonné, Richard.

— C'est vachement bizarre...

Nous avançâmes dans la pièce. Je me mis à décrire des cercles avant de voir quelque chose sur le sol, près du matelas. Des pincées de bourre. Je me penchai et passai la main le long du matelas. Un peu plus de bourre s'en échappa, et mes doigts trouvèrent la coupure dans la toile, droite et aussi nette qu'un coup de scalpel.

— C'est quoi ? demanda Skidmore.

— On a tailladé la housse du matelas.

— Oh ! merde.

Il ne bougea pas tandis que je m'agenouillai, écartai les côtés de l'entaille pour regarder à l'intérieur. Rien. J'examinai les alentours du matelas. Rien non plus.

— Eh bien ? fit Skidmore.

— Ce matelas est à vous ou à elle ?

— A elle. Ça signifie quoi, d'après vous ?

— Il semblerait que quelqu'un s'est montré très curieux. A moins qu'elle n'ait caché quelque chose à l'intérieur du matelas. Elle possédait une télévision, ou une chaîne stéréo ?

— Seulement une radio. Elle a disparu aussi ! Mais il ne s'agit pas d'un cambriolage, n'est-ce pas ?

— Difficile à dire.

— Vous soupçonnez pire, pas vrai ? C'est pour ça que vous êtes venu ici aujourd'hui, hein ?

— Je n'en sais pas assez pour soupçonner quoi que ce soit, Richard. Mais vous, savez-vous quelque chose sur elle qui vous fait penser au pire ?

— Non, dit-il d'une voix forte et tendue. C'était une solitaire qui parlait peu. Je ne vois pas ce que vous espérez que je vous dise sur elle !

— Rien, Richard. Vous m'avez été d'une grande aide. J'apprécie le temps que vous m'avez accordé.

— Ouais, bien sûr... Je peux fermer, maintenant ? Faut que je fasse venir un serrurier, pour changer le verrou.

Nous sortîmes du garage. Une fois dans la cour, il me désigna l'allée sur le côté.

— Vous pouvez passer par là pour rejoindre la rue.

Je le remerciai de nouveau et lui souhaitai bonne chance pour son essai sur les détectives privés.

— Je viens d'annuler ce projet, dit-il avant de rentrer dans la maison.

— Elle n'est pas ici, si c'est ce que vous voulez savoir.

33

Le premier téléphone public que je repérai se trouvait dans l'allée commerçante. Le centre était flambant neuf, avec ses vitrines encore vides et le sol fraîchement goudronné. Mais la cabine téléphonique sentait déjà l'usage. Des chewing-gums écrasés et des mégots jonchaient le sol, et l'annuaire avait été arraché de sa chaîne.

J'appelai les Renseignements de Boston et demandai le numéro du *GALA Banner*. La publication ne figurait pas sur l'annuaire, mais le Mouvement homosexuel était présent, et c'est là que je téléphonai.

— GALA, répondit une voix d'homme.

En bruit de fond, j'entendis des voix.

— J'aimerais parler à quelqu'un du *Banner*, s'il vous plaît.

— Service édito ou pub ?

— Éditorial. Quelqu'un qui connaît Kathy. Kathy Moriarty.

— Kate ne travaille plus ici.

— Je sais bien. Elle habite à L.A., d'où je vous appelle.

Un court silence.

— De quoi s'agit-il, au juste ?

— Je suis une connaissance de Kate, et elle est absente depuis plus d'un mois. Sa famille s'inquiète, et moi aussi, alors j'ai pensé que peut-être quelqu'un à Boston pourrait nous aider à la retrouver.

— Elle n'est pas ici, si c'est ce que vous voulez savoir.

— J'aimerais beaucoup parler à quelqu'un du journal qui la connaît...

Un autre silence.

— Je ferais bien de prendre vos coordonnées.

Je les lui communiquai.

— C'est un service de répondeur, précisai-je. Je suis psychologue, vous pouvez vérifier dans l'annuaire de l'American Psychology Association. Vous pouvez aussi contacter le professeur Seth Fiacre au département de psycho de l'université de Boston. J'apprécierais beaucoup d'avoir des nouvelles aussi vite que possible.

— Eh bien... Ça risque de ne pas être aussi rapide que ça. Il faudrait que vous parliez au rédac-chef du *Banner*, Bridget McWilliams. Or elle est absente de Boston pour toute la journée...

— Où peut-on la joindre ?

— Désolé, je n'ai pas l'autorisation de vous le dire.

— Si vous pouviez essayer de la contacter, dites-lui que la sécurité de Kate est peut-être en jeu... — Comme il ne répondait pas, j'ajoutai : — Mentionnez aussi Eileen Wagner.

— Wagner, répéta-t-il, et je perçus le grattement d'un stylo sur le papier. Comme le compositeur ?

— Comme le compositeur.

J'avais oublié le déménagement de Seth Fiacre à Boston jusqu'à ce que son nom me revienne à l'esprit comme référence. Le psycho-sociologue avait quitté l'UCLA pour l'Est l'année dernière, quand on lui avait proposé une chaire à l'unité de recherche par groupes. La spécialité de Seth était le contrôle mental et les cultes. Un milliardaire qui avait arraché sa fille à une secte néo-hindouiste vivant dans des bunkers souterrains du Nouveau-Mexique l'avait consulté pour sa déprogrammation. Peu après, l'argent nécessaire à la création d'un poste d'étude des groupes avait été versé à l'université.

Je rappelai les Renseignements de Boston, obtins le numéro du département de psychologie de l'université et le composai. Le standardiste m'informa que le bureau du

Pr Fiacre se trouvait au Centre des sciences sociales appliquées. J'appelai donc là-bas, où une standardiste prit mon nom et me mit en attente. Une minute s'écoula avant que je n'entende la voix de Seth.

— Alex! Ça fait un bout de temps!

— Bonjour, Seth. Comment trouvez-vous Boston?

— Une ville merveilleuse, une vraie ville. Je n'y avais pas séjourné depuis mon diplôme, et ça tient un peu du retour au foyer. Très agréable retour, je dois dire. Et vous, Alex? Dans le professorat, comme vous en aviez l'intention?

— Pas encore.

— Difficile de revenir au monde universitaire quand vous avez connu le monde réel.

— Quoi que cela veuille dire.

— J'oubliais que je parlais à un confrère, dit-il en riant. Que faites-vous, en ce moment?

— Quelques consultations, et je prépare une monographie.

— Voilà qui semble très satisfaisant. Alors, que puis-je pour vous, Alex? Vous voulez des renseignements sur un autre groupe de croyants? Ce sera avec plaisir. La dernière fois que vous m'avez demandé ce genre de choses, j'ai eu deux entrefilets et un plein article dans le *JPSP*.

— La classe, dis-je.

— Ils trouvent de la classe à un peu n'importe qui, de nos jours. Eh bien, qui sont les dingues en question, cette fois?

— Il ne s'agit pas de secte, expliquai-je. Je cherche des renseignements sur un collègue. Un ancien de votre alma mater.

— De Harvard? Qui donc?

— Leo Gabney. Et sa femme.

— Dr Prolifique? Oui, je crois avoir entendu dire qu'il habitait par chez vous.

— Vous savez quelque chose sur lui?

— Rien de personnel. Mais nous ne parlons pas d'un quelconque inconnu, n'est-ce pas? Je me souviens d'avoir dû me plonger dans tout ce qu'il avait écrit pour mon cours théorique supérieur. Ce type est une véritable usine. Je l'ai beaucoup maudit pour une telle profusion d'écrits, mais dans l'ensemble c'était du solide. Il doit avoir... soixante-cinq, soixante-dix ans, non ? Un peu âgé pour jouer au plaisantin. Pourquoi désirez-vous des renseignements sur lui ?

— Il est un peu plus jeune, la soixantaine à peine. Et très loin de l'usine, je puis vous l'assurer. Lui et sa femme possèdent une clinique à San Labrador spécialisée dans le traitement des phobies. Pour les riches...

Je lui indiquai les tarifs pratiqués par les Gabney.

— Déprimant, lâcha-t-il. Je suis ici, à croire que mes émoluments sont conséquents, et il suffit que vous me téléphoniez pour que je me sente pauvre de nouveau... — Il répéta le prix des séances d'un ton rêveur. — Eh bien... Que voulez-vous savoir sur eux, et pourquoi ?

— Ils ont traité la mère d'une de mes patientes, et certains événements étranges se sont produits. Rien que je puisse vous révéler, Seth, je m'en excuse mais vous devez comprendre.

— Bien sûr. Vous vous intéressez à sa vie passée, quand il était ici, et à tout ce qui pourrait s'y rapporter. C'est bien ça ?

— Oui, et à toute indiscrétion disponible sur ses finances...

— Ah... Ce genre de choses... Vous m'intriguez, là.

— Si vous pouviez découvrir pourquoi ils ont quitté tous deux Boston, et quel genre de travaux ils poursuivaient l'année précédant leur départ, je vous en serais vraiment reconnaissant.

— Je ferai mon possible, Alex, mais vous savez, ici les gens ne parlent pas beaucoup d'argent, sans doute parce qu'ils le désirent trop. Et puis, ces gens de l'Université ne condescendent pas toujours à nous parler...

— Même aux anciens de Harvard ?

— Surtout aux anciens qui restent trop au sud de Cambridge. Mais je vais remuer la soupe pour voir ce qui remonte à la surface. Quel est le nom complet de sa femme ?

— Ursula Cunningham. Elle a ajouté Gabney à son nom de jeune fille. Gabney était son directeur de thèse et c'est lui qui l'a envoyée en médecine. Elle avait un poste au département de psychiatrie. Lui aussi, peut-être.

— Vous demandez beaucoup, là : l'école de médecine est une entité à part. La seule personne que j'y connaisse est le pédiatre de mon enfant...

— Tout ce que vous pourrez apprendre me sera utile, Seth.

— Et bien sûr, le plus tôt sera le mieux ?

— Le plus tôt est toujours le mieux.

— Sauf quand il s'agit de vin, de fromage ou de plaisir charnel... Très bien, je ferai de mon mieux. Et pensez à venir nous rendre une petite visite un de ces jours, Alex. Vous aurez le droit de m'inviter au *Legal Seafoods* pour une orgie de homard.

Mon dernier appel fut pour Milo. Je m'attendais à tomber sur le répondeur, mais c'est Rick qui décrocha, avec un « Dr Silverman » qui me parut un peu tendu.

— C'est encore Alex, Rick.

— J'allais partir, Alex. Un appel des Urgences, accident de bus. Ils manquent de personnel. Milo est à Pasadena. Il a passé la matinée au téléphone, et il est parti il y a une demi-heure à peu près.

— Merci, Rick. Au revoir.

— Alex ? Je voulais vous remercier de lui avoir trouvé ce boulot. Il avait le moral plutôt en berne ces derniers temps, à cause de l'inactivité. J'ai essayé de le persuader de faire quelque chose, mais je n'arrivais à rien jusqu'à ce que vous le recommandiez. Donc, merci.

— Ce n'était pas de la charité, Rick. C'était le meilleur pour ce travail.

— Je le sais, et vous le savez. Le tout était de le convaincre lui aussi.

La circulation de l'après-midi ralentit mon trajet jusqu'à San Labrador. J'occupai ce temps à réfléchir aux rapports possibles entre le Massachusetts et la Californie.

Le portail de Sussex Knoll était fermé. Je m'annonçai à Madeleine par l'interphone, et elle m'ouvrit. Devant la maison ne se trouvaient ni la Fiat de Milo ni la Porsche de Rick, mais une Jaguar XJS rouge décapotable.

Une femme ouvrit la porte d'entrée alors que j'allais sonner. Un mètre soixante, la quarantaine bien portée, avec quelques rondeurs qui lui allaient à merveille. Par contraste, son visage était sec et triangulaire sous un casque de cheveux bouclés et très noirs. Ses yeux étaient de la même couleur, larges et lourdement maquillés. Elle portait une robe rose qui n'aurait pas déparé dans un déjeuner de Renoir. Ses bracelets tintèrent quand elle me tendit la main, que je serrai.

— Docteur Delaware ? Susan LaFamiglia.

Son parfum lourd et vert lui convenait parfaitement. Sa main était petite et douce, mais ferme. Elle était très maquillée, et très bien. Des bagues brillaient à plusieurs de ses doigts. Un rang de perles coulait sur sa poitrine, et si elles étaient vraies ce collier avait dû coûter plus que la Jaguar.

— Content de vous rencontrer, dit-elle. J'aimerais vous parler de notre cliente commune. Pas immédiatement, car je n'ai pas terminé de débroussailler avec elle le côté financier. Que diriez-vous de nous voir d'ici deux ou trois jours ?

— Bien sûr. Si Melissa est d'accord.

Elle sourit.

— Elle l'est. J'ai une autorisation écrite de sa main. Excusez-moi, mais vous veniez pour une séance avec elle ?

— Non, juste pour voir comment elle va.

— Elle semble aller assez bien, étant donné les circonstances. J'ai été étonnée de ses connaissances en matière financière, pour quelqu'un de son âge. Mais je ne la connais pas encore très bien, évidemment.

— C'est une jeune fille complexe, approuvai-je. Un détective du nom de Sturgis est-il passé ?

— Milo ? Il était là tout à l'heure, mais il est parti au restaurant du beau-père. La police est venue interroger Melissa à propos de la mort de ce McCloskey. Je leur ai dit qu'elle n'avait pas encore été mise au courant, et que je ne les autorisais pas à lui parler. Milo leur a suggéré d'aller parler au beau-père. Ils ont un peu protesté, mais ils ont fini par accepter.

Son sourire indiquait à l'évidence qu'elle ne s'était pas attendue à un autre résultat.

Le parking du Tankard contenait assez de véhicules

pour qu'on croie le restaurant ouvert : la Mercedes de Ramp, la Toyota de Noel, la Chevrolet Monte-Carlo marron que j'y avais déjà vue, la Fiat de Milo et une Buick bleu sombre que je connaissais également.

La surveillance annoncée par Milo restait invisible. Absente ou d'une discrétion très professionnelle.

Alors que je sortais de la Seville, je vis quelqu'un quitter le restaurant par la porte arrière et traverser le parking en courant.

Bethel Drucker, vêtue d'un chemisier blanc et d'un short sombre, sandales aux pieds. Sa chevelure blonde voletait derrière elle, et sa poitrine tressautait à chaque enjambée. Un instant plus tard elle s'était glissée derrière le volant de la Chevrolet. Elle démarra brutalement, sortit de sa place en marche arrière, effectua un demi-tour serré qui fit crisser les pneus et fonça vers le boulevard. Sans même freiner elle tourna à droite et disparut en quelques secondes. Je tentai de l'apercevoir par la vitre mais je n'eus droit qu'à l'éclair aveuglant du soleil se réfléchissant sur le verre.

Alors que le rugissement de son moteur s'estompait, la porte d'entrée du Tankard pivota et Noel sortit. Il paraissait dérouté, et un peu apeuré.

— Votre mère est partie par là, dis-je.

Il fixa la direction d'un regard abasourdi.

— Que s'est-il passé ? demandai-je en approchant.

— Je ne sais pas. Les flics sont venus parler à Don. Moi, je lisais dans la cuisine. M'man est allée leur servir du café, et quand elle est revenue elle avait l'air très énervée. Je lui ai demandé ce qu'il y avait mais elle ne m'a rien répondu, et elle est partie.

— Vous avez une idée de ce que la police a pu dire à Don ?

— Non. Comme je vous l'ai dit, j'étais dans la cuisine. J'ai voulu savoir ce qui se passait, mais elle est sortie sans me répondre... — Il regarda le boulevard. — Ce n'est pas son genre...

Il baissa la tête, l'air abattu... Un beau jeune homme brun abattu... comme James Dean. Un frisson désagréable picota ma nuque.

— Aucune idée de sa destination ?

— Ça pourrait être n'importe où. Elle aime rouler après être restée ici toute la journée. Mais d'habitude elle me dit où elle va et quand elle reviendra.

— Elle est sans doute stressée, dis-je. Avec le restaurant fermé, et l'incertitude actuelle...

— Elle a *peur*. Le Tankard, c'est toute sa vie. Je lui ai dit que même si le pire devait arriver et que Don ne rouvre pas, elle pourrait facilement trouver une place ailleurs, mais elle a répondu que ce ne serait pas pareil, parce que...

Abritant ses yeux d'une main en visière, il scruta une fois encore le boulevard.

— Parce que, Noel ?

— Hein ?

Il me lança un regard surpris.

— Votre mère vous a dit que ce ne serait jamais pareil ailleurs parce que...

— Aucune importance, dit-il sèchement.

— Noel...

— Ça n'a *aucune* importance. Il faut que j'y aille.

Plongeant la main dans une poche de son jean, il en sortit un trousseau de clefs, courut jusqu'à la Celica, y monta et démarra aussitôt.

Songeur, j'allai jusqu'à la porte du Tankard. La première pancarte avait été remplacée par une autre annonçant FERMETURE POUR UNE PÉRIODE INDÉTERMINÉE.

A l'intérieur l'éclairage dispensait une lumière crue qui mettait en relief chaque boiserie écaillée, chaque tache ou marque de brûlure sur la moquette.

Assis au bar, sur un tabouret, Milo buvait un café. Don Ramp était installé dans un des box sur la droite, une tasse comme celle de Milo, un verre et une bouteille de Wild Turkey à portée de main. Deux autres tasses étaient posées au bord de sa table. Ramp portait toujours la chemise blanche qu'il avait au réservoir. Il avait l'air de quelqu'un qui revient d'une visite guidée en enfer.

Le chef Chickering et l'officier Skopek étaient assis devant les tasses. Chickering fumait un cigare, et Skopek semblait regretter de ne pas faire de même.

Quand Chickering me vit, il se rembrunit, Skopek l'imita. Milo but une gorgée de café, Ramp paraissait ailleurs.

— Bonjour, chef, dis-je.

— Docteur.

D'un mouvement de poignet, Chickering fit tomber la cendre de son cigare dans un cendrier près de la bouteille de Ramp. Je vis que celle-ci était vide aux deux tiers.

— Bon, fit Chickering à l'adresse de Ramp, je crois que c'est tout, Don.

J'allai m'asseoir au bar, à côté de Milo. Il eut un petit mouvement de sourcils et une ombre de sourire.

Chickering but une gorgée de café puis vint lui aussi au bar, avec sa tasse. Skopek le suivit, mais resta en retrait.

— J'ai fait ma petite enquête de routine auprès de certains amis de Los Angeles, Docteur, me dit Chickering, Sur ce qui est arrivé à Mr. McCloskey. Vous voulez ajouter quelque chose à l'ignorance générale ?

— Non, rien, chef.

— Bon.

Il termina son café et leva sa tasse au niveau de son épaule, sans se retourner. Skopek la prit et la posa sur la table de Ramp.

— En ce qui me concerne, Docteur, reprit Chickering, j'ai fait mon devoir. Mais je suis encore cette affaire pour faire plaisir au LAPD. Maintenant je vous ai posé la question, et vous y avez répondu.

J'acquiesçai.

— Et comment ça se passe, sinon ? demanda-t-il. Avec la petite Melissa ?

— Bien, chef.

— Parfait... — Il fit une pause, souffla deux ou trois ronds de fumée. — Vous savez qui va diriger la propriété ?

— Aucune idée, chef.

— Ah. Nous sommes passés là-bas et nous avons trouvé la fille en grande discussion avec un avocat. Une femme avocat. De L.A. Ouest. Je ne sais pas quelle expérience elle a de cette partie de la ville...

J'éludai d'un haussement d'épaules.

— Glenn Anger est un type bien, poursuivit-il. Il a grandi ici. Je le connais depuis des années.

Je conservai un silence prudent.

— Bon, fit-il, nous devons partir. Jamais un moment

de répit... — Se tournant vers Ramp, il lui lança : — Prenez soin de vous, Don. Et n'hésitez pas à appeler si vous avez besoin de quoi que ce soit. Beaucoup de gens sont attachés à vous. Ils veulent sentir de nouveau l'odeur des T-bones et des FM en train de griller.

Il fit un clin d'œil à Ramp, qui ne réagit pas.

Après le départ de Chickering et Skopek, j'interrogeai Milo :

— FM ?

— Filet mignon, répondit-il. Juste avant ton arrivée, nous avons bavardé viande. Le chef est un connaisseur. Il n'achète que ces steaks premier choix sous vide venus d'Omaha.

Je jetai un coup d'œil à Ramp. Il n'avait pas bougé.

— Il a participé à votre discussion ? demandai-je à voix basse.

Milo reposa sa tasse sur le comptoir. Les débris du miroir de la desserte avaient été ôtés, ne laissant que le plastique du support.

— Non, dit-il. A part biberonner du bourbon, il n'a pas fait grand-chose.

— Et Nyquist ?

— Pas de nouvelles. Mais personne ne cherche à en avoir.

— Pourquoi le LAPD a-t-il envoyé Chickering ?

— Pour éviter de déranger à San Labrador, et comme ça ils peuvent quand même prétendre avoir fait leur boulot. Par procuration.

— Chickering a dit quelque chose de nouveau à propos de McCloskey ?

— Non, rien.

— Et quand il a appris la nouvelle, comment a réagi Ramp ?

— Il a regardé fixement Chickering, et puis il s'est vidé un verre de Wild Turkey.

— Aucune marque de surprise en apprenant que McCloskey était mort ?

— Peut-être une lueur dans son regard, mais c'est difficile à dire. Il ne réagit pas à grand-chose, de toute façon.

— A moins que ce soit un rôle qu'il tient...

Milo eut une moue dubitative, prit sa tasse, en contempla le fond et la reposa.

— Don, fit-il, je peux faire quelque chose pour vous ?

Rien dans le box pendant plusieurs secondes, puis Ramp secoua négativement la tête, avec une grande lenteur.

— Alors, me dit Milo en revenant à un ton de confidence, tu as pu faire un tour à West Hollywood ?

— Oui. Si nous en parlions dehors, plutôt ?

Nous sortîmes sur le parking.

— Ton gars censé surveiller est dans les parages ? demandai-je.

— Secret, dit Milo en souriant. Pour le moment, non, mais il connaît son boulot : tu ne verrais pas la différence s'il était là, crois-moi.

Je lui rapportai ce que j'avais appris sur Kathy Moriarty et Eileen Wagner.

— Bon, ta théorie se tient un peu mieux, commenta-t-il. Les Gabney ont probablement fait de la gratte à Boston. Ils ont été démasqués et ils sont venus ici pour recommencer.

— Ça va au-delà, à mon avis. C'est Eileen Wagner qui m'a adressé à Gina. Quelques années plus tard, elle meurt à Boston et les Gabney quittent Boston. Et peu après ils traitent Gina...

— Rien dans l'article de journal qui laisse supposer que la mort de Wagner ne serait pas un suicide ?

Je lui tendis la coupure de presse.

— Ça ne laisse pas supposer que quelqu'un allait s'intéresser à cette histoire, dit-il après lecture. Et s'il y avait eu des développements intéressants, Moriarty aurait sans doute gardé les articles, hein ?

— Je suppose, en effet. Mais il doit bien exister un lien, quelque chose que Moriarty croyait avoir décelé. Wagner suivait des études de psy à Harvard quand les Gabney s'y trouvaient encore. Elle est probablement entrée en contact avec eux, d'une façon ou d'une autre. Kathy Moriarty était intéressée par les trois. Et les trois connaissaient Gina.

— Quand tu as rencontré Wagner, rien ne t'a frappé chez elle ?

— Non. Mais je ne l'ai pas vraiment étudiée. Notre conversation n'a pas duré plus de dix minutes, et c'était il y a onze ans.

— Donc tu n'as aucune raison de mettre en doute son éthique professionnelle ?

— Aucune raison, non. Pourquoi cette question ?

— Je cherche des pistes, rien de plus. Si elle respectait une certaine éthique professionnelle, elle n'aurait parlé à personne de Gina en la nommant, n'est-ce pas ? Même pas à un autre médecin ?

— En effet.

— Alors comment les Gabney ont-ils pu savoir pour Gina par elle ?

— Ça ne s'est peut-être pas passé ainsi. Justement. Mais après avoir appris que les Gabney étaient spécialisés dans le traitement des personnes atteintes de phobies, Wagner a pu leur parler du cas de Gina en termes généraux. Discussion entre médecins. Ça n'aurait rien de contraire à l'éthique.

— Le traitement des personnes *riches* atteintes de phobies, corrigea Milo.

— « Elle vit comme une princesse victorienne », c'est à peu près l'expression qu'a eue Wagner. La fortune de Gina l'avait beaucoup impressionnée. Elle a très bien pu en parler à un des Gabney, ou aux deux. Et quand le temps est venu pour eux de chercher de plus vertes prairies, ils se sont souvenus de ce qu'elle avait dit et ont mis le cap sur San Labrador. Et ils ont accroché Gina par l'appel téléphonique de Melissa.

— Coïncidence, alors ?

— San Labrador est vraiment un village, Milo. Mais je ne saisis toujours pas pourquoi Kathy Moriarty avait l'article relatant le suicide de Wagner dans son classeur.

— Et si Wagner était une des sources de Moriarty ? A propos des escroqueries commises par les Gabney, par exemple...

— Et Wagner serait morte pour cette raison ?

— Woah, c'est un rapprochement osé, dit-il. Mais je vais te dire un truc : à mon retour nous pourrions creuser cette piste. Ou demander à Suzy de s'en occuper. Quelle femme... Si les Gabney ont essayé d'escroquer Gina, Suzy le découvrira. Le Cassatt pourrait constituer un bon point de départ. Et si son transfert n'a pas été totalement légal, elle va s'accrocher aux Gabney comme une sangsue à un réservoir d'hémoglobine.

— A ton retour d'où ?

— Sacramento. Suzy m'a confié une mission là-bas. On dirait que Douse est en bisbille avec le barreau, depuis peu, mais ils ne veulent pas en parler au téléphone et même face à face il leur faut une accréditation. Je pars de Burbank à six heures dix. Elle me faxera tous les documents là-bas demain matin. Je dois voir quelques banquiers à une heure, ensuite elle m'a assuré qu'elle me trouverait d'autres trucs intéressants pour remplir ma journée.

— Emploi du temps chargé...

— La dame n'aime pas se rouler les pouces. Autre chose ?

— Oui. Bethel écoutait-elle quand Chickering a annoncé à Ramp la mort de McCloskey ?

— Elle se trouvait dans la salle, à servir les cafés. Pourquoi ?

Je lui décrivis le départ précipité de la serveuse.

— Il est possible qu'il ne s'agisse que d'une trop grande nervosité, Milo. Un moment après j'ai parlé à Noel et il m'a dit qu'elle était très stressée et qu'elle s'inquiétait pour son emploi. Peut-être qu'apprendre un autre décès a été la goutte d'eau qui a fait déborder le vase, et qu'elle a craqué. Mais je crois plutôt qu'elle a réagi très précisément au fait qu'il était question de la mort de McCloskey. Parce que je pense que McCloskey était le père de Noel.

L'ébahissement qui se peignit sur le visage de Milo me ravit. J'étais comme le gamin qui pour la première fois bat son père aux échecs.

— Là, c'est osé, fit-il. Qu'est-ce qui te fait penser ça ?

— Mon sixième sens. J'ai finalement compris. Ça n'avait rien à voir avec le comportement de Noel, mais avec son physique. J'ai fait le rapprochement tout à l'heure. Noel était inquiet au sujet de sa mère, il a baissé la tête et pendant une seconde il a eu l'attitude exacte de McCloskey sur la photographie de son arrestation. Une fois qu'on l'a remarquée, la ressemblance est frappante. Noel est de taille moyenne, brun, plutôt séduisant. McCloskey avait ce genre de visage.

— Avait, dit Milo.

— Précisément. Quelqu'un qui ne l'aurait pas connu dans le temps n'aurait jamais fait le rapprochement.

— Dans le temps..., répéta Milo avant de se diriger vers la porte du restaurant.

— Allons, Don, dit Milo en relevant le menton de Ramp avec l'index.

Le regard voilé par l'alcool, Ramp contempla le perturbateur.

— D'accord, dit Milo. Écoutez, Don, j'étais ici tout à l'heure. Je sais que parler vous est difficile, alors ne parlez pas : clignez des yeux, une fois pour oui, deux fois pour non. Noel Drucker est-il le fils de McCloskey ?

Rien. Puis les lèvres desséchées formèrent le mot « oui », et Ramp émit un murmure inintelligible.

— Noel le sait ? demandai-je.

Ramp secoua la tête puis la baissa sur la table. Il dégageait la même odeur qu'un ours au zoo.

— Noel et Joel, fit Milo. Bethel a le goût de la rime, ou quoi ?

Ramp leva les yeux vers lui. La peau de son visage rappelait la couleur de la moutarde laissée trop longtemps à l'air, et des particules de peau morte collaient à sa moustache.

— Noel parce... elle ne pouvait pas...

Il soupira et un filet de bave coula du coin de sa bouche.

Milo lui redressa la tête.

— Elle ne pouvait pas quoi, Don ?

Les yeux embués de larmes, Ramp le considéra un long moment.

— Elle ne peut pas... Elle connaissait Joel... Le son... alors, Noel... Trois lettres identiques... se souvenir...

Il jeta un coup d'œil approximatif à la bouteille de bourbon, soupira et ferma les yeux.

— Elle ne savait pas lire ? dis-je. Elle a appelé son fils Noel parce que le prénom ressemblait à Joel et qu'elle voulait garder un souvenir ?

Hochement affirmatif de la tête.

— Est-elle toujours illettrée, Don ?

Second hochement, plus faible.

— J'ai essayé de... Elle ne peut pas...

— Comment fait-elle, pour son travail ? demandai-je. Pour prendre les commandes ?

Borborygmes incompréhensibles de Ramp en réponse.

— Bon sang, arrêtez de marmonner, ordonna Milo.

Ramp releva la tête de quelques centimètres.

— Mémoire, fit-il. Elle connaissait tout... tout le menu... Par cœur.

— Et pour remplir l'addition ?

— Je...

— Vous vous en occupiez, d'accord, dis-je. Vous vous occupez d'elle. Comme vous le faisiez à l'époque des studios. Qu'était-elle, à l'époque ? Une fille de la campagne venue tenter la gloire à Hollywood ?

— Appalaches... Bouseuse...

— Une pauvre fille de la campagne, traduisis-je. Vous saviez qu'elle ne réussirait jamais dans le milieu du cinéma, d'autant qu'elle ne pouvait pas lire un texte. L'avez-vous aidée à garder tout cela secret pendant un certain temps ?

Il acquiesça.

— Joel...

— Joel a tout révélé sur elle ?

Nouveau mouvement de tête affirmatif. Puis il rota et dodelina du chef.

— Photos... pour lui...

— Il lui a fait perdre son contrat avec les studios pour l'engager ensuite comme modèle ?

— Oui...

— Comment a-t-elle pu obtenir son permis de conduire ? interrogea Milo.

— Tests écrits... Tout appris... par cœur...

— Ça a dû prendre pas mal de temps.

Ramp acquiesça, s'essuya le nez d'un revers de main, puis reposa sa tête sur la table. Cette fois Milo ne fit rien.

— Elle et McCloskey sont-ils restés en contact pendant toutes ces années ? demandai-je.

Ramp releva la tête avec une surprenante vivacité.

— Non, elle... détestait ça... pas ce qu'elle voulait.

— Qu'est-ce qu'elle ne voulait pas ?

— Le bébé. Noel... — Une grimace peinée. — Elle l'aimait, mais...

— Mais quoi, Don ?

Il nous opposa un regard implorant.

— Quoi, Don ?

— Abusé d'elle.

— McCloskey l'a mise enceinte en abusant d'elle ?

Hochement de tête.

— Tout... le temps...

— Il abusait d'elle tout le temps ?

— Oui.

— Pourquoi ne l'avez-vous pas protégée de ça ? demanda Milo.

Ramp se mit à sangloter. Les larmes disparaissaient dans sa moustache et faisaient luire les poils graisseux.

Il voulut dire quelque chose, fut pris d'une quinte de toux.

D'un index, Milo maintint le menton de Ramp tandis qu'il lui essuyait le visage avec une serviette.

— Quoi, Don ? demanda-t-il doucement.

— Tout le monde, balbutia Ramp sans cesser de pleurer.

— Tout le monde abusait d'elle ?

Acquiescement. Reniflement. Sanglots.

— Elle n'est pas...

Il leva une main tremblotante et effleura sa tempe de son index.

— Elle n'est pas très intelligente, proposa Milo, et tout le monde a abusé d'elle ?

Hochement de tête, pleurs.

— *Tout le monde*, Don ?

Sa tête oscilla un peu, puis se pencha en avant. Il ferma les yeux. Un filet de salive s'étira de sa bouche jusqu'à la table.

— D'accord, Don, fit Milo.

Je le suivis jusqu'au bar. Nous nous assîmes et contemplâmes Ramp un moment, sans mot dire. L'ancien acteur se mit à ronfler doucement.

— La Horde sauvage des studios, lâchai-je enfin. La pauvre fille illettrée que tout le monde se repasse...

— Comment as-tu deviné ?

— A la façon dont Noel venait de se comporter. Nous parlions de sa mère. D'après lui, elle aurait dit que travailler ailleurs ne pourrait pas être pareil. Il allait expliquer mais il s'est arrêté net. Quand je l'ai pressé de poursuivre, il s'est énervé et est parti en vitesse. Venant de sa part, la chose est inhabituelle et elle m'a aussitôt frappé. C'est un garçon qui maîtrise ses émotions, il en a besoin, cela se voit. C'est typique des enfants ayant grandi avec des parents drogués ou alcooliques. J'en ai déduit que ce qui le mettait dans cet état devait être très sérieux. Et quand Ramp a commencé à parler, tout s'est mis en place.

— Illettrée, murmura Milo. Imagine une vie comme la sienne, toutes ces années sans savoir quand quelqu'un allait découvrir la vérité. Et Ramp qui prenait soin d'elle et du gosse par culpabilité...

— Ou par compassion, ou même les deux. Je crois que c'est vraiment un bon type.

— Ouais, fit-il en jetant un œil à Ramp et en secouant la tête d'un air attristé.

— Ce qui explique la satisfaction de Bethel à simplement servir dans un restaurant alors que Ramp et Gina vivaient dans le luxe. Elle avait l'habitude d'être considérée comme une utilité. Sa carrière cinématographique a capoté, elle s'est mise aux drogues et à Dieu sait quoi d'autre encore. Et elle a décroché le cocotier en se faisant engrosser par le type que tout le monde détestait. Elle a posé pour des photos qui n'avaient sans doute pas grand rapport avec la haute couture... Physiquement, elle n'est pas vraiment faite pour *Vogue*. Ça ajoute à son auto-dévalorisation, Milo. Elle estime certainement ne pas mériter ce que Ramp lui a offert. Et maintenant elle court le danger de perdre ça aussi...

Il s'essuya le visage de la main.

— Qu'y a-t-il ?

— McCloskey a lâché le morceau sur Bethel, ensuite il a abusé d'elle. Pourquoi alors serait-elle abasourdie par l'annonce de sa mort ?

— Peut-être représente-t-il toujours un manque pour elle. Peut-être avait-elle conservé un sentiment pour lui, malgré tout. Pour lui avoir donné Noel, par exemple.

Milo pivota sur son tabouret. Ramp ronflait plus fort, avec régularité.

— Et si elle avait conservé un peu plus qu'un vague sentiment ? Si elle était restée en contact avec McCloskey ? La misère rassemble ses victimes. Comme les ennemis communs...

— Gina ?

— Ils auraient eu tous les deux des motifs de la haïr. McCloskey pour la raison du départ, quelle qu'elle soit, et Bethel par jalousie. Les démunis contre les nantis. Et si elle n'était pas aussi satisfaite que ça de jouer les utilités ? Et s'il y avait eu un autre motif, disons... l'argent. Le chantage.

— Sur quoi ?

— Qui peut dire ? Mais Gina a fait partie de leur petit groupe...

— Tu m'as dit que tu n'avais rien découvert sur elle.

— Peut-être parce qu'elle s'est montrée plus douée que les autres pour cacher son passé, ce qui rendait son secret d'autant plus précieux. Ce n'est pas toi qui m'as dit que les secrets étaient monnaie courante, ici ? Et si Bethel et McCloskey avaient pris l'expression au premier degré ? Si McCloskey a été associé à Bethel dans une quelconque magouille, sa réaction à l'annonce de sa mort devient plus compréhensible, non ?

— Joel et Bethel, Noel et Melissa... Ce serait vraiment trop laid. J'espère que tu te trompes.

— Je sais bien, dit-il. Mais nous n'avons pas écrit le scénario, Alex, nous ne faisons que tenter de le reconstituer.

Pourtant il gardait une expression chagrinée.

— Et si c'est Noel qui a écrasé McCloskey ? Quand j'ai appris qu'un véhicule avait servi d'arme, j'ai tout de suite pensé à lui. Les automobiles, c'est son domaine, et il a accès à toutes celles que possède Gina. Tu crois que nous devrions ouvrir tous les garages pour voir si une des voitures de collection porte des traces de choc ?

— Ce serait une perte de temps, assura Milo. Il n'aurait pas utilisé une de ces voitures. Il est trop prudent.

— A Azuza, personne n'a vu la Rolls de Gina se rendre au réservoir.

— Nous n'en avons pas la certitude. Le shérif a très vite conclu à un accident, mais personne n'a interrogé un à un les gens habitant sur le trajet.

— D'accord. Alors admettons que Noel ait employé un véhicule utilitaire. Ils doivent en posséder un, quand je traitais Melissa ils en avaient un, une vieille Cadillac Fleetwood. Ils en ont probablement une aussi maintenant, je les vois mal charger la Duesenberg quand ils vont au supermarché. Ce véhicule se trouve quelque part sur la propriété, ou dans un des garages. Ou alors McCloskey a été écrasé par une voiture volée. Noel doit savoir faire démarrer un moteur sans la clef de contact.

— On passe du jeune homme modèle au délinquant juvénile ?

— Comme tu le dis, tout change.

Il se retourna vers le bar.

— L'œdipe meurtrier, grogna-t-il. Le gamin américain type qui écrase son vieux père. Combien de séances de thérapie pour arranger ça, Doc ?

Je préférai ne pas répondre.

A sa table, Ramp éternua et toussota. Il releva un peu la tête, la laissa retomber, ne bougea plus.

— Ce serait une bonne idée de le remettre sur pieds et de voir s'il y a autre chose à tirer de lui. Et aussi de traîner un peu ici, au cas où cette bonne vieille Bethel reviendrait...

Il consulta sa montre. — Bon, il faut que je me rende à l'aéroport. Ça ne te dérange pas de rester ici ? Je te contacterai dès que je serai installé là-bas. Disons avant neuf heures.

— Et ce type qui surveille pour toi ? Il ne pourrait pas venir ici ?

— Non. Il ne se montre jamais. Ça fait partie du contrat.

— Un asocial ?

— Quelque chose comme ça.

— D'accord, j'avais de toute façon l'intention de passer quelques coups de fil, pour vérifier certains détails à Boston. Si Bethel revient, je fais quoi ?

— Garde-la ici. Essaie d'apprendre ce que tu peux d'elle.

— En utilisant quelle technique ?

Il se leva et me gratifia d'une claque sur l'épaule.

— En utilisant ton charme, ton savoir-faire, le mensonge... Ce qui te paraîtra le plus approprié.

34

Ramp avait sombré dans un profond sommeil. Je pris le verre, les tasses et la bouteille sur la table et mis le tout dans l'évier du comptoir. Ensuite je baissai l'éclairage jusqu'à ce qu'il ne soit plus cruel. Un appel à mon service de répondeur m'apprit que je n'avais aucun message de Boston, seulement quelques contacts professionnels auxquels je répondis en une demi-heure.

A quatre heures et demie le téléphone sonna. Quelqu'un voulait savoir quand le Tankard rouvrirait. « Dès que possible », répondis-je avec l'impression d'être un employé de l'établissement. Dans l'heure qui suivit, je déçus de la même façon plusieurs personnes qui voulaient réserver une table.

A cinq heures et demie je ressentis une certaine fraîcheur et je réglai en conséquence le thermostat du système de conditionnement d'air. Je pris une nappe sur une table et en couvris les épaules de Ramp qui dormait toujours. La grande évasion. Melissa et lui avaient plus en commun qu'ils ne le sauraient sans doute jamais.

A six heures moins vingt je passai dans la cuisine et me préparai un sandwich rosbif-salade de chou cru. La cafetière était froide, et j'optai pour un Coke. Je ramenai le tout au bar et m'y installai pour manger en regardant Ramp ronfler. Puis j'appelai la maison qu'il croyait encore son foyer quelques jours plus tôt.

Madeleine décrocha. Je lui demandai si Susan LaFamiglia était encore là.

— *Oui*. Un moment.

Un instant plus tard l'avocat prit le combiné.

— Allô, Docteur Delaware. Que se passe-t-il ?

— Comment va Melissa ?

— Je voulais justement vous en parler.

— Comment est-elle en ce moment même ?

— J'ai réussi à la faire manger, je suppose que c'est bon signe. Que pouvez-vous me dire de son état psychologique, Docteur ?

— Dans quel sens ?

— Sa stabilité mentale. Ce genre d'affaire peut devenir assez déplaisante. Vous pensez qu'elle pourrait comparaître devant un tribunal sans craquer ?

— Le problème n'est pas qu'elle craque ou pas, dis-je. C'est le cumul des stress qui m'inquiète plus. Son moral est très fluctuant. Elle passe par des périodes de fatigue et de repli, puis par des crises de colère. Elle n'est pas encore stable. Je l'ai observée un certain temps, et à votre place je n'aborderais pas les questions de litiges tant qu'elle n'est pas plus stable.

— Différentes périodes... Comme dans les cas maniaco-dépressifs ?

— Non, il n'y a rien de psychotique dans son comportement. Il est même très logique si l'on considère la tempête émotionnelle qu'elle vient de traverser.

— Combien de temps lui faudra-t-il pour se stabiliser, d'après vous ?

— Des mois, mais il est difficile de prédire combien. Vous pouvez déjà travailler la stratégie avec elle, le versant purement intellectuel de l'affaire. Mais j'éviterais toute confrontation pour l'instant.

— La confrontation est le principal rapport que j'ai eu avec elle jusqu'à présent. Ce qui m'a d'ailleurs un peu étonnée. Avec sa mère disparue depuis quelques jours seulement, je m'attendais à une plus grande démonstration de chagrin.

— Son attitude découle peut-être de ce qu'elle a appris durant sa thérapie, il y a des années : la canalisation de l'angoisse dans la colère, afin de garder la maîtrise d'elle-même.

— Je vois, dit-elle. Donc vous lui accordez un certificat de bonne santé ?

— Comme je l'ai dit, je préférerais qu'elle n'ait pas de grosse épreuve à subir pour l'instant, mais à longue échéance je pense qu'elle s'en tirera bien. Et elle n'est certainement pas psychotique.

— D'accord. Bien. Vous seriez prêt à répéter ce que vous venez de dire devant un jury ? Parce que cette affaire risque de tourner à la définition des compétences mentales.

— Même si la partie adverse a trempé dans des activités illégales ?

— Si cela s'avérait, ce serait une chance pour nous. Et je cherche dans cette direction, comme Milo a dû vous le dire. Jim Douse vient de passer par un divorce très coûteux et je sais qu'il a acquis beaucoup plus d'actions que nécessaire pour son propre portefeuille. On parle d'affaires douteuses au barreau d'État, mais il peut ne s'agir que de bruits répandus par les avocats de son ex-femme pour le salir. C'est pourquoi je dois tout prévoir, y compris que Douse et le banquier ont agi comme de vrais saints. Et si tel n'est pas le cas, avec les mille manières dont on peut falsifier des comptes, le détournement de fonds risque d'être impossible à établir de façon certaine. Je travaille avec les studios tout le temps, et leurs conseillers sont spécialisés dans ce genre de fraude. L'affaire présente deviendra malsaine à peu près à coup sûr, parce que la somme d'argent en jeu est plus que considérable. Ça pourrait traîner des années. Il faut que je sois sûre de la solidité de ma cliente.

— Elle est solide, dis-je, du moins pour son âge. Mais cela ne signifie pas qu'elle soit invulnérable.

— C'est rassurant, Docteur. Ah ! elle revient. Voulez-vous lui parler ?

— Oui, bien sûr.

Un court silence, puis :

— Allô, docteur Delaware.

— Bonjour, Melissa. Comment va ?

— Bien... En fait, j'ai pensé que nous pourrions peut-être parler, vous et moi ?

— Bien sûr. Quand ?

— Mmh... Là je travaille avec Susan, et je suis un peu fatiguée. Que diriez-vous de demain ?

— Va pour demain. Dix heures du matin ?

— Parfait. Merci, docteur Delaware. Et je suis désolée si je me suis montrée... difficile.

— Vous ne l'avez pas été, Melissa.

— Je crois que... je ne pensais pas à... Mère. Je refusais la réalité en dormant tout le temps. Et maintenant, je pense tout le temps à elle. Je ne peux pas m'en empêcher. Savoir que je ne la reverrai jamais, qu'elle ne sera plus... jamais.

Des pleurs, suivis d'un long silence.

— Je suis là, Melissa.

— Rien ne sera plus jamais pareil, dit-elle avant de raccrocher.

Six heures vingt et toujours aucun signe de Bethel ou de Noel. J'appelai mon service de répondeur et appris qu'un professeur « Sam Ficker » avait téléphoné et laissé un numéro à Boston.

Je le composai et eus un enfant :

— Allô ?

— Le Pr Fiacre, je vous prie.

— Mon papa n'est pas à la maison.

— Tu sais où il est ?

Une voix féminine d'adulte prit le relais :

— Domicile des Fiacre. Qui le demande ?

— Ici le Dr Delaware. Je réponds à un appel du Pr Fiacre.

— Ici la baby-sitter, Docteur. Seth m'a prévenue que vous risquiez d'appeler. Voici le numéro où vous pouvez le joindre...

Je recopiai les chiffres qu'elle me donna, la remerciai et lui donnai le numéro du Tankard en cas de rappel. Puis je raccrochai et composai le numéro qu'elle venait de me communiquer.

— *Legal Seafoods*, Kendall Square, dit une voix mâle.

— J'essaie de joindre le Pr Fiacre. Il dîne chez vous.

— Vous pouvez épeler le nom, s'il vous plaît ?

Ce que je fis.

— Veuillez patienter un instant.

Une minute passa. Puis trois autres. A sa table, Ramp s'agita un peu. Il s'éveillait. Avec effort, il se redressa, s'essuya le visage de la manche, cligna plusieurs fois des yeux, regarda autour de lui puis dans ma direction.

Il ne semblait pas me reconnaître. Refermant les yeux, il serra la nappe sur ses épaules et repiqua du nez sur la table.

Seth prit enfin le téléphone :

— Alex ?

— Bonjour, Seth. Désolé de vous déranger pendant le repas.

— Au contraire, le minutage est parfait : nous sommes entre deux cours. Je n'ai pas pu en apprendre beaucoup sur les Gabney, sinon que leur départ n'a pas été totalement volontaire. Possible donc qu'ils aient été mêlés à quelque chose d'assez peu reluisant, mais je n'ai pas pu découvrir quoi.

— On leur a demandé de quitter Harvard ?

— Pas officiellement. Aucune procédure engagée, d'après ce que j'ai pu apprendre, mais les gens à qui j'ai parlé ne désiraient pas vraiment entrer dans les détails. De ce que j'ai compris, leur départ a été conclu par accord mutuel. Ils ont renoncé à leur titularisation et sont partis, et si quelqu'un sait pourquoi, il ne l'a pas ébruité. Quant à ce que peut être ce « pourquoi », je ne sais pas.

— Rien sur le genre de clients qu'ils traitaient ?

— Des phobiques. C'est à peu près tout. Désolé.

— Je vous remercie d'avoir cherché.

— J'ai fouiné aux bibliothèques universitaires pour voir dans quelle direction ils travaillaient. Elle n'a jamais rien publié, et jusqu'à il y a quatre ans, Leo produisait beaucoup. Et brusquement, ça a cessé. Plus d'expérimentations, plus d'études cliniques, juste deux ou trois essais sans grand relief. Ce qu'il n'aurait jamais vu publier s'il ne s'était appelé Gabney.

— Des essais sur quel sujet ?

— Plutôt des dissertations philosophiques, en fait : le libre arbitre, l'importance de la prise de responsabilité personnelle. Et aussi une attaque assez fougueuse contre le déterminisme, comment le comportement peut être modifié si l'on sait définir les stimuli et déclencheurs adéquats. Et cætera, et cætera...

— Tout ça n'a pas l'air très révolutionnaire.

522

— En effet. C'est peut-être l'âge.

— Que voulez-vous dire ?

— Ce passage à une approche philosophique et cet abandon de la recherche fondamentale. J'ai connu d'autres types qui sont passés par là en atteignant la cinquantaine. Il faut que je dise à mes étudiants de m'assommer si jamais je commence à me comporter de la sorte.

Nous échangeâmes des propos légers pendant quelques minutes encore, puis nous nous quittâmes. J'appelai ensuite le *GALA Banner*. Une voix enregistrée m'informa que les bureaux du journal étaient fermés, mais sans possibilité de laisser un message. J'appelai alors les Renseignements de Boston pour obtenir le numéro personnel de la rédactrice en chef, Bridget McWilliams. Un B.L. McWilliams était enregistré à une adresse sur Cedar, dans Roxbury, mais la voix qui me répondit était indiscutablement masculine, pâteuse et marquée d'un accent des Caraïbes. Et il affirma ne connaître aucune Bridget.

A sept heures moins vingt je me trouvais seul dans le restaurant depuis plus de deux heures et je commençais à sincèrement détester cet endroit. En fouinant derrière le bar je trouvai du papier à lettre et une radio portable. KKGO ne diffusait plus de jazz, aussi me contentai-je d'un programme de rock FM. Je réfléchissais sans cesse aux rapports qui m'échappaient encore.

Sept heures. J'avais gribouillé sur le papier, et n'avais eu aucune nouvelle de Bethel ou Noel. Je décidai de rester ici jusqu'à ce que Milo ait atteint Sacramento pour lui téléphoner et le convaincre d'abréger ma mission. Ensuite je rentrerais chez moi, je m'occuperais de mes poissons et je passerais peut-être un coup de fil à Robin... J'appelai une nouvelle fois mon service de répondeur et laissai un message pour Milo au cas où je serais sorti quand il téléphonerait.

L'employée enregistra consciencieusement la commission avant de m'annoncer que j'avais moi-même un message.

— De qui ?

— Une Sally Etheridge.

— A-t-elle donné la raison de son appel ?

— Non, seulement son nom et son numéro. Il commence aussi par 607. Boston ?

— Oui. Donnez-moi ce numéro, s'il vous plaît.

— C'est important ?

— Peut-être.

Une femme répondit « Ouais » sur fond de musique. J'éteignis le petit poste radio et discernai un air de rythm and blues, avec beaucoup de cuivres. James Brown, peut-être.

— Madame Etheridge ?

— Elle-même.

— Ici le Dr Alex Delaware, de Los Angeles.

Un silence.

— Je me demandais si vous rappelleriez.

La voix était rauque, avec des traces d'accent sudiste.

— Que puis-je pour vous ? dis-je.

— Ce n'est pas moi qui suis demandeur.

— C'est Bridget McWilliams qui vous a communiqué mon numéro ?

— Bingo, fit-elle.

— Vous êtes journaliste au *Banner* ?

— Ouais, bien sûr. J'interviewe les disjoncteurs. Je suis électricien, Monsieur.

— Mais vous connaissez Kathy — Kate Moriarty ?

— Vous allez beaucoup trop vite à poser vos questions, dit-elle.

Elle parlait avec une lenteur délibérée, et ponctua sa phrase d'un petit rire. Je crus détecter une difficulté d'articulation comme celle qu'occasionne l'abus d'alcool. Mais d'avoir côtoyé trop longtemps Ramp avait peut-être faussé ma perception des choses.

— Kate est absente depuis plus d'un mois, expliquai-je, et sa famille...

— Ouais, ouais, je connais la rengaine. Bridget m'a mise au courant. Dites à la famille de ne pas trop s'en faire. Kate disparaît souvent, elle est comme ça.

— Cette fois, ce ne sera peut-être pas la routine.

— Vous croyez ?

— Oui.

— Bah, c'est votre droit de le croire, hein...

— Si vous ne vous inquiétez pas pour elle, pourquoi m'avoir rappelé ?

Une pause, puis :

— Bonne question... C'est vrai, je ne vous connais même pas. Alors pourquoi ne pas oublier tout ça et se souhaiter une bonne soirée, hein ?

— Attendez, dis-je. S'il vous plaît.

— Oh ! mais il est poli ! — Un rire enroué. — D'accord, vous avez une minute.

— Je suis psychologue. Le message que j'ai laissé pour Bridget expliquait comment je pouvais...

— Ouais, ouais, je suis au courant de tout ça. Bon, vous êtes psy, alors excusez-moi si je ne trouve pas ça vraiment réconfortant.

— Vous avez eu de mauvaises relations avec des psys ?

Un silence.

— Je m'aime bien, merci.

— Eileen Wagner. C'est à propos d'elle que vous avez appelé.

Un long silence. Pendant un moment je crus qu'elle avait abandonné le récepteur.

— Vous connaissiez Eileen ? demanda-t-elle enfin.

— Je l'ai rencontrée ici, quand elle travaillait comme pédiatre. Elle m'a envoyé une patiente, mais quand j'ai voulu la recontacter pour parler avec elle de cette patiente, elle n'a jamais répondu. Je suppose qu'elle avait déjà déménagé. Elle est peut-être partie en Europe.

— Peut-être.

— Kate et elle étaient amies ?

Un rire.

— Non.

— Mais Kate s'est intéressée au décès d'Eileen, j'ai trouvé un article du *Boston Globe* dans son portfolio. Un article sans auteur. Kate faisait-elle des piges pour le *Globe*, à l'occasion ?

— Je n'en sais rien, répondit-elle avec une aigreur perceptible. Pourquoi devrais-je me préoccuper de ce qu'elle pouvait bien foutre et avec qui elle faisait son foutu boulot ?

La diction pâteuse due à l'alcool était devenue évidente.

Un silence suivit, que je brisai en changeant de tactique :

— Je suis désolé si je vous ennuie.

— Ah ouais ?

— Oui.

— Et pourquoi ?

La question me prit au dépourvu, et avant que j'aie trouvé une réponse adaptée elle enfonçait le clou :

— Vous ne me connaissez pas, alors pourquoi vous seriez désolé de m'ennuyer ?

— D'accord. Ce n'est pas une marque de compassion pour vous, c'est vrai, mais plutôt la force de l'habitude. J'aime rendre les gens heureux, ce n'est peut-être qu'une vision très égoïste des choses, en effet, mais j'ai suivi des études pour ça.

— Ouais...

Un rire aigre. En fond sonore, James Brown implorait.

— Eileen aussi voulait parvenir à ce résultat. Je ne suis pas surprise qu'elle soit allée en psychiatrie.

Quatre autres mesures de James Brown.

— Madame Etheridge ?

Pas de réponse.

— Sally ?

— Ouais, je suis là. Me demande pourquoi, tiens...

— Parlez-moi d'Eileen.

Huit mesures de James Brown. J'attendis.

— Je n'ai rien à dire, fit-elle enfin. C'était une *perte*. Une foutue *perte*...

— Sally, pourquoi a-t-elle fait ça ?

— Qu'est-ce que vous croyez ? Parce qu'elle ne voulait pas être ce qu'elle était... Après tout ce...

— Tout ce quoi ?

— Tout ce foutu temps ! Toutes ces heures passées à remuer la merde avec des « conseillers », des psys, et le reste. Je croyais que nous étions débarrassées de cette foutue merde. Je croyais qu'elle était heureuse, vous comprenez ça ? Je croyais vraiment qu'elle était foutrement convaincue d'aller bien comme Dieu dans Son infinie bonté l'avait créée. Qu'elle soit maudite, voilà !

— Quelqu'un lui a peut-être dit le contraire. Quelqu'un a peut-être tenté de la changer.

Dix mesures de James Brown. Le titre de la chanson me revint brusquement en mémoire : *Baby Please Don't Go.*

— Peut-être, dit-elle. Je n'en sais foutre rien.

— C'est ce que pensait Kate Moriarty, Sally. Elle a découvert quelque chose sur les thérapeutes d'Eileen, n'est-ce pas ? C'est ce qui l'a fait venir en Californie.

— Je n'en sais rien, répéta-t-elle. Rien du tout. Elle n'a jamais fait que poser des questions, mais elle n'a jamais beaucoup parlé de ce qu'elle faisait, même si j'étais obligée de lui parler parce qu'elle était homosexuelle.

— Comment est-elle entrée en contact avec vous ?

— *GALA*. J'ai fait toute l'installation électrique dans leurs foutus bureaux. J'ai ouvert ma grande gueule et je lui ai parlé de... d'Eileen. C'est tout juste si elle ne m'a pas sauté dessus. D'un seul coup nous étions sœurs ! Mais elle n'a jamais expliqué. Elle posait des questions, c'est tout. Elle avait toutes ces règles : ce qu'elle pouvait dire, ce qu'elle ne pouvait pas dire... J'ai cru que nous étions... mais elle... Oh, et puis merde ! Marre de toutes ces conneries ! Ça fait foutrement trop longtemps et je ne veux pas me remettre là-dedans, alors oubliez-moi et allez vous faire foutre !

Silence. Plus de musique.

J'attendis un moment, la rappelai. Occupé. Je fis un nouvel essai cinq minutes plus tard : même résultat.

Je restai plusieurs minutes sans bouger, à réfléchir. Je voyais maintenant les choses sous un éclairage différent, et ce nouveau contexte expliquait beaucoup de choses.

Il était temps de téléphoner à quelqu'un d'autre.

Ce numéro était dans l'annuaire. Cinq sonneries passèrent avant qu'on décroche.

— Allô ?

Je raccrochai sans répondre. Les ventilateurs de la salle étaient toujours éteints, mais j'avais soudain l'impression que la température avait baissé. Après avoir enveloppé les épaules de Ramp dans une seconde nappe, je sortis.

35

Je passai cinq minutes à étudier le Guide Thomas, puis
cent vingt sur la 101, en direction du nord.

Le crépuscule me surprit à mi-chemin. Quand j'attei-
gnis Santa Barbara, le ciel était noir. Je pris la 154 près de
Goleta, éprouvai quelque difficulté à trouver la passe de
San Marcos et traversai les montagnes jusqu'à Lake
Cachuma.

Localiser ce que je cherchais ne fut pas une mince
affaire. La région n'était occupée que par des ranches, et
il n'existait ni chambre de commerce, ni éclairage public,
ni panneaux de signalisation pour m'orienter. J'allai trop
loin et ne m'en rendis compte qu'en atteignant la ville de
Ballard. Après avoir fait demi-tour, je roulai beaucoup
plus lentement. Pourtant, malgré une attention de tous les
instants et des freinages répétés, je faillis bien le dépasser
aussi dans ce sens. Mais le pinceau des phares illumina
un panneau juste assez longtemps pour que je le
remarque.

GABNEY RANCH
Propriété privée

Je coupai les phares, fis reculer la Seville et passai la
tête par la portière. Ici il faisait plus frais, en partie à
cause d'une brise qui sentait la poussière et l'herbe sèche.
Le panneau avait été bricolé, les lettres peintes sur des
planches de pin, et il se balançait doucement au portail de

bois. Celui-ci était bas et solide, un ensemble de planches horizontales fixées à un cadre. Peut-être un mètre cinquante de haut, connecté à une barrière en bois à rainure et languette.

Je laissai le moteur tourner, sortis de la Seville et allai jusqu'au portail. Il grinça un peu quand je le poussai, mais ne s'ouvrit pas. Je me penchai à l'intérieur et fis courir ma main le long des planches, jusqu'à trouver le gros verrou. Au-delà, à peine visible à la lueur des étoiles, un étroit chemin s'enfonçait entre de grandes ombres verticales qui ne pouvaient être que des arbres. Au loin la masse des montagnes s'élevait, aussi sombre que les capuches d'une assemblée de sorcières.

Je rejoignis la voiture et roulai au pas sur une centaine de mètres, jusqu'à un endroit où le bas-côté était abrité par la végétation. Des buissons, en fait, qui semblaient sortir du roc pour croître au-dessus de l'asphalte. La Seville ne serait pas totalement cachée, mais assez bien camouflée pour rester invisible à un œil peu attentif.

Je garai la voiture, verrouillai les portières et revins à pied devant le portail, que j'escaladai sans problème.

Au-delà, la surface du chemin était irrégulière, ponctuée de cailloux, de bosses et de creux. Plusieurs fois je perdis l'équilibre et me retrouvai à quatre pattes sur le sol. En approchant des arbres je perçus une senteur de pinède. Un picotement subit irrita la peau de mon visage, comme si des insectes invisibles se repaissaient de ma chair, ce qui devait être le cas.

Les arbres étaient regroupés mais peu nombreux. En quelques secondes je les dépassai et me retrouvai sur un espace découvert teinté d'un gris laiteux par le faible clair de lune. Je m'immobilisai et tendis l'oreille, pour n'entendre que le sang qui battait à mes tempes. Peu à peu néanmoins, ma vision s'adapta et je distinguai les détails du paysage.

Devant moi s'étendait une surface équivalente à un terrain de football, plantée au hasard d'une demi-douzaine d'arbres. A la base de certains, des projecteurs de jardin étaient accrochés au tronc.

Une odeur citronnée très forte envahit l'air, au point que j'eus dans la bouche le goût que laissaient dans mon enfance les citronnades bues en été. Imperturbables, les insectes continuaient de me dévorer.

Je fis un pas prudent en avant. Le sol était dur sous mon pied. J'avançai d'une dizaine de mètres. Des rectangles pâles apparurent à travers le feuillage d'un des arbres, et je contournai les citronniers dans cette direction. Les rectangles se transformèrent en fenêtres. Je savais qu'il y avait un mur entre elles, et je l'imaginai avant de le voir.

Un mur de couleur indéterminée.

Une maison, de taille modeste, de plain-pied, au toit en pente légère. Trois fenêtres éclairées, mais qu'aveuglaient des rideaux épais.

Le ranch californien typique. Silence et ambiance champêtre.

Une telle paix planait sur la scène que je me demandai si je n'avais pas fait erreur. Mais trop de choses concordaient...

Je cherchai d'autres détails.

Et j'aperçus le véhicule que je m'attendais à voir.

Sur la gauche de la maison se trouvait un enclos de rondins et de pieux. Un corral.

Au-delà, je distinguai la forme de bâtiments et je me dirigeai vers eux. Bientôt j'entendis le hennissement de chevaux et une odeur de crottin et de vieux fourrage titilla mes narines.

Les bruits de chevaux se firent plus forts. J'en localisai l'origine : les écuries situées juste derrière le corral. Plus loin, à une vingtaine de mètres s'élevait la masse d'une bâtisse sans fenêtre. Une grange. Et plus loin encore, un peu sur la droite, une structure plus basse.

Un rectangle lumineux s'y détachait. Une fenêtre.

J'allai droit vers elle. Sentant mon approche, les chevaux frappèrent le sol de leurs sabots et reniflèrent nerveusement. Ils n'étaient que quelques-uns, mais ils compensaient leur petit nombre par leur agitation. Je retins mon souffle et progressai à pas de loups. Les sabots heurtaient le bois, et je crus sentir la terre vibrer sous mes pieds ; peut-être s'agissait-il simplement du tremblement de mes jambes.

La nervosité des chevaux crût encore jusqu'à atteindre

un vacarme impressionnant dans le calme de la nuit. De la petite construction me parvint un grincement et un déclic. Je me collai au corral et observai le triangle de lumière qui s'élargissait sur le sol poussiéreux comme la porte du petit bâtiment s'ouvrait.

Les chevaux hennissaient toujours. L'un d'eux laissa échapper un grondement angoissé.

— La ferme ! tonna une voix de basse masculine.

Un silence soudain s'établit.

L'homme resta immobile un moment sur le seuil, puis retourna à l'intérieur. Le triangle lumineux s'amincit pour ne plus former qu'un trait. Je restai immobile, à écouter les chevaux souffler près de moi.

Enfin la porte se referma complètement. Je me giflai sans bruit pour chasser les insectes, attendis plusieurs minutes avant d'oser bouger.

Aussitôt les chevaux s'agitèrent de nouveau dans les écuries, et je me mis à courir vers la grange. Des sons qui n'avaient rien de chevalin montaient de la petite construction. L'unique fenêtre projetait une lueur diffuse sur le sol. Longeant le mur de la grange, je me rapprochai de cet objectif.

Les sons se firent plus définis, plus identifiables.

Des sons humains.

Un duo humain.

Une voix qui parlait, l'autre qui fredonnait. Non : qui gémissait.

J'avais atteint le mur de façade de la petite bâtisse. Je me pressai contre le bois brut mais ne pus discerner les mots prononcés.

La première voix était autoritaire, irritée.

Elle donnait des ordres.

La seconde résistait.

Je perçus alors un son singulier, rappelant le bourdonnement d'un transformateur électrique.

Les gémissements redoublèrent. Gagnèrent en ampleur.

Quelqu'un résistait, et le payait par la douleur.

J'atteignis la fenêtre, m'accroupis sous elle jusqu'à en avoir les genoux douloureux, puis me relevai très lentement pour jeter un œil à l'intérieur.

Un rideau rendait tout opaque. Je ne pus discerner que des mouvements indéfinis, le jeu diffus de lumière et d'ombre dans l'espace.

Les gémissements de souffrance n'avaient pas cessé.

Je revins jusqu'à la porte et posai la main sur la clenche, qui était rouillée et branlante Je la pris à deux mains pour minimiser le grincement probable, et appuyai progressivement. Puis je poussai d'un à deux centimètres.

Le cœur battant, je risquai un regard à l'intérieur. Ce que je vis accéléra encore mon rythme cardiaque.

J'ouvris complètement la porte.

La pièce était tout en longueur et assez étroite, lambrissée de fausse armoise gris cendre. Un linoléum noir recouvrait le sol. Deux lampes bon marché placées aux extrémités de la pièce donnaient un éclairage cru. Un radiateur mural dispensait une chaleur sèche et désagréable.

Deux fauteuils de coiffeur à la peinture écaillée étaient rivés au centre de la pièce, distants l'un de l'autre d'un mètre environ, en position semi-inclinée.

Le premier fauteuil était vide, l'autre occupé par une femme vêtue d'une blouse d'hôpital, maintenue au siège par de larges bandes de cuir ceignant ses chevilles, ses poignets, sa taille et sa poitrine. Ses cheveux avaient été rasés par endroits, créant un damier horrible. Des électrodes étaient appliquées aux parcelles dénudées du crâne, aux bras et à l'intérieur des cuisses. Leurs fils se rejoignaient et disparaissaient dans un câble orange qui serpentait sur le sol jusqu'à un meuble en métal gris aussi haut qu'un réfrigérateur et deux fois plus large. Cadrans et compteurs étaient encastrés dans la façade de l'appareillage. Sur certains, l'aiguille oscillait.

Le coin d'un autre meuble était visible derrière la machine. Un meuble métallique bas, monté sur roulettes.

Un second câble reliait la machine à un autre appareillage disposé sur une table de métal également gris. Je vis un système déroulant pour papier et un bras mécanique portant plusieurs pointes traçantes qui inscrivaient des lignes en zigzag sur le rouleau de papier. Près de ce dispositif se trouvaient une collection de fioles pharmaceutiques opaques et un inhalateur en plastique blanc.

Un poste de télévision grand écran était positionné directement en face de la femme ligotée. L'écran était occupé par le plan fixe d'un sein de femme. L'image changea : gros plan d'un visage. Puis celui d'un pubis féminin. Retour au sein.

Un homme se tenait derrière la table, une télécommande noire dans une main, une grise dans l'autre. Il mâchait du chewing-gum. A ma vue, ses yeux où brillait le triomphe exprimèrent l'inquiétude.

La femme ligotée dans le fauteuil était Ursula Cunningham-Gabney. Ses yeux gonflés et rougis étaient exorbités par la terreur, et une étoffe bleue emplissait sa bouche, formant bâillon.

L'homme avait la soixantaine, les cheveux d'un blanc neigeux et le visage poupin. Il portait un sweat-shirt noir, un jean et des bottes de travail souillées de boue séchée. Ses yeux s'agrandirent et clignèrent plusieurs fois.

Son épouse voulut hurler mais le bâillon l'en empêchait. Elle ne réussit qu'à émettre un hoquet désespéré.

Leo Gabney ne lui accorda aucune attention.

Je me dirigeai vers lui.

Il secoua la tête en signe de dénégation et pressa un bouton sur la télécommande grise. Le bourdonnement électrique que j'avais déjà entendu s'éleva dans la pièce, aussi aigu que le cri d'agonie d'un oiseau qu'on mutile, et l'aiguille d'un des cadrans effectua un bond. Le corps d'Ursula s'arqua et frémit contre les bandes de cuir tout le temps que son mari gardait le doigt sur le bouton. Leo Gabney ne paraissait lui porter aucun intérêt. Il ne me quittait pas des yeux tout en reculant lentement.

L'horreur me donnait le vertige. Je me forçai à la lucidité et fis un pas vers lui.

— Stop, imbécile, ordonna la voix de basse de Gabney.

Il écrasa une autre touche de la télécommande. Le bourdonnement se mua en un hurlement suraigu et une autre aiguille parcourut la moitié d'un cadran. Une odeur de pain grillé envahit la pièce. Ursula grogna et sursauta. Ses doigts et ses orteils se crispèrent spasmodiquement. Son torse se décolla complètement du dossier, et seules les lanières de cuir l'empêchèrent de jaillir du siège. Sur son cou les veines saillirent, sa bouche béa et le bâillon fut éjecté par un cri silencieux. Son corps devint aussi rigide que du bois et sa peau prit une lividité horrible. Seules les lèvres gardaient une teinte bleuâtre maladive.

Je combattis la nausée et la panique qui montaient en moi. Gabney avait encore reculé, et il était maintenant à demi caché par le gros meuble gris. Son doigt restait crispé sur la télécommande grise.

Je fis deux pas vers le fauteuil de coiffeur.

Gabney relâcha la télécommande le temps de dire :

— Allez-y. La chair humaine est un excellent conducteur. J'augmenterai le voltage et je vous grillerai tous les deux.

Je me figeai aussitôt. Ursula s'était affaissée sur le fauteuil. Une respiration sifflante émanait de sa bouche mollement entrouverte. Elle tourna la tête d'un côté, puis de l'autre, et le mouvement projeta des gouttes de sueur dans l'air. Sa poitrine se soulevait sur un rythme effréné, et elle se mit à haleter entre ses lèvres tuméfiées. Ses jambes se détendirent en dernier, s'écartant un peu. Je remarquai alors que les électrodes à l'intérieur des cuisses étaient reliées à une sorte de serviette hygiénique.

Je détournai la tête et cherchai Gabney du regard.

Derrière le meuble métallique, sa voix s'adressa à moi :

— Asseyez-vous... Plus loin... Non, plus loin encore. C'est bien. Et gardez vos mains bien visibles. Parfait.

Il apparut, plus pâle qu'auparavant, et s'appuya du coude sur l'angle du meuble métallique. Son regard glissa vivement vers l'écran et le sein géant.

— Équipement impressionnant, dis-je en me demandant s'il avait un complice. C'est beaucoup de travail pour un seul homme...

— Pas de cette condescendance, petite merde insolente. Tout est maîtrisable si les variables sont contrôlées. Et n'essayez pas de bondir sur moi, ou je mets la dose maxima de stimuli aversifs.

— J'ai compris, assurai-je.

Ses doigts pianotèrent les boutons de la télécommande grise, mais sans appuyer.

— Le contrôle, dis-je. Est-ce le but primordial ?

— Vous vous prétendez scientifique. Ce n'est pas *votre* but ?

Avant que je puisse répondre il eut une moue de dégoût et ajouta :

— Définir, anticiper et contrôler. Sinon, quel intérêt ?

— Comment conciliez-vous cette démarche avec vos idées sur le libre arbitre ?

Il eut un sourire de supériorité.

— Mes petites dissertations ? Comme c'est consciencieux de votre part de les avoir lues... Mais si vous étiez moitié aussi intelligent que vous vous croyez, vous auriez déjà compris qu'il y a beaucoup de libre arbitre dans tout ceci. Le libre arbitre est même le but, ou plutôt sa restauration. Un individu enchaîné par des déviances majeures de la personnalité ne peut être libre.

Ursula grogna.

Le son lui fit froncer les sourcils.

— Où est Gina ? demandai-je.

Il ignora la question et garda le silence pendant ce qui me parut une éternité. Il contemplait le sol d'un regard pensif.

Enfin il tira le meuble bas sur roulettes jusqu'à ce qu'il soit à demi visible derrière le meuble gris.

Un lit roulant métallique, avec les barrières latérales relevées, semblable à ceux utilisés pour les adultes impotents.

Gina Ramp était étendue derrière les barreaux, inerte, les yeux clos. Endormie, inconsciente ou... Non, je vis sa poitrine se soulever. Son crâne également avait été rasé par endroits, et des électrodes parsemaient son corps.

— Écoutez-moi très attentivement, imbécile, me dit Gabney après quelques secondes. Je vais aller lui remettre son bâillon. Mon doigt restera sur le bouton commandant le voltage. Si vous faites un geste, j'incinère votre précieuse Gina. Quinze secondes à cette puissance et c'est la mort. Et il faut bien moins de temps pour créer des dommages irréversibles au cerveau.

Il effleura le bouton et fit sursauter le corps sur le lit.

— Je ne bouge pas, affirmai-je.

Tout en me surveillant du coin de l'œil, il approcha de sa femme, ramassa le morceau d'étoffe qu'il roula en boule et inséra dans la bouche d'Ursula. Elle toussa, émit un râle étouffé, mais ne résista pas.

— Détends-toi, chérie, dit-il.

Avec la télécommande noire il éteignit la télévision, puis se campa dos à l'écran et posa sur sa femme un regard que je ne pus définir : dominateur ou méprisant, lascif ou affectueux. Cette dernière hypothèse me révulsa plus que le reste. Je me tournai vers Gina, qui restait toujours inerte.

— Ne vous occupez pas d'elle, lança Gabney. Elle va rester inconsciente encore un moment. Une petite dose pour l'assommer, elle y réagit très bien. Mais rassurez-vous, je l'ai traitée avec grand soin, selon sa constitution et son passé...

— Quelle prévenance...

— Ne m'interrompez plus, lâcha-t-il sèchement.

Il pressa un bouton et un sifflement aigu emplit la pièce ; le corps de Gina fut agité d'un spasme brutal. Aucune expression de douleur n'était visible sur ses traits, mais ses lèvres se retroussèrent sur un rictus qui tira et plissa le côté abîmé de son visage.

Le son électrique mourut, et Gabney déclara :

— Un peu plus de ce petit traitement, et toute cette jolie chirurgie esthétique n'aura servi à rien.

— Arrêtez, dis-je.

— Cessez de geindre. C'est la dernière fois que je vous avertis. Compris ?

J'acquiesçai.

L'odeur de pain grillé m'obsédait.

Gabney me contempla d'un air détaché.

— Il y a un problème, dit-il en tapotant sur la télécommande grise.

— Lequel ?

— Pourquoi diable êtes-vous venu jouer au gêneur ? Et comment avez-vous compris ?

— Une chose en amène une autre.

— Une chose en amène une autre, répéta-t-il. Merveilleuse formule... Qui a écrit votre thèse à votre place ? Ah ! juste un enchaînement dû au hasard, alors ? vous avez cherché sans savoir, en faisant confiance à la chance ?

Je regardai les appareillages sans répondre. Son visage s'assombrit.

— Ne me jugez pas. Je vous interdis de me juger. Il s'agit d'un traitement, et vous avez violé la loi de confidentialité.

Je gardai le silence.

— Avez-vous la moindre idée de ce dont je parle ?

— Reconditionnement sexuel, dis-je. Vous essayer de ré-orienter la sexualité de votre femme.

— Mais c'est profond, railla-t-il. Très brillant... Vous êtes capable de décrire ce que vous voyez. Première année de psychologie, fin du premier semestre...

Il me surveillait du regard en tapotant d'un pied sur le sol.

— Qu'ai-je omis ? demandai-je.

Il eut un rire sec.

— Ce que vous avez omis ? A peu près tout. La raison d'être, ce foutu raisonnement clinique.

— Votre raisonnement est de l'aider à redevenir normale.

— Et vous ne pensez pas que ce but est louable ?

Sans me laisser le temps de répondre il jura et affermit sa prise sur la télécommande grise. Par réflexe, je regardai le lit sur roulettes. Je me rendis compte que je transpirais abondamment. Impuissant, j'attendais le sifflement électrique et la manifestation de douleur qui suivrait inévitablement.

Gabney se détendit et sourit avec dédain.

— Conditionnement emphatique. Et si rapidement... Mon Dieu, vous avez le cœur sensible... Quel dommage pour vos patients. — Le sourire disparut, ne laissant que le mépris sur ses traits. — Mais ce que vous pensez n'a pas la moindre foutue importance.

Sans me quitter des yeux, il approcha d'Ursula. Avec la télécommande noire, il releva sa blouse, dévoilant le haut des cuisses.

— Sans défaut, fit-il.

— Si l'on oublie les bleus.

— Rien qui ne se guérisse. Parfois, l'improvisation est nécessaire.

— De l'improvisation ? répliquai-je. C'est une façon inédite de voir la torture.

Il avança vers moi et s'arrêta à un mètre cinquante. Ses

doigts effleuraient les boutons de la télécommande, déclenchant des soubresauts chez les deux femmes.

— Etes-vous stupide intentionnellement ? dit-il.

Je haussai les épaules.

— La torture implique la volonté de faire souffrir. Moi, je délivre simplement des stimuli aversifs afin d'augmenter la capacité à apprendre. Les stimuli aversifs sont très efficaces, et seul un imbécile au cœur trop tendre peut remettre en question leur utilité. Ce n'est pas plus de la torture que la vaccination ou une intervention chirurgicale de première urgence.

Malgré l'obstacle de son bâillon, Ursula émit un cri semblable à celui d'une souris prise au piège.

— En gros, vous augmentez simplement « leur capacité à apprendre », prof ?

Gabney m'étudia quelques secondes sans répondre, puis il appuya rapidement sur la télécommande grise, par deux fois, et les deux femmes se convulsèrent.

Je m'efforçai de garder une expression neutre.

— Quelque chose d'amusant ? fit-il.

— Tout ce discours sur votre traitement, et pourtant vous utilisez les chocs électriques pour exprimer votre colère. Cela ne briserait-il pas la chaîne stimulus-réponse ? Et pourquoi infliger ce traitement à Gina, si vous reconditionnez Ursula ? Gina n'est que le stimulus, je me trompe ?

— Oh ! la ferme, maugréa-t-il.

— Reconditionnement sexuel, poursuivis-je. La méthode a été tentée au début des années soixante-dix. Et discréditée.

— La méthode était primitive, méthodologiquement grossière. Pourtant on aurait pu en faire un outil intéressant si ces agitateurs des ligues homosexuelles n'avaient pas imposé leur point de vue à tout le monde... Autant pour le libre arbitre, non ?

Je haussai de nouveau les épaules.

— Je ne crois pas que vous ayez assez d'intelligence pour appréhender pleinement certaines réalités, mais elles existent : j'aime ma femme. Elle provoque ce sentiment en moi, et pour cela je lui serai toujours reconnaissant. C'est un être humain remarquable, et j'ai tout de suite senti qu'elle était exceptionnelle, dès notre première rencontre. Le feu en elle... Elle était *incandescente*, réellement. Aussi sa... déviance ne m'a-t-elle pas détourné d'elle. Au contraire, j'y ai vu un défi. Et elle a approuvé mon analyse comme mon projet de traitement. Ce que nous avons accompli ensemble était totalement consensuel.

— Vous l'avez réparée, en somme...

— Imbécile, n'en parlez pas comme d'un traitement vétérinaire. Nous avons travaillé ensemble pour résoudre son problème. Si ce n'est pas de la thérapie, je ne vois pas ce que cela peut être. Et ce qui est ressorti de notre travail pourrait profiter à des millions de femmes. Voyez-vous, le traitement en lui-même est très simple : renforcer le côté positif des réactions hétérosexuelles et infliger une punition lors de toute exposition à des stimuli homoérotiques. Mais l'application de la théorie contenait un défi d'envergure : l'adapter à la physiologie féminine. Avec un sujet mâle, la réaction aux stimuli est évidente. A l'aide d'un étui pénin plesmographique, on peut enregistrer la moindre tumescence. Les femmes sont physiquement beaucoup plus... secrètes. Notre première idée était de créer une sorte d'étui clitoridien, mais la chose s'est révélée impossible en pratique. Et c'est *elle* qui a eu l'idée du système intravaginal qu'elle porte maintenant avec tant d'élégance. Avec des analyses adaptées des sécrétions, nous sommes capables de coupler les variations bioélectriques à une excitation sexuelle perceptible. Les ramifications potentielles de cette méthode sont fantastiques. Comparés à ce que nous avons accompli, les travaux de Masters et Johnson sont dignes de l'âge des cavernes.

— Fantastique... Dommage que la méthode n'ait pas fonctionné.

— Oh ! mais *elle a fonctionné*. Pendant des années.

— Pas avec Eileen Wagner.

Il caressa la joue de sa femme puis se retourna vers moi.

— Ah, c'était une erreur. Une erreur de ma femme. Mauvaise sélection de la patiente. Wagner était pathétique. Une grosse vache au cœur trop tendre qui voulait bien faire. La psychologie et la psychiatrie en comptent des tonnes comme elle.

— Si vous aviez une si piètre opinion d'elle, pourquoi avoir accepté d'être son directeur de thèse à Harvard ?

Il rit en secouant la tête.

— Elle n'était rien du tout pour moi. J'aurais dû l'envoyer dans une école d'*infirmières*. Elle a passé un mois dans le service de ma femme. Gardes, cours et supervision clinique. Ma femme a découvert sa pathologie sexuelle et a voulu l'aider. De la même façon que *moi* j'avais *aidé* ma femme. J'ai été opposé à cette initiative dès le début, parce que je sentais que cette grosse vache n'était pas faite pour suivre notre méthode. Elle n'était pas assez motivée, pas assez volontaire. Rien que son obésité aurait suffi à la disqualifier. Elle était *pitoyable*. Mais ma femme était trop gentille. Et j'ai cédé.

— Elle a été votre premier sujet ? Après Ursula ?

— Notre première *patiente*. Malheureusement. Et comme je l'avais prédit, elle a très mal réagi. Ce qui ne met absolument pas en cause la validité de la méthode.

Il jeta un regard vif à sa femme, et je crus voir ses doigts se crisper sur la télécommande.

— Le suicide est donc une mauvaise réaction ? dis-je.

— Un suicide ? répondit-il avec un sourire presque paresseux. Allons, il faut vous mettre dans la tête une chose très simple : cette grosse vache était incapable de faire quoi que ce soit par elle-même.

Ursula émit des sons étranglés.

— Je suis désolé, chérie... Je ne te l'avais jamais dit, n'est-ce pas ?

— Harvard a cru au suicide, dis-je. Mais d'une façon ou d'une autre, l'école de médecine a découvert la nature de vos recherches et vous a demandé de partir.

Son sourire disparut.

— La grosse vache aimait noircir le papier. On a retrouvé dans le tiroir de son bureau toute une collection de lettres d'amour enflammées, tachées de larmes et jamais envoyées...

Il effleura la joue de sa femme du revers de la main, puis baisa un endroit rasé du crâne. Ursula gardait les yeux fermés. Elle ne fit aucun mouvement.

— Des lettres d'amour qui t'étaient destinées, chérie, reprit-il. Des lettres sirupeuses, incohérentes, qu'on aurait difficilement pu utiliser comme preuves. Mais j'avais des ennemis dans le département et ils ont sauté sur l'occasion. J'aurais pu me battre. Mais Harvard n'avait plus rien à m'offrir, ce n'est vraiment pas l'établissement de prestige qu'on prétend. Il était temps de bouger, c'était clair.

— La Californie, intervins-je. San Labrador. Sur la suggestion de votre femme, n'est-ce pas? Aller chercher des opportunités cliniques sur la Côte Ouest...

Des opportunités qui étaient nées de la supervision par Ursula d'Eileen Wagner. Des séances à huis clos qui s'étaient transformées en thérapie, comme c'est souvent le cas dans les supervisions.

Eileen avait parlé de son passé. De ses besoins. Des conflits qui l'avaient poussée à délaisser la pédiatrie pour s'intéresser à la psychiatrie.

Des années plus tôt elle avait raconté ses expériences à une agoraphobe très riche et très séduisante. Une princesse meurtrie enfermée dans son château, affligée d'une peur qu'elle avait fini par communiquer à sa fille, une enfant assez exceptionnelle pour demander de l'aide seule...

Une conversation vieille de onze années me revint en mémoire...

Eileen, avec ses chaussures pratiques et son chemisier à la coupe masculine, qui faisait passer son sac Gladstone d'une main à l'autre.

Elle est très belle... Très gentille, d'une façon vulnérable.

On dirait que vous en avez appris beaucoup en une seule visite rapide.

La roseur subite sur les joues d'Eileen. Si compréhensible, à présent.

Il y avait eu bien plus qu'une visite rapide.

Et bien plus que de simples consultations médicales.

Melissa avait senti quelque chose sortant de l'ordinaire, sans comprendre exactement. *C'est une amie de ma mère... Elle aime bien ma mère...*

Jacob Dutchy savait, lui aussi, et il avait tout fait pour

dépeindre l'aversion supposée de Gina envers moi comme une peur viscérale des médecins.

J'avais mis en doute cette présentation :

... Pourtant elle a rencontré le Dr Wagner.

Oui. Ça a été... une surprise. Elle ne supporte pas très bien les médecins.

Voulez-vous dire qu'elle a montré une réaction d'aversion à l'idée de rencontrer le Dr Wagner?

Disons que cela lui a été difficile.

Serait-ce plus facile si elle devait voir une thérapeute?

Non! Absolument pas! Cela n'a aucun rapport.

Gina et Eileen...

Les inclinations que chacune combattait depuis si longtemps. Ces désirs que Gina avait contrecarrés en épousant un homme physiquement contrefait qui avait joué le rôle du père. Pour son remariage, elle avait choisi un homme bisexuel, ami de longue date possédant lui aussi son secret, qui lui accordait sa compagnie, son amitié et permettait l'image d'une union heureuse.

Chambres séparées.

Eileen... Elle avait lutté contre le dégoût d'elle-même expérimenté à Sussex Knoll en abandonnant son cabinet, en quittant la ville et en sillonnant le monde comme aide médicale, pour ne plus avoir besoin de se défendre. Elle s'était vouée au sauvetage des vies, tout en menant une véritable guerre contre sa souffrance intérieure.

Après avoir perdu trop de batailles, elle avait opté pour une autre stratégie, celle-là même qu'avaient suivie avant elle tant de gens intelligents dans le trouble : l'étude de l'esprit.

Psychiatrie infantile. Parce qu'il fallait revenir aux racines.

Harvard. Parce que c'était le meilleur établissement pour apprendre.

Harvard et une amante en col bleu. Une femme électricien qui n'avait pas de temps à consacrer aux mises à nu des âmes tourmentées.

Ensuite des stages dans le service d'Ursula. Les dieux malveillants avaient dû rire de bon cœur.

Discussions à bâtons rompus.

Confessions.

Souffrance, passion, confusion... Quelqu'un avait écouté tout ce dont Sally Etheridge n'avait jamais voulu entendre parler.

Ursula avait écouté. Et elle en avait été métamorphosée.

Mais elle avait enterré le changement en jouant au médecin.

Un cauchemar comportemental devenu réalité. Les dieux malveillants s'étaient certainement tenu les côtes de rire.

Échec dans le traitement. Échec de la pire espèce.

Adieu Boston.

Il était temps de bouger.

La Californie, en quête de la princesse...

En quête de l'*idée* d'une certaine princesse. Des phobiques fortunées qu'Ursula se savait en mesure d'aider.

En jouant au médecin.

Des honoraires contre ce service. Des honoraires très conséquents.

Tout allait bien.

Jusqu'à ce que l'enfant appelle à l'aide. Une nouvelle fois...

— ... des opportunités, disait Gabney. Oui, c'est à peu près ainsi qu'elle a présenté les choses. Une décision de carrière. Personnellement, j'aurais préféré la Floride, l'air y est bien meilleur, la vie plus abordable. Mais elle a insisté pour que nous allions en Californie, et j'ai fini par céder, sans savoir ce qu'elle recherchait vraiment. C'est quand je cède que tout va mal...

Le visage soudain déformé par la rage, il se tourna vers sa femme. La fureur d'un homme privé de la possession de ce qu'il désire.

A cause d'une autre femme.

L'insulte ultime à cette faible chose dénommée Virilité.

Soudain j'eus la certitude que Joel McCloskey s'était senti pareillement bafoué, insulté. Rejeté pour une autre femme.

Une sale plaisanterie.

Une mauvaise plaisanterie, qui avait empoisonné son esprit ramolli par les drogues.

Le sentiment de rejet s'était accru, avec la haine des homosexuels...

Il avait réagi en ruinant la beauté de Gina, en annihilant cette féminité criminelle.

Mais il était trop lâche pour le faire lui-même, trop lâche aussi pour exposer ses mobiles, par peur de ce qu'on pourrait dire de lui.

Gina avait-elle jamais compris pourquoi elle avait souffert?

Gabney poussa une sorte de grognement bas de colère. Il contempla Gina, puis sa femme.

— Jamais je ne l'ai trompée, mais elle a décidé de changer les règles... Elles ont décidé toutes les deux.

— Quand avez-vous eu vos premiers soupçons?

— Peu après le début de ce traitement particulier. Rien de bien précis, juste des nuances, des variations subtiles qu'un homme la connaissant moins — ou l'aimant moins — n'aurait peut-être pas remarquées. Elle passait plus de temps avec elle qu'avec ses autres patientes. Il y avait ces séances spéciales qui n'étaient pas nécessaires d'un point de vue clinique. Et elle s'est mise à changer de sujet ou à me *résister* quand je la défiais. Elle a abandonné le ranch, alors qu'auparavant elle venait régulièrement ici, malgré ses allergies. Elle prenait des antihistaminiques pour supporter les pollens et ainsi pouvait passer des week-ends reposants avec moi. Mais tout cela a changé quand *elle* s'est introduite dans notre vie. — Il eut un sourire froid. — C'est la première fois qu'elle revient ici, depuis cette époque. Toutes ces excuses idiotes pour rester en ville, et elle qui croyait que je ne voyais rien... Je savais parfaitement bien ce qui se passait, oui. Mais je voulais des preuves irréfutables pour faire cesser ces mensonges. Alors j'ai fait modifier le système d'interphones reliant nos bureaux, et je me suis mis à écouter. Et je les ai entendues... — La colère déforma ses traits. — Je les ai entendues dresser leurs plans...

— Quels plans?

— Les plans de leur fuite... ensemble.

Il pressa sa main libre contre son visage comme pour aspirer dans sa paume la souffrance de la trahison.

Des pas de géant...

Melissa, une fois encore, qui se sentait exclue par la possessivité d'Ursula...

— Elles avaient atteint cette bassesse, oui, continua Gabney. Ma femme est allée jusqu'à accepter d'elle une œuvre d'art. Si ce n'est pas une infraction inexcusable à l'éthique médicale, je ne sais pas ce que c'est! Vous n'êtes pas d'accord?

Je ne pus qu'approuver.

— De l'argent a changé de main, aussi. Pour *elle*, l'argent ne représente rien parce que c'est une catin de richarde qui n'a jamais manqué de rien. Pour elle, les billets de cent dollars pourraient aussi bien être des feuilles de papier toilette. Mais ça ne pouvait que corrompre ma femme : elle vient d'une famille pauvre, voyez-vous. Malgré tout ce qu'elle a accompli, les jolies choses l'impressionnent toujours. Dans ce domaine, elle se conduit toujours comme une enfant. Et cette catin l'a bien compris...

De l'index, il désigna Gina.

— Elle lui a régulièrement donné de l'argent. Des sommes énormes. Un compte bancaire secret! Elles l'appelaient « l'œuf de leur petit nid », en gloussant comme des gamines attardées. Elles gloussaient et elles complotaient pour abandonner leurs responsabilités et aller se prélasser comme des catins sur une île du Sud. Même sans une telle perversité, quel gâchis humain! Ma femme a un avenir brillant. Cette catin l'a séduite et voulait tout détruire. Alors j'ai dû intervenir. La catin aurait détruit ma femme...

Il pressa un bouton de la télécommande. Gina effectua un saut de carpe sur sa couche. Le regard fixé sur elle, Ursula poussa un long geignement

— Ta gueule, chérie, ou je grille ses synapses immédiatement, et tant pis pour le traitement...

Des larmes coulèrent sur les joues d'Ursula, mais elle resta silencieuse et immobile.

— Si cette situation te déplaît, chérie, rends-toi compte qu'elle découle de vos actions, et ne t'en prends qu'à toi-même.

Il releva enfin le doigt de la touche.

— Ah! si j'étais égoïste, je l'aurais simplement éliminée, expliqua-t-il à mon adresse. Mais je voulais donner à sa vie inutile une raison d'être. Alors j'ai décidé de... l'éduquer. En lui donnant le rôle de stimulus, comme vous l'avez si finement relevé.

— Conditionnement *in vivo*, dis-je, avec des films privés en bonus.

— La science appliquée au monde réel.

— Et vous l'avez donc enlevée.

— Non, non, elle est venue de son plein gré.

— Comme une patiente va voir son médecin.

— Exactement. Je lui ai téléphoné le matin pour l'informer d'un changement dans le programme de la journée. Au lieu d'une thérapie de groupe, elle aurait une séance individuelle avec moi. Son cher Dr Ursula était souffrante, et je la remplaçais. Je lui ai dit que nous ferions des progrès spéciaux ce jour-là, pour surprendre son cher Dr Ursula avec des résultats étonnants. Je lui ai demandé de sortir avec sa voiture de sa propriété et de venir me prendre à deux blocs de là, à une heure précise. J'ai insisté pour qu'elle prenne la Rolls Royce, en prétextant la cohérence du stimulus. En fait, bien sûr, c'était à cause des vitres teintées de la Rolls. Elle est arrivée à l'heure prévue. Je l'ai fait passer sur le siège passager et je me suis mis au volant. Elle m'a demandé où nous allions. Je n'ai pas répondu, ce qui a provoqué chez elle des signes d'anxiété. Elle n'était même pas assez forte pour supporter ce genre d'ambiguïté. Elle a répété sa question, et j'ai continué à garder le silence et à conduire. Elle est devenue nerveuse et s'est mise à respirer très vite. Prodromes évidents. Quand j'ai accéléré sur la voie rapide, elle a sombré dans une véritable crise d'angoisse. Je lui ai donc donné l'inhalateur que j'avais empli d'un soporifique puissant et je lui ai dit d'inspirer profondément pour se calmer. Ce qu'elle a fait, pour s'écrouler aussitôt, ce qui était très aimable de sa part... Inconsciente, elle a fait un très agréable compagnon de route. Je suis allé jusqu'au réservoir, où ma Land Rover attendait. Je l'ai transportée dans ma voiture et j'ai poussé la Rolls dans le réservoir. C'était parfait, non ?

— Une tâche épuisante pour un homme seul...

— Vous voulez dire : épuisante pour un homme de

mon âge, n'est-ce pas? Mais je suis en excellente condition physique. Je mène une vie saine, et fort réussie sur le plan professionnel.

— La voiture n'a pas coulé, dis-je. Elle s'est coincée sur un rebord du réservoir.

Il ne répondit pas et resta immobile.

— Mauvais calcul pour quelqu'un d'aussi méticuleux que vous. Et comment êtes-vous retourné à San Labrador?

— Ah! il est capable d'un raisonnement rudimentaire... Oui, vous avez raison, j'avais de l'aide. Un employé mexicain qui travaillait pour moi au ranch. Quand nous avions plus de chevaux. Quand ma femme aimait encore monter...

Il se tourna vers Ursula:

— Tu te souviens de Cleofais, chérie?

Ursula ferma les yeux, et des larmes s'échappèrent de sous ses paupières.

— Ce Cleofais — quel nom, n'est-ce pas? — était un individu musculairement très fort. Pas beaucoup d'intelligence ni de bon sens. Ce n'était qu'une bête de trait à deux pattes, en fait. J'avais l'intention de le congédier, parce que nous ne possédons plus que quelques chevaux, et son emploi devenait du gaspillage, mais le transfert de Mrs. Ramp lui a donné une ultime occasion de se rendre utile. Il m'a déposé à Pasadena, ensuite il a conduit la Land Rover jusqu'au réservoir, et c'est lui qui y a poussé la Rolls. Mais il a donc commis une erreur d'appréciation, et la Rolls n'a pas coulé...

— Une erreur facile à commettre.

— Pas s'il avait fait un peu plus attention.

— Pourquoi ai-je le sentiment qu'il ne commettra plus jamais d'erreur?

— Pourquoi, en effet? dit-il en affichant un air d'innocence caricatural.

Ursula gémit.

— Oh! *suffit!* lui dit-il. Épargne-moi cette comédie. Tu ne l'as jamais beaucoup apprécié. Tu disais toujours que ce n'était qu'un ouvrier stupide, et tu n'arrêtais pas de me conseiller de le renvoyer. Maintenant tu es satisfaite, non?

Ursula secoua mollement la tête et s'affaissa sur son siège.

— Où avez-vous emmené Mrs. Ramp après vous être occupé de la Rolls ? demandai-je à Gabney.

— Je lui ai fait faire une très jolie promenade touristique. Par Los Angeles Crest Forest en empruntant un chemin détourné. La Highway 39 jusqu'à Mount Waterman, la Highway 2 jusqu'à Mountain High, la 138 jusqu'à Palmdale, la 14 jusqu'à Saugus, puis la 126 jusqu'à Santa Paula, et ensuite direct jusqu'à la 101 pour atteindre le ranch... Une balade très agréable.

— Rien de comparable en Floride, dis-je.

— Non, rien du tout.

— Pourquoi le réservoir ?

— C'est un endroit assez proche de la clinique mais isolé. Personne n'y va. Je le sais, je m'y suis rendu à de nombreuses reprises, pour me débarrasser des chevaux que ma femme ne voulait plus monter. L'endroit parfait.

— C'est la seule raison ?

— Quelle autre raison pourrait-il y avoir ?

— Eh bien, je suis prêt à parier que vous avez étudié les notes cliniques de votre femme et que vous saviez combien Mrs. Ramp déteste l'eau.

Il sourit.

— Je comprends que vous ayez pris la Rolls pour ses vitres teintées. Mais choisir une voiture aussi voyante n'était-il pas risqué ? Quelqu'un aurait pu la remarquer.

— Et qu'aurait-on vu ? Une Rolls, et on serait remonté à *elle*, comme il se doit. On aurait pensé qu'une femme mentalement malade avait conduit sa voiture jusqu'au réservoir et avait eu un accident ou s'était suicidée. Et c'est exactement ainsi que les choses se sont passées.

— C'est vrai, dis-je en essayant de paraître songeur.

— Toutes les éventualités avaient été considérées. Si Cleofais avait été vu, nous serions allés ailleurs. J'avais sélectionné plusieurs possibilités. La forêt est un endroit parfait pour cela. Même le risque minime d'être découvert par un garde forestier ne m'a pas inquiété. Je lui aurais expliqué que j'étais psychothérapeute et que la patiente avec qui je me trouvais avait eu une attaque d'angoisse et s'était évanouie Je lui aurais montré mes papiers pour étayer mes dires. Les *faits* auraient étayé mes dires. Et quand elle aurait repris conscience, elle-même aurait confirmé mes dires parce qu'elle ne se serait souvenue de rien d'autre. N'est-ce pas parfait ?

— En effet, dis-je, et mon acquiescement le surprit. Même en empruntant un itinéraire détourné, il vous restait largement assez de temps pour disposer d'elle, attendre l'appel de votre femme et dire qu'elle ne s'était pas présentée pour la séance de groupe. Ensuite il vous suffisait de simuler l'inquiétude, de retourner à Pasadena et de faire votre apparition à la clinique.

— Où j'ai eu l'expérience assez peu positive de vous rencontrer.

— Ce qui vous a permis de découvrir ce que je savais sur Mrs. Ramp.

— Pourquoi aurais-je pris la peine de discuter avec vous, sinon ? Et pendant un moment vous m'avez réellement inquiété, quand vous avez parlé du désir qu'elle avait de commencer une nouvelle vie. Mais je me suis très vite rendu compte que vous ne faisiez que bavasser sans savoir.

— Quand votre femme a-t-elle compris ce que vous aviez fait ?

— Hier soir. Quand elle s'est réveillée attachée à ce fauteuil...

Me remémorant la précipitation avec laquelle Ursula était partie de la clinique, je demandai :

— Que lui avez-vous dit pour la faire venir ici ?

— Je lui ai téléphoné et j'ai prétendu être malade. Des ennuis gastriques. Et je l'ai implorée de venir me soigner. En bonne épouse, elle a répondu immédiatement.

— Comment expliquerez-vous son absence à ses patientes ?

— Une mauvaise grippe. Et je remplacerai Ursula. N'espérez pas la moindre réaction de leur part.

— Deux patientes disparues du groupe, et maintenant la thérapeute... Avec le genre d'anxiété que vous devez affronter, il ne sera peut-être pas aussi aisé que vous le croyez de les rassurer.

— Deux patientes disparues ? Ah oui... — Il eut un sourire de connivence. — La belle Miss Kathleen, notre intrépide reporter féminin ? Comment avez-vous découvert cela ?

Ne sachant pas si Kathy Moriarty était vivante ou non, je préférai garder le silence.

Son sourire s'agrandit.

— Eh bien, si vous pensez que votre mutisme va vous sauver, détrompez-vous. La belle Miss Kathleen ne fera plus aucun reportage. Cette sale petite fouineuse... Quelle arrogance de se croire capable de simuler un état aussi complexe que l'agoraphobie devant moi ! Quand je l'ai démasquée, elle a essayé de m'impressionner avec des menaces et des accusations. Et... Elle a fini par s'asseoir dans ce fauteuil... — Il désigna celui où Ursula était retenue. — Elle m'a permis d'affiner ma technique.

— Où se trouve-t-elle, à présent ? demandai-je alors que je devinais la réponse.

— Elle gît froide et raide dans le sol froid et dur... Près de Cleofais. C'est sans doute la première fois qu'elle est intime avec un homme...

Je regardai Ursula. Ses yeux s'étaient écarquillés.

— Tout est donc bien, dis-je. *Parfait*.

— Ne vous moquez pas.

— Me moquer de vous n'est pas dans mes intentions. Au contraire, j'ai le plus grand respect pour votre travail. J'ai lu toutes vos publications. Paradigmes de la crainte de la douleur et de la fuite, frustration contrôlée, schémas d'apprentissage par la douleur... C'est seulement que...

Je haussai les épaules.

Il me contempla un long moment.

— Vous n'essaieriez pas de m'adoucir, par hasard ?

— Non. Et même si j'essaie, quelle importance ? Que puis-je faire contre vous ?

— Exact, dit-il en pliant et dépliant ses doigts sur la télécommande. Quinze secondes de friture, vous ne voudriez pas en être la cause... Et j'ai d'autres jouets que vous n'avez pas encore vus.

— Je n'en doute pas. Tout comme je ne doute pas que vous vous êtes convaincu de la légitimité de leur usage. Sur le plan scientifique.

— Éthique tout autant que scientifique.

— Détruire une personne pour la sauver ?

— Personne n'a été détruit.

— Et Gina?

— Elle, ce n'était pas grand-chose au départ, déjà. Voyez la vie qu'elle menait. Une catin repliée sur elle-même, égoïste, pervertie. Elle n'était utile à personne. En l'utilisant, je lui ai offert une justification à son existence.

— Je ne savais pas qu'elle avait besoin d'une justification.

— Eh bien, maintenant sachez-le, imbécile ! La vie est *transactionnelle*, ce n'est pas une chose brumeuse, une invention théologique. Le monde se meurt. Les ressources s'épuisent. Seuls ceux qui sont utiles survivront !

— Qui déterminera ceux qui sont utiles ?

— Ceux qui contrôlent les stimuli.

— Il est une possibilité que vous devriez considérer, dis-je posément. Celle que, malgré toute cette théorisation hautement intellectuelle, vous ne soyez pas conscient de vos véritables motivations.

Les coins de sa bouche remontèrent.

— Mes motivations ? Vous proposeriez-vous d'être mon analyste ?

— Pas question. Je ne serais pas assez solide pour cela.

Les commissures de ses lèvres retombèrent.

— Les femmes, continuai-je sur le même ton neutre. La façon dont elles vous ont lâché. La bataille engagée contre votre première femme pour la garde de l'enfant, la façon dont son alcoolisme a causé l'incendie où a péri votre fils. Lors de notre première rencontre vous avez mentionné une deuxième femme, avant Ursula. Je n'ai pas pu savoir exactement à quoi elle ressemblait, mais quelque chose me dit qu'elle ne valait pas grand-chose non plus.

— Une nullité. Rien là.

— Elle vit toujours ?

Il eut un bref sourire.

— Un accident malencontreux. Elle n'était pas aussi bonne nageuse qu'elle le prétendait.

— L'eau. Vous l'avez utilisée deux fois. La théorie freudienne voudrait que cela ait un rapport avec le ventre de la mère.

— La théorie freudienne est un tas de merde.

— Elle pourrait pourtant être très appropriée ici, Professeur. Peut-être que tout ceci n'a rien à voir avec la science ou l'amour ou n'importe quoi d'autre que vous prenez pour prétexte, et tout à voir avec votre haine des femmes. Vous les détestez vraiment, et vous éprouvez le besoin de les contrôler. Pour la cause première, on peut imaginer quelque chose de très négatif dans l'enfance ; négligence ou abus, peu importe. Mais je crois bien que j'aimerais *beaucoup* savoir à quoi ressemblait votre mère.

Il ouvrit la bouche, se ravisa et ses doigts s'agitèrent sur la télécommande.

Un hurlement électrique s'éleva de la machine. Une fréquence plus haute qu'auparavant...

Sa voix me parvint par-dessus les aigus de l'appareillage :

— Quinze secondes...

Je me précipitai sur lui. Il recula en jouant des pieds et des poings, me jeta au visage la télécommande noire, qui me frappa sur l'arête du nez. Les doigts de son autre main restaient crispés sur la télécommande grise. La puanteur de la chair et des cheveux brûlés envahit la pièce.

Je lui tordis les poignets, lui décochai un coup de poing dans le ventre qui le plia en deux. Mais sa prise sur la télécommande ne faiblit pas.

Je dus lui briser le poignet pour qu'il la lâche.

J'empochai le boîtier sans le quitter des yeux. Étendu sur le sol, il gémissait en se tenant le poignet de sa main valide.

Les femmes ne cessèrent de tressaillir qu'après de très longues secondes.

Je débranchai l'appareillage, arrachai des fils électriques et m'en servis pour ligoter les bras et les jambes de Gabney. Quand j'eus la certitude qu'il était hors d'état de nuire, je me tournai vers les femmes.

36

J'enfermai Gabney dans la grange, puis j'emmenai Gina et Ursula dans la maison. Là je leur mis des couvertures sur les épaules, puis je servis à Ursula un verre de jus de pomme que je trouvai dans le réfrigérateur. Produit naturel. Les autres denrées en stock l'étaient tout autant. Je remarquai des manuels de survie sur une étagère, dans la cuisine ; une carabine et un fusil à pompe accrochés au mur, au-dessus de la table ; un couteau suisse, une boîte pleine d'aiguilles hypodermiques et des doses de drogue. Le professeur s'était préparé pour un long voyage.

J'appelai le 911, puis Susan LaFamiglia. Elle surmonta son horreur remarquablement vite et récupéra toute son efficacité. Elle nota les détails cruciaux et m'assura qu'elle s'occupait du reste.

Les ambulances arrivèrent après une demi-heure, escortées de quatre véhicules de la police du comté de Santa Barbara, venues de Solvang. Pendant mon attente je découvris les carnets de Gabney, sans beaucoup forcer mon talent de détective amateur : il en avait laissé une demi-douzaine sur la table de la salle à manger. Deux pages de lecture suffirent à m'écœurer.

Je passai les deux heures suivantes à expliquer toute l'histoire à des hommes en uniforme. Susan LaFamiglia arriva en compagnie d'un jeune homme vêtu d'un costume vert olive de chez Hugo Boss et d'une cravate rétro. Elle discuta deux minutes avec la police et me sortit de leurs griffes. M. Figure-de-Mode se révéla être un des associés de Susan, mais je ne sus jamais son nom. Il prit le volant de la Seville pour la conduire à L.A. tandis que Susan me ramenait chez moi dans sa Jaguar. Elle ne me posa aucune question et je m'assoupis béatement, heureux d'être passager.

Je ratai mon rendez-vous de dix heures avec Melissa. Non par un manque de ma part : à six heures j'étais debout et j'observai les bébés koï qui frétillaient dans le bassin. A neuf heures et demie je me trouvai à Sussex Knoll. Le portail était ouvert, mais personne ne vint quand je sonnai à la porte d'entrée.

Je repérai un des fils Hernandez qui coupait le lierre sur le mur extérieur de la propriété. Je lui demandai où se trouvait Gina. Elle avait été transportée dans un hôpital de Santa Barbara, m'affirma-t-il. Et non, il ne savait pas lequel.

Je ne mis pas ses propos en doute, mais par acquit de conscience je tournai la clenche de la porte. Verrouillée.

Alors que je rebroussais chemin il me suivit d'un regard triste, ou peut-être de pitié, pour mon manque de confiance.

J'arrivais au portail quand j'aperçus la Chevrolet marron qui approchait en venant du sud. Elle roulait si lentement qu'elle paraissait faire du sur-place. Je reculai un peu et attendis, et lorsqu'elle s'engagea dans l'allée je m'avançai à la portière du conducteur, pour accueillir une Bethel Drucker qui avait l'air effrayée.

— Désolée, dit-elle, et elle passa la marche arrière.

— Non, s'il vous plaît. Il n'y a personne ici, mais j'aimerais vous parler.

— Je n'ai rien à dire.

— Alors pourquoi êtes-vous venue ici ?

— Je... Je ne sais pas.

Elle portait une robe marron, des bijoux fantaisie et un maquillage très discret. Pourtant son physique s'imposait. Mais je n'eus aucun plaisir à le voir.

— Je ne sais vraiment pas, insista-t-elle, la main toujours posée sur le levier de vitesse.

— Vous êtes venue présenter vos respects, dis-je. C'est très attentionné de votre part,

Elle me dévisagea comme si j'étais un extraterrestre. Je contournai l'avant de la voiture et m'assis à côté d'elle.

Elle voulut protester puis, avec une aisance qui trahissait une existence entière de soumission, ses traits prirent une expression résignée.

— Quoi ? dit-elle.

— Savez-vous ce qui s'est produit ?

— Oui. Noel m'a raconté.

— Où est-il ?

— Il a pris la voiture ce matin. Pour être avec eux.

J'entendis les mots qu'elle se refusait à prononcer : *comme d'habitude*.

— C'est un jeune homme très bien, dis-je. Vous avez un enfant remarquable.

Son visage se contracta.

— Il est tellement intelligent, il y a des moments où je me dis qu'il n'est pas de moi. Par chance, je me souviens de la douleur que j'ai eue pour le faire naître. A le voir, on ne le penserait pas, mais il pesait neuf livres. Ils m'ont dit qu'il serait footballeur. Personne ne pouvait deviner combien il serait intelligent.

— Va-t-il aller à Harvard ?

— Il ne me dit pas tout ce qu'il compte faire. Maintenant, si vous voulez bien m'excuser, il faut que je parte. Il faut que je nettoie là-bas.

— Au Tankard ?

— C'est le seul endroit que j'ai pour l'instant.

— Don prévoit de le rouvrir bientôt ?

— Il ne me dit pas tout, lui non plus. Je veux seulement remettre de l'ordre. Avant que la poussière ne s'accumule.

— Très bien, dis-je. Je peux vous poser encore une question ? Une question d'ordre personnel ?

Ses yeux s'emplirent de larmes.

— Juste une question, Bethel.

— Bien sûr. Quelle différence cela fera-t-il, de toute façon ? Bavarder, danser, poser pour des photos... Tout le monde a toujours obtenu ce qu'il voulait de moi.

— Je ne savais pas que vous posiez pour des photos, mentis-je.

— Oh ! oui, bien sûr... J'étais un vrai top model, grâce

à ça... — Elle caressa ses seins et partit d'un rire aigre. — Oui, j'étais très demandée, tout comme Gina. Nous faisions la paire, en ce temps-là. Avec la différence que ceux qui me reluquaient n'étaient pas des dames jalouses de ma robe.

— C'est Joel qui a pris ces photos ?

Un silence. Ses mains posées sur le volant me parurent très petites, blanches et fragiles. Une bague ornée d'un camée bon marché ornait son auriculaire droit.

— Lui. D'autres. Quelle importance ? J'ai fait beaucoup de séances photo. J'étais une vraie *star* de la photo. Même quand je suis tombée enceinte. Certains sont des malades, et ils aiment bien regarder le corps d'une femme enceinte.

— Il en faut pour tout le monde.

Elle se tourna vivement vers moi, mais quand elle parla sa voix était résignée :

— Vous vous moquez de moi.

— Non, je ne me moque pas de vous.

— Vous m'avez vue. Quand je suis partie, hier. Et maintenant vous voulez savoir pourquoi.

J'allais répondre mais elle m'intima le silence d'un geste autoritaire de la main.

— Pour vous c'est peut-être idiot, de se mettre dans un tel état pour quelqu'un comme lui, et c'est aussi ce que je me suis dit. C'était vraiment idiot. Mais j'ai l'habitude. De me conduire en idiote, je veux dire. Alors quelle différence cela fait-il ? Pour vous, c'était peut-être vraiment idiot, parce que vous pensez qu'il ne valait rien. Non, attendez, laissez-moi finir. Et c'est vrai, il ne valait rien, il n'y avait aucune bonté en lui. Il devenait fou furieux pour n'importe quoi. Il fallait qu'il fasse comme il voulait, tout le temps. La drogue y était sûrement pour quelque chose, mais c'est aussi parce que au fond il était comme ça. Méchant. Alors je peux comprendre que vous me trouviez idiote. Mais lui m'a *donné* quelque chose alors que personne ne m'a jamais *rien donné*. Pas à cette époque, en tout cas. Et puis il y a eu Don, et maintenant je pleurerais si quelque chose lui arrivait. Et je pleurerais beaucoup plus que pour... l'autre. Mais à cette époque, l'autre a été le premier à me donner quelque chose. Même si ce n'était pas ce qu'il voulait. Même s'il l'a fait parce qu'il ne pouvait pas avoir ce qu'il désirait. C'était sans importance. Vous comprenez? C'était un bien, de toute façon. Vous l'avez dit vous-même. Alors je me suis trouvé un petit coin tranquille et oui, j'ai pleuré. Et puis je me suis rappelé quelle ordure il avait été avec moi, et j'ai arrêté de pleurer. Et maintenant vous ne me verrez pas pleurer. Ça répond à votre question?

— Je ne vous juge pas, Bethel. Et je ne pense pas que votre émotion n'était pas justifiée.

— Oh! vous êtes un sacré malin, vous... Alors quelle est votre question?

— Noel sait-il qui est son père?

Un long silence.

— S'il ne le sait pas, vous allez le lui dire? rétorqua-t-elle enfin.

— Non.

— Pas même pour protéger la petite dame?

— La protéger de quoi?

— De fréquenter une mauvaise graine.

— Il n'y a rien de mauvais chez Noel.

Elle se mit à pleurer.

— Tant pis pour les bonnes résolutions du Nouvel An...

Je lui tendis un mouchoir qu'elle accepta. Elle se moucha bruyamment.

— Merci, monsieur, dit-elle. Je n'échangerais pas ma place pour celle de cette jeune fille. Non, pour rien au monde...

— Moi non plus, Bethel. Et je ne parle pas de Noel pour la protéger.

— Alors pour quelle raison?

— Appelez ça de la curiosité. Un détail que j'ai envie d'éclaircir.

— Vous êtes quelqu'un de très curieux, n'est-ce pas? Vous aimez fourrer votre nez dans les affaires des autres.

— Oubliez ça, dis-je. Et désolé d'avoir fourré mon nez là où je ne devais pas.

— Peut-être que c'est lui qui a besoin d'être protégé d'elle, non?

— Pourquoi dites-vous cela?

— Tout ça... — Par le pare-brise, elle contempla la grande demeure. — Ce genre de luxe peut vous dévorer. Noel a la tête sur les épaules, mais qui peut dire... Vous croyez vraiment que tous les deux...

— Qui peut dire ? repris-je d'un ton rassurant. Ils sont jeunes, et ils ont encore beaucoup de changements devant eux.

— Parce que, vous comprenez, tout ça ne me met pas très à l'aise. Vous pourriez penser que je voudrais absolument tout ça, mais non. Ce n'est pas réel. Ce n'est pas ainsi que les gens réels vivent. C'est mon bébé, je l'ai sorti de mon ventre, et j'ai beaucoup souffert, et je ne veux pas qu'il se fasse dévorer par tout ça...

— Je comprends ce que vous voulez dire. A propos de cet endroit. Et j'espère que Melissa s'en ira d'ici, elle aussi.

— Ah oui ? Je suppose que ça n'a pas été très drôle pour elle non plus, n'est-ce pas ?

— Non, ça n'a pas été drôle.

— Oui, j'imagine...

J'ouvris la porte du côté passager.

— Bonne chance, Bethel, et merci de m'avoir écouté.

— Non, dit-elle.

— Quoi, non ?

— Non, il ne sait pas. Et il croit que moi non plus, je ne sais pas. Je lui ai dit que c'était une aventure d'un soir, impossible de retrouver l'homme. Il le croit, vraiment. Dans le passé j'ai... fait certaines choses. Je lui ai raconté une histoire où je n'avais pas un très beau rôle, parce qu'il le fallait. Je devais faire ce que je croyais juste.

— Bien sûr, dis-je en prenant sa main. Et c'était juste. Vous en avez la preuve.

— C'est vrai.

— Bethel, quand je parlais de Noel, je pensais vraiment ce que je disais. Y compris pour ce qu'il vous doit.

Elle serra ma main, puis la lâcha.

— Vous avez l'air sincère. Je vais essayer d'y croire.

37

Milo arriva chez moi à quatre heures. Je travaillais sur ma monographie et le fis entrer dans le bureau.

— Pas mal de boue sur Douse, annonça-t-il en agitant sa mallette avant de la poser sur le bureau. Pas que ça ait beaucoup d'importance, mais...

— Mais ça pourrait, au cas où il faudrait récupérer ce qu'il a pu déjà détourner.

— Ouais, un détective privé pourra le dire. Comment va ?

— Bien.

— Vraiment ?

— Vraiment. Et toi ?

— Toujours au boulot. Maître LaFamiglia aime bien mon style.

— Voilà une femme qui a du goût.

— Tu es sûr que ça va ?

— Je vais bien. Il y a des bébés poissons dans le bassin, ils survivent et grossissent, et je suis de bonne humeur.

— Des bébés poissons ?

— Tu veux les voir ?

— Sûr.

Nous descendîmes dans le jardin japonais. Il lui fallut un temps avant de distinguer les alevins, mais quand enfin il y parvint un sourire illumina son visage.

— Ouais... Sont mignons. Comment tu les nourris ?

— Nourriture pour poissons adultes.

559

— Ils ne se font pas bouffer ?

— Certains l'ont déjà été. Les plus rapides ont survécu.

— Aha !

Il s'assit sur un rocher et exposa son visage au soleil.

— Nyquist a fait une apparition tard hier soir, dit-il. Au restaurant. Il a parlé quelques minutes avec Don, et il est parti. Ça avait tout l'air d'un adieu. Son van était empli comme pour un long voyage.

— Tu as su ça par ton gars ?

— Chaque détail. Comme pour ton départ, à la seconde près. C'est un fondu du détail. Si j'avais été plus malin, je lui aurais dit de te filer.

— Il aurait pu aider ?

Il sourit.

— Probablement pas. Il y a son arthrite et son emphysème. Mais il écrit encore foutrement bien.

Il jeta un œil à la feuille engagée dans ma machine à écrire.

— C'est quoi ?

— Mon papier sur la Hale School.

— Tout est revenu à la normale, huh ? Quand dois-tu voir Melissa ?

— Dans le cadre thérapeutique ?

— Dans le cadre, oui.

— Dès que possible, quand elle sera revenue à L.A. J'ai appelé là-bas il y a une heure. Elle ne voulait pas laisser sa mère. Le médecin à qui j'ai parlé m'a dit qu'il faudrait au moins une semaine avant que Gina puisse bouger. Ensuite elle sera sous soins intensifs.

— Bon sang, souffla-t-il. Pour sûr, Melissa aura besoin de te voir. Peut-être que tous ceux qui sont impliqués dans cette affaire auraient besoin d'une bonne thérapie.

— Je t'ai fait une vraie faveur, hein ?

— Tout à fait. Quand j'écrirai mes mémoires, je consacrerai un chapitre entier à tout ça. Maître LaFamiglia m'a proposé d'être mon agent si jamais je me décidais à rédiger mes mémoires.

— Maître LaFamiglia ferait sans doute un très bon agent.

— Douse et Anger vont passer à la moulinette, fit-il avec un sourire satisfait. Je serais presque désolé pour eux. A part ça, tu as mangé il y a longtemps ? Sinon, je serais partant pour avaler quelque chose de solide.

— J'ai pris un gros petit déjeuner, mais je serais partant pour quelque chose.

— Quoi donc ?

Je le lui expliquai.

— Bon sang, tu n'en as donc jamais assez ?

— J'ai besoin de savoir. Pour le bien de tout le monde. Si tu ne veux pas continuer, je le ferai tout seul.

— Uh-huh... Okay, vas-y, sors-moi le tout, et en détail.

Je fis comme il le désirait.

— C'est tout ? Un téléphone ? C'est tout ce que tu as ?

— Les heures concordent.

— Bon, il ne devrait pas être trop difficile de mettre la main sur les enregistrements. La question est de savoir si c'était ou non un coup de fil en service libre appel.

— De San Labrador en ville, oui. J'ai déjà vérifié.

— Doc Détective, railla-t-il. M. Le Privé.

L'endroit ne ressemblait pas à ce qu'il était en réalité. Une maison victorienne dans le quartier ouvrier de Santa Monica. Deux étages, un vaste porche avec quelques fauteuils à bascule, des murs couverts de bardeaux jaunes. De nombreuses voitures garées dans la rue, et encore plus dans l'allée. Un jardin ouvert bien mieux entretenu que celui des autres maisons alentour.

— Eh bien..., murmurai-je en désignant un des véhicules dans l'allée.

Une Cadillac Fleetwood 62 noire.

Milo gara la Porsche.

Nous en sortîmes et allâmes jusqu'à la grosse voiture. Le pare-choc avant était profondément enfoncé, et fraîchement couvert d'apprêt.

— Ouais, ça concorde, fit Milo.

Nous gravîmes les marches du porche et entrâmes. Une clochette tinta quand nous poussâmes la porte.

Le hall d'entrée était empli de plantes d'intérieur, et une odeur douceâtre planait dans l'air. Trop douce à mon goût, comme si elle n'existait que pour masquer autre chose.

Une jolie brune d'une vingtaine d'années vint à notre rencontre. Vêtue d'une blouse blanche et d'une jupe maxi rouge, c'était une Eurasienne au teint clair.

— Je peux vous aider ?

Milo lui expliqua l'objet de notre visite.

— Vous êtes de sa famille ?

— Des connaissances.

— De vieilles connaissances, repris-je. Comme Madeleine de Couer.

— Madeleine, oui..., dit-elle avec affection. Elle vient ici tous les quinze jours. Elle est si dévouée... Et c'est une excellente cuisinière, nous raffolons tous de ses cookies au beurre. Quelle heure est-il ? Six heures dix... Peut-être dort-il. Il dort beaucoup, surtout ces derniers temps.

— Son état s'aggrave ?

— Vous voulez dire physiquement, ou mentalement ?

— Physiquement, d'abord.

— Nous avons constaté une certaine détérioration, oui, mais ce n'est pas stable. Un jour il marchera sans problème, et le lendemain il ne pourra pas bouger. C'est dur de le voir ainsi, surtout quand on sait ce qu'il a. C'est un mal tellement horrible, en particulier pour quelqu'un d'aussi actif que lui. Je n'avais jamais entendu parler auparavant de ce qu'il a. J'ai dû me documenter, et il n'y a pas grand-chose dans les livres médicaux...

— Et du point de vue mental ?

Elle sourit.

— Vous savez comment il est. Mais en fait c'est très agréable de l'avoir ici. Il cuisine pour les autres, il leur raconte des histoires, il les houspille un peu quand il trouve qu'ils se laissent aller. Il lui arrive même de donner des ordres au personnel, mais on ne s'en vexe pas. Il est tellement adorable. Quand il... Quand il ne pourra plus faire tout ça, ce sera une véritable perte... — Un soupir.

— Voulez-vous que nous allions voir s'il est réveillé ?

Nous la suivîmes au second étage et passâmes devant une suite de chambres contenant deux ou trois lits d'hôpital. Des hommes et des femmes âgés y dormaient, regardaient la télévision, lisaient, se sustentaient oralement ou par intraveineuse. De jeunes personnes en vêtements de ville s'occupaient d'eux. Partout régnait un grand calme.

La chambre devant laquelle elle s'arrêta était au fond du couloir, et plus petite que les autres. Un seul lit, des caricatures de *Punch* aux murs, ainsi que le portrait à l'huile d'une jeune et belle femme au visage sans cicatrice. Dans le coin inférieur droit de la toile, je vis les initiales *A.D.*

Dans la pièce, tout était bien rangé. Une odeur de lotion capillaire luttait pour s'imposer dans le parfum doux omniprésent.

Assis sur le bord du lit, un homme était occupé à mettre des boutons de manchette à sa chemise blanche amidonnée. Il portait une cravate bleu marine et un pantalon de serge bleu, et semblait prêt à se noyer dans ses vêtements trop grands. Une paire de derbys noires brillantes était posée au pied du lit. Trois paires de chaussures identiques étaient alignées devant une commode en bois plaqué qui avait été cirée beaucoup plus qu'elle ne le méritait. Près des chaussures était rangé un déambulateur métallique à quatre pieds.

Les cheveux de l'homme, d'un blanc de neige, étaient plaqués sur le crâne, séparés par une raie à droite. Toute chair semblait avoir déserté son visage, et ses joues pendaient mollement, évoquant les bajoues d'un bouledogue. Sa peau avait la couleur des squelettes en plastique. Les boutons de manchette étaient de petits carrés d'onyx.

— De la visite pour vous, dit la jeune femme d'un ton enjoué.

L'homme réussit enfin à insérer la tige du bouton de manchette dans la boutonnière, et il leva la tête vers nous.

La surprise passa sur ses traits, aussitôt remplacée par un grand calme. Comme s'il avait expérimenté le pire scénario possible et avait survécu.

Il fournit un réel effort pour sourire à la jeune femme, et un effort plus grand encore pour parler :

— Entrez.

Sa voix était d'une extrême fragilité.

— Je peux vous apporter quelque chose, Mr. D. ? s'enquit la femme.

Il secoua la tête négativement. Un autre effort.

La jeune femme s'éclipsa, et nous pénétrâmes dans la petite chambre. Je refermai la porte derrière nous.

— Bonjour, monsieur Dutchy, dis-je.

Léger hochement de tête en réponse.

— Vous vous souvenez de moi ? Alex Delaware ? Il y a neuf ans ?

Ses paupières papillonnèrent, et il se força à prononcer un mot :

— Doc-teur.

— Et voici un de mes amis, Mr. Milo Sturgis. Monsieur Sturgis, je vous présente Mr. Jacob Dutchy, un très bon ami de Melissa et de sa mère.

— Asseyez-vous.

Un mouvement de la main pour désigner une chaise. Le seul autre meuble était une petite table en noyer, de bien meilleure qualité que la commode. Dessus en cuir, partiellement couvert par un napperon au centre duquel était soigneusement placé un service à thé. Le même agencement que celui que j'avais pu voir dans une certaine pièce grise.

— Thé ? proposa-t-il.

— Non, merci.

— Vous, dit-il à Milo en prenant beaucoup de temps pour articuler. Ressemblez. A un. Policier.

— Il l'est, dis-je. En congé. Mais il n'est pas venu de façon officielle.

— Je vois.

Dutchy croisa les mains sur ses genoux et attendit.

Soudain je regrettai notre venue, et ma gêne dut se lire sur mon visage, car très poliment il me dit :

— Ne vous. En faites. Pas. Parlez.

— Inutile de parler de tout ça, dis-je. Considérez que nous sommes ici en visite amicale.

Une ombre de sourire sur les lèvres exsangues et trop minces.

— Parlez. N'importe... — Puis : — Comment ?

— Par déduction, dis-je. Le soir où McCloskey a été écrasé, Madeleine se tenait près du lit de Melissa et elle téléphonait. Elle vous a appelé ici et vous a dit que Gina était morte. Et elle vous a demandé de vous en occuper. De reprendre votre ancien rôle.

— Non, dit-il. C'est. Faux. Pas elle...

— Je ne crois pas, fit Milo en exhibant un papier tiré de sa poche. Voici la liste des numéros appelés sur le poste personnel de Melissa cette nuit-là, avec l'heure d'appel à la minute près. Trois en une heure de temps, à destination du Pleasant Rest Hospice.

— Pas une. Preuve. Elle m'appelle. Tout. Le temps.

— Nous avons vu la voiture, dit Milo. La Cadillac enregistrée à votre nom. Le pare-choc porte des traces intéressantes. Je pense que le labo de la police pourrait en tirer beaucoup de renseignements.

Dutchy le regarda, mais sans manifester la moindre crainte. En fait il paraissait apprécier sa mise. Milo s'était plutôt bien vêtu, selon ses propres standards. Mais Dutchy ne se permit pas de prononcer un quelconque jugement.

— N'ayez aucune inquiétude, monsieur Dutchy, fit Milo. Tout ceci restera entre nous. Et même si ce n'était pas le cas, on ne vous a pas lu vos droits, donc rien de ce que vous pourrez dire ne peut être retenu contre vous.

— Madeleine. N'a rien. A voir. Avec...

— Même dans le cas contraire, cela nous importe peu. Nous essayons juste de voir clair dans tout ça.

— Elle n'a. Rien. Fait.

— Très bien, dit Milo. Vous avez tout pensé vous-même. Vous êtes un criminel complet.

Le sourire de Dutchy fut étonnamment rapide et rayonnant.

— Billy. Le Kid, oui... Qu'est-ce. Que vous. Voulez. Savoir. D'autre ?

— Quel argument avez-vous utilisé pour attirer McCloskey à l'extérieur ? demanda Milo. Son fils ?

Le sourire de Dutchy faiblit, puis disparut.

— Mal... Honnête. Mais. Seul. Moyen.

— C'est Noel ou Melissa qui l'a appelé ?

— Non. — Tremblement. — Non. Non. Je jure.

— Calmez-vous. Je vous crois.

Il fallut une minute à Dutchy pour contrôler son tremblement.

— Alors qui a téléphoné à McCloskey ? Ce n'était assurément pas vous...

— Des. Amis.

— Et que lui ont-ils dit ?

— Fils. Problèmes. Aider... — Une pause pour reprendre son souffle, puis : fibre. Paternelle.

— Comment saviez-vous qu'il mordrait à l'appât ?

— Savais. Pas. Po-ker.

— Vous l'avez bluffé avec cette histoire impliquant son fils. Ensuite vos amis l'ont écrasé.

— Non. — Il désigna lentement sa propre poitrine du doigt. — Moi.

— Vous pouvez toujours conduire ?

— Parfois.

— Uh-huh... Je suppose qu'il est inutile de vous demander pourquoi ?

Il secoua la tête avec acharnement.

— Non. Pas du. Tout.

Un silence.

Dutchy sourit, puis posa sa main à plat sur sa poitrine.

— Demandez, dit-il. Milo leva les yeux au plafond, et je pris le relais :

— Pourquoi l'avez-vous fait, monsieur Dutchy ?

Il se leva, vacilla, repoussa notre aide. Il lui fallut cinq minutes pour parvenir à une position droite. Je le sais car durant tout ce temps je surveillais la trotteuse de ma montre. Cinq minutes de plus pour atteindre le déambulateur et s'y appuyer. Son visage exprima le triomphe :

Un triomphe au-delà de l'exploit physique.

— La raison, dit-il. Mon. Travail.

38

— Ils sont tellement petits, murmura-t-elle. Ils survivront ?

— Ce sont des survivants, dis-je. Tout l'art consiste à garder les adultes assez bien nourris pour qu'ils ne croquent pas les petits.

— Comment avez-vous fait pour avoir des petits ?

— Je n'ai rien fait du tout. C'est arrivé comme ça.

— Mais vous avez dû le préparer, non ? Pour que ça arrive ?

— J'ai fourni l'eau, disons.

Elle sourit.

Nous nous trouvions au bord du bassin. L'air était immobile, et la petite cascade murmurait doucement. Ses jambes nues repliées sous sa jupe, elle faisait courir ses doigts dans l'herbe.

— J'aime cet endroit. Nous pourrions parler ici, chaque fois ?

— Bien sûr.

— Quel calme, dit-elle.

Ses doigts abandonnèrent l'herbe pour s'entrecroiser.

— Comment va-t-elle ? demandai-je.

— Ça va. Enfin, je crois. J'attends toujours que quelque chose... je ne sais pas... se produise. Qu'elle se mette à pleurer, qu'elle craque. Elle a presque l'air d'aller trop bien.

— Et ça vous inquiète ?

— D'une certaine façon, oui. Je suppose que ce qui

567

m'inquiète vraiment, c'est de ne pas savoir. Ne pas savoir ce qu'elle sait, ce qu'elle a compris dans ce qui s'est passé. Je veux dire, elle affirme s'être évanouie et avoir repris connaissance à l'hôpital, mais...

— Mais quoi?

— Peut-être qu'elle veut me protéger. Ou se protéger elle-même, en évacuant tout ça de sa mémoire. En le réprimant.

— Moi, je la crois, dis-je. Tout le temps de ma présence, elle était inconsciente. Totalement inconsciente de ce qui se passait autour d'elle.

— Oui, le Dr Levine a dit la même chose... Je l'aime bien, le Dr Levine. Il vous donne l'impression qu'il a tout le temps du monde à vous consacrer, que ce que vous avez à dire est important.

— J'en suis heureux.

— Dieu merci elle a quelqu'un de bien, dit-elle en se tournant vers moi, et ses yeux étaient embués. Je ne sais pas comment vous remercier...

— Vous l'avez déjà fait.

— Mais ça n'est pas assez... Ce que vous avez fait...

Elle ébaucha le geste de prendre ma main, mais ne l'accomplit pas. Elle contempla de nouveau le bassin.

— J'ai pris une décision, dit-elle sans quitter l'eau du regard. Une année ici, ensuite nous verrons. Un seul semestre ne serait pas suffisant. Il y a tant de choses à régler. J'ai appelé Harvard ce matin, de l'hôpital, avant l'arrivée de l'hélicoptère. Je les ai remerciés pour avoir repoussé la date limite et je leur ai expliqué ma décision. Ils ont dit qu'ils accepteraient de me prendre comme transfert si ma moyenne générale est assez haute.

— Je suis sûr qu'elle le sera.

— J'espère, si j'organise correctement mon temps. Noel est parti. Il est venu me voir hier, pour me dire au revoir.

— Comment ça s'est passé?

— Il avait l'air un peu effrayé, ce qui m'a surprise. Jamais je ne l'aurais imaginé dépassé par une situation. C'était presque... attendrissant. Sa mère l'avait accompagné, et elle avait l'air *franchement* nerveuse. Il va beaucoup lui manquer.

— Vous et Noel avez l'intention de garder le contact ?

— Nous avons décidé de nous écrire. Mais vous savez comment c'est... Nous serons dans des endroits différents, à vivre des expériences différentes... Noel a été un très bon ami.

— Oui, c'est vrai.

Un bref sourire triste.

— Qu'y a-t-il ? demandai-je.

— Je sais qu'il voudrait plus que cela. Ça me rend... Je ne sais pas... Peut-être que là-bas il rencontrera quelqu'un qui sera vraiment bien pour lui.

Elle se pencha un peu plus sur le bassin.

— Les gros se rapprochent de la surface. Je peux leur donner à manger ?

Je lui tendis la coupelle contenant les boulettes. Elle en lança une demi-douzaine loin des bébés koï et regarda les poissons adultes venir les gober à la surface.

— Allez-y, dit-elle, et restez dans ce coin-là. Mon Dieu, quelle bande de gloutons... Vous pensez qu'elle ira bien un jour ? Levine dit qu'avec le temps elle devrait être capable de vivre normalement, mais je ne sais pas...

— Qu'est-ce qui vous fait douter ?

— Peut-être est-il... optimiste.

Elle prononça le mot comme s'il s'agissait d'une maladie.

— De ce que j'ai pu voir du Dr Levine, je dirais plutôt qu'il est réaliste, dis-je.

Je me remémorai le visage de Gina entouré de bandages, l'odeur d'antiseptique, les tubes en plastique, le cliquetis lointain du métal et du verre ; une main pâle et fine qui serrait la mienne. Une tranquillité qui finissait par tendre les nerfs...

— Le fait qu'elle supporte aussi bien l'hôpital est un bon signe, Melissa, affirmai-je. Elle se rend compte qu'elle peut se trouver hors de sa maison sans craquer. Aussi bizarre que cela puisse paraître, tout cela pourrait avoir un effet thérapeutique pour elle. Ce qui ne veut pas dire qu'il n'y a pas eu traumatisme, ni que tout se fera facilement.

— Oui, je suppose, dit-elle d'une voix si basse que le bruissement de la cascade la couvrait presque. Mais il y a encore tant de choses que je ne comprends pas : pourquoi c'est arrivé ; d'où vient ce genre de méchanceté ; qu'a-t-elle fait pour mériter cela ? Je veux dire, je sais qu'il est psychopathe, mais ce qu'il a fait... — Elle frissonna, ses doigts se mirent à tricoter. — Susan dit qu'il sera enfermé à perpétuité. Uniquement à cause des corps qu'ils ont retrouvés dans le ranch. C'est bien, je suppose. Je ne pouvais pas supporter l'idée d'un procès, Mère devant affronter un autre... monstre. Et pourtant ça me semble... inadéquat. Il devrait y avoir autre chose.

— Une punition plus grande ?

— Oui, il devrait souffrir... Il faudrait que vous soyez présent aussi, n'est-ce pas ? S'il y avait un procès ?

J'acquiesçai.

— Je suppose que vous êtes content qu'il n'y en ait pas.

— C'est une expérience dont je peux me passer, en effet.

— Oui, c'est sans doute mieux. C'est juste que je ne... Ce qui peut pousser quelqu'un à...

Elle secoua la tête, leva les yeux au ciel, puis de nouveau contempla le bassin. Ses mains s'étaient crispées, les doigts avaient repris leurs mouvements spasmodiques.

— A quoi pensez-vous, Melissa ? demandai-je.

— A *elle*. Ursula. Levine m'a dit qu'elle était sortie de l'hôpital et qu'elle était retournée à Boston, dans sa famille. C'est étrange de penser qu'elle a une famille. J'avais pris l'habitude de la voir comme une entité toute-puissante, un genre de dragon féminin.

Ses mains se séparèrent. Elle les essuya sur l'herbe.

— Elle a appelé Mère hier soir. Ou c'est Mère qui lui a téléphoné. Elle était au téléphone quand je suis arrivée. Quand j'ai entendu Mère prononcer son prénom j'ai quitté la pièce et je suis descendue à la cafétéria pour boire un Coke.

— Est-ce que cela vous ennuie ? Leur discussion ?

— Je ne vois pas ce qu'elle pourrait offrir à Mère, puisqu'elle est elle-même une victime.

— Rien, peut-être.

Elle me décocha un regard aigu.

— Qu'est-ce que ça veut dire ?

— Ce n'est pas parce qu'elles ne sont plus dans les rôles de thérapeute et de patiente qu'elles doivent rompre tout contact.

— Quel intérêt ?

— L'amitié.

— L'amitié ?

— Ça semble vous déranger.

— Ce n'est pas,.. Enfin, je lui en veux toujours, à *elle*. Pour ce qui s'est passé, même si elle a souffert aussi. C'était le *médecin* de Mère, elle aurait dû la protéger... Mais ce n'est pas juste, n'est-ce pas ? Elle est une victime tout autant que Mère...

— Juste n'est pas ce qui compte le plus dans le cas présent. Vous avez ce sentiment, et il faudra faire avec.

— Il faudra faire avec beaucoup de choses.

— Vous avez beaucoup de temps,..

Elle retourna son attention vers le bassin.

— Ils sont si petits, c'est difficile de croire qu'ils pourront...

Elle prit quelques boulettes dans la coupelle et les lança une à une, observa les ronds éphémères à la surface, repoussa ses cheveux en arrière, se mordit la lèvre inférieure...

— Je suis passée au Tankard hier soir. Pour ramener à Don une partie de ses affaires qui étaient restées à la maison. Il y avait beaucoup de monde, et il était occupé avec les clients. Il ne m'a pas vue, et je n'ai pas attendu. Je lui ai laissé ses affaires dans un coin, et voilà...

Elle eut un haussement d'épaules.

— N'essayez pas de tout faire tout de suite, dis-je.

— Oui, c'est *exactement* ce que j'aimerais faire. Tout régler pour pouvoir repartir. Lui régler son compte, à *lui* — ce monstre... Ça n'est pas normal qu'il finisse le reste de ses jours dans un hôpital bien confortable. Lui et Mère sont quasiment dans la même situation, en fait. C'est absurde, non ?

— Il restera enfermé. Elle sortira. Et vivra.

— J'espère.

— Elle réussira.

— Ça n'empêche, je ne trouve pas ça juste. Il devrait y avoir quelque chose de plus... définitif. Une justice qui mette un vrai terme à tout ça. Comme ce qui est arrivé à

McCloskey. Qu'il pourrisse en Enfer. Est-ce que Milo a pu découvrir qui l'avait écrasé ? Mon offre de payer sa défense tient toujours.

— La police n'a pas pu résoudre cette énigme, et il est peu probable qu'elle y parvienne un jour.

— Bien, dit-elle. Pourquoi perdre du temps, de toute façon...

Elle lança encore quelques boulettes dans le bassin, puis essuya ses mains l'une contre l'autre, se remit à entrecroiser ses doigts. Son corps était tendu. Elle se frotta le front et poussa un long soupir.

J'attendis.

— Je vais la voir tous les jours, dit-elle. Et je n'arrête pas de me demander pourquoi elle est là, et pourquoi elle doit subir tout cela... Pourquoi quelqu'un qui n'a jamais fait de mal de toute sa vie doit-il être la victime de deux monstres dans sa seule existence ? S'il y a un Dieu, pourquoi permet-Il cela ?

— Bonne question, fis-je. Les gens se la posent avec toutes ses variantes depuis le début des temps.

Elle eut un sourire amical.

— Ce n'est pas une réponse.

— Exact.

— Je croyais que vous aviez *toutes* les réponses.

— Alors préparez-vous à une terrible désillusion, mon enfant.

Son sourire s'agrandit et se fit plus chaleureux. Elle se pencha en avant. D'une main elle retenait ses cheveux en arrière, de l'autre elle effleura la surface de l'eau.

— Vous avez vu des choses, commença-t-elle. Là-bas, dans cette... dans cet endroit. Des choses dont nous n'avons pas parlé...

— Il y a beaucoup de choses dont nous n'avons pas parlé. Chaque chose...

— Je sais, je sais : chaque chose en son temps. Je regrette simplement de ne pas savoir quand arrivera ce temps. J'aimerais pouvoir donner une date...

— C'est compréhensible.

Elle eut un rire léger.

— Et c'est reparti. Vous êtes en train de me dire que je vais bien.

— Parce que vous allez bien.
— Vraiment ?
— Absolument.
— C'est vous l'expert, après tout, admit-elle.

Achevé d'imprimer en janvier 1997
sur les presses de l'Imprimerie Bussière
à Saint-Amand (Cher)

POCKET - 12, avenue d'Italie - 75627 Paris Cedex 13
Tél. : 01-44-16-05-00

— N° d'imp. 105 —
Dépôt légal : janvier 1997.
Imprimé en France